24.95

D1130175

Нина
БЕРБЕРОВА

Нина
БЕРБЕРОВА

Железная
ЖЕНЩИНА

Рассказ о жизни
М. И. Закревской-Бенкендорф-Будберг,
о ней самой и ее друзьях

АСТ
АСТРЕЛЬ
Москва

УДК 821.161.1-312.6
ББК 84(2Рос=Рус)6-4
Б48

Художник *Андрей Рыбаков*

Издательство благодарит за предоставленные фотоматериалы
использованные в оформлении переплета издательство *Actes Sud*

Издание осуществлено при поддержке
«Санкт-Петербургского клуба»
в Москве

Берберова, Н.Н.

Б48   *Железная женщина* / Нина Берберова. — М.:
АСТ : Астрель, 2010. — 510, [2] с., ил.

ISBN 978-5-17-063906-9 (ООО «Издательство АСТ»)
ISBN 978-5-271-26170-1 (ООО «Издательство Астрель»)

«Железная женщина» — книга об одной из самых загадочных
женщин XX века, Марии Закревской-Бенкендорф-Будберг которую называли «красная Мата Хари». Ее любили, ей доверяли и по-
свящали свои сочинения Максим Горький и Герберт Уэллс. Ею был
увлечен британский дипломат и разведчик Роберт Брюс Локкарт.

Нина Берберова была знакома с этой удивительной персоной,
и ее с блеском написанный роман, полный документальных свидетельств и писем, давно стал бестселлером.

УДК 821.161.1-312.6
ББК 84(2Рос=Рус)6-4

Подписано в печать 20.12.09. Формат 84х108$^1/_{32}$.
Усл. печ. л. 40,32. Тираж 4000 экз. Заказ № 383

Общероссийский классификатор продукции
ОК-005-93, том 2; 953000 — книги, брошюры

Санитарно-эпидемиологическое заключение
№ 77.99.60.953.Д.012280.10.09 от 20.10.2009 г.

ISBN 978-5-17-063906-9 (ООО «Издательство АСТ»)
ISBN 978-5-271-26170-1 (ООО «Издательство Астрель»)

Содержание

Предисловие

— Кто она? — спрашивали меня друзья, узнав про книгу о Марии Игнатьевне Закревской-Бенкендорф-Будберг. — Мата Хари? Лу Саломе?

Да, и от той, и от другой было в ней что-то: от знаменитой авантюристки, шпионки и киногероини и от дочери русского генерала с ее притягательной силой, привлекшей к ней Ницше, Рильке и Фрейда. Но я не оцениваю, не сужу Муру, не навязываю читателю свое мнение о ней и не выношу ей приговора. Я стараюсь сказать о ней все то, что мне известно. Кругом не осталось людей, знавших ее до 1940 года, или даже до 1950-го. Последние десять лет я ждала — не будет ли что-нибудь сказано о ней. Но люди, ее современники, знавшие ее до второй войны, постепенно исчезали один за другим. Оставались те, которые знали о ней только то, что она сама о себе им говорила. Кое-кто еще помнил ее, писал о ней или говорил мне о ней, но почти всегда это были одни и те же анекдоты о ее старости: она была очень толста, очень болтлива, когда выпивала, немножко сводничала, много сплетничала и подчас напоминала старого клоуна[1].

7

Я три года прожила с ней под одной крышей и сохранила о ней свои записки (не дневник, но календарные записи и записи некоторых разговоров с ней); отношения у нас были добрые, но не близкие, и лишенные эмоциональной окраски. В то далекое время она, по многим причинам, которые будут ясны из текста, гораздо больше ценила дружбу В.Ф. Ходасевича, чем мою (я была на девять лет моложе ее).

Здесь все факты, которые я старалась спасти от забвения. Источники мои — это документы и книги от 1900 до 1975 года. Они помогли мне раскрыть тайну ее предков, подробности ее личной жизни, имена ее друзей и врагов, цепь событий, с которыми она была иногда тесно, иногда косвенно связана. Мужчины и женщины, рожденные между 1890 и 1900 годами, все были захвачены этими событиями экзистенциально и часто — трагически. Обстановка и эпоха — два главных героя моей книги. Два замужества М.И.Б., которые в ее судьбе не сыграли особой роли, были исковерканы и даже прерваны российской катастрофой. Мура принадлежала стране, эпохе, классу, и в этом классе каждый второй был истреблен. Мура боролась, шла на компромиссы и выжила.

В 1938, в 1958, в 1978 годах я знала, что напишу о ней книгу. Ее жизнь должна была быть закреплена во времени — ее молодость, ее борьба и то, как она уцелела. Свидетелей этой жизни, видимо, не осталось. Кое-где в Англии ее имя несколько раз упоминалось в мемуарах, дневниках и переписке, а также в ее некрологе в лондонской «Таймс». Все, что писалось, писалось с ее слов. Когда я стала проверять ее рассказы, я увидела, что она всю жизнь лгала о себе. «В мое время» никто не сомневался в правдивости ее слов. Но мы все были ею обмануты.

Она прожила с М. Горьким двенадцать лет, но в советском литературоведении данных о ней нет: в трех-четырех случаях, когда ее имя попадается в тексте, подстрочное примечание поясняет, что М.И. Будберг (титул баронессы не упоминается), урожденная Закревская, по первому мужу Бенкендорф, была одно время секретаршей и переводчицей Горького, — видимо, полуиностранка, которая всю жизнь жила и умерла в Лондоне. Горький посвятил ей свой четырехтомный (неоконченный, последний) роман «Жизнь Клима Самгина», но и к этому посвящению никогда не дается подстрочного примечания.

Она никогда не упоминается в связи со своим первым любовником, Робертом Брюсом Локкартом (позже сэром Робертом), которому в «Большой советской энциклопедии» отведено место, как и его «заговору» 1918 года (под буквой «л»), ни в связи с Гербертом Уэллсом, знаменитым английским писателем, чьей «невенчанной женой» она была тринадцать лет (1933—1946), после отъезда Горького в Россию и до смерти Уэллса. В воспоминаниях коменданта Кремля, Малькова, арестовавшего в сентябре 1918 года и Локкарта, и ее, она названа «некоей Мурой, его сожительницей», которую он нашел в спальне Локкарта.

У трех человек, сыгравших огромную роль в жизни М.И.Б., была различная посмертная судьба: живой, привлекательный, остроумный, отзывчивый Локкарт живет теперь целиком в своих книгах воспоминаний и дневниках. В старости он был знаменитым, с большими связями, светским человеком, но советские писатели, драматурги и историки его забросали грязью, изображая его в своих сочинениях продажным и вульгарным шпионом, корыстным дураком, империалистическим агентом, надутым и чванным[2].

Долгая жизнь Герберта Уэллса была многократно описана в биографиях и статьях, где обсуждались скрытые личные и общественно-политические проблемы, мучившие его в последние годы жизни. Но о его совместной жизни с Мурой мы не найдем подробностей, несмотря на то, что ее долголетняя близость к Уэллсу сыграла огромную роль в отношении писателя к России и в разочаровании его в Октябрьской революции, омрачившем его последние годы. Его сочинения 1930-х и 1940-х годов до сих пор в СССР не переведены, и советские критики, упоминая о них, говорят, что «они полны сатирических тенденций». Его мрачное предсмертье изображается как умиротворенное настроение великого человека, пришедшего наконец к убеждению, что компартия Великобритании «стала последней его надеждой».

Что касается Горького, то у него до сих пор нет биографии — изданное для школьников жизнеописание (123 страницы), разумеется, нельзя принимать в расчет. Его письма напечатаны в извлечениях и далеко не все, его фотографии пострадали от красного карандаша цензора[3], его взаимоотношения с современниками искажены. Три тома «Летописи жизни и творчества» полны ошибок и неувязок: имена, данные в указателе, отсутствуют в тексте, а имена из текста пропущены в указателе. Отмечены «отъезды», но не отмечены «приезды» (и наоборот); упомянуты письма полученные, но не отправленные (и наоборот). Его поездка 1920 году в Москву из Петрограда[4] вовсе не отмечена. Из некоторых источников мы знаем, что первая его жена, Екатерина Павловна Пешкова, собиралась написать воспоминания, «когда она будет менее занята» (ей было 87 лет); она, разумеется, так их и не написала. Невестка Горького, вдова его сына Максима, «написала» свои, но они были продиктованы ею, а не написаны, т. к. она не знала, как и что ей писать. На каждой странице этих «мемуаров» запутаны даты и факты: об августе 1931 года, она пишет: «В том же году Горький поехал на Конгресс в Париж», но Конгресс был в июле 1932 года, и не в Париже, а в Амстердаме, куда, впрочем, голландское правительство его не пустило[5].

В «Летописи», между прочим, находим путаницу о дне и месте знакомства Горького с Лениным: они познакомились в гостях у И.П. Ладыжникова 7 мая 1907 года (том 1, стр. 658); они познакомились в Петербурге днем, 27 ноября 1905 года в типографии «Искры» (стр. 563—565); они познакомились вечером (того же дня) в квартире Горького на Знаменской улице — и тут же приложена фотография дома, где это произошло. Все это приобретает гротескный оттенок, когда в указателе произведений Горького в конце IV тома (35 страниц) мы не находим известной статьи о Ленине (1924), позже многократно переделанной. Таковы советские историко-литературные источники.

Я сказала, что мы все были обмануты Мурой. Она лгала, но, конечно, не как обыкновенная мифоманка или полоумная дурочка. Она лгала обдуманно, умно, в высшем свете Лондона ее считали умнейшей женщиной своего времени (см. дневники Гарольда Никольсона). Но ничто не давалось ей в руки само, без усилия, благодаря слепой удаче; чтобы выжить, ей надо было быть зоркой, ловкой, смелой и с самого начала окружить себя легендой.

Она любила мужчин, не только своих трех любовников, но вообще мужчин, и не скрывала этого, хоть и понимала, что эта правда коробит и раздражает женщин и возбуждает и смущает мужчин. Она пользовалась сексом, она искала новизны и знала, где найти ее, и мужчины это знали, чувствовали это в ней и пользовались этим, влюбляясь в нее страстно и преданно. Ее увлечения не были изувечены ни нравственными соображениями, ни притворным целомудрием, ни бытовыми табу. Секс шел к ней естественно, и в сексе ей не нужно было ни учиться, ни копировать, ни притворяться. Его подделка никогда не нужна была ей, чтобы уцелеть. Она была свободна задолго до «всеобщего женского освобождения».

В ее жизни не нашлось места для прочного брака, для детей (у нее их было двое, и только потому, что — как она мне однажды сказала — «все имеют детей»), для родственных и семейных отношений; не нашлось места для уверенности в завтрашнем дне, денег в банке и мысли о бессмертии. В этом она не отличалась от своих современников в послевоенной Европе и пореволюционной России. Во многих смыслах она была впереди своего времени. Если ей что-нибудь в жизни было нужно, то только ее, ею самой созданная легенда, ее собственный миф, который она в течение всей своей жизни растила, расцвечивала, укрепляла. Мужчины, окружавшие ее, были талантливы, умны и независимы, и постепенно она стала яркой, живой, дающей им жизнь, сознательной в своих поступках и ответственной за каждое свое усилие.

Перед смертью она сожгла свои бумаги; те, что накопились после второй войны, хранились в ее лондонской квартире. Ранние (1920—1939) она в свое время собрала и отправила в Таллин, в Эстонию. Они сгорели (так она говорила) во время германского отступления и взятия Таллина Советской армией. Правда ли это? Или она лгала и об этом, когда говорила своей дочери о судьбе бумаг? Может быть. И, может быть, они когда-нибудь всплывут на поверхность в будущем[6].

Моя задача заключалась в том, чтобы быть точной и держаться фактической стороны темы; это помогло мне быть объективной, каким, вероятно, должен быть биограф. Себе самой я отвела самую маленькую роль среди действующих лиц, не столько из скромности, сколько из желания написать книгу о Муре, а не о моих отношениях с ней и чувствах к ней[7].

Я знала ее, когда мне было двадцать лет, и пишу о ней пятьдесят лет спустя. Но знала ли я ее тогда? Да, если «знать» значит видеть кого-то в течение трех лет, слышать кого-то, жить вместе. Но я не знала ее так, как знаю ее сегодня. Я столько узнала о ней, думая о ней столько лет и узнавая о ней правду, скрытую в свое время ею, правду, которую она искажала, когда ее приоткрывала едва-едва, когда говорила нам о себе, создавая и выращивая свой миф, давая нам в те годы этот миф, но не самое себя.

Но я не отказываюсь от этого ее мифа и не заслоняю миф реальностью, чтобы скрыть его. Я не отбрасываю его, я нуждаюсь в нем так же, как я нуждаюсь в самой реальности. Мне нужны оба плана, они составляют эту книгу.

Она была молодой в эпоху вдохновенную и зловещую, жила в определенном месте (которое все еще существует, но только в географическом смысле), и потому мы имеем право сказать, что ее жизнь принадлежит тому, что французы называют «малой историей».

Но оставило ли наше столетие место для «малой истории»? Не было ли все, что случилось с 1914 года, только «большой историей»?

В 1920-х и 1930-х годах два великих биографа дали законы своему и двум следующим поколениям, два больших европейских писателя упорядочили хаос в области, которую им было предназначено обновить и прославить: Литтон Стрэчи и его ученик Андре Моруа. Я называю их большими писателями и великими биографами сознательно: они повернули искусство писания о действительно живших людях и реальных событиях их частной жизни и исторического фона в новую сторону и укрепили фундамент, на котором шаталось все здание. Я предполагаю, что теперь, спустя полвека, их книги перестали читаться и законы, ими данные, постепенно потеряли свою силу. Но было бы странно, если бы этого не случилось: в западной культурной жизни за это время был такой расцвет литературы (всех видов прозы, если сказать точнее), что мы теперь все меньше обращаемся не только к старой литературе, но и к книгам начала нашего века. Но законы были даны, и я им следую здесь. Первый из них и основной: никакой выдумки, никаких украшений, порожденных воображением, только свидетельства, никогда не домыслы, выдаваемые за факты. Если было сказано: *может быть,* не могло быть сказано ни *да,* ни *нет.* Если с моей стороны есть попытка разгадать загадку, то за нею следует и признание, что разгадки нет.

За последнюю четверть века, особенно в США, биография и автобиография как жанр переживают никогда прежде в литературе невиданный расцвет. Интерес пишущих и интерес читающих к этому жанру идеально совпадают, как сто и больше лет назад совпадали они с такой же интенсивностью в требовании (или заказе) реалистического романа. Ничего загадочного в этом нет: это — реакция на современный кризис деперсонализации человека и на связанный с этим интерес его к истории. Мы узнали о себе и других слишком много и хотим увидеть изнанку мифов. Современная личность настолько отягощена усложнившейся историей и настолько обнажена, что мы с неудержимой силой и жадностью вовлечены во все большую демаскировку мифов, открывая их скрытую суть, ища идентификаций, ответов и структур. Порядок, строй, закон — основы умственной жизни человека — нам стали нужны больше всего остального. Они не могут дать нам ответы, но они могут вести нас в том направлении, где лежат ответы на вопросы, поставленные нашим временем и все продолжающей усложняться историей.

Расцвет жанра дал развиться двум друг другу противоречащим методам. Пользуясь первым, автор откровенно предупреждает читателя: я смешивал реальность с вымыслом, и так вы и должны воспринимать эту книгу. Она — не роман и не академическая работа, «я вышивал по канве фантазии, чтобы развлечь вас». Среди представителей этого метода — Трумэн Капоте, Кристофер Ишервуд, Норман Мейлер. Некоторые критики считают, что Капоте его создатель; Ишервуд признается, что учился у Мейлера — «украшать факты» и что его автобиографические книги — «все немного романы». Во втором методе все обосновано, все — документально. Иногда страницы пестрят подстрочными примечаниями, иногда они отведены в конец книги, иногда их заменяет подробная библиография. Образчик такой работы — монументальная биография Генри Джеймса, написанная Лионом Эделем. В одной из своих работ он писал: «Единственный акт воображения, дозволенный автору-биографу, это воображение формы. Биографы ответственны за факты, которые должны быть ими интерпретированы. Неинтерпретированный факт — это золото, зарытое в земле. Я решил искать истину в двух направлениях: в структуре эпизодов и в психологической интерпретации прошлого... Дать историю в форме биографического повествования, оставаясь в то же время верным всем моим документальным материалам — вот в чем я видел тонкость и занимательность моей задачи». («Жилище львов», стр. IX)[8]

Я старалась следовать методу Эделя. В конце книги мною приложены две библиографии — русская и иностранная, — эти книги (около 300) были положены в основу моей работы. Я использовала их. Но это далеко не все: при мне была моя память, сохранившая мне прошлое, все то, что когда-то было рассказано М.И.Б. мне лично, В.Ф. Ходасевичу, нам вместе, а иногда и нам всем, тем, кто дружно жил в доме Горького в те годы, в Саарове, в Мариенбаде, в Сорренто.

Я написала здесь все, что знала. Если читатель сделает мне упрек, что я написала недостаточно, то я приму этот упрек, найду его отчасти справедливым. Но я написала *все,* что я могла написать; если бы я написала больше, это было бы беззаконие. Если кто-нибудь когда-нибудь узнает о М.И.Б. больше меня, я буду счастлива, но боюсь, что этого не будет.

Диалогов в книге нет. Только слова, когда-то произнесенные в моем присутствии. Прямая речь, если она попадается, не моя уступка развлекательности, она либо была мне передана свидетелем, либо взята мною из мемуарной литературы. Но главным образом прямую речь я передавала косвенно[9].

Название книги взято от прозвища, которое еще в 1921 году было дано М.И.Б. Горьким. В этом прозвище скрыто больше, чем на первый взгляд заметит читатель: Горький всю жизнь знал сильных женщин, его несомненно тянуло к ним. Мура была и сильной, и новой, но, кроме этого, она была известна окружающим тем, что происходила от Аграфены Закревской, *медной* Венеры Пушкина. Это был второй смысл. И третий стал нарастать постепенно, как намек на «Железную маску», на таинственность, окружавшую ее. «Железная маска» — до сих пор неизвестно, кто скрывался под ней. Человек в неснимаемой железной маске на лице был привезен в 1679 году в крепость Пиньероль, во Франции, а затем в 1703 году переведен в Бастилию, где и умер. И в самом деле: Мура оказалась не той, за кого выдавала себя, до последнего дня жизни — как мы увидим — умножая ложь и умалчивая слишком о многом. В этом состояла одна из главных задач ее жизни.

Она рано очистила себе путь для легенды: никого не было вокруг, кто бы мог внести поправку в ее рассказы. Тот мир, где она жила до 1918 года, был уничтожен, и она вышла из него невредимой (может быть — не вполне). Кроме нее самой, никто ничего не мог свидетельствовать о ее прежней жизни, а настоящую было, конечно, легче уберечь: в новом мире она не имела корней, и Мура была в ней полной хозяйкой. Но что случилось с этой легендой после ее смерти? Она осталась неприкосновенной, затвердев такой, какою оказалась в последние десять лет жизни М.И.Б. Все это не значит, что Мура не знала страхов, но страхи ее были не те, прежние, которые были у наших бабушек, они тоже были новыми, как и сами судьбы внучек: страх тюрьмы, страх голода и холода, страх беспаспортности и — вероятно — страх раскрытия тайн. И радости были новые: радость свободы личной жизни, не стесненной ни моральным кодексом, ни тем, «что скажут соседи», радость выжить и уцелеть, сознание, что она живет в эпоху «пост-Гарбо в роли Маргариты Готье» и что она не была разрушена теми, кого любила.

Я хочу выразить мою благодарность следующим лицам и учреждениям за помощь в работе над этой книгой:

Архиву Герберта Гувера в Станфорде (Калифорния) в лице его сотрудников Чарлза Г. Пальма и Рональда М. Булатова.

Институту имени Кеннана (Вашингтон) в лице профессора Фредерика Старра (сейчас — вице-президента университета Тулэн).

Библиотеке Принстонского университета в лице его сотрудников О.В. Пелеха и Тэда Арнольда, а также сотрудниц библиотеки Зинаиды Бронер и Лилы Ржиха.

Библиотеке и архиву Сили Г. Мэдд, в Принстоне.

Институту имени Кеннана и клубу университета Калифорнии (Беркли), предоставившим мне возможность жить и работать на месте.

За ценные ответы на мои вопросы, возникавшие в процессе работы: сэру Исайе Берлину (Оксфорд), г. Эльдриджу Дурброу (бывшему секретарю посольства США в Москве в 1930-х годах), проф. Джоффри Бесту (Англия), АлексисуРанниту (Йельский университет), профессору Джорджу Клайну (Брин-Моур), профессору Григорию Фрейдину (Станфорд).

За чтение моей рукописи в целом и в отрывках: профессорам Кароль Аншутц (Станфорд), Ричарду Сильвестеру (Колгейт), М.Г. Баркеру (Ратгерс), Герману Ермолаеву (Принстон) и Геннадию Шмакову.

Также благодарю за переписку на машинке Барри Джордана и за тщательный просмотр текста А. Сумеркина, С. Петруниса и С. Шуйского.

Н.Б.

Примечания

[1] «Мура была любимицей [русской] императрицы и близко знала Распутина. Она выжила и стала долголетней подругой Керенского. Она стала членом нового русского двора и чуть ли не любимицей Сталина, который ей позволил уехать из Советского Союза, хотя и умолял ее остаться». (Михаил Корда, «Очарованные жизни». Стр. 120.) Или еще: «Она начала переводить в 1917 г. Критика повсюду хвалила ее переводы Чехова, Тургенева, Андре Моруа и др.». (На обложке перевода М.И.Б. «Жизнь ненужного человека» М. Горького. Doubleday, 1971). Книга Моруа о Прусте была переведена позже и вышла — посмертно — в 1975 г. Она никогда не переводила ни Чехова, ни Тургенева.

[2] Драматург Н. Погодин, лауреат Ленинской премии, сделал «заговор Локкарта» сюжетом своей пьесы «Вихри враждебные». Другая его пьеса, «Миссурийский вальс», касается США,

а в «Кремлевских курантах» одно из действующих лиц — Герберт Уэллс. В 1967 г. один из первых советских диссидентов Ю. Кротков поместил в «Новом журнале» (Нью-Йорк, № 86) свою исповедь, покаянное «Письмо мистеру Смиту». Кротков пишет: «Перед смертью, побывав в Америке и вернувшись домой, в узком семейном кругу он [Погодин] сказал, что все, что он написал об Америке [и Англии?], и все, что о ней пишут другие советские авторы, все *неправда*». (Подчеркнуто в подлиннике).

[3] М. Горький. Полное собрание сочинений в 30 томах. Москва, 1949. В томе 15, стр. 336, есть фотография Горького, снятая Максимом в Саарове, в 1923 г. Он сидит на скамейке в саду, а я — срезана.

[4] Я называю Петербург — Петербургом до 1914 г. С 1915 г. до 1924 г. — Петроградом, позже — Ленинградом. Я называю Эстонию — Эстляндией и Таллин — Ревелем до 1919 г.

[5] В Краткой Литературной Энциклопедии, 1962—1978, 9 томов, 79 редакторов, отъезд Горького из Италии в Советский Союз помечен 1931 годом. Горький уехал в мае 1933 года (том 2).

[6] Что касается лондонских бумаг, будто бы сожженных Мурой перед ее отъездом в Италию, за несколько месяцев до смерти, то имеется показание двух людей (просивших не упоминать их имен в печати), пришедших к Муре накануне ее отъезда из Лондона. Они увидели около десятка больших картонных коробок, наполненных бумагами (книг не было видно) и увязанных крепкими веревками. Коробки отсылались в Италию. Дальнейшая их судьба была трагической: дом, в котором Мура поселилась под Флоренцией, оказался слишком тесен, чтобы в нем устроить ее «рабочий кабинет», и был куплен большой автомобильный прицеп, который был установлен рядом с домом. В этом прицепе был поставлен стол и сделаны полки, и здесь Мура «работала». Освещался прицеп электричеством, которое было проведено из дома. Однажды вечером произошло короткое замыкание, и все, что хранилось в прицепе, погибло в огне. Возможно, что это несчастье ускорило смерть Муры.

[7] Из упоминаемых в этой книге лиц я лично знала большинство. Из тех, которых я знала только слегка, я назову Ф.Э. Кримера, А.Н. Тихонова, А.И. Рыкова, г-жу Соломон, Шаляпина, Баррета Кларка.

⁸ И далее, перефразируя Литтона Стрэчи: «Биография может быть аналитической, живой, человеческой, сжатой. Целое может быть выведено из его части. Человек, герой биографии, всегда двойствен, иррационален, необъясним и противоречив, а потому в подходе к нему не может не быть иронии». (Стр. 256.)

⁹ Два момента в книге требуют пояснения: первый касается ночи с Уэллсом в квартире на Кронверкском, второй — фотографий, показанных Муре Петерсом. Оба факта она рассказала сама: второй — мне, когда она поливала мне намыленную голову из кувшина в Мариенбаде, первый — Ходасевичу, когда они ехали ночью из Берлина в Шварцвальд.

НАЧА́ЛА

Прошлое было прологом.

«Буря». II, 1, 126

В 1920-х и 1930-х годах о ней было известно, что она кончила Кембриджский университет и была переводчицей шестидесяти или больше томов русской литературы на английский язык. Ее называли графиней Закревской, графиней Бенкендорф, баронессой Будберг. Считалось, что ее отец был сенатор и член Государственного совета в Петербурге, но что она сама большую часть жизни жила в Лондоне. Урожденная Закревская, она считалась правнучкой или, может быть, праправнучкой Аграфены Федоровны Закревской, жены московского губернатора, которой Пушкин и Вяземский писали стихи. В.Ф. Ходасевич так до самой смерти и считал, что «медная Венера» Пушкина была Муре сродни, а сэр Роберт Брюс Локкарт в одной из своих поздних книг называет ее русской аристократкой.

На самом деле вся эта легенда была придумана ею, вероятно, не сразу, но мало-помалу, в ее рассказах о прошлом. Она была дочерью сенатского чиновника Игнатия Платоновича Закревского, не имевшего отношения к графу А.А. Закревскому, женатому на Аграфене; первый муж Муры, Иван Александрович Бенкендорф (родившийся в конце 1880-х годов) к линии графов Бенкендорфов не принадлежал, с царским послом, внучатым племянником николаевского шефа жандармов, был в отдаленном родстве, как тогда говорили: принадлежал к боковой линии, т. е. не имел графского титула, хотя и происходил из прибалтийского дворянства. Кембриджский университет до первой войны женщин не принимал, но в городе Кембридже были в те годы две женских школы – Гиртон, открытая в 1869 году, и Ньюнхам, открытая в 1871-м. Их Мура не кончила, а пробыла в Ньюнхаме одну зиму для усовершенствования в английском языке, который был ей знаком с детства. В 1911 году родители послали ее в Англию под присмотр ее сводного брата, Платона Игнатьевича Закревского, состоявшего в это время в чине надворного советника в русском посольстве в Лондоне. Что касается шестидесяти томов переводов, то этого конечно не было и быть не могло, но цифру «тридцать шесть» она уже в 1924 году назвала одному своему близкому другу. Однако ни в 1924-м, ни в 1974 году – когда она умерла – их не было. В конце ее жизни их можно было насчитать около двадцати (за пятьдесят лет), и не все переводы были с русского.

Единственное, что было правдой, это факт ее второго замужества, давшего ей титул баронессы Будберг. С этим именем она никогда уже не расставалась (хотя в Советском Союзе он мало кому известен, там она чаще значится под фамилией Закревской-Бенкендорф; Марии Игнатьевне Закревской посвящен четырехтомный роман Горького «Жизнь Клима Самгина»). С именем Будберг она не расставалась до смерти, хотя с самим бароном Будбергом она рассталась едва ли не на следующий день после свадьбы.

Я помню, как однажды Ходасевич спросил ее, что она думает о своей бабушке, о которой Пушкин писал Вяземскому в сентябре 1828 года:

«Я пустился в свет, потому что бесприютен. Если бы не твоя медная Венера, то я бы с тоски умер. Но она утешительно смешна и мила. Я ей пишу стихи. А она произвела меня в свои сводники (к чему влекли меня и всегдашняя склонность, и нынешнее состоянье моего Благонамеренного, о коем можно сказать то же, что было сказано о его печатном тезке: ей-ей намерение благое, да исполнение плохое)».

Мура имела свойство иногда не отвечать прямо на поставленный прямо вопрос. Ее лицо — серьезное, умное и иногда красивое — вдруг делалось лукавым, сладким, кошачьим, и, с полуулыбкой и избегая ненужного ответа, она уходила в свое молчание.

Но Арсений Андреевич Закревский (1783—1865), получивший титул графа в 1830 году и не оставивший мужского потомства, был, как и жена его, героем рассказов Муры о семейном прошлом графского рода. Мура увлекательно рассказывала о своих «предках», и мы любили слушать ее. Он был сыном дворянина Тверской губернии и правнуком Андрея, сражавшегося под Смоленском в 1655 году, взятого в плен и позже пожалованного землями в Казанском уезде. Арсений начал свою карьеру в гвардии, участвовал в войнах финляндской и турецкой, в 1811 году был назначен адъютантом Барклая-де-Толли, а в 1813—1814 годах состоял при Александре I как ближайший к нему генерал-адъютант. В 1828 году он был назначен Николаем I министром внутренних дел, с оставлением в должности генерал-губернатора Финляндии, которую занимал с 1823 года. В графское достоинство он был возведен за борьбу с холерой, той самой, которая задержала Пушкина в Болдине. Но борьба была неудачна, карантины Закревского только еще больше распространяли эпидемию, и ему в 1831 году пришлось выйти в отставку. Только в 1848 году вернулся он к деятельности как генерал-губернатор Москвы. Когда его спрашивали, почему он во все вмешивается, даже в семейные дела подопечных ему москвичей, он оправдывался тем, что сам царь дал ему соответственные инструкции. Только в 1859 году Александр II уволил его с должности, и он ушел на покой.

Он был женат на Аграфене (1799—1879), которая сделала Пушкина своим «наперсником». Он посвятил ей два стихотворения, и в обоих чувствуется его восхищение ее «бурными», «мятежными» и «безумными» страстями. Одно было «Портрет»:

С своей пылающей душой,
С своими бурными страстями,
О жены севера, меж вами
Она является порой
И мимо всех условий света
Стремится до утраты сил,
Как беззаконная комета
В кругу расчисленном светил.

Другое — «Наперсник»:

Твоих признаний, жалоб нежных
Ловлю я жадно каждый крик:
Страстей безумных и мятежных
Так упоителен язык!
Но прекрати свои рассказы,
Таи, таи свои мечты:
Боюсь их пламенной заразы,
Боюсь узнать, что знала ты!

с его срезанным концом:

Счастлив, кто избран своенравно
Твоей тоскливою мечтой,
При ком любовью млеешь явно,
Чьи взоры властвуют тобой...

Она же появляется в восьмой главе «Евгения Онегина», в строфе VI под именем Нины Воронской — вышедшая замуж за генерала, Татьяна:

23

...сидела у стола
С блестящей Ниной Воронскою,
Сей Клеопатрою Невы;
И верно б согласились вы,
Что Нина мраморной красою
Затмить соседку не могла,
Хоть ослепительна была.

Ходасевич до конца жизни не знал, что эти строчки не имели никакого отношения к Муре. Он иногда читал их ей и говорил: «Искать примеров, как жить, не нужно, когда была такая бабушка». И Мура сладко потягивалась и жмурилась, и, как это ни странно сказать, играть в эти минуты в кошечку как-то шло ей, несмотря на ее мужественную, твердую и серьезную внешность.

Игнатий Платонович Закревский был совсем другой линии. Он происходил от малороссиянина Осипа Лукьяновича, чей сын, Андрей Осипович (1742—1804), был одно время директором Академии художеств. Игнатий Платонович приходился Андрею правнуком. Он был черниговский помещик и судебный деятель, печатавший статьи в юридических журналах. Эти статьи о наследственном праве, о судебной реформе в Болгарии, об учениях новой уголовно-антропологической школы и даже о равенстве в обществе он начал писать еще в Черниговской губернии. Когда семья разрослась, он перевез ее в Петербург и поступил служить в Сенат. Он умер в 1904 году, дослужившись до должности обер-прокурора Первого департамента*. У него было четверо детей.

Мура была младшей, она родилась в 1892 году. До нее был сводный брат, Платон Игнатьевич (еще от первого брака И.П. Закревского), о ком известно очень немно-

---

* В «Списках гражданским чинам первых четырех классов», за последние двадцать лет до революции, имя И.П. Закревского не значится. Напомню, что «третьего и четвертого классов» были действительные статские советники, директора гимназий и др., служившие «в средних чинах». Статские советники могли быть чиновниками пятого класса.

гое: мы встречаем его имя в списке служащих в русском посольстве в Лондоне в чине камер-юнкера, в Берлине, «состоящим при посольстве» — небольшая должность, равная помощнику секретаря. Затем были близнецы, девочки, Анна и Александра (Алла), обе впоследствии вышли замуж, первая — за Кочубея, вторая — за француза Мулэн.

Девочки учились в институте. Но я никогда не замечала в Муре типичных «институтских» привычек и свойств, которые «гимназистки» дореволюционной России так презирали: слабонервность, искреннюю или наигранную восторженность, провинциальную отрешенность от русской реальности, малограмотность в вопросах искусства и литературы, преклонение перед всеми без исключения членами семейства Романовской династии. Гимназистки, особенно либеральных гимназий, твердо знали, что приседать, вышивать, ахать и произносить французское «эр» (вместо того, чтобы читать Ибсена и Уайльда, Гумилева и Блока, Маркса и Дарвина) было делом несчастных институток, которых судьба навеки выталкивала из реальной жизни. Расти, а потом — стареть, без всякой подготовки к пониманию современных политических, социальных, научных и эстетических проблем, казалось моему поколению каким-то жалким уродством.

Но Мура не принадлежала ни к вышивающим, ни к приседающим. Она была умна, жестка, полностью сознавала свои исключительные способности, знала чувство ответственности, не женское только, но общечеловеческое, и, зная свои силы, опиралась на свое физическое здоровье, энергию и женское очарование. Она умела быть с людьми, жить с людьми, находить людей и ладить с ними. Она несомненно была одной из исключительных женщин своего времени, оказавшегося беспощадным и безжалостным и к ней, и к ее поколению вообще. Это поколение людей, родившихся между 1890 и 1900 годами, было почти полностью уничтожено войной, революцией, эмиграцией, лагерями и террором 30-х годов.

После института пришла Англия. Не Франция, куда возили мамаши своих дочек попроще: во Франции было дешевле, и французский язык казался тогда необходимостью, а английский – роскошью. И не Германия, куда уезжали русские девушки за высшим образованием, и не за парижским произношением, а за физикой, химией, медициной. В эти годы Платон был в посольстве в Лондоне, а послом там был покровительствующий ему Бенкендорф, на этот раз настоящий граф, потомок пушкинского врага. У него в доме Мура встречала, когда приезжала из Ньюнхама, европейских и английских дипломатов, служащих британского министерства иностранных дел и – среди других гостей – одного из первых англичан, до страсти увлеченных Россией. Его зовут Морис Беринг. Он берет уроки русского языка у старшего сына посла, Константина, рослого, сильного красавца; он постоянный посетитель салона графини Бенкендорф, урожденной Шуваловой, которая матерински ласкова с ним. Это – будущий переводчик русских стихов, будущий автор салонных английских комедий, друг литераторов Европы, чье собрание сочинений выдержало много изданий и состоит из ныне забытого театрального репертуара и поздних викторианских романов.

Беринг – фигура замечательная, какая могла появиться только в Англии, и только в устойчивом мире начала XX века. Его все любили, и он всех любил; он бывал всюду, и все его знали. Семейство русского посла, Александра Константиновича, он попросту обожал, и не только самого посла, гофмейстера и кавалера ордена Белого Орла, и графиню Софью, и их взрослых сыновей, Константина и Петра, но и брата посла, графа Павла Константиновича, гофмаршала и министра Двора и Уделов, того, кто позже издал свои мемуары о последних днях царя в Царском Селе и о том, как он, гофмаршал и министр, в 1917 году самолично спускал в уборную Царскосельского дворца содержимое столетних бутылок винного погреба, чтобы революционная стра-

26

жа дворца, которая вошла и заняла все входы и выходы, не перепилась.

Беринг обожал и всех домочадцев Бенкендорфа, начиная с домоправителя и повара (француза, конечно) до собак охотничьих, сторожевых и комнатных. Самым счастливым временем своей жизни он всю жизнь считал то лето в Сосновке, имении Бенкендорфов в Тамбовской губернии, куда он поехал и где он был обласкан, как ближайший друг и член семьи. Он оставил воспоминания об этом времени, о свободной, веселой райской жизни в обществе графа, его жены и сыновей. Они ходили на волка, играли в теннис, читали вслух при старинных керосиновых лампах Марка Твена по-немецки, играли в карты, катались на тройках и все вместе рисовали акварелью. Беринг научился в Сосновке есть икру и стал говорить по-русски. Бенкендорф читал с ним Пушкина и всеми любимого в этом кругу А.К. Толстого. Беринг до своей смерти в 1945 году оставался горячим другом России, и на проклятые вопросы, пришедшие в наш век из прошлого века, «кто виноват?» и «что делать?», всегда отвечал: «никто не виноват» и «нечего делать».

Дипломатическая карьера Беринга началась в Париже, в английском посольстве; затем он был переведен в Копенгаген. Здесь он встретил Бенкендорфа и его семью, а когда Бенкендорф был переведен русским послом в Лондон, Беринг стал проситься в Форин Оффис, чтобы тоже быть в Лондоне, потому что уже в это время не мог себе представить разлуки с графом, графиней и их сыновьями. Эта близость с русской семьей наложила на всю жизнь молодого английского дипломата свою печать. В Александре Константиновиче он видел олицетворение русского европейца, как тогда понималось это выражение на Западе: «Дальновидный, умный, прозорливый, он работал для дружбы Англии и России, — писал он впоследствии. — Он понимал музыку. Он любил мои стихи. Он читал Вольтера, Байрона, Шиллера в изданиях, хранившихся в библиотеке брата его деда [т. е. в библиотеке шефа жандармов Бенкендорфа]. Он был абсолютно совершенным собеседником: знал, что и как говорить людям самых разных возрастов и состояний. Он справедливо считал, что человек должен быть грансеньером, а если он им не родился, то обязан выглядеть им». Далеко не все судили о царском после в Лондоне так восторженно, однако. В 1923 году первый секретарь русского посольства К.Д. Набоков, заменивший Бенкендорфа в 1917 году (граф умер 31 декабря 1916 года), был совершенно противоположного мнения о своем патроне: в своих воспоминаниях он писал, что Бенкендорф не знал, где находится Лхасса, что русский язык его был недостаточен и что он на русских производил впечатление иностранца. Но что он «отлично понимал пружины политики» 1905—1915 годах и «умел производить впечатление подлинного мудреца». Писать (он всегда писал только по-французски) он не умел, «писал запутанно и тускло».

После пребывания в Сосновке Беринг не захотел вернуться в Англию и уехал в Манчжурию, третьим классом, чтобы приобщиться к русскому народу и посмотреть на русско-японскую войну. Он поехал вместе с Константином Александровичем, старшим сыном посла, моряком, призванным на Дальний Восток. Беринг побывал под огнем, и когда вернулся в Москву, стал военным корреспондентом лондонской газеты «Морнинг Пост». Он сумел добиться свидания со Столыпиным, а позже и с Витте. В 1906 году он переехал в Петербург, а затем жил в Турции и в 1912 году совершил путешествие вокруг света. Во время Балканской войны он был корреспондентом «Таймс», живал подолгу в Петербурге и писал свои пьесы и книги о России. Одним из последних контактов с семьей Бенкендорфов был перевод Беринга на английский язык мемуаров брата посла, Павла Константиновича; это было уже в 1930-х годах, и Беринг говорил, что не мог без слез переводить ту страницу, где было рассказано о вылитом в уборную драгоценном вине.

Заразившись русским гостеприимством и широтой, Беринг, наезжая из Петербурга в Лондон, где у него был дом, жил широкой светской жизнью, которая была приготовлена для него той обстановкой, в которой он родился и вырос. У отца его была своя яхта, своя охота, лошади его скакали на скачках; семья приглашалась в Ковент-Гарден, в королевскую ложу, и дом их был известен тем, что в нем, одном из первых, провели электричество. Дядя Беринга был комендантом Виндзорского замка (где одно время жил будущий король Эдуард VII); ребенком Морис сидел на коленях у королевы Александры (жены Эдуарда), сестры русской царицы (жены Александра III). А чем занимался старший Беринг? Он собирал старинные брегеты и раздаривал их своим друзьям. Немудрено, что, живя в Париже, Беринг-младший был своим человеком у Сары Бернар – она очень любила старинные брегеты.

Через Бенкендорфов Беринг сблизился с другими русскими семьями аристократов, живших в Европе: Шуваловыми, Волконскими, которые были близки Бенкендорфам через одну из дочерей шефа жандармов, вышедшую замуж за князя П.Г. Волконского, родственника декабриста; с будущим министром иностранных дел С.Д. Сазоновым (умершим в 1920 году в эмиграции) он познакомился в бытность свою в Риме. Барятинские, Урусовы были ему известны по Парижу и по Петербургу. Но самыми близкими Берингу людьми были, конечно, члены русского посольства в Лондоне: сыновья посла, Константин и Петр, Платон Закревский, молодой Иван Александрович Бенкендорф – дальний их родственник, прибалтийский дворянин, происходивший от того же бургомистра города Риги, Иоанна Бенкендорфа (1659–1727), что и они. В третьем поколении род этот был расщеплен на четыре различные ветви четырьмя внуками бургомистра: Христофором, Германом, Георгом и Иоанном. Иван Александрович принадлежал к четвертой ветви. Эти молодые люди только еще начинали свою дипломатическую карьеру, и назывались новым тогда термином «атташе».

Таким образом младшая сестра Закревского встретилась в доме Беринга со своим будущим мужем и, разумеется, с огромным количеством людей из лондонского высшего света, с дипломатами, писателями, финансовыми магнатами, лордами и леди и знаменитостями, среди которых был и заметивший Муру Герберт Уэллс.

Здесь же, накануне первой войны, ей был представлен молодой английский дипломат Брюс Локкарт, начинавший свою карьеру в новооткрытом английском консульстве в Москве. И с Уэллсом, и с Локкартом Мура встретилась еще несколько раз у Беринга и на вечерах у Бенкендорфов. Этот лондонский год сыграл в ее жизни важную роль: в 1911 году она вышла замуж за Ивана Александровича Бенкендорфа, который через год был назначен секретарем русского посольства в Германии. Они переехали в Берлин. Жизнь обещала стать для обоих приятной и беззаботной, и кайзер Вильгельм, которому Мура была представлена на придворном балу, показался ей даже как-то «смешнее», чем Георг V, его британский родственник: «У Вильгельма был юмор», — сказала она однажды задумчиво, вспоминая этот бал в Потсдамском дворце, где она раза два протанцевала с ним.

В Эстонии (которая тогда еще называлась Эстляндией) у Бенкендорфа были родовые земли. Он повез молодую жену в Петербург, потом в Ревель, полный родственников, титулованных и не титулованных. В Берлине его начальником был, как и в Лондоне, балтийский аристократ, престарелый русский посол, граф Н.Д. фон-дер-Остен-Сакен. Но не прошло и двух лет, как и начальству, и секретарям пришлось покинуть Берлин: в августе 1914 года семья принуждена была выехать в Россию.

Первый ребенок, мальчик, родился в 1913 году; Мура теперь была беременна вторым. В Петербурге, где жили Закревские, снята была квартира. Девочка родилась в 1915 году. Мура, пройдя ускоренные курсы сестер милосердия, начала работать в военном госпитале.

Три военных года прошли в заботах о детях; она сама кормила Павла, потом Таню и работала в госпитале, где дамы высшего круга и жены крупных чиновников считали работать своим долгом. Там она встретилась впервые с женской половиной чиновного Петербурга; она вспоминала глупых, чванных, толстых распутинок и их дочерей, бывших институток, какими были когда-то и ее подруги. Но, хотя она никогда не говорила этого, чувствовалось, что эти женщины так называемого ее круга были ей совершенно чужие.

В эти военные годы она вспоминала и Берлин, и Лондон. И эти воспоминания были дороги ей. Незадолго до ее замужества у Беринга в загородном доме был вечер, ужин был подан в саду, а поздно ночью, уже на разведенном костре, жарили яичницу, выливая яйца на сковородку из цилиндра, и один из английских дипломатов, по случаю дня своего рождения (пятьдесят лет), протанцевал русский танец с неожиданными варьяциями и затем во фраке и белом галстуке прыгнул в бассейн... В Берлине, особенно в последние месяцы, все было чопорно и напряженно, и под конец стало даже страшно, что непременно что-нибудь да случится, — и оно случилось, предчувствие не обмануло.

В эти военные годы немецкая армия стояла в четырехстах километрах от Петрограда, на реке Аа. Фронт проходил по территории Латвии (в то время Лифляндии), и войска много месяцев стояли под Ригой, пока она в августе 1917 года не была ими взята. Несмотря на это, дачники из Петрограда, вплоть до самой высадки немцев в Эстонии осенью 1917 года, продолжали ездить летом в свои поместья и на берег Финского залива, в места к западу от Нарвы, а те, которые имели земли и усадьбы вокруг Ревеля, уезжали в свои именья.

С начала войны И.А. Бенкендорф, в чине поручика, служил в военной цензуре. Когда наступил 1917 год и Февральская революция, стало ясно, что дипломатического назначения Ивану Александровичу скоро не предвидится, и летом он, Мура, двое детей и гувернантка выехали из столицы, предполагая остаться в имении у себя до поздней осени. Но осенью Иван Александрович возвраще-

Кому они нужны? Разве есть место на свете, где живется лучше, чем живется в России? Тысячу лет существовали, и другую тысячу проживем. Каких перемен вам еще надо? Мы не французы, нам революции не нужны.

Здесь звучит нота квасного патриотизма, открытой ксенофобии и скрытого мессианизма. Инородцев аристократы презирали безнаказанно, весело и открыто, маскируя этим страх перед ними и зависть к ним, намекая отнюдь не тонко, что надо глядеть остро за ними, иначе они погубят Россию: все эти япошки и китаёзы, армяшки, жиды, чухны и хохлы, негритосы и татарва, а также, при случае, колбасники, макаронники и лягушатники. Но были исключения из тех, что выходили из этого класса и сливались с интеллигенцией и с той частью буржуазии, которая со своей стороны вливалась в интеллигенцию. Они уже не называли себя князьями и графами. Где-то в паспорте у них был титул, и лакей в ресторане мог сказать им «ваше сиятельство», но ни Сергей Михайлович Волконский, театральный деятель и критик, писатель и мемуарист, ни Алексей Николаевич Толстой, ни Владимир Александрович Оболенский, член кадетской партии, ни Владимир Владимирович Барятинский, драматург, муж актрисы Яворской, не слышали, чтобы их кто-нибудь из соратников по профессии называл графами и князьями. Их называли по имени и отчеству.

Кстати, два слова о С.М. Волконском и А.Н. Толстом: первый, конечно, считался внуком декабриста, С.Г. Волконского; на самом деле он был внуком его жены, урожденной Марии Раевской (которой посвящена «Полтава») и декабриста Александра Викторовича Поджио, арестованного в декабре 1825 года в один день с кн. С.Г. Волконским и другими (всего около семидесяти пяти человек); вместе со всеми он был приговорен к каторге, сослан в Нерчинск, на рудники, и через полтора года переведен в Читу. В 1839 году они все — Волконские, Поджио и двое детей (сын и дочь) — переселились в Иркутск, где жил старший брат Поджио, Иосиф, который до этого восемь с половиной лет просидел в одиночной камере в Шлиссельбургской крепости. Там они жили вместе до 1856 года, когда были помилованы Александром II. Но и вернувшись в Россию они не расставались, и старый Поджио сначала ухаживал за больной М.Н. Раевской-Волконской, пока она не скончалась, а затем за ее мужем, его ближайшим другом в течение всей жизни, которого ему также пришлось пережить (Волконский умер в 1866 году). Поджио прожил свои последние годы у дочери, урожденной Волконской, в ее имении Воронки, Черниговской губернии, где и умер у нее на руках. Она похоронила его рядом с могилами С.Г. и М.Н. Волконских. Сын Поджио и Марии Николаевны, Михаил Сергеевич, рожденный в Чите в 1832 году, был отцом Сергея Михайловича Волконского, прожившего долгую жизнь. В эмиграции, когда ему было за семьдесят, он сотрудничал в Париже в русской газете «Последние новости», где его очень любили и называли за спиной «итальянцем».

Что касается Ал. Ник. Толстого, то он был младшим сыном жены графа Н.А. Толстого и А.А. Бострома, репетитора ее старших сыновей. За Бострома Толстая позже вышла замуж вторым браком и подписывала свои книги для детей А. Бостром. Ал. Н. Толстой родился до того, как был оформлен развод.

Эти люди были русскими интеллигентами и принадлежали к той же «касте», к которой принадлежали интеллигенты-дворяне (Милюков, Дягилев), интеллигенты-мещане (Шаляпин, Горький), дети купцов (Брюсов, Чехов), «кухаркины дети» (Сологуб), «мужики» (Есенин) и дети интеллигентов (Блок, Добужинский). Остальные же, ни по их воспитанию, ни по их образованию, ни по их образу жизни, не были не только интеллигенцией, но даже не были интеллигентными людьми: они были в России необыкновенно темными людьми!

Моему поколению казалось невероятным, что Пушкин мог дружить с графами и князьями, дорожить их мнением и бояться сплетен их жен. Он делился с ними своими замыслами, и они видимо понимали его. Нам это казалось совершенно невозможным. Образование давалось этому кругу людей, по традиции, в привилегированных учебных заведениях, большей частью военных, где программы были облегчены и где их обучали военному делу и верности трону, и дорогу они избирали либо военную, либо государственной службы. Справедливо будет сказать: интеллигент мог встретиться (и поговорить о для него интересном) с мужиком, купцом, сидельцем винной лавки, рабочим с Путиловского завода, но с директором департамента министерства внутренних дел, или с командиром гвардейского эскадрона, или с вице-губернатором в нашем столетии интеллигенту говорить было не о чем.

Английских консервативных, высоко образованных тори в России не было. Когда каким-то чудом появлялся русский тори, он становился немедленно русским интеллигентом, он переставал не только быть аристократом, но и быть тори: тори в Англии работают в рамках положенного, они традиционны и консервативны, но они действуют в реальности признанного ими государственного статус-кво, и сами являются частью этого государственного статус-кво. Они столетиями из оппозиции переходят в правительство и из правительства — в оппозицию. Русские тори, когда они чудесным образом появлялись, никогда не оставались на своих высоких позициях: раз почувствовав себя частью русской интеллигенции, они уже никогда на эти позиции не возвращались.

Из высшего класса России за последние два царствования не вышло сколько-нибудь замечательных людей ни в науке, ни в искусстве, ни в политике. Их дурной вкус в современной поэзии, живописи, музыке служил мишенью для насмешек, наивность и нищета их мысли в политике возбуждали раздражение, возмущение и презрение. Исключением был великий князь Николай Михайлович, историк и масон, и граф А. Олсуфьев, один из умнейших и образованнейших русских европейцев.

Но они были редки. Интеллигенция тянулась к парламентаризму, либерализму, радикализму, а правые, консерваторы неуклюже, слепо и бессмысленно тянулись к трону. Образованная аристократия? Мы не можем поверить, что ее никогда не существовало, но, как и образованная буржуазия, она не только не окрепла, но постепенно потеряла жизнеспособность и была раздавлена. Оба класса как будто были лишены способности расти и меняться. Темное купеческое царство Островского, с его битьем жен, поркой взрослых сыновей, все еще давало о себе знать, даже в XX веке, в глухих и не слишком глухих местах страны. А папенькины сынки, происходившие от Рюрика или иных героев русского эпоса, окончив Пажеский корпус или Императорский лицей, сбегали в Париж или на Ривьеру, и там в полной ненужности жили, пока не умирали, обзаведясь первыми автомобилями и между скачками и ресторанами заканчивая свои укороченные жизни. На Ниццских и Ментонских кладбищах — Ментона с 1880 до 1914 года была модным местом Ривьеры — стоят их могилы с золочеными русскими крестами и золочеными буквами, вдавленными в мрамор, где Я похоже на латинское R, а вместо твердого знака стоит одна и та же изящная, но совершенно бесполезная шестерка.

Когда пришел февраль 1917 года, аристократия была неорганизована, не умела конструктивно реагировать на свою собственную катастрофу и не знала, ни как защитить себя, ни как принять реальность, ни как включиться в нее. Меньше чем через год она дала себя передушить, не поняв, что собственно происходит, никогда не слыхав о различии между голодным бунтом и социальной революцией. На что, собственно, жалуется мужик? Что он, в рабстве? Его ни купить, ни продать больше не дозволено, пусть радуется! А царя трогать нельзя: он наместник Бога. У него от Бога вся полнота власти. На Западе в роковые минуты истории люди соединяются и действуют. В России (не потому ли, что компромисс обидное слово, а терпимость как-то связывается с домами терпимости?) люди разъединяются и бездействуют*.

Петроград зимой 1918 года еще не был пуст и страшен, каким стал к концу лета. Было много голодных людей, вооруженных людей и старых людей в лохмотьях. Молодые щеголяли в кожаных куртках, женщины теперь все носили платки, мужчины — фуражки и кепки, шляпы исчезли: они всегда были общепонятным российским символом барства и праздности, и, значит, теперь могли в любую минуту стать мишенью для маузера. Огромные особняки на островах и старые роскошные квартиры на левом берегу Невы были реквизированы или стояли пустыми и ждали, загаженные нечистотами, какая им выпадет судьба. И на улицах в толпе Мура не различала ни одного ей знакомого лица; в эти первые дни после известия о смерти Бенкендорфа ей казалось, что во всей столице могло быть только одно-единственное место, где ее помнят, любят, где ее утешат и обласкают: этим единственным местом было английское посольство**.

У нее не было при себе ни денег, ни драгоценностей, сестры были на юге России, брат — за границей. В ее бывшую квартиру поместился Комитет бедноты, и ей пришлось оттуда выехать. Были подруги, но их Мура не нашла, как не нашла и тех знакомых, с которыми рабо-

---

* У русских аристократов-эмигрантов было во Франции «второе поколение», которое или родилось в изгнании, или было привезено в Европу в раннем возрасте. Среди них большинство полностью приняло Францию и французскую жизнь, многие воевали в войну 1939—1945 гг., многие женились на француженках и вышли замуж за французов. Среди них были актеры, писатели, художники, ученые, блестящие люди, которые не захотели вернуться в Россию, но ездили туда, как французские туристы.

** Несмотря на то, что Мура рассказывала о своей юности в доме отца, в Петербурге, выстроенном в стиле рококо, в адресной книге С.-Петербурга адрес Закревских указан в доме графини Екатерины Леонидовны Игнатьевой, Фонтанка, дом 52, между Графским и Щербаковым переулками.

тала три года в военном госпитале, — врач был расстрелян, распутники разбежались. Она нашла сослуживца покойного мужа, В.В. Ионина, высокого, худого секретаря русского посольства в Берлине, отрастившего бороду, чтобы не быть узнанным, молодого камер-юнкера и коллежского советника, и случайно встретила на Морской Александра Александровича Мосолова, начальника канцелярии министерства Двора и Уделов, генерал-лейтенанта (позже – автора воспоминаний), одного из тех, кто ей всегда казался умнее других, а она любила умных. Где-то в Павловске жила родственница зятя, Кочубея, но Мура не помнила ее адреса. Все эти люди ничем не могли ей помочь.

В английском посольстве в Петрограде (Дворцовая набережная, дом 4) с декабря 1917 года происходили, под влиянием российских событий, большие перемены: перестройка всей внутренней структуры этого учреждения и полный поворот отношений с новыми хозяевами страны. Секретарей перетасовали, двух консулов отправили домой, в Англию; атташе сидели без дела и ждали решения своей судьбы. Россия была накануне подписания Брестского мира, и сэр Джордж Бьюкенен, посол Англии и друг министров Временного правительства, собирался после Нового года отбыть с женой и дочерью в Лондон.

Английское посольство в Петербурге с начала этого столетия держало на службе людей преимущественно молодых, но также и среднего возраста, которые работали на секретной службе, будучи по основной профессии – литераторами. Урок Крымской войны для Англии не пропал даром: тогда было замечено, что о России слишком мало было известно правительству Ее Величества королевы Виктории, и решено было значительно усилить деятельность разведки. Еще до войны в Петербурге, при Бьюкенене, перебывали в различное время и Комптон Маккензи, и Голсуорси, и Арнольд Беннетт, и Уэллс, и Честертон, чьим романом «Человек, который был Четвергом» зачитывались два поколения русских читателей. Позже был прислан из Англии Уолпол, подружившийся с К.А. Сомовым. Через Сомова и русского грека М. Ликиардопуло, переводчика Оскара Уайльда, Уолпол еще в 1914—1915 годах стал вхож в русские литературные круги, был знаком с Мережковским, Сологубом, Глазуновым, Скрябиным, хорошо знал язык и писал романы на русские темы, одно время бывшие в Англии в большой моде. С ним вместе, часто на короткие сроки, приезжал Сомерсет Моэм, молодой, но уже знаменитый ко времени первой войны, и почти бессменно проживал в Петрограде Беринг. Короткое время в столице находились также Лоуренс Аравийский и — позже — совсем юный Грэм Грин. Но сейчас никого из них там не было, и только Гарольд Вильямс, корреспондент лондонской «Таймс», женатый на русской журналистке А.В. Тырковой, человек прекрасно осведомленный в русских делах, писал свои корреспонденции, которые все труднее делалось ему отсылать в Лондон.

Поразительно было не только количество английских литераторов, работавших в разведке, но и задачи, которые им задавались. «Наши профессиональные эксперты секретной службы мобилизовались по большей части из рядов беллетристов, уже имевших некоторый успех, — писал позже Моэм. — Мне была вручена огромная сумма денег, наполовину английских, наполовину американских, — говорил он в старости своему племяннику, — я должен был помогать меньшевикам в покупке оружия и подкупать печать, чтобы держать Россию в войне... Меня послали в Петроград потому, что они считали, что я могу остановить большевистскую революцию... Я говорил им, что я не гожусь для такого дела, но они мне не верили. Мне помогло то, что я приехал в Россию писать — корреспондентом «Дейли Телеграф». Задача, мне порученная, не удалась. Мое дело было остановить революцию, на мне лежала большая ответственность. Если бы они знали меня лучше, они бы не послали меня. У меня не было опыта. Не знал, с чего мне начинать...»

А присланный в начале 1918 года специальный британский агент Роберт Брюс Локкарт получил при своем назначении поручение: «Сделать все, что возможно, чтобы помешать России заключить сепаратный мир с Германией».

Ни Моэма, ни Беринга Мура в посольстве не нашла. Ее приняли капитан Джордж Хилл и Мериэль, дочь посла, ее лондонская подруга. Она обещала зайти еще раз, и стала приходить все чаще, но адреса им не дала, да у нее и не было настоящего адреса: она ночевала у старого повара Закревских. Ей все были рады. Прошло Рождество и Новый год. И в понедельник 7 января Бьюкенены и одиннадцать человек из штата английского посольства в Петрограде тронулись в путь на север. Генерал Альфред Нокс в своих воспоминаниях пишет: «Русских провожающих не было. Только одна русская пришла на вокзал: это была г-жа Б». Возможно, что это была Мура и Нокс не назвал ее потому, что когда писались его мемуары, в 1920 году, Мура была еще в России.

Но кто был Локкарт? Он родился в 1887 году и был назван Робертом Брюсом в честь легендарного героя, шотландского короля (1306—1329), основателя династии Стюартов. Сын крупного шотландского землевладельца, он провел счастливое детство в семье, верной шотландским традициям. Несколько лет после окончания учения он колебался в выборе профессии, ездил в Германию и Париж и даже уехал на время в Малайю. В 1911 году он внезапно решил держать конкурсный экзамен в министерство иностранных дел. К удивлению своему, своих родителей и знакомых, он его выдержал. Ему предложили поехать вице-консулом в Москву, до этого в Москве не было консульства, и правительство Великобритании в последние годы пришло к заключению, что необходимо расширить связь со страной, с которой недавно было подписано тройственное (вместе с Францией) согласие. Сэр Эдвард Грей, министр иностранных дел, счел нужным открыть в Москве консульство как некий филиал английского посольства в Петербурге.

Сэр Эдвард был известен той ролью, которую он сыграл в укреплении дружеских отношений держав Согласия (России, Франции и Англии), и участием в мирной конференции 1913 года для урегулирования балканских дел. Правительство Англии, предвидя возможную войну с Германией, приняло в эти годы решение расширить и усовершенствовать действия своей секретной службы, которая в войну 1855 года была в зачаточном состоянии. Старая тактика англичан XVIII века, когда они действовали в России исключительно взятками и подкупом, сейчас считалась полностью устаревшей. Аппарата соответственного у них тогда не было никакого, и имеется свидетельство о том, что Екатерине Второй, в бытность ее принцессой, англичане регулярно преподносили всевозможные подарки. Молодая жена наследника русского престола — как выразился историк британской дипломатии — «усердно работала на нас».

Но эти времена прошли. Аппарат осведомления был с 1914 года налажен. Однако со дня Октябрьской революции большевики, как англичане начали догадываться, представляли угрозу этому аппарату. Между тем, события требовали особой бдительности: между Троцким и немецким Генеральным штабом начались мирные переговоры.

Впервые приехав в 1912 году в Россию, Локкарт вовсе не знал страны; русские, с которыми он встречался в Лондоне (в Шотландии русских никогда не видели), говорили, даже между собой, по-английски; языка русского он никогда не слыхал. Он знал романсы Чайковского, читал (и любил) «Войну и мир», слышал Шаляпина в «Борисе Годунове». Он решил принять предложение Грея после того, как Морис Беринг взял его, что называется, за пуговицу и рассказал ему о Сосновке, о петербургском свете и о Манчжурии. В январе 1912 года Локкарт уехал на свое новое место. Ему было тогда двадцать пять лет. Место казалось ему и всем, кто его знал, обещающим в будущем успешную карьеру дипломата. Но хотел ли он быть дипломатом? Этого он сам еще не знал.

Приехав тогда в Петербург, он почти тотчас же был направлен в Москву; члены английского посольства в столице, во главе с сэром Джорджем Бьюкененом, не успели внимательно присмотреться к нему. В нем самой яркой чертой была его беззаботность, его непосредственность; он был веселый, общительный и умный человек, без чопорности, с теплыми чувствами товарищества, с легким налетом легкомыслия, иронии и открытого, никому не обидного, честолюбия.

В Москве, когда он приехал, он застал гостившую там английскую парламентскую делегацию лордов и генералов, не меньше восьмидесяти человек. В должности переводчика у них состоял его старый знакомый, неизменный Беринг, который очень ему обрадовался. Локкарта через него стали приглашать в богатые дома именитого московского купечества, возить в рестораны и в «Стрельну», научили пить шампанское с подношением «чарочки» и есть ледяную икру на горячем калаче. Он ходил в кинематограф, увлекался Верой Холодной, открывал для себя Чехова, завел себе бобровую шапку и шубу с бобровым воротником и стал ездить на лихачах.

Очень скоро он обзавелся друзьями, влюбился в молодую русскую женщину, стал играть летом в теннис и зимой кататься на коньках на Патриарших прудах. Через нее он перезнакомился с актрисами и актерами Художественного театра, ужинал не раз с Алексеем Н. Толстым в «Праге» и бывал гостем в Литературно-художественном кружке. Будучи веселого нрава, он тем не менее прекрасно умел вести себя, как подобает серьезному человеку, с людьми и высокого, и низкого звания и полностью соблюдал традиционную сдержанность британского обращения с равными себе. Он полюбил ночные выезды на тройках, ночные рестораны с цыганами, балет, Художественный театр, обеды в особняках на Поварской и интимные вечеринки в тихих переулках Арбата. Все, решительно все доставляло ему такое наслаждение, что он чувствовал себя в эти годы совершенно счастливым человеком.

В первый же год своего пребывания в Москве он несколько раз встречался с приехавшим тогда в Россию Гербертом Джорджем Уэллсом, а в следующем году он познакомился и с М. Горьким. В это время Локкарт уже лично знал Станиславского, директора «Летучей мыши» Н.Ф. Балиева, городского голову Москвы Челнокова и многих других известных людей. Его всюду приглашали, угощали и ласкали; светские дамы учили его русскому языку и возили его в свои загородные дома, похожие на дворцы.

Русскому языку он выучился скорее других, он был способен к языкам; в нем находили огромное очарование молодости и здоровья. Он был выше среднего роста, блондин, чуть плотнее, может быть, чем средний британец его возраста. Но спортом занимался он серьезно, и настал день, когда он присоединился к футбольной команде при фабрике текстильщиков братьев Морозовых («Саввы Морозова сыновья»): морозовцы, с его участием, одержали победу, и команда вышла на первое место. Это доставило ему необыкновенное удовольствие.

В этом счастливом 1913 году он уехал в Англию в отпуск, и в надежде остепениться и примкнуть к своему классу людей, к которому его готовила судьба, женился там на молодой австралийке, Джейн Тернер, и привез ее с собой обратно в Москву. И действительно, он начал серьезно работать, и так успешно, что из вице-консулов вышел в генеральные консулы — это место впоследствии было закреплено за ним «до окончания войны».

Во вторую зиму жена его едва не умерла от родов, и ребенок родился мертвым. Локкарт тяжело пережил это, но рана залечилась. Началась война. Дел оказалось по горло: он уже имел у себя в консульстве небольшой штат, и пришлось переехать в более приличное помещение — казначейство в Лондоне отпустило кредиты, видя что московское консульство, ввиду войны, неожиданно приобретает довольно серьезное значение.

В природе Локкарта была способность работать лихорадочно и продуктивно довольно долгий период, после чего наступал период апатии, лени, бездействия. То же было и в области личных переживаний: он мог некоторое время жить аскетом, после чего недели на две вырывался в беспорядочный период ночных развлечений, необузданных страстей, с которыми и не пытался совладать. Эти буйные периоды обычно совпадали с любимыми им снежными и звездными морозными ночами, русским Рождеством или русской Масленицей.

В консульстве были люди секретной службы, подчиненные ему. Он регулярно посылал Бьюкенену рапорты в Петербург, а тот уже отсылал их Грею в Лондон, а потом, после 1916 года, Ллойд-Джорджу. «Я поставлял им информацию, которая, если она была верна, вероятно, представляла для них известную ценность», — говорил он впоследствии, пользуясь типично британским методом литоты. В это же время, приблизительно, он начал свою (анонимную) журналистскую деятельность: дипломатам Англии не разрешалось писать и печататься за собственной подписью в газетах (если это не были романы и стихи). Это ему нисколько не мешало. Он посылал в «Морнинг Пост» и «Манчестер Гардиан» свои корреспонденции о России, гонорары помогали ему сводить концы с концами: он любил тратить широко и всегда был в долгах. По его теории выходило, что, обедая шесть раз в неделю вне дома и знакомясь с людьми самыми разнообразными, больше добываешь информации, и в московских салонах ему нравилось, что люди были смешаны, чего в Петербурге быть не могло: там аристократы жили замкнутым кругом, чиновники водились с чиновниками и крупные банкиры с крупными банкирами. В Москве же в одной гостиной можно было встретить дочь анархиста Кропоткина и графиню Клейнмихель.

Дома у Локкарта теперь был большой порядок, но жена его, исполняя все свои обязанности жены дипломата, не была счастлива: она винила себя в смерти ребенка, в том, что не настояла на отъезде в Англию для родов, и кляла русских докторов, и прислугу не понимавшую по-английски, и неудобную тесную квартиру, и русский климат, и то, что шесть раз в неделю нужно было выезжать вечером, и даже собачка (которую обессмертил Коровин, написав ее портрет) не могла утешить ее. Во время второй беременности она выехала обратно в Англию, и на этом, как можно предположить из намеков в воспоминаниях Локкарта, закончилась его семейная жизнь.

Он теперь сознавал, что Россия ему стала чем-то привычнее и милее, чем Англия, что в Лондоне, если ему суждено будет вернуться, ему будет скучно, потому что там как-то никогда ничего не случается, а здесь, в Москве, каждый день непременно что-то происходит. Впрочем, в это время и там, и здесь, и еще во многих местах мира такая росла тревога, такие шли события, и так волновал всех фронт, что люди жили от утренних газет до вечерних.

На третий год войны он, со всем своим легкомыслием и появившейся в нем постепенно самоуверенностью, совмещавшейся с нажитым в России гедонизмом, вдруг почувствовал, что в русском воздухе появилось что-то новое, что-то глубоко тревожное и очень серьезное. Что люди чего-то ждут, и в телеграммах с фронта, и в новостях, доходящих до дипломатического корпуса из «сфер» (в Москву, конечно, с опозданием) что-то начинает слышаться зловещее, страшное, неотвратимое, и, может быть, не для одной России. В это время окрепла его дружба с теми, кто был приписан к «бюро британской пропаганды» в Петрограде и Москве. Среди корреспондентов был уже упомянутый Гарольд Вильямс, писавший для лондонской «Таймс», «великий эксперт по России и самый из всех скромный мой учитель и покровитель», — как писал о нем позже Локкарт; его лондонский знакомый, модный писатель Уолпол, с которым он сблизился в эти годы на всю жизнь. Это был теперь забытый романист, среди многочисленных книг которого есть два «русских» романа. Уолпол был молод, элегантен, красив и с энтузиазмом пошел работать санитаром на русском фронте. С первого своего появления в столице он стал близким другом художника «Мира искусств» К.А. Сомова, которому и посвятил одну из своих «русских» книг. Уже в первый год войны, когда он был в большой славе, он говорил, что никогда не уедет из России, навсегда останется здесь, что Россия выиграет войну и что он, Уолпол, никогда не оставит Петербурга. Он был вместе с Локкартом в тот вечер, когда тот был представлен Горькому — это случилось в «Летучей мыши» Балиева, где Локкарт имел свой столик.

Генеральный консул теперь правил в Москве, стараясь не упустить ни сплетен, ни серьезных донесений, касающихся политики и всего того, что вокруг политики; он аккуратно получал официальную информацию от секретарей Бьюкенена и отсылал ему свою. У него появились друзья среди крупных людей: уже упомянутый Челноков («мой лучший друг»), Николай Иванович Гучков (брат Александра, члена Думы, председателя Красного креста), актрисы и великие князья, железнодорожные магнаты; а когда он бывал в Петрограде — так называемый высший свет принимал и баловал его. Ему однажды пришлось встретиться с великим князем Михаилом Александровичем, братом царя. Теперь он не прочь бывал и похвастать своими знакомствами. О нем говорили, что он умен и забавен, мил и остроумен и всегда ровно весел, и он отвечал, что все это потому, что он живет сейчас счастливейшие годы своей жизни.

Февральская революция пришла в Петроград, и через несколько дней вся Москва была охвачена ею. Английское посольство в Петрограде, репортеры английских газет и служащие московского консульства, а с ними и сам консул, вдруг с утра до глубокой ночи стали лихорадочно делать одно и то же дело, одни — там, другие — здесь: охотиться за новостями, метаться по городу, сидеть у телеграфа, у телефона и посылать донесения Ллойд-Джорджу, пока наконец Локкарт не вырвался в Петроград самолично, не увидел Керенского, Милюкова, Савинкова, Чернова, Маклакова, кн. Львова. С ними со всеми его свел Челноков.

Летние месяцы 1917 года пролетели; между Москвой и Петроградом он проводил теперь ночи в вагонах скорых поездов, большей частью носясь между своим кабинетом в Москве и палатами посольства в Петрограде. От весны до начала осени в новую Россию приезжали многочисленные делегации союзных стран: Локкарт служил им и гидом, и переводчиком. Это были вожди британских профсоюзов, французские социалисты («самым ярым врагом большевистской партии был среди них Марсель Кашен»), по пятам за ними — члены английской рабочей партии во главе с их лидером Гендерсоном. В этом угаре появилась у него молодая подруга, случайно встреченная в театре красавица-еврейка, о которой немедленно узнали все, как это бывает в таких случаях, когда люди ловят новости и вдруг в их сеть попадает что-то постороннее, не имеющее прямого отношения к искомому, но оно оказывается тоже очень важным и интересным. Настолько интересным, что о новости этой докладывают Бьюкенену, и Бьюкенен вызывает к себе Локкарта и ведет его в посольский сад на прогулку.

Он говорит Локкарту, что молодому дипломату пора съездить на время домой: до его жены дошли слухи, что он завел себе в Москве подругу. Решение посла обсуждению не подлежит, и консул уезжает, едва успев (а может быть, и не успев) проститься с подругой. Он едет через Швецию и Норвегию, по Северному морю, минированному немцами. И только когда он ступает на английскую землю, он узнает из телеграмм о деле Корнилова.

Сначала он две недели отдыхает в Шотландии. Потом в Лондоне его рвут на части, но он обороняется от друзей и родственников, от своей бабушки, которой он немножко боится, от коллег в Форин Оффис, от русских знакомых еще прежних времен и, конечно, очень мало сидит дома с женой и маленьким сыном. Члены правительства требуют его докладов, члены парламента угощают его завтраками, и он официально и неофициально докладывает им. Два месяца промелькнули, и вести из России потрясают мир, а с ним и Локкарта; те, кого он так хорошо знал, с кем проводил столько времени, изгнаны из Зимнего дворца, и Смольный теперь – центр столицы. 20 декабря он приглашен высказать свое мнение о русских событиях в Форин Оффис: его слушают его старый покровитель лорд Милнер, Смутс, Керзон, Сесиль, и на следующий день Ллойд-Джордж приглашает его для беседы с глазу на глаз и дает ему двухчасовую аудиенцию.

Все эти месяцы он усиленно пишет в газетах (без подписи), дает интервью по русским вопросам, думает о своем возможном устройстве в Форин Оффис. В середине декабря обсуждается на верхах возвращение его в Москву, особенно поддерживает этот план лорд Милнер: Локкарт пропустил не только мятеж Корнилова, он пропустил Октябрьскую революцию! Рождество он проводит с отцом и матерью, ожидая каждую минуту решения своей судьбы.

Ллойд-Джордж согласен, и другие не возражают: он умен, он владеет русским языком, он наблюдателен, он умеет завязывать связи, он жизнерадостен, остроумен, у него завелись друзья повсюду. Но премьер-министр дает ему серьезное поручение, он надеется, что Локкарт, несмотря на молодость, выполнит его: поручение заключается в том, чтобы ни в коем случае не дать России заключить с Германией сепаратный мир.

14 января он садится на пароход, английский крейсер, идущий в Берген. За месяц до этого большевиками и немцами было подписано перемирие, а 22 декабря в Брест-Литовске открылась первая пленарная сессия мирной конференции. Время было горячее.

Мог ли он думать, уезжая, что в день, когда он вернется в Москву, через четыре с лишним месяца, он вернется в другую Москву, другую Россию? Октябрь семнадцатого года все перевернул, все раскидал: Локкарт приезжает теперь как «специальный агент», ни консулов, ни послов в старом смысле слова больше не существует. Он приезжает, как специальный агент, как осведомитель, как глава особой миссии, чтобы установить неофициальные отношения с большевиками. Московский консул Бейли, который его заменял, уже уехал. Его посольство готово вот-вот уехать в Вологду и надеется погрузиться в Архангельске, чтобы вернуться домой. Английское правительство не признает правительства русского, но обеим сторонам необходимо наладить хоть какие-то, пусть неофициальные, сношения. В Лондоне М.М.Литвинов, тоже специальный агент, уже называет себя послом, — но на самом деле он такой же, как Локкарт «неофициальный канал для взаимного осведомления».

Литвинов действительно был в это время (январь 1918 года) русским представителем в Англии. Во Франции в это время не было никого: она даже Каменева не пустила, когда он ехал туда в надежде как-то зацепиться и остаться торговым представителем. Литвинов, живший долгие годы до революции в Лондоне, был женат на англичанке, Айви Лоу, племяннице известного английского политического писателя Сиднея Д. Лоу, позже получившего от английского короля личное дворянство. Лоу был автором многих книг, среди них «Словарь английской истории». Его племянница была далеко не заурядной женщиной.

Локкарт познакомился с Литвиновым перед своим отъездом в Россию в Лондоне, где Рекс Липер, в то время работавший в политическом отделе Форин Оффис и считавшийся экспертом по российским делам, устроил завтрак в популярном ресторане Лайонса; Литвинов был его учителем русского языка. «Большевистский комиссар с неофициальными дипломатическими привилегиями» по собственной инициативе дал Локкарту личное письмо к Троцкому, и это дало британскому агенту уверенность, что и в новой России, как и в старой, он не пропадет.

В Петрограде не только не было больше Бьюкенена, но даже его заменивший Френсис Линдли был невидим, и весь штат посольства был готов к выезду. Оставался один человек из десяти, главным образом для осведомительной роли, и два шифровальщика телеграмм. Сэр Джордж Бьюкенен, английский посол в Петербурге с 1910 года, старый опытный дипломат и верный друг Временного правительства, выехал домой в Англию, почувствовав со дня Октябрьской революции, что он стар, болен и никому не нужен, и возвращения его в Россию не предвиделось. Его место оставалось незанятым; Англия до сих пор большевиков не признавала, и, видимо, признавать в ближайшее время не собиралась: бывшая союзница Антанты, Россия, находилась накануне заключения сепаратного мира с врагом. Сэр Джордж уехал с женой и дочерью, с которой Мура дружила в Лондоне перед войной. Теперь в огромном доме посольства на набережной Невы появились новые люди, и Локкарту было дано всего несколько недель, чтобы успеть ознакомиться с положением дел.

Локкарту шел тридцать второй год. Мура уже вторую неделю приходила в посольство после приемных часов. Она нашла там трех друзей, которых встречала на вечерах у Беринга и Бенкендорфов в год своего замужества, одним из них был капитан Кроми. Локкарта она увидела на третий день после его приезда, она сейчас же узнала его, но теперь у него был весьма деловой вид: в день его приезда, 30 января, ему было объявлено, что штат посольства снимается из Петрограда, что багаж посольства уже отправлен в Вологду и что он остается в России старшим в своей должности. От сослуживцев он узнал, что и в других союзных посольствах и миссиях картина была та же: все сидели, как на угольях. Оставаться больше было невозможно: не сегодня-завтра в Брест-Литовске может быть подписан мир.

Вот что писал Локкарт о своей встрече с Мурой в тот самый день, когда они встретились (дневник он начал вести еще в 1915 году):

«Сегодня я в первый раз увидел Муру. Она зашла в посольство. Она старая знакомая Хилла и Герстина и частая гостья в нашей квартире. Ей двадцать шесть лет... Руссейшая из русских, к мелочам жизни она относится с пренебрежением и со стойкостью, которая есть доказательство полного отсутствия всякого страха».

И несколько позже:

«Ее жизнеспособность, быть может, связанная с ее железным здоровьем, была невероятна и заражала всех, с кем она общалась. Ее жизнь, ее мир были там, где были люди, ей дорогие, и ее жизненная философия сделала ее хозяйкой своей собственной судьбы. Она была аристократкой. Она могла бы быть и коммунисткой. Она никогда бы не могла быть мещанкой. В эти первые дни наших встреч в Петербурге я был слишком занят и озабочен своей собственной персоной, чтобы уделить ей больше внимания. Я видел в ней женщину большого очарования, чей разговор мог озарить мой день».

Кроме Хилла и Герстина и трех человек, которых Локкарт привез с собой из Англии, в посольстве находился морской атташе, капитан Кроми, также Мурин приятель по Лондону, и она устроила молодым дипломатам завтрак в день рождения Кроми, — к себе пригласить их она, разумеется, не могла, и завтрак был устроен у них на квартире. Это было на Масленице, и они ели блины с икрой и пили водку. Локкарт каждому гостю сочинил небольшое юмористическое рифмованное приветствие, а Кроми произнес комический спич. Они много смеялись и пили за здоровье Муры. Для них этот завтрак оказался последним веселым сборищем в России: Герстина убила русская пуля под Архангельском в дни английской интервенции, Хикс умер от туберкулеза в 1930 году, Кроми погиб спустя пять месяцев в английском посольстве в Петрограде, защищая здание с оружием в руках от ворвавшихся красноармейцев. Локкарт один дожил до глубокой старости: он умер в 1970 году.

Приехав в последние дни января в Петроград, он сейчас же оценивает тревожное положение в дипломатических кругах: нейтральные держатся вместе и выжидают; союзники, справедливо считая, что, несмотря на трудности в переговорах с немцами, мир России с Германией будет подписан, страстно обсуждают свой коллективный отъезд и жгут бумаги. Судьба их все еще не решена: правительство решило перенести столицу в Москву, скоро начнет переезжать из Смольного в Кремль, и, разумеется, нейтральным представительствам придется ехать туда за ним. В среде их нет единодушия. Что касается союзников, то кое-кого охватывает беспокойство, что они не успеют оставить пределы России, прежде чем германские представители — т. е. генералы враждебной армии — появятся в Петрограде и Москве. Кроме того, быстрое продвижение германской армии по всему фронту — от Украины до Прибалтики (и занятие ими части Финляндии) — волнует их. Двинск взят, Псков находится под угрозой, падение Петрограда кажется если не неминуемым, то весьма вероятным. А некоторые дипломаты (как, впрочем, кое-кто и из наркомов) считают, что угроза есть и Москве, и называют Нижний Новгород этапом эвакуации большевистского правительства.

После долгих переговоров со Смольным и сношений с Лондоном, Парижем, Вашингтоном, Римом и Токио 25 февраля было наконец решено выехать через Вологду и Архангельск. На следующий день снялись американцы, японцы, китайцы, испанцы и бразильцы, а 28-го уехали англичане и французы, греки, сербы, бельгийцы, итальянцы и португальцы. Кроме того, англичане увозили с собой около шестидесяти человек петербургской и московской английской колонии. Уезжающим, по распоряжению совнаркома, был подан специальный поезд; они должны были жить в Вологде в вагонах и ждать переправки в Архангельск, где их заберут английские крейсера.

Третий секретарь французского посольства де Робьен описал картину прощания молодых союзных дипломатов, уезжавших в Вологду, со своими русскими знакомыми: на платформе возле спального вагона все были в слезах: «Княжна Урусова стояла рядом с Жанти, Карсавина [Тамара] — подле Бенджи Брюса, графиня Бенкендорф [Мура] рядом с Кунардом, графиня Ностиц — с Лалэнгом...» К тому надо добавить, что Бенджи Брюс позже вернулся за Т.П. Карсавиной в Петроград и вывез ее в Англию: они были счастливо женаты с 1915 года. С ней вместе он вывез и Женю Шелепину, секретаршу Троцкого. На ней впоследствии женился Артур Рэнсом, писатель и биограф Оскара Уайльда; а племянница Челнокова, Люба Малинина, спешно вышедшая замуж за капитана Хикса перед его высылкой из России, выехала с ним вместе в сентябре 1918 года, о чем будет рассказано в свое время*.

Проехав границу, в Белоострове, поезд был задержан. Финляндия была охвачена гражданской войной: белые финны с помощью белых русских гнали красных финнов на север. Немцы методически оккупировали прибрежные финские местечки, переходя на военных кораблях Финский залив из Прибалтики, которая была в их руках. Месяц задержки грозил иностранным дипломатам немецким пленом, и только после мучительных дней и сложных переговоров им удалось наконец проехать через Сортавалу и Петрозаводск на линию Тихвин — Череповец и в конце марта оказаться в Вологде. Эти затруднения коснулись только тех, кто стремился выехать на запад, т. е. на Хапаранду, — это были, англичане, французы, а также представители некоторых более мелких легаций, которые во что бы то ни стало решили выбраться из пределов России. Американцы же, хотевшие остаться в России как можно дольше, а также японцы, китайцы и сиамцы выехали из Петрограда прямо на восток и, обогнув с юга Ладожское

---

* Четвертым в этой серии был брак балерины Л. Лопуховой с известным английским экономистом Кейнсом, но это случилось позднее, в Лондоне, в 1925 году.

озеро, благополучно попали на ту же Тихвино-Черепо-
вецкую ветку.

В английском посольстве теперь оставалось не более
одной десятой штата, и Локкарт, после отъезда Линдли
в Вологду — он уехал последним и считался, будучи по-
веренным в делах, заместителем Бьюкенена, — остался
начальником всего отдела. Из тех трех, что он привез
с собой, он был ближе всех с капитаном Хиксом, назна-
ченным теперь военным атташе (несмотря на то, что посольства не существовало). Вместе с Хиксом они сняли
квартиру тут же на набережной, с видом на Неву и Пе-
тропавловскую крепость. По утрам он не мог оторвать
глаз от этого вида, который снился ему в Лондоне много раз. И он любил свои высокие окна, смотрящие на
облачное северное небо.

Очень скоро отношения между Мурой и Локкартом
приняли совершенно особый характер: оба страстно
влюбились друг в друга, видя, она в нем — все, чего ли-
шила ее жизнь, он в ней — олицетворение страны, которую он полюбил, в которой он теперь делал карьеру
и с которой чувствовал, особенно в этот свой приезд,
глубокую связь. Для обоих началось неожиданное и не-
дозволенное счастье, в которое они вместе, с внезапной
силой, упали из страшной, жестокой, голодной и холодной действительности. Оба стали друг для друга центром
всей жизни.

Кругом теперь были — кроме еще оставшихся в России английских, французских и американских друзей —
и русские друзья: в Москве — семья Эртель, вдова Александра Эртеля, писателя и друга Льва Толстого, умерше-
го еще в 1908 году, ее дочери, из которых одна, Вера,
была подругой и помощницей Констанции Гарнет, известной переводчицы на английский русских классиков, другая — Наталия, впоследствии по мужу Даддинг-
тон, автор книги о Бальмонте и переводчица его стихов. Вдова Эртеля давала уроки русского языка членам
английского посольства, среди них был и Уолпол, и Локкарт, и даже одно время сам фельдмаршал, генерал Уа-

вель, в бытность свою в Москве. Тут был и М. Ликиардопуло, работавший в Художественном театре, знавший весь театральный и литературный мир, друг Брю-
сова, Вяч. Иванова и Ходасевича. В Петрограде люди,
связанные с Февральской революцией, исчезли с горизонта, но у Локкарта появились там новые знакомые —
герои Октября: Троцкий; Карахан, заместитель наркоминдела и член Коллегии иностранных дел; Чичерин,
«человек хорошей семьи и высокой культуры», говорил
Локкарт, расходясь в этой оценке наркоминдела с Карлом Радеком, который называл Чичерина «старой ба-
бой», а Карахана — «ослом классической красоты». Он
познакомился с Петерсом, правой рукой Дзержинского в ВЧК, позже — с Зиновьевым. В ту весну переезд
правительства из Петрограда в Москву длился несколько месяцев, и Локкарту приходилось быть между
Смольным и Кремлем. И тут, и там у него были квартиры.

В первый раз он выехал в Москву 16 марта, в личном
вагоне Троцкого, который относился к нему как к пол-
номочному представителю Великобритании и ввел его
в Кремль. Локкарт позже писал:

«При различной мере близости я постепенно перезнакомился почти со всеми лидерами: от Ленина и Троцкого
до Дзержинского и Петерса. У меня специальный пропуск в Смольный. Не раз я бывал на заседаниях Испол-
нительного комитета в Москве, в главной зале отеля
“Метрополь”, где в дни царского режима я развлекался
совсем другого рода встречами. Из Петрограда в Москву я ездил в поезде Троцкого и обедал с ним».

А в это время германская армия, не встречая сопро-
тивления, медленно двигалась вглубь юга России. Переговоры всё продолжались. И Троцкий, по словам Локкарта, был откровенен с ним. Однажды, в те же недели,
он нашел наркомвоена в особенно нервном состоянии:
дальневосточные новости были тревожны. «Если Влади-

восток будет занят японцами, – сказал Троцкий, – Россия целиком бросится в объятия Германии».

«Моя ежедневная работа, – продолжает Локкарт, – была с Троцким и Чичериным, с Караханом и Радеком. Три последних составили некий триумвират, управлявший комиссариатом иностранных дел после того, как Троцкий стал наркомвоеном [и председателем Верховного военного совета, в то время как Чичерин стал наркоминделом, а Карахан – его заместителем]».

Еще в феврале Локкарт получил для себя и для двух своих сотрудников свидетельство, подписанное Троцким:

«Прошу все организации, Советы и Комиссаров вокзалов оказывать всяческое содействие членам Английской Миссии, госп. Р.Б. Локкарту, У.Л. Хиксу и Д. Герстину.

Комиссар по иностранным делам
Л. Троцкий.

П.С. Личные продовольственные запасы не подвергать реквизиции».

Эта бумажка открывала ему многие двери, и для него стало ясно, что настоящее его место в Москве. Он немедленно дал знать Хиксу, чтобы он приехал к нему, чтобы устроить и консульство, и жилище в новой столице. 3 марта был в Бресте подписан мир, и Локкарт увидел, что его жизнь и работа теперь будут тесно связаны с Москвой. Хикс приехал немедленно, они без труда нашли помещение, наняли кухарку и объявили «консульство» открытым. Старый термин, впрочем, не годился. Его кабинет и приемная оставались без официального имени. Позже он писал в своих воспоминаниях:

«С момента расставания в Петрограде в начале марта мне ее [Муры] не доставало больше, чем я готов был признаться себе самому. Мы писали друг другу часто, и ее письма сделались для меня ежедневной необходимостью. В апреле она приехала в Москву и поселилась у нас. Она приехала в 10 утра. Я был занят моими посетителями до без десяти минут час. Я сошел вниз, в гостиную, где мы обычно завтракали и обедали. Она стояла у стола, и весеннее солнце освещало ее волосы. Когда я подходил к ней, я боялся, что мой голос выдаст меня. Что-то вошло в мою жизнь, что было сильней, чем сама жизнь. С той минуты она уже не покидала нас, пока нас не разлучила военная сила большевиков».

Таким образом, в непризнанной Англией большевистской России Локкарт оказался, с четырьмя сотрудниками и канцелярией, человеком без официального статуса, без дипломатического иммунитета, но с огромными связями исключительно благодаря личным качествам, обаянию, уму и юмору. В свое время, т. е. ровно год тому назад, Англия признала Временное правительство немедленно после отречения царя, а Франция сделала это с еще большим энтузиазмом, но после Октябрьского переворота 7 ноября в этом отношении ничего сделано не было и не могло быть сделано, хотя, если Литвинов в Лондоне называл себя «полпредом», почему бы и ему, Локкарту, не постараться, во славу Его Величества английского короля, напустить на себя важность? Но эти настроения скоро сменились совершенно противоположными: уже в начале апреля он почувствовал, что отношение к нему стало меняться — его начали меньше приглашать, реже звать обедать в кремлевской столовой (впрочем, там ели сейчас почти исключительно конину и турнепс), меньше он видел вокруг себя улыбок.

Власти несомненно за ним следили и вскользь давали ему понять, что он не имеет никаких прав. К этому времени, ввиду того, что война союзников с Германией вошла в критическую стадию после выхода из войны России, Ллойд-Джордж перетасовал своих министров и призвал к власти новых людей, что обычно делается, когда страна объявляется в опасности. Асквит, бывший премьер-министром с 1908 года, сделав около года тому назад попытку привлечь консерваторов в правительство, создал коалиционное министерство, но этим дела не поправил. Ллойд-Джордж решился на этот шаг и стал почти в один день диктатором Англии, с помощью тори в правительстве, где либералы (он сам) и консерваторы, поддерживающие его (Бивербрук, Бонар Лоу и — позже — Карсон), повернули внешнюю политику Англии в новую сторону. У этой новой коалиции, и это было Локкарту хорошо известно, не было никаких симпатий к русскому правительству, в частности к именам, вынесенным Октябрем на верхи политической жизни России. А возвращающиеся к себе домой союзные дипломаты — англичане и в особенности французы — могли только усилить своей информацией недоверие к «узурпаторам, засевшим в Смольном», как их называл французский посол Нуланс, «теперь перебирающимся в Кремль».

Конечно, английское общественное мнение, которое в стране всегда имело влияние, и было, и есть одной из традиций английской политической жизни, далеко не всегда было единодушно и не во всем поддерживало свое коалиционное правительство в его мероприятиях по отношению к новой России: крайние левые считали, что необходимо сейчас же признать Смольный — Кремль, восстановить дипломатические отношения, выбрать посла (члена рабочей партии, первым кандидатом был Гендерсон) и возвести Литвинова в звание посла, со связанным с этим изгнанием царских дипломатов из помещения русского посольства в Лондоне, где они все еще жили, и вселением туда большевиков. Крайние правые считали, что господина Литвинова надо немедленно посадить в тюрьму за пропаганду большевизма, а первого секретаря царского посольства К.Д. Набокова, сотрудника незабвенного Бенкендорфа, произвести в послы, со всеми вытекающими отсюда последствиями. Когда первые сведения о том, что в России генералы (как царские, так и Временного правительства) собирают, одни на юге, другие — в Сибири, армии для отпора большевикам, они заявили, что необходимо послать сейчас же экспедиционный корпус — каким угодно путем — в помощь Корнилову, Каледину, Семенову, Юденичу, в Беломорье, Черноморье, на Кавказ, на Дальний Восток, чтобы ликвидировать безобразие.

Однако эти два крайних мнения за и против признания разделялись далеко не большинством населения. Средняя и значительно более многочисленная часть английских государственных деятелей, интеллигенции, военных и гражданских властей, крупных газетных магнатов и других мыслящих граждан не имела точного понимания действий правительства и по обычной английской традиции выжидала событий. Но крайние мнения в Лондоне и Париже полностью отражались в группе дипломатов, оказавшихся в Вологде, и Локкарту с этим приходилось считаться. Так, посол США Дэвид Френсис (так же, как и его патрон, президент Вильсон) был решительно против вмешательства в русские дела, а французский посол Нуланс открыто требовал в своих донесениях Клемансо немедленной интервенции. Подавленный всем происшедшим, он рвался в Париж, чтобы открыть Европе «всю ужасную правду о России».

А в Европе создавалось в это время странное впечатление, что Россия распадается на части: каждую неделю какая-нибудь часть ее объявляла себя независимой. То Финляндия, то Украина, то Дон, то Кавказ, то Сибирь, то Архангельск. И это после того, как мир с Германией был подписан в Брест-Литовске и ратифицирован 14 марта специально для этого созванным IV Съездом Советов в Москве, после того, как Троцкий отказался согласиться на унизительные условия Германии и вышел из русской мирной делегации, а Ленин убедил съезд, что другого пути нет. После этого, когда правительство начало свой переезд в Москву из Смольного, его враги говорили, что оно в Москву «эвакуируется», видя, как немцы постепенно захватывают все новые территории.

Сразу после ратификации Ленин, при очередном свидании с Локкартом, спросил его: «Подаст нам Англия помощь?» — и Локкарт честно ответил ему: «Боюсь, что нет».

Принимая во внимание эти обстоятельства и то, что немцы медленно двигались по направлению к Петрограду, несмотря на подписанный мир, а может быть, именно поэтому, был риск, что союзные посольства, если их скоро не отправить в Европу, могут быть взяты в конце концов немцами в плен. Теперь они делали все, что могли, чтобы добиться окончательного разрешения выехать из Вологды на север, где, на рейде в Мурманске, стояло несколько английских военных кораблей, охраняя права Великобритании, т. к. в Архангельском порту находилось большое количество военного снабжения, присланного в свое время Англией в Россию, еще в начале войны. В дипломатах, живших в тревоге и ожидании, теперь чувствовалась некоторая растерянность: они недоумевали, почему в Лондоне в эти недели интересы Англии вдруг перестали ясно диктовать правительству, на какой путь и с какими целями встать. Ясно поняв по шифрованным телеграммам из Вологды о настроении уехавших, Локкарт начал прямым путем, обходя Вологду, бомбардировать Лондон своим собственным планом, пытаясь убедить Ллойд-Джорджа, что интервенция союзников в помощь белым против большевиков будет обречена на неудачу и может спасти положение лишь интервенция в помощь большевикам против немцев. Неудивительно, что и министерство Ллойд-Джорджа, и главная военная квартира были поставлены в тупик таким требованием английского специального агента. Оно шло вразрез со всеми их целями и планами свержения большевиков.

Высадить союзные войска для помощи большевикам? Да, это был его план, и он казался самому Локкарту возможным: интервенция для укрепления большевиков, для продолжения борьбы с немцами и на пользу союзникам, которые в этот год претерпевали огромные трудности.

Именно такой план казался Локкарту в марте и апреле 1918 года наиболее выгодным его родине: не гнать большевиков и сажать на их место генералов или социалистов (где, как известно, что человек, то и партия), но использовать большевиков и их новую революционную армию — для этого дав им возможность провести всеобщую мобилизацию, — в новой войне, не в старой царской войне, но в революционной войне с цитаделью реакции, Германией, и тем спасти молодую революционную республику. Этот план, о котором он ежедневно или хотя бы через день телеграфировал в Лондон, казался ему полным великого значения для будущего как России, так и Европы.

Он постепенно стал замечать, что Ллойд-Джордж и его министры, генеральный штаб и общественное мнение, видимо, в грош не ставят его план, и жаловался Хиксу и Муре, что в Англии, под влиянием французов, склоняются к широкой союзной интервенции против большевиков: поддержкой должны были стать чехи в Сибири, которые теперь организовывались, и японцы, которые были во Владивостоке, и сами англичане, занявшие в августе Баку. На севере английские крейсера выходили из своих портов в Мурманск, таковы были последние сведения. Но в чем был смысл происходящего? Какая была у союзников цель? В эти два месяца ему постепенно открылось: цель должна быть только одна — победить немцев, а этого ни с генералами, ни с эсерами достигнуть будет нельзя. Эта цель наполнила его огромным воодушевлением: народ русский под большевистским командованием бросится на немцев, очистит свою страну от них, спасет новую Россию и тем самым спасет союзников. Теперь, когда немецкая армия с марта стояла в Пикардии, когда в мае начались кровопролитные бои на Марне и фронт протянулся от Мааса до моря, Людендорф шел от победы к победе, и ни для кого не было секретом, что его когорты готовятся к решительному наступлению, к последнему решительному бою.

Но в Англии и во Франции, где еще сильнее антибольшевистские настроения, должны бы понять (думал Локкарт), что союзные солдаты и офицеры на территории России будут сражаться за себя, а не для того, чтобы вмешиваться во внутренние дела русских. Они пойдут бок о бок с молодыми красными полками новой России, знающими, что ни Англия, ни Франция не отхватят (это особенно важно внушить крестьянству) ни куска русской территории, и разобьют общего врага. Эта картина вдохновляла его. Одно его смущало: а что как белые генералы, и буржуазия, и интеллигенция России не захотят такой интервенции, переметнутся к немцам и пойдут с ними против большевиков? Красивая картина вдруг меркла, что-то тревожное и страшное появлялось в романтической диалектике Локкарта, и в цепи его рассуждений наступал разрыв. И он говорил себе: все это надо будет тщательно обдумать, а пока — слать и слать им шифровки. Шифровальщики у него никогда не сидели без дела.

Его мысль принимала иногда неожиданное направление: не идти бок о бок с молодой революционной армией Ленина и Троцкого, но выработать нейтралитет с большевистской Россией: бить немцев, не допуская их до занятия центров боеприпасов и снабжения (украинский хлеб!), имея обеспеченный тыл, нейтралитет большевистского правительства, которое пусть само укрепляет свою власть в центрах, только бы нам не мешало на окраинах. Возможно ли это? Да, если Ленин и Троцкий, Чичерин, Карахан и другие будут ему, Локкарту, верить, а он объяснит все это Ллойд-Джорджу: «Мы не вмешиваемся в их внутренние дела, пусть они без нас ликвидируют своих внутрироссийских врагов, мы приходим не как союзники их революции, мы приходим бороться с нашим общим внешним врагом». Это значит: расстреливайте ваших контрреволюционеров — это нас не касается. Возможно ли это? Что-то как будто и здесь не додумано. Но сейчас ему не до того.

А если не будет удачи? Если мы, интервенты, потерпим военное поражение, одни, без большевиков, но на их территории, или — как в первом случае — вместе с ними ведя войну? Немцы, тоже одни или вместе с русскими военными и другими антибольшевистскими элементами, пройдут и в Петроград, и в Москву, и что тогда случится у нас на западном фронте? Поднимется дух армии Людендорфа, потечет снабжение с русских полей, вооружение с пущенных в ход русских заводов, уголь, нефть, руда. Помогут им и окраины, все те, которые сейчас откалываются от России, и что тогда останется делать нам? Союз России с Германией на сто лет, России генеральской или социалистической. Выходит, что в случае нашей удачи — красным будет хорошо, а в случае нашей неудачи — белым будет хорошо. На этом недоумении его стратегические и тактические размышления останавливались. Воображал ли он себя великим стратегом или великим тактиком? Или только великим спасителем тонущей, разбитой, разгромленной Европы? Когда он был подростком, его любимым героем был Наполеон.

Теперь, тайно от всех, он обещал себе присмотреться внимательно к тем, которые казались ему до сих пор неизвестной силой: к Савинкову, к генералу Алексееву, к бывшим владельцам крупных заводов (в Москве кое-кто из них все еще скрывался, в том числе Путилов, отправив семьи в Крым), внимательно присмотреться. Что это за люди? Известно, против кого они, но за кого они? И, что еще важнее, кто с ними, кто за них, где их сила? Жак Садуль, французский «наблюдатель», говорит, что за эсерами вовсе нет никого, за крупным капиталом — только деньги, а за генералами — кайзер Вильгельм и германский генштаб. Ставить генералов у власти мы не можем, ставить эсеров — мы их у власти уже видели. Временная либеральная военная диктатура? Разве бывает такая? Украинский гетман — ставленник Германии. Это ли не пример? Но, с другой стороны, даже А.В. Кривошеин, до сих пор не уехавший из Москвы, говорил генералу де Шевильи, начальнику отдела французской пропаганды, что если союзники не помогут контрреволюции, России придется повернуться лицом к Германии, чтобы искать помощи у нее, как сделали Украина и Финляндия.

Была у Локкарта еще одна мысль: высадить союзный десант, например в Архангельске, не объявляя своих целей — как японцы сделали во Владивостоке. Японцы не двигаются, потому что президент Вильсон этого не желает. А мы встанем на рейде в Архангельске, как сейчас стоим в Мурманске, и будем там стоять. И посмотрим, как повернутся события.

Необходимо помнить, что время весной 1918 года, после заключения Россией мира с Германией, было для союзников трагическим, несмотря на помощь США: Брестский мир, подписанный 3 марта, не остановил Германию, но, наоборот, дал ей возможность наступления на западном фронте. Генерал Фош (позже — маршал) в марте был назначен главнокомандующим всеми объединенными силами союзников; их потери были неисчислимы; дух на французском фронте был подрезан морально и физически четырьмя годами окопной войны и новыми орудиями, идущими с немецкой стороны, а также пропагандой так называемых «пацифистов». И кроме того, в связи с Октябрьской революцией и Брестским миром единодушие внутри самой Антанты (Ллойд-Джордж — Клемансо — Вильсон) касательно того, как быть с Россией, было если не утрачено, то поколеблено.

Локкарт в эти месяцы считал, что знает каждую деталь, возникающую в умах высоко стоящих государственных людей в Кремле. «Я в контакте с каждым из них здесь», — телеграфировал он в Лондон, и это была сущая правда; этому доказательство не только выданное ему Троцким свидетельство, но и письмо Чичерина от 2 апреля по поводу прихода союзных крейсеров в Мурманск. Наркоминдел писал:

«Дорогой М-р Локкарт,
ввиду тревожных слухов, распространяющихся о нашем севере, и намерений Англии, порождающих их, мы бы-

ли бы Вам крайне признательны, если бы Вы дали нам некоторые объяснения касательно положения в вышеозначенной местности. Это дало бы нам возможность успокоить тревогу населения и прекратить страхи, связанные с ней.

Уважающий Вас Чичерин».

Локкарт, разумеется, заверил Чичерина на следующий же день, что никаких антисоветских намерений Англия, по его сведениям, на русском севере не имеет. Но в начале мая у самого Локкарта начались сомнения, которые к середине месяца приняли острую форму. Он был представителем, наблюдателем, в одном лице представлял в бушевавшей России свою страну, не имея за спиной ни опыта и престижа Бьюкенена, ни поддержки союзных дипломатов, у которых он всегда бывал готов чему-нибудь подучиться. Благодаря двусмысленному титулу британского агента и молодости самая возможность не только заменить хотя бы и временно сэра Джорджа, но даже в беседе поставить два имени рядом — Бьюкенена и его — могло только вызвать улыбку. А о поддержке союзных дипломатов нечего было и думать: все, имевшие положение, опыт, понимание вещей, давно были в Вологде.

Если у Локкарта в это время не было советников более опытных и прозорливых, чем он сам, среди остатков союзного дипломатического корпуса, то были в Москве в это время такие же, как он, наблюдатели, оставленные в столице для контакта с Кремлем, но имевшие, однако, не больше, чем он, а, может быть, и меньше, престижа и веса. О двух из них, наиболее ему дружественных, французе Жаке Садуле и американце Реймонде Робинсе, следует сказать несколько слов. Первый позже вступил в члены французской коммунистической партии, второй, полковник американской службы, был оставлен послом Френсисом в Москве до лета 1918 года в качестве представителя американского Красного креста.

Капитан Жак Садуль, которому было в то время тридцать семь лет, после отъезда французского посла Нуланса стал членом французской миссии в Москве благодаря покровительству министра вооружений, социалиста Альбера Тома. Нуланс, заменивший в декабре Мориса Палеолога, сидевшего французским послом в Петербурге с 1914 года, выехав из Москвы, оставил там нескольких агентов и последних корреспондентов парижских газет, готовых выехать из России в любой момент. Альбер Тома приезжал в Россию при Временном правительстве с целью оказать нажим на правительство Керенского и других для продолжения войны с Германией, прося, а потом и требуя, не бросать своих союзников и не нарушать данной ими клятвы. Локкарт и тогда, и позже, когда писал о Тома, мог не знать, что русских министров в 1917 году и министра-социалиста Тома связывало масонство. Он объясняет упорство Временного правительства в продолжении войны и решительный отказ его от возможности сепаратного мира исключительно «верностью Керенского и других клятве данной в свое время союзникам». Кстати, параллельно с делегацией Тома в Россию приезжала и другая делегация, главой которой были социалисты Морис Мутэ и Марсель Кашен, тогда горячий французский патриот, со слезами на глазах умолявший Керенского продолжать войну. В 1920-х годах Кашен стал главой французской компартии и чем-то вроде французского Ленина (до восшествия на престол генсека Мориса Тореза). В 1940-х годах, во время немецкой оккупации Парижа, Кашен имел несчастье несколько соглашательски отнестись к оккупантам, и, когда Вторая мировая война кончилась, его имя постепенно исчезло из списков лидеров партии.

После Октября Тома послал в Россию Садуля, которого считал способным и энергичным человеком. Локкарт позже говорил, что ему нравился Садуль своим аппетитом, юмором и бородой. Он, кроме своего официального положения наблюдателя, считался корреспондентом французских газет, но главным образом он был корреспондентом самого Тома, состоявшего в министерстве Клемансо министром вооружений. С другим французом, генералом Лавернем, Садуль был не в ладах, как и с консулом Гренаром, но Лавернь старался сдерживать себя, сознавая, что если Садуль уедет, он, Лавернь, лишится своего главного, если не единственного информатора: Садуль не только был вхож в Кремль, но благодаря своему знакомству с Троцким в предвоенные годы, он был теперь с наркомвоеном в близких дружеских отношениях. Садуль и глава французской миссии, генерал Лавернь, были совершенно различного мнения о русских событиях, что не мешало им обедать вместе, а часто и втроем, с главой французской военной пропаганды, генералом де Шевильи, который был начальником Лаверня. Они все четверо, если считать консула Гренара, были оставлены в Москве для наблюдения, а не для того, чтобы полемизировать друг с другом. Пока французское посольство сидело на месте, капитан Садуль считался посторонним лицом, имеющим исключительные связи в Смольном; когда оно выехало, он стал как-то совершенно естественно представлять Францию, неофициально, потому что и Франция в это время еще не признала большевиков. И агенту секретной службы Гренару, и корреспонденту «Фигаро» Маршану было известно, что Садуль лично связан дружескими узами с некоторыми членами ЦК большевистской партии и что он извлекает из этого всяческие выгоды для информирования своего правительства. Но Садуль был далеко не один, кто во французской группе разделял идеологию большевиков, отнюдь не совпадавшую с убеждениями осторожного и консервативного посла Нуланса. Рене Маршан тоже считал, как и Садуль, что русская армия теперь, когда она Красная и народная, только и ждет, чтобы бить немцев, и союзникам необходимо в этом помочь и ей, и ее вождям. В таком духе Маршан разговаривал с американским послом Френсисом во время своей краткой поездки в Вологду, требуя, чтобы США запретили Японии занимать Сибирь и поддерживать чехов и контрреволюционеров, объясняя Френсису, что союзникам необходимо всячески поддерживать новое русское правительство в Кремле и защищать завоевания Октября.

В этом же содержалась и вся идея Жака Садуля: немедленный десант французов, англичан и американцев для того, чтобы помочь большевикам победить Германию (которая есть олицетворение мировой реакции) и укрепиться на своих позициях. Помочь Ленину, помочь революции – это Садуль называл в своих письмах Тома «мое влияние на Ленина и Троцкого»: они ведут мир к вселенским переменам.

С Лениным Садуль был знаком лично, с Троцким, как уже было сказано, он был в дружеских отношениях. Нарком, правда, шутя, предлагал ему в феврале ехать с ним в Брест-Литовск подписывать мир с Германией. Садуль об этом с энтузиазмом писал Тома и называл советскую мирную делегацию «диктаторами победившего пролетариата». Он также сообщал в Париж, что немцы стоят в двухстах километрах от Петрограда и медленно, но упорно двигаются к нему. «Я толкаю большевиков к защите Петрограда... Французская миссия поможет им защитить их столицу... Я уверяю их, что наша помощь задержит падение Петрограда на несколько недель».

Дальнейшая судьба Садуля любопытна: побывав еще до приезда в Россию на французском фронте, он в России пошел обучать красноармейцев военному искусству и через несколько месяцев стал красноармейским инструктором. Он порвал всякие связи со своим французским начальством*, и после того, как союзные посольства выехали из Вологды, он начал выполнять поручения Кремля в Италии и Германии. В 1927 году он был награжден орденом Красного Знамени. Но вернуться во Францию он не мог: в 1919 году его в Париже заочно судили и приговорили к смертной казни. После 1924 го-

---

* 19 октября 1918 года капитан Садуль был отстранен от должности во французской военной миссии в Москве приказом генерала Лаверня.

да, признания Францией Советской России и прихода к власти радикал-социалистов во главе с Эррио, Садуль нелегально вернулся в Париж, где его арестовали и отдали под суд. В январе 1925 года он был условно освобожден и в апреле того же года – по суду оправдан.

Получив в свое время юридическое образование, он позже вернулся к адвокатской практике, был с 1932 года французским корреспондентом «Известий», деятельным членом французской компартии и сотрудником Общества сближения Франции с СССР. Во время германской оккупации он был арестован немцами (он был еврей), но выпущен после нескольких месяцев на свободу. После войны он был выбран мэром городка Сен-Максим, в департаменте Вар, на юге Франции, оставался по-прежнему убежденным коммунистом и умер в славе и почете в 1956 году. В свое время, в 1930-х годах, его тучную фигуру можно было часто видеть на бульваре Монпарнас, в тех кафе, где собирались Эренбург, Савич и их друзья, где он разглагольствовал перед своими восхищенными слушателями о встречах с Лениным (но уже не с Троцким). Он оставил по себе книгу, свои донесения в 1918 году министру Тома, другу Керенского и В.А. Маклакова. В этих давно изданных и недавно переизданных реляциях почти нет фактов, но есть упрямая, многоречивая и монотонная пропаганда идей, высказанных риторически с пафосом и слезой.

Другой наблюдатель, оставленный в Москве американским послом Дэвидом Френсисом, был полковник Реймонд Робинс, начальник американского Красного креста в России. Локкарт позже писал, что «у нас с ним не было секретов друг от друга, как, впрочем, и с Робертом Шервудом [главным директором Политического отдела военного министерства США]. Мы обменивались информацией, мы доверяли друг другу самые глубокие тайны».

Робинс был человеком состоятельным, образованным, с сильной волей и ярким воображением. Он в первые же недели стал бывать у Ленина, обедать с Троцким, но не столько, чтобы слушать их — он давал им советы, спорил, совершенно по-домашнему обращался с ними, как могут это делать только американцы. Он был энергичен, честолюбив и не был согласен на малые дела. Как и Садуль, как и — позже — Локкарт, он ездил в Вологду к своему начальству, теперь в изгнании, и в Вологде тоже разговаривал по-свойски, а когда ему требовалось узнать, что думают в Вашингтоне, он непосредственно сносился с Белым домом. Если же он хотел осведомиться, что, собственно, без него сейчас творится в Петрограде, то он телеграфировал прямо Ленину:

«Вологда, 28 февраля 1918 г.
2 часа 45 мин. пополудни

От полковника Робинса —
председателю Совета народных комиссаров
Ленину

Каково положение в Петрограде? Какие новости о германском наступлении? Подписан ли мир? Выехали ли английские и французские посольства? [Они выехали 1 марта.] Когда и какой дорогой? Скажите Локкарту, в британском посольстве, что мы доехали».

На что Ленин ему отвечал:

«Получено февр. 28.
3 часа 10 мин. пополудни

Перемирие еще не подписано. Положение без перемен. На остальные вопросы Вам ответит Петров из наркоминдела.

Ленин».

Локкарт пишет о Робинсе, как о талантливом, живом собеседнике, «ораторе того же калибра, каким был Черчилль». Разговор с ним не был диалог, это почти всегда был монолог; монолог Робинса, его способность находить метафоры и пользоваться ими была исключительно оригинальна. Еще в 1912 году он был кандидатом на выборах в Сенат США от штата Иллинойс. Он искал великих и умел поклоняться им. Одним из них был Теодор Рузвельт; Ленин разжег его воображение и – странно сказать – Ленину он часто казался забавен. Ленин никогда не отказывал ему в приеме, и даже иногда могло казаться, что Робинс, силой своей личности, действует на Ленина, конечно, не меняет его мыслей и решений, но впечатляет его, как впечатляет он всех вокруг себя.

Он был за немедленное признание США большевиков, но посол Френсис думал об этом несколько иначе. Там, в Вологде, настроения были обусловлены твердой непримиримостью опытного дипломата Нуланса, жаждавшего крови Ленина, интервенциониста и реакционера, поклонника порядка и традиций. И ни Робинс, ни Садуль своими доводами, что «России обратного хода нет», никого не могли переубедить. В Москве же и в Петрограде оставшиеся англичане, французы и американцы слушали их гораздо более внимательно. Впрочем, тут люди были совершенно другого рода, и цели их были другие: в Вологде сидели профессиональные дипломаты, которые давали отчет своим правительствам – Ллойд-Джорджу, Клемансо, Вильсону, – они много недель сидели там, как на иголках, все еще живя в вагонах, данных им Совнаркомом, пока 14 мая не уехали в Архангельск. В Москве же и Петрограде оставались люди на целое поколение моложе их, от служивших на секретной службе до атташе союзных военных миссий, от последних корреспондентов европейских газет до последних служащих разоренных консульств.

В 1920-х и 1930-х годах в среде русской эмиграции в Париже бывшие социалисты-революционеры и социал-демократы утверждали, что только профессиональные политики имеют право заниматься политикой и рассуждать о ней, что политическая деятельность не терпит дилетантства. Над ними посмеивались (1917 год был еще слишком свеж в памяти), но они несомненно в каком-то смысле были правы: дилетанты в политике очень редко считаются с идеологией, стоящей за ней или ведущей ее, и не понимают роли и значения ее власти над массами. Идеология, заменяющая религию, дающая готовые и обязательные ответы на все без исключения вопросы как быта, так и бытия, обуславливающая поведение политических вождей, кажется им не столь существенной, как другие факторы политической жизни. Робинс игнорировал идеологию большевиков, он ясно видел их цели как в России, так и в международном масштабе, он видел их стратегию и тактику, но никогда не заглядывал в основу, на чем это все стоит и что за этим скрывается. Может быть, в некоторой степени это повторилось значительно позже, когда почти всеми правительствами в 1930-х годах игнорировалась книга Гитлера и его идеологии не было оказано достаточно внимания? И те, кто стоял тогда у власти в Европе и Америке, не вникли в тот факт, что в тоталитаризме идеология всегда заменяет идеи? Робинс схватил главное, как ему казалось: бедные будут накормлены (не сейчас, не немедленно, но в будущем, и с помощью американского Красного креста), жадные и сытые будут обезврежены, и между «понявшими» и «ожившими» в этой замороженной стране распустятся наконец цветы несомненного братства. Он был американцем Среднего Запада, каждый день читал Библию; гуманист и филантроп, он, судя по всему, что о нем позже писалось, был также оптимист и сангвиник.

Свою красно-крестную миссию он привез еще в августе 1917 года, через Сибирь. Он лично знал Керенского, Милюкова, Корнилова и многих других. Он обещал помощь сначала Временному правительству, потом — Совнаркому. Особенно этому последнему, если Ленин согласится продолжать войну с немцами. И почему бы ему не продолжать ее, если его правительство рабоче-крестьянское, а рабочие и крестьяне теперь имеют свою собственную армию и конечно его поддержат? Садуль и отчасти Локкарт были с ним согласны: в Архангельск союзники вот-вот обещали прислать флот со снабжением для революционного народа — если этот народ будет продолжать войну с Германией. Впрочем, надо именно не продолжать царскую войну, а начать новую, революционную, через новую революционную мобилизацию, с новыми революционными целями и новым энтузиазмом. Френсис теперь в основном был с Робинсом согласен: интервенция должна была начаться, если и не за большевиков, то во всяком случае не против них.

Благодаря своим связям в Кремле Робинс ездил по Москве в своем автомобиле, украшенном американским флагом. Автомобиль у него украли анархисты, занимавшие в это время двадцать шесть особняков в столице и бесчинствовавшие в городе днем и ночью, убивая, грабя, поджигая. 11 апреля на них была произведена облава: ночью, в один и тот же час, на все их восемнадцать центров налетели вооруженные до зубов военные части ВЧК, и в этом разгроме больше ста из них было убито и пятьсот арестовано. Их центры были подожжены и горели. Из их литературы были устроены костры на московских улицах. Это была плановая кровавая ликвидация целой «партии», которая сама требовала убийств главарей в Кремле, расправы за то, что они предали революцию.

Робинс ездил по Москве с переводчиком, завтракал почти ежедневно с Локкартом, а иногда и втроем с Садулем, но даже ему этот апрель начал казаться зловещим: Москва была буквально залита кровью анархистов, и чекист Петерс на следующий день после «бани» повез Робинса и Локкарта посмотреть, что сталось со штабом и всякими штаб-квартирами анархистов в Москве, как на пикник. Некоторые помещения еще пахли кровью и распоротыми животами. Петерс объяснял обоим, что у большевиков нет времени производить судебное следствие и вообще ставить — как пьесу на театре — всю комедию законного судопроизводства. Первый немецкий посол после подписанного мира должен был приехать в Москву, и столицу приказано было вычистить. А судопроизводство с адвокатами, прокурорами, свидетелями и присяжными не ко времени: у советской власти слишком много врагов и их надо приканчивать на месте, и еще лучше — массово.

В эти дни у большевиков было довольно много задач, положение их иногда казалось угрожающим. Японский десант с явно враждебными целями во Владивостоке, немецкая армия под Петроградом, занятие немцами Финляндии и союзный десант в Мурманске (с неприкрытой целью идти в Архангельск) — таковы были их заботы. В Мурманск действительно в это время пришли два английских крейсера «Глори» и «Кокран» и французский крейсер «Адмирал Об»; а американский крейсер был в пути и пришел в мае, когда Робинса больше в России уже не было.

В мае, пока он еще жил в Москве, он продолжал вести себя со свойственным ему авантюризмом. Локкарт ценил в нем его красноречие, его уверенность в себе, его внешность, напоминавшую индейского вождя, и его дружеское отношение к самому Локкарту и товарищеское отношение ко всем остальным. Садуль и Робинса, и Локкарта считал закоренелыми, неисправимыми буржуа, о чем он писал Альберу Тома в Париж еще 13 марта:

«С некоторых пор американцы прислали для контактов с Троцким полковника Робинса... Кажется, это человек умный и ловкий и может принести пользу. К несчастью, он политически внушает Троцкому только относительное доверие, во-первых, потому, что он принадлежит к наиболее империалистической и капиталистической партии Соединенных Штатов, во-вторых, потому, что он как-то слишком "хитер", как-то уж слишком дипломат в разговорах с наркомвоеном. Английские интересы в Смольном с некоторых пор тоже здесь представлены консульским агентом Локкартом, который некоторым большевикам кажется более серьезным и более "отчетливым", чем Робинс. К несчастью, Локкарт, как и Робинс, — добрый буржуа. Нам нужны здесь левые социалисты... Курьеры после беспорядков в Финляндии или запаздывают, или вовсе не приезжают...»

Но кое-чему в апреле и мае Садуль еще учился у Робинса, Робинс — у Садуля, а Локкарт — у обоих.

Ему давно пора было съездить в Вологду, по примеру Садуля и Робинса, но он боялся оставить Муру одну и не хотелось нарушать эту домашнюю жизнь, которая теперь стала такой и прочной, и счастливой. Тем не менее он решился отправиться в путь. К этому времени картина окружения России и внутреннее ее положение были следующие: 5 апреля японцы начали высадку во Владивостоке, и чешские войска в Сибири, организовавшись в регулярные части, начали военные действия от Японского моря до Иркутска и грозили Уралу. Савинков — по слухам — действовал на верхней Волге и собирался открыть дорогу чехам в европейскую Россию; доходили сведения, что англичане из Персии идут на Кавказ; Украина и Донская область были заняты немцами, как и Крым. Прибалтика была также оккупирована ими. Весь апрель месяц немцы постепенно занимали Финляндию; союзные военные суда стояли на рейде в Мурманске, и 1200 человек были спущены на берег (по советским данным — 12 тысяч). Английские крейсера «Глори» и «Кокран» пришли еще в марте. Генерал Пулль командовал войсками, контр-адмирал Кемп командовал эскадрой. Американский крейсер ожидался со дня на день.

Внимательно взвесив все эти факты, Локкарт 27 мая выехал в Вологду. Накануне московские проводы запомнились Локкарту: в этот день в последний раз всей компанией они поздно вечером отправились в «Стрельну» праздновать чье-то рождение, и цыганка Мария Николаевна им пела, как бы прощаясь с ними. Каким-то чудом это место все еще было открыто, и старые лакеи узнавали там прежних господ: «Столик ваш всегда для вас готов, господин Лохарь», — говорили татары, взмахивая салфетками. Выпито было много, и на рассвете Мура и Локкарт поехали на Воробьевы горы и там долго стояли обнявшись, пока солнце не взошло над Кремлем.

Через три дня он был на месте. В этот же день он доложил Нулансу и Френсису уже не колебания свои, но уверенность, к которой он пришел в последние дни, что интервенция необходима, но должна ли она быть антибольшевистской прежде всего, а потом уже антинемецкой, он не знал, причем на поддержку русской контрреволюции, по его мнению, рассчитывать можно было только минимально — каждый человек был против всех остальных, и никто ни с кем не мог сговориться.

В переменах, происшедших в уме Локкарта, сыграли роль два фактора: один — чисто внешний — удар по его карьере, если он никого ни в чем не убедит (т. е. ни Асквита, ни Черчилля, ни Бальфура, ни Ллойд-Джорджа, не говоря уже о главной квартире: среди генералов Нокс уже громко требовал его отозвания из Москвы и даже отдачи под суд за симпатии к Ленину и Троцкому и другим разбойникам). Второй фактор — внутренний: был ли он результатом логического процесса мысли, обусловленным его созреванием — в политическом, как и в личном плане, — была ли в этой перемене повинна эмоциональная сторона его московской жизни, но ему постепенно, особенно же со дня анархистской бойни, открылся наконец весь ужас террора, настоящего и будущего; все, что таилось за фразами Ленина, улыбками Чичерина, святостью Дзержинского, все приобрело вдруг новый смысл. Кровь, которая была пролита в ту ночь в Москве в бессудной ночной резне и которая вот-вот должна будет еще пролиться, смутила его. Он, конечно, в это время не мог еще предвидеть ни стрельбы по великим князьям во дворе Петропавловской крепости, где они теперь все ждали решения своей участи, ни подвала в доме Ипатьева в Екатеринбурге и урочища «Четырех братьев», ни той шахты, куда в конце концов бросят его знакомого вел. кн. Михаила Александровича вместе с его кузенами и теткой.

Человеку западного мира, да еще англичанину, верящему в суд и право, такие ночи, как ночь ликвидации анархистов, не проходят даром. Локкарт теперь понимал, что левых эсеров ждет та же участь, которая выпадает их «правым» собратьям, и что впереди — убийства и пытки, о которых сейчас можно только догадываться. Возможно также, что его русские друзья открыли ему глаза на сущность того, что происходит, что пришло, и идет, и будет идти, все расширяясь, все умножаясь, если его сейчас, в это зловещее лето, не пресечь.

В таких умонастроениях Локкарту нужно было иметь в виду две вещи и делать ставку на обе карты: на внешнюю дружбу с Кремлем и на продолжение войны с Германией одновременно. С одной стороны, по его мнению, нужно было немедленно признать большевиков и начать с ними традиционные дипломатические отношения, поставив непременным условием помощи Кремлю вооруженное сопротивление Красной армии германскому продвижению вглубь России; с другой стороны, надо было поддерживать сколько возможно (деньгами и обещаниями) контрреволюцию, в каком бы виде она ни являлась, — т. е. действия, с одной стороны, Савинкова, с другой — генерала Алексеева. Он называл это «грозить большевикам» и «войной нервов», но прекрасно понимал, что это называется просто шантажом.

Американский историк Р. Оллман так пишет об этом поворотном моменте в июне — июле 1918 года:

«Германский посланник прочно сидел в Москве. Германская армия продолжала в апреле и мае все глубже вторгаться на Украину, в Грузию, в Крым и Прибалтику, осуществляя директиву, данную Людендорфом: "Решающее значение имеет для нас отвоевать верное место в российской экономической жизни и монополизировать ее экспорт. Все русское зерно, безотносительно к русским нуждам, должно быть экспортировано в Германию; Россия должна быть обескровлена, ее надо заставить связать свое существование с Германией". Всякая другая политика, объявил Людендорф в заключение, "серьезно подорвет наше военное усилие и наши послевоенные интересы". Такова была военная сторона германского плана. Политическая сторона его, которой руководили Кюльман, Хинце и Хертлинг, была диаметрально противоположна ему и требовала установления дружеских отношений с большевистским режимом; они считали, что всякое другое русское правительство постарается сблизиться с державами Согласия. Таким образом, баланс был непрочен, и в результате Людендорф оказался связанным и не мог осуществить свою хищную программу и привести Германию к новому наступлению».

Все, что таил в себе план Людендорфа, было угадано Локкартом, находившимся в Москве 23 мая, в день, когда чехи решили форсировать свой путь на Владивосток, а военный кабинет Англии — послать в Архангельск десант. В одной из своих наиболее важных телеграмм Локкарт сообщал Бальфуру, министру иностранных дел, что в последние десять дней положение подверглось важным изменениям благодаря неожиданной перемене в германской политике: Германия известила большевиков, что она закончила свои военные операции на территории России, и что у нее теперь нет намерений брать Петроград или Москву, и что немцы готовы начать экономическое сотрудничество с русским правительством. Локкарт дал понять Бальфуру, что, по его мнению, немцы пришли к такому решению потому, что их наступление на западном фронте не позволяет им иметь достаточное количество войска для оккупации центральной России. Поэтому они решили концентрировать свои силы на операциях в таких районах, как Кавказ и Украина, где они могут выиграть больше в материальном отношении и где для них не будет риска возобновления войны с большевиками, потому что эти окраины не находятся в данное время под властью большевиков.

Ввиду такого поворота германской политики, телеграфировал Локкарт, державы Согласия имеют мало надежд на то, что большевики предложат им вмешаться и произвести интервенцию, или даже на то, что они дадут свое согласие на интервенцию. Теперь, когда они почувствовали себя гарантированными от германского наступления, они никогда не позволят союзникам акцию, которая могла бы спровоцировать Германию. Московские вожди сделают все возможное, чтобы продлить статус-кво, т. е. положение, выгодное для немцев, которые теперь смогут успокоиться, эксплуатируя русское зерно, и рудники Донбасса, и сырье других земель, которые они заняли.

При таком положении вещей Локкарт считал единственно возможным для союзников действием приготовить немедленно и в абсолютной тайне, насколько возможно, широкую антибольшевистскую интервенцию. Но до последнего момента он считал необходимым продолжать мирное сотрудничество с большевиками в надежде, что какой-нибудь непредвиденный шаг немцев заставит большевиков дать свое согласие на вмешательство союзников. Когда союзники будут полностью готовы, они должны будут воспользоваться выгодной для них минутой в русской ситуации и объявить свою цель русскому народу, взывая к его патриотизму и гарантируя территориальную целостность России, и затем, в одни сутки, высадить армии во Владивостоке, Мурманске и Архангельске.

Таким образом, Локкарт стал сторонником интервенции. В марте он надеялся, что Кремль (или тогда еще Смольный) призовет на помощь союзников; в апреле он стал соглашаться, что от Кремля приглашения не будет и что в лучшем случае можно ожидать его согласия на интервенцию; теперь, в мае, он пришел к заключению, что и согласия не будет, но что тем не менее интервенция — острая необходимость. Трудно решить, что означала такая смена взглядов. Если предположить, что опасность со стороны Германии была действительно так велика, как он думал, то его совет был верен. В частности, он был прав, как это показали последующие события, когда настаивал, что уж если производить интервенцию, то ее надо делать быстрым темпом и массовой силой.

В своих личных отношениях с Кремлем Локкарту всегда было трудно быть уступчивым. Он уже в начале июня был в сложном положении. 1 июня он телеграфировал Бальфуру:

«Я чувствую и надеюсь, что моя работа здесь заканчивается. Мое положение, и я уверен, что Вы меня понимаете, было очень трудным, и ход событий в последнее время не сделал его легче. Здесь многое еще должно быть сделано, чтобы закрепить взаимоотношения с другими группами и усыпить подозрения большевиков. С Вашего согласия я предполагаю досмотреть здесь спектакль до конца в уверенности, что союзники начнут действовать с минимумом отсрочки».

Перемена в Локкарте скорее обрадовала, чем удивила Нуланса и других: Френсис в это время тоже переживал некоторый кризис, хотя, конечно, далеко не такой сильный, как Локкарт. Теперь в Вологде был почти полный унисон, и он отражен в книге французского посла, написанной несколькими годами позже. Нуланс пишет:

«Умный, энергичный, умелый Локкарт был одним из тех, кого британское правительство берет к себе на службу с редким чутьем, поручая им конфиденциальные задачи, и кого, в случае нужды, оно бросает на произвол судьбы».

С британской стороны начальства в Вологде не было: говорили, что Линдли, бывший консул в Петербурге, находится опять на пути в Россию. Эта новость не обрадовала Локкарта. Он считал, что Линдли посылается, чтобы его, Локкарта, обуздать, и даже сердился, что Лондон не сообщил ему об этом непосредственно.

Но мелкие обиды не слишком долго кололи его самолюбие. Хуже было другое: вернувшись в Москву, он увидел, что остается здесь совершенно один. Несмотря на дружеские отношения с подчиненными, у него не было старших, у кого можно было бы спросить совета, и не было равных: Робинс с письмом Ленина в кармане через Владивосток и Японию отбыл в США; Садуль теперь совсем отошел от него. Отношения с ним начали портиться еще с начала апреля: Садуль в это время начал постепенный разрыв и с собственным правительством. В Париже его никто не слушал, когда он молил о помощи большевикам. Он был так уверен в своем влиянии, что некоторое время воображал, что десант союзников в Белом море везет Ленину и Троцкому снабжение и людей для борьбы с контрреволюцией. «Финские банды, — писал он 25 апреля о белых в Финляндии, — которым тайно помогают немцы, приближаются к Петрограду. Они войдут в него тогда, когда этого захотят их мощные и опасные союзники [немцы]». В эти дни Садуль решил незаметно и бесшумно порвать с пославшими его. Он сделал это осторожно. Рапорты его начали делаться постепенно все более редкими, пока окончательно не прекратились.

Локкарт вернулся в Москву 31 мая. Москва была объявлена на военном положении: был раскрыт контрреволюционный заговор, пятьсот человек были арестованы, и в его кабинете, на его столе, лежало письмо Чичерина: наркоминдел требовал объяснений о продвижении чехов, о действиях их в Сибири и приближении их к Казани. Локкарт в свое время ему говорил, что чехов надо отпустить либо на родину, либо во Францию, дать им оружие, и они будут воевать с немцами. На самом деле они теперь били большевиков под началом французских офицеров.

Теперь Карахан начал избегать встреч с ним, Крыленко кричал на него, а Чичерин откладывал свидание, о котором Локкарт его просил. Что касается Троцкого, то тот был «неизвестно где». В его собственной, Локкарта, канцелярии иногда с утра никого не было: молодые «наблюдатели» разбредались кто куда: брать русские уроки у знакомых дам, добывать продукты за городом, есть блины, куличи и пасхи — необязательно в положенные праздники, сготовленные, разумеется, из продуктов, добытых в американском Красном кресте (Робинс щедро распорядился своими консервами, и это скрашивало жизнь). Они ездили кататься на лодке в Сокольники и играть в футбол с датчанами и шведами. Мысль о возможном приезде Линдли (заменить его? контролировать его?) портила Локкарту настроение. Но он старался не растравлять своего самолюбия и делал свое дело, предчувствуя, что начавшееся для него любовью лето принесет ему и стране, с которой он чувствовал себя теперь кровно связанным, еще больше трудностей, чем оно сулит его собственной родине, которой он служит.

И он очень скоро увидел, что он был прав, когда говорил, что июнь окажется месяцем грозных событий: зловещая атмосфера не могла не стать еще более зловещей после начала Гражданской войны в Сибири, все способствовало этому: всеобщая мобилизация Красной армии, бегство Савинкова из тюрьмы ВЧК, убийство Володарского 21 июня и перевоз из Тобольска в Екатеринбург царской семьи.

Убийство Володарского вызвало волну террора и в Петрограде, и в Москве. Подходил июль и обещал быть еще грознее, судя по речам главы ВЧК Дзержинского, расклеенным на углах улиц.

Кругом все говорили только об отъезде. Было ясно: не от завоевателей придет им беда, но от российских «узурпаторов», которые, как только из Архангельска двинется на юг экспедиционный корпус генерала Пулля, возьмут их заложниками. Но уезжать не хотелось. И этому были две причины: одна, свидетельствовавшая о его слабости, — уехать значило объявить себя побежденным обстоятельствами, показать всю свою непригодность в деле, на которое его послали; другая, свидетельствовавшая о его неразумности, о его безумии (он это понимал и ничего не мог с этим поделать), — уехать значило навсегда расстаться с Мурой. И с трепетом и восхищением он смотрел на приехавшего в это время в Россию *на два часа* старого своего знакомого Бенджи Брюса и увезшего Тамару Карсавину в Англию*.

Любовь и счастье и угроза тому и другому были с ним теперь день и ночь. Они жили втроем с Хиксом, сняв квартиру в Хлебном переулке, около Арбата, дом 19. После Дома Советов и особняка, где он жил короткое время, это было более скромно, но уютно, и, в общем, места было достаточно. Его приемная как-то понемногу превратилась в общую гостиную. У него был большой кабинет, книги, письменный стол, кресла и камин. Хикс и Мура были в дружеских отношениях. И кухарка была отличная: из запасов американского Красного креста она готовила им вкусные обеды. Жизнь была семейная, не богемная, и Локкарту это нравилось. Мура стала спокойной и веселой. Своих знакомых у нее становилось все меньше, все друзья были общие. Во всю ее жизнь, и до Локкарта, и после него, даже самые близкие люди часто не знали, где она живет, с кем, собственно, живет куда ездит, зачем, в каких гостиницах останавливается, когда приезжает в чужой город, у кого гостит в Лондоне, когда туда приезжает, и какой адрес у нее в Эстонии.

Этим летом, после восьмимесячной разлуки с детьми, она сказала Локкарту, что ей необходимо съездить в Ревель. Она не имела известий от детей с тех пор, как рассталась с ними, иначе и быть не могло, принимая во внимание обстоятельства в Эстонии: и железнодорожное, и почтовое сообщения со страной были прерваны. И 14 июля она срочно выехала в Петроград.

Он дал ей уехать, вне себя от беспокойства после событий первой половины июля: 4 июля открылся V Съезд Советов, 6 июля германский посол в Москве был убит левым эсером, 5–8 числа произошло восстание левых

---

* По другим сведениям, «Бенджи» Брюс (настоящее имя его было Генри) приезжал в Россию *на два дня*.

эсеров, подавленное ВЧК. В эти же дни (6—21 июля) было Ярославское восстание. Уже во время ее отсутствия Локкарт получил шифрованную телеграмму о том, что 24-го союзные посольства снялись из Вологды и двигаются в Архангельск, где в первых числах августа ожидается массовый десант.

Савинков, генералы, контрреволюционный «Центр», связные, приезжающие от чехов, и московские (последние, еще сидевшие в Москве) либералы, жившие под чужими фамилиями — все рвали его на части. Несмотря ни на что, он сохранял спокойствие и до сих пор еще имел контакт с Лондоном, позже ставший косвенным через шведское представительство. Он слал и слал Бальфуру свои депеши о необходимости увеличить число высаживающихся войск (1200? или 12 тысяч?), о том, что занятие и Прибалтики, и Финляндии немцами теперь идет к концу. И Бальфур отвечал ему, что японцы идут на Иркутск, займут его и двинутся к Уралу, дело стоит только за согласием президента Вильсона на эту операцию.

Он знал о положении в Прибалтике и проклинал себя, что дал Муре уехать, он сознавал, что это был сумасшедший шаг в безумное время, что теперь самое главное для него была не политика, не Бальфур, не карьера, не то, что в Лондоне наконец поняли, что он круто изменил свое мнение об интервенции, а Мура, ее жизнь, их близость.

Он позже писал, что десять дней был вне себя от беспокойства за нее, а последние четыре дня и четыре ночи не мог ни спать, ни есть. На грани полного отчаяния, от которого он впадал в полуобморочное состояние с конвульсиями и потерей речи, он наконец услышал ее голос в телефоне: она звонила ему, она опять была в Петрограде. На следующий день он встретил ее в Москве.

Но Локкарт, видимо, не отдавал себе отчета в том, что в Эстонию в июле 1918 года проехать по железной дороге было абсолютно невозможно, никаких поездов не было, так что речи о проверке в поезде документов туда и обратно (о которой он так беспокоился) и быть не могло. Советские историки в книгах и энциклопедиях, в ученых, как и в популярных работах сообщают, что занятие Эстонии в 1940 году советскими войсками было «восстановлением демократии в Эстонии», где «восстановление» напоминает читателю о том, что Эстония между ноябрем 1917 года и ноябрем 1918 года (перемирие между союзниками и Германией и позже Версальский мир, сделавший Эстонию самостоятельным государством) уже один раз была советской. Но это не так. Как очень часто, советские историки не дают фактов, а дают свое собственное, выгодное для советской власти вымышленное повествование о событиях, направленное к возвеличению прошлого (эта традиция не чужда была и царской России). Вся Прибалтика в это лето была занята немцами, но спокойствия в стране не было. С 1916 года, после русского отступления, германская армия стала хозяйкой прибалтийских стран до самой Риги, а после Октябрьской революции германские войска двинулись по всему фронту вглубь русских земель и постепенно к этому времени (лето 1918 года) дошли на востоке до линии Нарва — Псков — Смоленск, угрожая Петрограду по линии Двинск — Псков — Луга — Гатчина. Границы же вообще не было, а был фронт.

Латвия и Литва после Октябрьской революции были частично заняты Красной армией, но Эстония оставалась под немцами: здесь были «белые» русские, которые старались установить с «белыми» эстонцами и немецким командованием контакт; здесь были «красные» эстонцы, которые работали подпольно и были в связи с большевиками в Москве, на которых они работали; здесь были «самостийники», требовавшие полной автономии для Эстонии; местами шла спорадическая «партизанская» (тогда это слово еще не было в ходу) война.

Линия фронта была отчасти установлена между большевистской Россией и Эстонией еще до января 1918 года, но после Нового года немцы начали то тут, то там продвигаться к Двинску и Пскову. Еще в декабре 1917 года, когда Мура вернулась, можно было пробраться из Эстонии в Петроград пешком или на телеге (что Мура и сделала), с риском быть подстреленным на границе, т. е. в военной полосе, но уже в феврале, когда 21-го числа был взят Двинск и немцы 25 февраля стали под Псковом, заняв Режицу, этого сделать было нельзя, а уж после 3 марта, когда был подписан Брест-Литовский мир, съездить в Эстонию на две недели было так же невозможно, как съездить в Париж. Те, кто там жил в это время, прекрасно помнят, что связи с русскими столицами не было никакой. В январе, когда эстонцы объявили Эстонию самостоятельной республикой, между красноармейскими и германскими частями происходило кратковременное братание, но в феврале – марте, когда немцы двинулись на Петроград, нелегальные переходы в обе стороны совершенно прекратились. Немцы, таким образом, оставались оккупантами до ноября 1918 года, когда большевики прекратили борьбу, но отношений с эстонцами еще не завязали. Только Версальская конференция окончательно решила судьбу всех трех прибалтийских государств.

Таким образом, если предположить, что Мура рискнула жизнью для перехода эстонской границы (справедливее будет назвать ее фронтом), оставив в Москве Локкарта, если предположить, что она внезапно решила повидать своих детей, которых она оставила по своей воле более восьми месяцев тому назад и от которых она не могла иметь со дня разлуки известий, и сделать это в сложный для Локкарта момент, совершенно невероятным кажется ее второй переход обратно в Россию и то, чтобы она рискнула во второй раз повторить такой опасный шаг и вернуться ровно через две недели, как она обещала, как если бы съездила туда с заранее купленной плацкартой. Но мог ли Локкарт не знать, что вот уже год, как в Ревель не ходили поезда? В это время московские газеты (и петроградские, конечно) каждые три недели писали о том, что происходит в Прибалтике: об ужасах германской оккупации, об аресте красных эстонцев. «Петроградская правда» не переставала напоминать об этом: 13 июня «была статья» о наступающем в Эстляндии (так страна называлась до 1919 года) голоде (немцы все вывозили в Германию); 7 августа — о вывозе самого населения на работы в Германию; 11 августа — о немцах, терроризирующих местное население, и т. д. Как будто не знать всего этого Локкарт не мог, а между тем, полностью доверяя Муре, он мог не сопоставить эти факты с ее поездкой, быть может, бессознательно избегая глубже заглянуть в ее план. Сам он, когда ездил в Петроград, ездил в поезде Троцкого, а в Вологду ему дали отдельное купе на четырех, в спальном вагоне.

У Муры могло быть несколько причин, чтобы исчезнуть на две недели из Москвы, без возможности быть вызванной обратно: первая была — она могла уехать в Петроград не только с согласия, но и по просьбе Локкарта, исполняя там опасное задание английской разведки, и его чрезвычайное беспокойство относилось не к поездке в Эстонию, но именно к этому опасному заданию. Вторая — она могла быть послана им с секретным поручением в Вологду. Третья причина могла быть — она поехала в Петроград и пробыла там две недели по личным делам, о которых она не хотела говорить Локкарту. Четвертая возможность: она оставалась в Петрограде в полной изоляции по делам, не связанным ни с английской разведкой, ни с ее собственным прошлым. Пятая — она могла поехать не в Петроград и не в Вологду, но быть посланной с неизвестным нам заданием в третье место. И — шестая — она оставалась две недели в Москве в полной изоляции, под домашним арестом, в месте никому неизвестном, для дел, о которых никто никогда не узнал.

Наиболее вероятны возможности четвертая и шестая. Но очень возможна и какая-нибудь седьмая, которую невозможно предположить на основании данных, имеющихся в настоящее время.

В своем дневнике, когда она вернулась к нему, Локкарт писал (18 июля):

«Теперь мне было все равно — только бы видеть ее, только бы видеть. Я чувствовал, что теперь готов ко всему, могу снести все, что будущее готовило мне».

Мура, разумеется, в то время знала всех, кто приходил и по делам, и лично к Локкарту. Она знала приезжавших из Петрограда секретных агентов Локкарта, его друга капитана Кроми и его сотрудников. Она знакомилась с гостями, приезжавшими в Москву окольными путями из Англии и остававшимися в России, кто неделю, кто месяц, кто с «миссией» торговой, кто с культурной, а кто и сам по себе. Она знала и американских агентов, и среди них Робинса, пока он не уехал, и агентов французской разведывательной службы. Она была постоянно подле Локкарта, этого он хотел, хотела этого и она. Ее знакомили с посторонними, как переводчицу. Ни по каким официальным делам Локкарт, конечно, никогда ее с собой не брал, но к русским знакомым, в театры и в какие еще были рестораны она с ним выходила. Кое-какие предосторожности они все же принимали. Работавшей у них прислуге он доверял полностью.

Он делился с Мурой многим, но не всем. Она, видимо, не знала, что у него было место в Москве, где он принимает Савинкова и П.Б. Струве, где переодетые царские генералы заходят к нему, прежде чем ехать на юг России, в начинающую формироваться «белую» Добровольческую армию, и где совсем еще недавно он выдал Керенскому паспорт на имя сербского военнопленного солдата для отъезда его в Архангельск с личным письмом к генералу Пуллю. Керенский, отпустивший бороду, пришел в английское консульство, когда Локкарт еще был в Лондоне, и говорил с его заместителем, Оливером Уордропом. Он метался по Москве несколько месяцев и наконец эсер В.О. Фабрикант привел его к Локкарту в начале лета. (Локкарт дает Фабриканту инициал М. и называет его Фабрикантов. Насколько я помню, его звали Владимир Осипович.) Локкарт сначала прятал его в верном месте, а затем, раздобыв ему сербский паспорт, отправил его в Архангельск. Их знакомство началось сразу после Февральской революции, когда Локкарту приходилось быть переводчиком между Керенским и Бьюкененом на аудиенциях, длившихся иногда более двух часов; оно должно было возобновиться через полгода в Лондоне, за завтраком в фешенебельном Карлтон-грилле. Керенский всегда звал Локкарта Роман Романович.

События, между тем, шли ускоренным ходом: до 4 июля в правительство входили левые эсеры, и оно считалось коалиционным. В день открытия V Съезда в Большом театре левые эсеры, чувствуя, что наступает роковой для них час, выступили с резкими речами против аграрной политики большевиков, смертной казни, позорного мира с Германией и – особенно – против сближения с ней. Начались беспорядки, вспыхнуло восстание. 6-го был убит германский посол граф Мирбах эсером Блюмкиным, который был одновременно и чекистом. Восстание привело к массовым арестам и немедленным расстрелам. Во второй день съезда заседание открылось без большевистских главарей на трибуне и без лидеров левоэсеровской оппозиции. Большой театр во время заседания был оцеплен войсками, и Локкарт только по специальному пропуску был выпущен из него. Ночью левые эсеры были выловлены, на улицах шли бои. Как говорил Петерс: у нас нет времени судить, мы казним на месте. В этот же день Савинков в Ярославле организовал восстание. Локкарт шатался по улицам, был вовлечен в лихорадку событий. Через десять дней он узнал от Карахана об убийстве царя и его семьи, в тот же день пришла в Москву долгожданная новость: союзные посольства находятся вблизи Архангельска, все в тех же вагонах, в которых они жили пять месяцев, в которых выехали из Москвы. Еще через неделю чехами была окружена Казань. С этого дня слухи о неминуемой высылке иностранных «наблюдателей» и «осведомителей» начали принимать вполне реальный характер. Приближалась развязка, и Локкарт, и Мура, не позволяя себе лишних слов, от которых становилось только чернее на сердце, сдержанно и по виду спокойно смотрели в ближайшее будущее, которое должно будет разделить их. Он позже описал эти июльские и августовские дни, эту тревогу за нее, и за себя, и за всю страну, с ее такой трагической эсхатологической судьбой*, которая стала за это время и его страной. «Не остаться ли здесь навсегда?» — спрашивал он себя минутами. Но это проходило. Он сам перед собой не скрывал своих недостатков и нес в себе все свои противоречия, о которых признавался в минуты искренности самому себе. Но теперь, как ему казалось, начинаются уже удары судьбы, не просто ее капризы. И одним из этих ударов была встреча с человеком, имени которого он так и не узнал и с которым не было сказано ни одного слова, но который, видимо, знал о Локкарте гораздо больше, чем Локкарт мог знать о нем.

В приемной наркоминдела в ожидании, когда его примут, Локкарт увидел в противоположном углу большой комнаты средних лет германского дипломата. В первый раз с начала войны его страны с Германией он находился в обществе немца. Дипломат внимательно смотрел на Локкарта, так, как если бы вот-вот готов был заговорить, и Локкарт сначала отвернулся от него, а затем с тяжелым чувством вышел из комнаты. На следующий день один из секретарей шведской миссии встретил его на улице и сказал ему, что из германского посольства ему просят передать, во-первых, что немцами недавно раскрыт шифр большевиков и они не прочь поделиться с англичанами результатами своего открытия, чтобы и они могли воспользоваться им и тем доставить удовольствие своему правительству. И во-вторых, им известно, что шифр англичан, т. е. тот, которым Локкарт

* Он только недавно узнал слова К. Леонтьева о том, что Россия стоит не в начале своего исторического пути, а в конце его.

шифрует свои телеграммы в Лондон, уже два месяца как раскрыт большевиками.

Два месяца – это значило, что Чичерин знал все, о чем Локкарт информировал Бальфура, вернувшись из Вологды в мае. И Троцкий, и, конечно, Ленин, и глава ВЧК Дзержинский, все были знакомы с текстом донесений, которые посылались им правительству Ллойд-Джорджа. Этот шифр хранился у него в столе, под замком. В квартире никогда не бывало посторонних без того, чтобы он, Хикс или Мура не были дома. Прислуга была вне подозрений. И ключ от квартиры никогда никому не давали... Это был удар, от которого, он чувствовал, он не скоро оправится. Надо было подумать о том, как теперь жить дальше.

ЛЮБОВЬ И ТЮРЬМА

Я любил некоторых женщин
за некоторые их добродетели.
«Буря». III, 1, 42

Еще в мае месяце появилась на московском горизонте новая фигура — человек импульсивный, храбрый и неуравновешенный, авантюрист, какими богата была русская жизнь с конца прошлого века, сыгравший роль в судьбе Локкарта. Он принес ему готовый план свержения большевиков, и под влиянием этого сильного, бесстрашного, честолюбивого и, конечно, обреченного человека, приехавшего к нему из Петрограда, Локкарт не только укрепился в своем убеждении, что без интервенции большевики не могут быть свергнуты, но и весь ушел в работу, чтобы ускорить их падение. В том, что их режим должен пасть, он теперь не сомневался. Локкарт с юности и вплоть до зрелых лет часто искал и находил старших советников, к которым питал если не сыновние чувства, то, несомненно, чувства ученика к учителю. Таково было его отношение и к генеральному консулу Бейли, которого он, по его словам, «любил больше родного отца», и к сэру Джорджу Бьюкенену, которого он называл своим героем, и особенно к уже упоминавшемуся лорду Милнеру, который, собственно, и послал его в Россию в 1912 году, тому самому Милнеру, который, съездив в январе 1917 года в Петроград с английской делегацией и вернувшись в Англию, доложил тогдашнему премьер-министру Ллойд-Джорджу, что императорская Россия никакой революции не хочет и делать ее не собирается. Даже Робинс, всего на четырнадцать лет старше Локкарта, давал ему это счастливое чувство защиты и уверенности в себе, которых он не знал без поддержки старшего. Родной отец в свое время ничего не сделал для него, кроме того, что послал своего шотландского отпрыска в Малайю, откуда Локкарт мог и не выбраться, дослужив до старости в этой дальней колонии Великобритании.

Человек, прибывший из Петрограда и введенный в кабинет Локкарта капитаном Кроми, был опытный секретный агент Георгий Релинский, рожденный в России, а теперь — английский подданный, многим известный под именем Сиднея Рейли. Он родился в 1874 году, вблизи Одессы, незаконный сын матери-польки и некоего доктора Розенблюма, который бросил мать с ребенком, после чего очень скоро она вышла замуж за русского полковника. Учение он бросил и начал вести авантюрную жизнь, ища опасностей, выгоды и славы. Уже в 1897 году мы видим его агентом британской разведки, куда он причалил после немалых приключений и путешествий. Его послали в Россию. Он женился на богатой вдове, видимо ускорив, с ее помощью, смерть ее мужа; в 1899 году у него был короткий роман с автором «Овода» Э.Л. Войнич, после чего он перешел на постоянную работу в Интеллидженс сервис. В это время он переменил фамилию и благодаря прекрасному знанию иностранных языков мог выдавать себя за прирожденного британца, во Франции сходить за француза, а в Германии — за немца. Вплоть до войны 1914 года он в основном жил в России, был со многими знаком, бывал повсюду и водил дружбу с известным журналистом и редактором «Вечернего времени» Борисом Сувориным, сыном издателя «Нового времени», владельца крупного издательства в Петербурге. Он был активен в банковских сферах, знал крупных петербургских дельцов, знаменитого международного миллионера, ворочавшего всеевропейским вооружением, грека по рождению, сэра Базиля Захарова, строившего военные корабли и продававшего их и Англии, и Германии одновременно. Рейли также имел близкое касательство к петербургской фирме Мендроховича и Лубенского, которая занималась главным образом экспортом и импортом оружия. В 1911 году Мендрохович расстался с польским графом Лубенским и взял себе другого компаньона, известного в петербургских кругах директора одной из железных дорог России, человека с большими связями, Э.П. Шуберского*. Фирма Мандро также закупала всякое военно-морское снаряжение для России, и Рейли несколько раз перед первой войной побывал в США, где при закупках получал большую комиссию. Последнюю, самую крупную, он, однако, получить не успел из-за Февральской революции. Позже, уже в 1923 году, он подал на своих американских контрагентов в суд. Но дело проиграл.

Рейли разводов не признавал, но был три раза женат. Последним браком Рейли женился в 1916 году на испанке, Пепите Бобадилья. В это время он жил в Германии, ездил в США, Париж и Прагу. Паспортов у него было достаточно для всех стран, воюющих и нейтральных. Затем, в 1918 году, английское правительство послало его

---

* Фамилия Мендрохович иногда пишется Мандрохович, а иногда и Мандракович. Друзья звали его Мандро, а во времена Лубенского, т. е. до 1911 года, — фон Мандро. Эта фамилия попадается в русских газетах того времени, и она несомненно попалась на глаза Андрею Белому и была известна ему, когда он позже назвал ею своего героя, шпиона и злодея, в романе «Москва». Многих читателей Белого, в том числе Ходасевича и Алданова, всегда смущал вопрос о происхождении фамилии фон Мандро: она звучала загадочно, не давая ключа ни к национальности, ни к происхождению героя. У Белого фамилии никогда не бывали без скрытого значения. Особенно балтийская приставка «фон» резала ухо в приложении не то к румынскому, не то к венгерскому имени. Теперь можно считать загадку разрешенной.

снова в Россию, здесь он должен был поступить в распоряжение некоего Эрнеста Бойса, установить контакты с капитаном Кроми, а также с главой французской секретной службы Вертемоном и корреспондентом «Фигаро» Рене Маршаном; эти два последних были ему представлены в американском консульстве в Москве французским консулом, полковником Гренаром.

В эти годы Рейли, судя по фотографиям, был высокого роста, черноволос, черноглаз, слегка тяжеловат, с крупными чертами самоуверенного, несколько надменного лица. Он не ограничился Вертемоном и Кроми, но немедленно начал устанавливать самостоятельные связи с оставшимися в Москве и Петрограде представителями союзных и нейтральных государств, расставляя сети для уловления полезных ему информаторов, иностранных и русских, стараясь сблизиться с такими людьми, как Каламатиано, греком, работавшим на секретную службу США (глава американского Красного креста Робинс был вне пределов досягаемости), как англичане Джордж Хилл и Поль Дюкс, который еще до войны работал в Москве, и, конечно, Брюс Локкарт. Все эти лица в это время имели каждый свои связи с русскими антибольшевистскими группами в самых различных слоях населения: от офицерства до духовенства и от купечества до актрис.

Позже, когда Рейли, после трех лет бешеной скачки по Европе и встреч с Деникиным в Париже и с Керенским в Праге, замышляя почти единолично свергнуть большевиков и посадить в Кремле Бориса Савинкова, был застрелен советскими пограничниками при переходе финско-русской границы под Белоостровом в ноябре 1925 года («Известия» от сентября 1927 года дают неверную дату: июнь 1927), Пепита выпустила книгу, включив в нее, кроме своих о нем воспоминаний, краткую автобиографию самого Рейли-Релинского, которая весьма возможно тоже была написана ею самой. Вся книга не стоит бумаги, на которой она напечатана, но кое-что можно узнать о Рейли из его писем к Пепите, часть которых приведена целиком, и даже в факсимиле. От всей книги тем не менее остается впечатление, что Пепита была не только не умна, но и совершенно несведуща в русских делах, путая Зиновьева с Литвиновым и называя белогвардейца-террориста Георгия Радкевича, бросившего бомбу в здание ВЧК на Лубянке, «господином Шульцем» только потому, что он был женат на террористке Марии Шульц. Из книги можно также вывести заключение, что сам Рейли, несмотря на свою сверхъестественную самоуверенность, был полностью разобщен с русской реальностью, с послереволюционной, созданной обстоятельствами, действительностью, утверждая, что контрреволюцией занимаются только слабоумные дураки и что надо «действовать», т. е. бить по ВЧК. В том, что она была «зверски жестокой», с ним никто не спорил.

В действительности, летом 1918 года члены английской и французской секретной службы и кое-кто из американского и даже скандинавских консульств работали в одном направлении, устанавливая связь с генералами будущей Белой армии с одной стороны и эсерами с другой и держа постоянный контакт как в Москве, так и вне Москвы с остатками русской либеральной буржуазии. Денежные фонды из Европы приходили через Локкарта, и он распределял их, отчасти по своему усмотрению, отчасти согласно распоряжениям Ллойд-Джорджа, который давал их Локкарту на основании его же, Локкарта, шифрованных телеграмм. Среди получателей, как позже стало известно, были не только Б.В. Савинков и генерал Алексеев, но и сам патриарх Тихон. Но неверно будет сказать, что Локкарт один был получателем и распорядителем денег, часть которых шла и от бегущих на юг русских промышленников и дельцов, помещиков, домовладельцев, крупных заводчиков, тех, кто сохранил еще золото, валюту, царские и керенские деньги, — эти последние все еще имели относительную ценность. Локкарт был не один. Начиная с весны в этом помогал ему Рейли, который получал самостоятельные суммы из Лондона и который ухитрялся находить пути получения немалых сумм из США и Франции, а также от Масарика, озабоченного судьбой чешского легиона, сформированного в Сибири. Только в 1948 году были опубликованы документы, из которых видно, что Масарик с помощью Рейли, Локкарта и других агентов в то время замышлял убийство Ленина.

Локкарт, отбросив все свои старые колебания, был до такой степени под впечатлением от Рейли, появившегося в Москве, что к середине июня он решил, что Рейли именно тот нужный ему человек, которого ему не хватало: целеустремленный и твердый, с готовым планом и безграничной уверенностью, что будущее в его руках.

Рейли, несомненно, был личностью незаурядной, и даже на фотографиях лицо его говорит об энергии и известной «магии», которая в этом человеке кипела всю жизнь. Были ли это уже тогда зачатки сумасшедшей мании величия или гипнотическая сила, скрытая в нем? Она выливалась в его словах и заставляла людей, вовсе не склонных к благотворительности, давать ему огромные денежные суммы или людей, лучше его понимавших положение в России, выслушивать его и заражаться его энтузиазмом. Несомненно, в нем была сила убеждения (он, кстати, видимо, никогда не терпел неудач с женщинами), и когда он заговорил о возможности открыть союзному десанту путь с севера на Москву, люди слушали его и проект его безумного рискованного плана становился если не реальностью, то во всяком случае идеей, таившей в себе потенциал и на которую стоило решиться.

Локкарт в июне — июле был уже вполне твердо убежден, что антибольшевистский десант не только нужен, но что он и возможен. И не только он откроет генералу Пуллю путь на Москву (а попутно и на Петроград), но в конце концов и на Украину, где германская армия методически занимает хлебные территории в предвидении близкого урожая, решив завладеть русским зерном для прокормления своих дивизий на западном фронте и разбить союзников. Генералам, формирующим или уже сформировавшим «белые» части, останется только присоединиться к тем, кто придет им навстречу. А потом легко будет броситься в Сибирь, на соединение с чехами. Главное было — взять Москву, арестовать главарей и идти вперед, идти вместе со всеми, объединенными одной целью: не дать сговориться генералам Белой армии с германским генеральным штабом. Этот план должен был быть осуществлен немедленно, земля под заговорщиками горела: чехи требовали помощи, Алексеев, Корнилов на юге, Семенов в Китае развивали свои действия.

Сидней Рейли был привезен Кроми из Петрограда в мае 1918 года и введен в круг людей, составлявших теперь внутренний круг «наблюдателей». Они все — и англичане, и французы — принадлежали к консульствам, бывшим или еще существующим, к военным миссиям, к «обозревателям». Поль Дюкс, глава британской иностранной разведки, Эрнест Бойс, один из двух начальников (другим был Стивен Аллен) британской секретной службы в России, Хилл и Локкарт к концу июля сблизились и с Лавернем, и с Гренаром из французской военной миссии, и все вместе — с Рейли, полностью доверяя ему. Его идея, его план импонировали Локкарту, он не забывал собственные прошлые колебания. Все части уравнения теперь были известны и встали на свои места. Картина стала ясной: в день, когда в Архангельске начнется массовый десант, т. е. не сегодня-завтра (он произошел 2 августа), дороги назад не будет. Необходимо мгновенно соединенными усилиями придать этому факту двусторонний смысл, т. е. извлечь из него двойные выгоды — как для Англии, так и для России.

Рейли был на тринадцать лет старше Локкарта, и его манера подавлять собеседника своим авторитетом, его знание России, ее языка, ее населения с первой минуты встречи сыграли роль в отношении Локкарта к нему. Локкарт, несмотря на занимаемое им высокое положение, часто чувствовал себя на своем посту недостаточно зрелым, недостаточно опытным и серьезным человеком.

Тридцать один год — и вот он начальник людей, из которых многие опытнее его; ответственный представитель Великобритании, хоть и не официальный, в революционной России, сотрудник секретной службы правительства Его Величества!

С начала августа все возможные каналы, ведущие в Лондон, закрылись. Он теперь был лишен контакта не только со своим центром, он не получал оттуда даже обычных, всем доступных новостей. Локкарт не знал, что в это время в Лондоне царила полная неразбериха в русских делах. К.Д. Набоков, первый секретарь царского посольства до и после Февральской революции, ставший временно исполняющим обязанности посла, а после Октября смещенный со своей должности, но все еще не изгнанный из здания посольства (Литвинов жил на частной квартире), позже писал в своих воспоминаниях:

«Весной 1918 года в Москву был послан особый представитель английского правительства, прежде управлявший генеральным консульством в Москве, г. Локкарт. Насколько мне известно, инструкции, ему данные, можно, пожалуй, сравнить только с заданием разрешить квадратуру круга. Нужно было, по соображениям практическим, иметь «око» в Москве, следить за деятельностью большевиков и немцев и по мере возможности ограждать интересы англичан в России. Не имея официального звания, тем не менее вести официальные переговоры с Троцким. Ясно, что это было выполнимо только при условии сохранения дружеских отношений с советской властью. Локкарт, по-видимому, добросовестно работал над этой неразрешимой задачей с Чичериным и К° и в то же время имел тесные сношения с организациями, работавшими для свержения Ленина и Троцкого».

Контакта с Лондоном не было, и контакт с французами в Москве становился все труднее и опаснее: 2 августа, когда союзные дипломаты выехали из Вологды в Архангельск навстречу десанту, оставшиеся потеряли с уехавшими свой дипломатический «канал», а 3-го числа восемнадцать членов французской миссии в Москве – т. е. почти полный состав ее – были арестованы. И теперь никто не мог сказать Локкарту, какой численности был десант в Двинской губе, сколько было людей: 12 тысяч, 20 или 35? И каково было их вооружение, и каковы были планы британского генерального штаба? Единственное, что доходило до него в это время, были эти тяжелые, внушительных размеров пакеты – пачки бумажных денежных знаков, скользящих вниз в своей ценности, которым он вел аккуратную, строго секретную отчетность.

План Рейли теперь был совершенно готов: он имел верных, как он говорил, людей, военных, для которых он хотел добыть у английского дипломатического агента охранные грамоты и пропуска в Архангельск, а также письмо к генералу Пуллю; в этом письме Локкарт должен был сообщить Пуллю, что латышские части готовы к измене и что их командный состав, состоящий из своих же латышей, проведет без труда союзную армию из Архангельска в Москву и арестует в Кремле главарей, Ленина и Троцкого. Локкарт сказал Рейли, что должен, прежде чем согласиться на это, видеть его верных латышей и только тогда, и посоветовавшись с ближайшими своими сотрудниками, он решит, давать ли им письмо и пропуск. И если он почувствует, что они заслуживают доверия, он вручит им полностью ту сумму (огромную, конечно), которую они потребуют. Рейли на это ответил, что он уже подготовил встречу и что двое военных из латышского полка, который считается наиболее преданным Кремлю и из которого, между прочим, набирается кремлевская охрана, будут у Локкарта в назначенный им день и час.

Если подытожить все происшедшее с мая месяца до конца августа на территории прежней России, то картина будет настолько чудовищной, что аналогию найти ей даже в Смутном времени будет нелегко: начавшееся движение чехов так разрослось, что они теперь грозились перейти Волгу – они были под Саратовом. Локкарт имел верные сведения, что их было 45 тысяч человек. Позже, в своих воспоминаниях, он довел эту цифру до 80 тысяч и писал, что Лондон требовал у него добиться у Ленина позволения вывести эту армию из России на франко-германский фронт. Для Локкарта стать спасителем чехословаков стало его тайной амбицией; спустя несколько лет эти чувства вылились в горячую любовь к чехословацкому народу и в дружбу с его вождями.

Кроме чехословацкой угрозы, было двухнедельное Ярославское восстание (с 6 до 21 июля), которое, несмотря на жестокие меры, с трудом было подавлено; Савинков действовал на северо-востоке от Москвы, в организованном им «Союзе защиты родины и свободы»; в это же время главнокомандующий Красной армией в этом районе Муравьев перешел на сторону контрреволюции и теперь грозил открыть фронт и дать дорогу чехам на Москву; белые финны массами шли записываться в добровольцы, чтобы соединиться с союзными войсками, высадившимися в Архангельске, где выгружалось вооружение и воинские части уже начали продвижение к югу, встречая крайне слабое сопротивление. В эти же дни англичане, двигаясь от Персидского залива, вошли в пределы Кавказа и заняли Баку (4 августа). Среди этих событий были и другие осложнения: 30 июля в Киеве был убит один из двух командующих немецкими войсками в оккупированной Украине, фельдмаршал Эйхгорн, и в знак протеста немецкий посол Гельферих, заменивший Мирбаха, выехал из Москвы в Берлин.

Дзержинский, председатель ВЧК и член Реввоенсовета, ответил на это убийство жесточайшим террором, скоропалительным и неустанным. По благожелательным ему свидетельствам, в Петрограде им было расстреляно без суда около тысячи человек, а в Москве – «несколько меньше». Политических не судили, их ликвидировали немедленно. За последние три месяца стало ясно: Германия так или иначе найдет способ соседствовать с большевистской Россией, но союзники к этому отнюдь не готовы, и в Лондоне сейчас далеко не все сознают, что не немцы, но англичане и французы в данный момент — первые враги Ленина и Троцкого. Ни после убийства Мирбаха, ни после убийства Эйхгорна отношения двух стран не дали заметной трещины, и сближение между Москвой и Берлином медленно, но верно развивалось в течение всего лета. Что касается Японии, то она по-прежнему занимала Владивосток и ждала первого знака, чтобы двинуться на запад. Франция же начала разрабатывать свой план занятия юга России и готовила крейсера, чтобы послать их через Дарданеллы в Черное море. Она по-прежнему оставалась другом Временного правительства и заботилась о том, чтобы русские займы, разумеется, не признаваемые большевиками, не разорили бы до тла мелких французских держателей, когда-то с таким энтузиазмом откликнувшихся на них. К этому надо добавить, что с начала лета Людендорф пошел в наступление, и французская армия, истощенная четырьмя годами окопной войны и страшными потерями, из последних сил противостояла его натиску.

Локкарт, еще в апреле уверявший Ллойд-Джорджа, что интервенция должна разделить большевиков с немцами, теперь в корне изменил свою идею борьбы и величайшим злом считал уже не немцев, а самих большевиков. Шифр был выкраден и раскрыт, и он понимал, что, как результат этого, по распоряжению Дзержинского за ним теперь следят. Он стал особенно осторожен. За конспираторами савинковской группы, за всеми, так или иначе связанными с союзными консульствами, было установлено наблюдение. Это могло значить, что и приезд Рейли в Россию, и его частые наезды из Петрограда в Москву были далеко не тайной для ВЧК, несмотря на то, что Рейли гримировался, переодевался и умел заметать свои следы, как никто другой.

Люди вокруг Локкарта теперь обещали ему скорую контрреволюцию. Его начал вдохновлять план, вдохновляла опасность, вдохновляли мечты о будущем.

Связи с Лондоном больше не было. Было ли это следствием надзора за ним и его сотрудниками, или это было естественным результатом оккупации окраинных земель России и немецкого присутствия на Украине, в Прибалтике и в Финляндии? Этого он не знал. К середине августа Белая армия, организованная на юге, начала действия. Эта армия, в надежде на французских интервентов и с деньгами, полученными из Франции (первоначально 270 тысяч рублей), провела удачные операции в Донецком бассейне, при поддержке замученного войной и голодом населения. Недостаток продуктов в Москве, ощущавшийся еще весной, стал в августе чрезвычайно острым. Атмосфера в столице накаливалась все больше. В день первых схваток в районе Белого моря японцы, узнав об этом из телеграмм, объявили, что у них семь дивизий готовы для посылки чехословакам. После этого был устроен налет на остатки французского консульства в Москве и на Юсуповский дворец в Архангельском, в свое время предоставленный дипломатам. Казалось, что Кремль начинает войну с интервентами в самом центре столицы.

Отношения с Рейли постепенно вошли в новую фазу. Теперь Локкарт и он действовали в полном согласии друг с другом, причем каждый имел возможность самостоятельно выдавать кому требуется денежные суммы. «200.000 выдано вчера, — зашифровывал Локкарт. — Сегодня выдаю полмиллиона». Бывали дни, что он не выходил из своего кабинета и принимал различных людей; некоторые приходили и уходили с черного хода. Наконец, 15 августа в квартиру вошли двое военных. Это были латыши, знакомые Рейли. Они назвали себя: полковник Берзин и подпоручик Шмидхен*. Они сказа-

---

* Дата 15 августа, т. е. менее двух недель со дня высадки союзных войск в Архангельске, дана Локкартом в его мемуарах, но ее нет в официальном рапорте, поданном им в ноябре в Форин Оффис. Посещение двух латышей могло произойти и несколько ранее. Также в рапорте говорится, что Шмидхен пришел первым и передал ему, Локкарту, письмо Кроми, а Берзин пришел несколько позднее.

ли, что приехали к Локкарту с письмом от Кроми, который в Петрограде познакомил их с Рейли, а затем послал в Москву. Они знали, что капитан Кроми до Октябрьской революции был атташе английского посольства и был оставлен в Петрограде для наблюдения за Кронштадтским флотом: англичане опасались, как бы он не попал в руки немцев, занимавших южный берег Финского залива. Оба латыша еще в июле пришли к Кроми, объявив себя членами боевой антибольшевистской организации. Когда Кроми познакомил латышей с Рейли, оба решили, что и Берзину, и Шмидхену необходимо увидеть Локкарта.

Говорил Берзин. Молодой, худощавый Шмидхен больше молчал. Теперь, когда союзники продвигаются к центру России, они считали, что если Локкарт согласится дать им письмо к генералу Пуллю, они пройдут в Архангельск и сообщат главнокомандующему, что латышские полки в Москве и Петрограде воинственно настроены против большевиков и готовы взбунтоваться немедленно, если у них будет уверенность в помощи союзников. Латышские войска, которые будут посланы для защиты Москвы (и Петрограда), немедленно откроют фронт, установят контакт с союзной армией и поведут ее на столицу. Латыши, сказали они оба, только и ждут этой минуты, чтобы затем вернуться к себе в Латвию, а так как прямого пути в Прибалтику нет, они готовы на все, лишь бы союзники взяли Москву и покончили с вождями революции, чтобы им самим решать судьбу своей родины. Они, видимо, были озабочены, отойдет ли Латвия к Германии или ей дадут стать самостоятельной. Они не сразу потребовали денег, они пока требовали лишь письмо к Пуллю, или даже несколько писем для верности, а деньги просили для сохранности передать Рейли, который в это время находился в Москве.

Локкарт не дал им ответа. Он велел им прийти на следующий день. После их ухода он созвал небольшое совещание: присутствовали Лавернь и Гренар (часть французов в это время уже жила в поезде на запасном пути одного из московских вокзалов, настолько они были уверены, что не сегодня-завтра они тронутся либо через Сибирь, либо северным путем к себе на родину). Присутствовал также Хикс, но не Поль Дюкс (позже сэр Поль Дюкс), глава британской разведки, назначенный в Россию после Февральской революции и остававшийся еще в России*. Было единогласно решено дать латышам рекомендательные письма к Пуллю, где объяснить положение и готовность латышских полков перейти на сторону союзников. Кроме того, т. к. Локкарт к этому времени уничтожил шифр, который все равно не был тайной для ВЧК, и тем самым никаких контактов с внешним миром у него не было, решено было постепенно готовиться к отъезду из Москвы на север. Локкарт не торопился с выполнением этого второго решения, он еще не знал, как поступить с Мурой: выехать ей вместе с дипломатами официально было невозможно, ей бы никто не выдал нужных бумаг, ни ВЧК, ни наркоминдел. Выехать же на свой страх и риск, с возможностью быть арестованной по дороге властями, повстанцами, немцами, красными или белыми, было бы чистым безумием.

На следующий день Берзин и Шмидхен в присутствии Гренара и Рейли получили рекомендательные письма и сумму денег. Рейли собирался прочно сидеть в Москве и держать заговорщиков под контролем.

---

* Поль Дюкс был на службе разведки *(S.I.S.)*, а Локкарт и его сотрудники были подчинены «оперативному отделу министерства иностранных дел». Дюкс работал в России самостоятельно и был подчинен непосредственно Лондону. Он имел в Красной армии и Красном флоте своих людей. Он также был занят несколько позже (ноябрь 1918 и затем в 1919 году) минированием входа в Финский залив, и даже заходил в район Кронштадта. У него были «языки» на судах Балтфлота и в армии Юденича, который особенно успешно наступал в апреле 1919 года, а затем, в конце июня, он отошел, с тем чтобы осенью возобновить свою угрозу бывшей столице.

Но прошло несколько дней, и до Локкарта дошли сведения, что в Архангельск из Мурманска пришли только 1200 человек морской пехоты (Садуль говорит о 35 тысячах). Вероятно, цифра, полученная Локкартом, была более верной – его источники были надежнее. Он немедленно осознал, что этого совершенно недостаточно для похода на Москву, даже с помощью изменивших большевикам латышских полков. Ему стало ясно, что союзные части попадут в ловушку, и из всей этой заманчивой затеи ничего не выйдет. Срочно было решено отказаться от всякой деятельности в этом направлении.

Но Рейли так легко не сдался. Он был обуреваем жаждой деятельности, его бешеная энергия, его тщеславие и неукротимость помогли ему немедленно предложить другой план: внутреннего переворота. Не военными действиями, но внутрикремлевским бунтом латышской охраны предлагал он положить конец власти большевиков.

Больше всего на свете он верил в подкуп и считал, что подкупленные через Берзина и Шмидхена латышские части под его, Рейли, командованием ворвутся во внутренние помещения Кремля, арестуют правительство и убьют (а может быть, он сам убьет) Ленина. Савинков же в это время, ожидая только знака, войдет со своими людьми в Москву и объявит военную диктатуру. На выработку этого плана, говорил Рейли, ему нужно около двух недель. Но Локкарт, внимательно выслушав его, категорически отказался от этого плана. Вслед за ним отказались и Лавернь, и Гренар, и Хикс. Но и это не смутило Рейли, он готов был единолично совершить переворот. Он в эти дни явно чувствовал себя последним наполеонидом. Пусть они уезжают все! Он один останется в России! И он бросился в Петроград, надеясь там найти себе союзника в капитане Кроми.

На самом деле ни Берзин, ни Шмидхен не были главарями латышского заговора, а были провокаторами, нанятыми главой ВЧК Дзержинским и тщательно им обученными, как и что делать. Они были выбраны с осторожностью и посланы в Петроград к Кроми. Они вошли к нему в доверие и вернулись в Москву за новыми директивами. Дзержинский велел им установить контакт с Локкартом и Лавернем, добиться рекомендательных писем и денег (которые позже могли стать, и несомненно стали, уликой). Письма к Пуллю должны были помочь Берзину и Шмидхену добраться до Архангельска, где от них требовалось довести до сведения главнокомандующего о том, что большевистские части готовы к измене, и тем заманить Пулля в западню.

Всего два свидания было у них с Локкартом, и Рейли, видимо, сейчас же потерял их след. Его информаторы не могли найти их. В здании ВЧК в конце августа напряжение дошло до высшей точки, события — как мы увидим — самых последних дней августа месяца разыгрались с такой силой, что председателю ВЧК пришлось срочно расстаться с «заговором Локкарта», как тогда (и до сего времени) в СССР называли заговор Рейли, и перепоручить все дело одному из своих двух помощников. Оба были латыши, один был Петерс, другой — Лацис. Дзержинский решил посвятить первого в тайну Хлебного переулка.

Но что сталось с двумя «героями-провокаторами»*, Берзиным и Шмидхеном (которого Рейли и некоторые другие знали под именем Буйкиса)? Только через сорок лет стало известно, как они закончили свою жизнь и как различно повернулась их судьба.

Полковник Эдуард Платонович Берзин, получив от Дзержинского награду в 10 тысяч рублей, продолжал бороться с контрреволюцией, как верный слуга органов государственной безопасности, вплоть до 1932 года, когда он был отправлен на Колыму и там до 1937 года руководил Дальстроем. В 1937 году он наконец собрался в Москву, в отпуск. Его провожали торжественно, с музыкой и флагами, как лагерное начальство, так и благодарные заключенные. Но он не доехал даже до Владиво-

---

* Этот новый термин появился в русском языке после Второй мировой войны, раньше его не было.

стока: его сняли с парохода в Александровске, арестовали и услали на Крайний север, где он был расстрелян, когда пришел его черед.

Шмидхен дожил в Москве до глубокой старости (он, может быть, жив и сейчас). Он на всю жизнь остался (под фамилией Буйкиса) в том же переулке, в той же квартире, которая была ему дана в награду Дзержинским в 1918 году. Несмотря на это, о нем никто ничего не знал до начала 1960-х годов, и он считался советскими историками, видимо, по недоразумению, не «героем-провокатором», а сообщником Локкарта, о чем можно прочесть в нескольких советских публикациях и наиболее подробно в «Историческом архиве», кн. 4, 1962. В этой книге напечатан доклад некоего чекиста К.А. Петерсона, которому Дзержинским и Петерсом было поручено выбрать верных людей из латышей-чекистов для провоцирования «заговора Локкарта». Доклад был адресован Я.М. Свердлову, бывшему в то время председателем ВЦИКа.

Из этого доклада ясно, что Петерсон прекрасно справился со своей задачей, он выбрал полковника Берзина, посоветовав ему, в свою очередь, выбрать себе помощника и «притвориться разочарованным в большевиках», и, так сказать, благословил его на дело спасения родины и революции от козней Антанты. Локкарт в этом докладе назван «сэром» (хотя он этим титулом был награжден много позже). Шмидхена решено было изобразить другом и соратником Локкарта и о нем забыть. Ему дали квартиру и его старую фамилию и оставили его в покое*.

---

* Видимо, на основании советских публикаций в том же 1962 году вышла в свет в «Воениздате» книга крупного знатока советской иностранной разведки В. Минаева, который пишет, что Шмидхен был прислан из Англии, как «агент британской миссии» и помощник Локкарта. Это он спровоцировал Берзина и привел его к Локкарту, после чего Локкарт познакомил Берзина с Рейли. В дальнейших главах Минаев говорит о связях англо-американской и гитлеровской разведки. Книга его носит название «Тайное становится явным». Для знатока Минаева, однако, этого не случилось, и тайное для него осталось тайным.

Семьсот тысяч рублей были якобы получены Берзиным от Рейли и переданы, как было условлено, целиком самому Петерсу, препроводившему их позже Дзержинскому. Сумма эта, между прочим, была, по совету Петерсона, истрачена в дальнейшем на пропаганду среди латвийских стрелков, на помощь инвалидам и семьям стрелков, павших во время Октябрьской революции в Москве, и даже на открытие небольшой продуктовой лавки при латышской дивизии, где служил Берзин.

В 1965 году Буйкис-Шмидхен, живший инкогнито в своем переулке, был полуофициально реабилитирован: к нему пришел советский репортер и сказал ему, что он, Шмидхен, национальный «герой-провокатор», и что пора о нем рассказать молодому советскому поколению, никогда о его скромном подвиге не слыхавшему. Интервью было дано. Оно не обошлось без проклятий по адресу Троцкого, который, как Шмидхен объяснил, «раболепствовал перед Локкартом» и заказывал для него «роскошные обеды». Меню обедов состояло, по словам Шмидхена, из щей с капустой с «жирным мясным наваром» и отбивных телячьих котлет с жареным картофелем, «которого было очень много», а также из «огромного торта» — этот торт позже еще раз окажется в нашем поле зрения.

Шмидхен в этом интервью, между прочим, сказал, что не то Петерсон, не то Петерс (старик, видимо, путал две фамилии) предложил ему тогда повторить «подвиг Ивана Сусанина», что он и сделал. Он говорил, что Локкарт был так важен, что сам Ллойд-Джордж «гулял с ним по улицам, держа его под локоть». Книгу мемуаров Локкарта (1932) Шмидхен называет не «Воспоминания британского агента», а «Буря над Россией», и сообщает, что жена Локкарта помогала мужу в шпионстве ценой того, что стала любовницей одного жившего в Москве «бедного французского профессора». Дело Корнилова старик Шмидхен называет «мятеж Керенского—Краснова» и путает даты, которые репортер не корректирует. Затем он переходит к любовным похождениям Рейли с актрисой МХТ Дагмарой Грамматиковой, жившей у некоей Елены Боюжавской. К рассказу о них он приводит список фамилий, в большинстве неведомых личностей, видимо, всех расстрелянных; эти враги народа были: Ольга Старжевская, советская служащая, Елена Оттон, актриса, и Мария Фриде, сестра служащего в управлении военным снабжением; Александра Загряжская (жившая в Успенском переулке), Хвалынский, Потемкин и Солюс. Из известных людей он называет только двух: Александра Фриде (работавшего в группе Загряжской) и американского секретного агента грека Каламатиано, жившего в квартире Елены Кожиной, он же Серповский, он же Джонстон. Все эти люди были в начале сентября 1918 года арестованы, допрошены и расстреляны («вместе с Л.А. Ивановой, Е.М. Голицыной, Д.А. Ишевским, П.Д. Политковским и М.В. Трестер»). А француз Вертемон, проживавший в квартире начальницы французской гимназии Жанны Моренс, «тоже был допрошен и в скором времени выслан к себе на родину».

Все это было рассказано Шмидхеном интервьюеру; его рассказ был доведен до последних лет и закончен совсем уже недавней деятельностью «героя-провокатора»: он, оказывается, был сотрудником известного шпиона Р. Абеля, работавшего в США, пойманного там и приговоренного к тюремному заключению. В 1962 году Абель был обменен на капитана Ф.Г. Пауэрса, сбитого в конце 1961 года со своим самолетом У-2 над территорией СССР в районе Урала. С Абелем Шмидхен был на дружеской ноге (если не хвастает) и помогал ему во всем, чем мог. «Мы работали в одном отделе», – скромно заключил свой рассказ Шмидхен-Буйкис.

Но вернемся к Дзержинскому, который в разгар дела должен был передать его в руки Петерса. Дзержинский после убийства в июле графа Мирбаха настолько был подавлен, вернее – травмирован, что тогда же, 8 июля, подал в отставку, считая себя недостойным и дальше быть председателем ВЧК. Он считал, что недосмотрел, не только в смысле самого факта убийства немецкого посла, но и в том, что убийца, Блюмкин, левый эсер, был на службе в его учреждении. Он до 22 августа продолжал быть в полной нервной подавленности, когда наконец вернулся в должность. Петерс, заменявший его в течение шести недель, успел за это время познакомиться с делом Рейли и Локкарта. Совнарком водворил Дзержинского на старое место, и он постепенно — дел было много — стал возвращаться к своим обязанностям.

Петерс узнал немедленно о первом и втором посещении Локкарта латышами и через день — о новом плане Рейли. Это последнее обстоятельство свидетельствует, что он имел информатора среди узкого круга ближайших сотрудников Локкарта. Не успел Петерс решить, какие шаги предпринять, как 30 августа утром глава Петроградского отдела ВЧК Урицкий, был застрелен Леонидом Каннегиссером. Это произошло в тот момент, когда Урицкий входил в свое учреждение. Каннегиссер был студентом Петроградского университета, поэтом, писавшим стихи о своем герое — Керенском — на белом коне. А вечером того же дня Дора Каплан* стреляла в Ленина в Москве и тяжело ранила его. Дзержинскому пришлось срочно выехать в Петроград после выстрела Каннегиссера. Ночью с 30-го на 31-е вооруженные чекисты ворвались в английское посольство на набережной, и когда капитан Кроми на парадной лестнице с револьвером в руке встретил их, они тут же застрелили его.

Петерс в эти дни, как заместитель уехавшего Дзержинского, был в Москве и, в связи с покушением на Ленина, им были приняты меры против замешанных в контрреволюционный заговор союзных представителей. В ночь с 31 августа на 1 сентября, в половине четвертого, он приказал арестовать живших в Хлебном переулке англичан. В квартиру Локкарта вошел отряд под начальством коменданта Кремля Малькова. Они произ-

_____

* Позже советские историки стали называть ее Фанни Каплан.

вели тщательный обыск в квартире, а затем арестовали и увезли на Лубянку Локкарта, Хикса и Муру. Петерс предпринял эти шаги, т. к., замещая в июле – августе Дзержинского на посту председателя ВЧК, он хорошо был знаком с делом. На Лубянке оказались и другие в эту ночь. Лубянка была одна из двух внекремлевских цитаделей в столице, другая – отель «Метрополь», где одно время в эти годы помещался наркоминдел и заседал ВЦИК.

В этот год Петерсу было тридцать два года. Судя по фотографиям, это был стройный, худощавый, щеголеватый шатен, скуластый, с сильным подбородком и живыми, умными и жестокими глазами. Скуластость его была типичной и для русского, и для латышского крестьянского мальчика, но что было не совсем обычно, это его какое-то отнюдь не мужицкое, а очень даже европейское изящество. Известны три его фотографии, на первой, снятой лондонской полицией в день его ареста в 1909 году (о чем будет сказано ниже), он напряжен и страшен; на второй, надписанной им и подаренной на память Локкарту, он почти красив со своими несколько длиннее обычного волнистыми волосами и внимательным взглядом из-под прямых бровей; на третьей, 1930 года, он снят смеющимся: в волосах видна первая седина, под глазами мешки и лицо с какой-то слегка кривой улыбкой, открывающей нехорошие зубы, чем-то неприятно и даже слегка отталкивающе. Он носил белую рубашку и военную гимнастерку, кожаную куртку, черные брюки-галифе, высокие, хорошо начищенные сапоги. На поясе его постоянно висел тяжелый маузер, а другой лежал на его письменном столе. Его прошлое было крайне необычно.

Он был женат, как и Литвинов, на англичанке. В Латвии, где он родился, он принадлежал к социал-демократической рабочей партии, к большевистскому ее крылу. Он был арестован в 1907 году и просидел полтора года в тюрьме; когда его выпустили, он бежал в Лондон, где женился и стал работать гладильщиком в оптовом деле подержанного платья. Он хорошо говорил по-английски. Жил он в восточной части Лондона, в Уайтчапле, где жили в те годы неимущие русские эмигранты, главным образом из западных губерний и Прибалтики, выкинутые событиями 1905 года и последующими преследованиями из своих родных мест. Вокруг него собралась группа молодых большевиков, все — члены латышского социал-демократического лондонского клуба, готовящие экспроприацию большого ювелирного дела: им требовались деньги для печатания революционных брошюр, которые они потом перевозили в Ригу. Цель их была — добиться для Латвии самостоятельности. В эти годы вооруженные нападения на ювелирные магазины, банки, почтовые отделения были в большом ходу. Петерс с десятком товарищей, среди которых — его двоюродный брат и зять, и с двумя-тремя женщинами смело пошел на это.

Он не впервые действовал на революционном поприще, у него в это время был уже некоторый опыт, а «дело Сидней-стрит» (1909 года) вошло в криминальную историю Англии; оно несколько напоминает ограбление банка в США, в котором была замешана Патриция Херст: сначала — вооруженное нападение, стрельба, взлом (в случае Сидней-стрит — даже бурение стен); затем, когда убежище убийц было открыто полицией, планированная атака на них пешей и конной — в американском случае моторизованной — полиции, после чего от здания, где укрывались преступники, остались одни дымящиеся стены. Только в случае латышской экспроприации все произошло в одну ночь: шайку схватили на месте, обезоружили, три полицейских, кстати, безоружных, были убиты из одного револьвера. Стрелял Петерс, но во тьме никто не мог видеть его лица и потому, позже, опознать его. Это спасло его. Дело было шумное. По обычаю тогдашнего времени, всех преступников причислили к «анархистам», но кончилось оно оправданием главарей (из которых, впрочем, несколько были убиты в деле).

В мае 1917 года Петерс стремительно выехал в Россию, оставив в Англии жену и маленькую дочь. Он с первого дня приезда стал продвигаться с одной должности на другую и очень скоро стал правой рукой Дзержинского. В его стойкости, жесткости и силе была некоторая сентиментальность, он производил впечатление фанатика. Теперь, на утро после ночного ареста, Локкарт был введен в его кабинет.

В 1925 году, в Сорренто, тихим вечером, когда в комнате горел камин из оливковых ветвей, а в окне был виден Неаполитанский залив и Везувий, и над Везувием — розовое облако и дымок, сидя в мягких креслах и куря папиросы, Горький, Мура и Ходасевич вполголоса говорили об уже далеко отошедшем (семилетнем!) прошлом:

— Вы знали Кроми? Какой он был?

И Мура, стряхивая пепел в нефритовую пепельницу (которая позже пропала, вероятно, ее украл повар), говорила со своим английским акцентом в русском языке:

— Он был... милый.

И потом молчание.

— Вы знали Петерса? Какой он был?

— Он был... добрый.

Я сидела тут же, молчала, и слушала, и смотрела на розовое облачко и дымок.

— Вы знали Рейли? Какой он был?

Она теперь заползла в глубокое кресло и улыбается глазами, играя в загадочность, и Горький явно любуется ею.

— Он был... храбрый.

Но это было в 1925 году, в Сорренто, а в Москве в 1918 году, в воскресенье 1 сентября, утром, когда Локкарт был введен в кабинет Петерса на Лубянке, он увидел перед собой лицо строгости и неподвижности исключительной, острые глаза, плотно сомкнутый рот и длинные («как у поэта») каштановые волосы. Советский историк бледно, вяло и неточно описывает арест Локкарта:

«Дома у Локкарта была в это время любовница. Он и Хикс заперлись в кабинете. Они шептались до самой полуночи. В час ночи Локкарт на цыпочках, стараясь не смотреть на дверь, за которой поджидала очередная подруга сердца, перешел в свою спальню и свалился в кровать. Пока Локкарт одевался, чекисты подняли Хикса и любовницу хозяина квартиры, Муру. Она приехала из Петрограда и уже несколько дней жила здесь.

В столовой стояли вазы, доверху наполненные фруктами. Посреди стола стоял огромный бисквитный торт. Все было подготовлено в честь Муры, но... оставалось нетронутым. К шести часам утра обыск был закончен. Локкарта, Хикса и Муру увезли на Лубянку».

А вот как описывает ту же ночь советский мемуарист, комендант Кремля Мальков:

«Было около двух часов ночи. Без труда отыскав нужный подъезд, мы, освещая себе дорогу зажигалками, — на лестнице стояла кромешная тьма, света, конечно, не было, — поднялись на пятый этаж (Хлебный пер., д. 19). Поставив на всякий случай своих помощников несколько в стороне так, чтобы, когда дверь откроется, их из квартиры не было бы видно, я энергично постучал в дверь (звонки в большинстве московских квартир не работали). Прошло минуты две-три, пока, после первого стука, за дверью не послышались чьи-то шаркающие шаги. Загремел ключ, брякнула цепочка, и дверь слегка приоткрылась. В прихожей горел свет, и в образовавшуюся щель я увидел фигуру знакомой мне по путешествию из Петрограда в Москву секретарши Локкарта.

Попробовал потянуть дверь на себя, не тут-то было. Секретарша предусмотрительно не сняла цепочки, и дверь не поддавалась. Тогда я встал таким образом, чтобы свет из прихожей падал на меня, и дав секретарше возможность рассмотреть меня со всех сторон, как мог любезнее поздоровался с ней и сказал, что мне необходимо видеть господина Локкарта. Секретарша не повела и бровью. Сделав вид, что не узнает меня, она ломаным русским языком начала расспрашивать, кто я такой и что мне нужно».

Английский акцент в русской речи Муры поражал очень многих. Он, действительно, был очень силен. Трудно себе представить, чтобы он естественно появился в тот год (или два), когда она жила в Англии. Вернее сказать, она искусственно усвоила его. Одной из ее языковых привычек было переводить буквально, с английского или французского (а иногда и с немецкого), идиоматические выражения, напоминая этим не только Бетси Тверскую из «Анны Карениной», но и Анну Павловну Шерер из «Войны и мира»: «я села на свои большие лошади», «она прошла мимо того, чтобы стать красивой».

«Вставив ногу в образовавшуюся щель, — продолжает Мальков, — чтобы дверь нельзя было захлопнуть, я категорически заявил, что мне нужен сам господин Локкарт, которому я и объясню цель столь позднего визита.

Секретарша, однако, не сдавалась и не выказывала ни малейшего намерения открыть дверь. Неизвестно, чем бы кончилась уже начавшая меня раздражать словесная перепалка*, если бы в прихожей не появился помощник Локкарта, Хикс. Увидев меня через щель, он изобразил на своей бесцветной физиономии подобие улыбки и скинул цепочку.

— Мистер Манков! — так англичане меня называли. — Чем могу быть полезен?

Я немедленно оттеснил Хикса и вместе со своими спутниками вошел в прихожую. Не вдаваясь в объяснения с Хиксом, я потребовал, чтобы он провел меня к Локкарту.

— Но позвольте, мистер Локкарт почивает. Я должен предупредить его.

---

* «Перепалка» шла с той, которая меньше чем через девять лет была посвящена Горьким «Жизнь Клима Самгина».

— Я сам предупрежу, — заявил я таким решительным тоном, что Хикс, поняв, как видно, в чем дело, отступил в сторону и молча указал на дверь, ведущую в спальню Локкарта. Все четверо — мои помощники, я и Хикс — вошли в спальню. Мы оказались в небольшой узкой комнате, обстановка которой состояла из двух удобных мягких кресел, карельской березы платяного шкафа, того же дерева, что и шкаф, туалетного столика, уставленного изящными безделушками, и широкой оттоманки, покрытой свисавшим до пола большим красивым ковром. Пушистый расписной ковер лежал на полу. Кровати в комнате не было. Локкарт спал на оттоманке, причем спал так крепко, что не проснулся, даже когда Хикс зажег свет. Я вынужден был слегка тронуть его за плечо. Он открыл глаза.

— О-о! Мистер Манков?!

— Господин Локкарт, по постановлению ВЧК вы арестованы. Прошу вас одеться. Вам придется следовать за мной. Вот ордер.

Надо сказать, что ни особого недоумения, ни какого-либо протеста Локкарт не выразил. На ордер он только мельком глянул, даже не удосужился как следует прочесть его. Как видно, арест не явился для него неожиданностью.

Чтобы не стеснять Локкарта, пока он будет одеваться, и не терять даром времени, я сообщил ему, что вынужден произвести обыск в его квартире и, бегло осмотрев спальню, вышел вместе со своими помощниками и Хиксом в соседнюю комнату, смежную со спальней — кабинет Локкарта.

В ящиках стола оказалось множество различных бумаг, пистолет и патроны. Кроме того, там была весьма значительная сумма русских царских и советских денег в крупных купюрах, не считая "керенок". Ни в шкафу, ни где-либо в ином месте я больше ничего не нашел. Ничего не обнаружилось и в других комнатах, хотя мы тщательно все осмотрели, прощупали сиденья и спинки мягких кресел, кушеток и диванов, простукали стены и полы во всех комнатах. Искали внимательно, но, как и предупреждал Петерс, деликатно: не вскрыли ни одного матраца, ничего из мягкой мебели».

Этот кремлевский комендант издал свои мемуары в 1967 году. Интересно, как почти пятьдесят лет спустя он вспоминает о дальнейшем пребывании Локкарта в тюрьме:

«Локкарт постоянно ныл и брюзжал. То ему не нравилось питание (а обед ему носили из той самой столовой, где питались наркомы, — ну да обеды-то были действительно неважные, только лучших тогда в Кремле не было), то он просил свидания со своей сожительницей, некоей Мурой, коренной москвичкой, то настаивал на встрече с кем-либо из иностранных дипломатов. На такие просьбы я ему отвечал, что это дело не мое, пусть обращается к Дзержинскому или Петерсу....»

Есть и третье свидетельство об этой ночи — самого Локкарта:

«В пятницу 30 августа Урицкий был убит Каннегиссером, а вечером того же дня эсерка, молодая еврейская девушка Дора Каплан, стреляла в Ленина. Одна пуля попала в легкое, над серцем. Другая попала в шею, близко к главной артерии...

Я узнал об этом через полчаса после покушения. Хикс и я сидели поздно, тихим шепотом обсуждая события и раздумывая, как они отзовутся на нашем собственном незавидном положении.

Мы легли в час ночи. Я спал крепко. В половине четвертого я проснулся от грубого голоса, который приказывал мне встать. Когда я открыл глаза, я увидел направленное на меня дуло револьвера. Человек десять вооруженных людей находились в моей спальне. Главный из них был мне знаком. Это был Мальков, бывший комендант Смольного. Я спросил его, что все это безобразие значит? "Без вопросов! — сказал он грубо. — Одевайтесь немедленно. Вы отправляетесь на Лубянку, дом 11". Такая же группа людей была у Хикса, и пока мы оба одевались, большинство вторгшихся к нам начали взламывать столы и разбрасывать вещи, ища компрометирующие документы. Как только мы были готовы, Хикс и я были втолкнуты в автомобиль с вооруженными чекистами с обеих сторон и увезены в ВЧК».

Локкарт и Хикс ждали в пустом помещении на Лубянке до 9 часов утра. Муру увели. В 9 часов пришел Петерс. Локкарт поздоровался с ним как со старым знакомым: втроем с Робинсом они провели очень интересный день четыре с половиной месяца тому назад, когда Петерс повез их полюбоваться, как прошлой ночью были ликвидированы анархисты. Остатки особняков еще дымились, и кровь была не смыта с тротуаров. Операция, проделанная Троцким, показалась тогда Локкарту и блестящей, и жуткой в своей жестокости. «Главные квартиры» и «гнезда» бесчинствующих оголтелых разбойников держали тогда в страхе всю Москву и были ликвидированы ввиду скорого приезда германского посла. Чистка столицы в честь именитого гостя. Теперь он и Петерс были в новых ролях — арестованного и тюремщика.

Петерс пришел объявить ему, что и он, и Хикс свободны. Позже выяснилось, что это было сделано после телефонного разговора с Чичериным. Они вернулись домой. Муры не было. Прислуга была взята и тоже еще не вернулась.

Хотя это и было воскресенье, Локкарт пошел в голландское посольство, чтобы передать дела английского представительства главе голландской легации. Он полагал, что его, Хикса и французов вышлют, и боялся думать о том, что будет с Мурой и как он расстанется с ней. От голландского представителя он услышал о том, что случилось в Петрограде накануне вечером: о гибели Кроми и об арестах остальных служащих посольства. В подавленном состоянии Локкарт пошел к Уордвеллу, заменявшему теперь Робинса (уехавшего через Японию в США) в должности главы американского Красного креста. Уордвелл обещал ему свидеться с Чичериным и всячески помочь ему, и хотя это обещание ничего конкретного не сулило, Локкарт, поговорив с ним, почувствовал себя спокойнее. Газеты были полны отчетом о здоровье Ленина. Обе пули были извлечены. «Красный террор» приветствовался как единственное верное средство против врагов Октября. Он должен был вот-вот начаться с неимоверным размахом. Пока это были лишь первые опыты.

Локкарт вернулся домой. Улицы были пусты, на углах стояли вооруженные красноармейцы. Квартира была пуста. Ночь он провел без сна и утром решил отправиться в наркоминдел и повидать Карахана. Он был принят тотчас же. Он прямо спросил, есть ли что-нибудь в ВЧК против Муры? Карахан обещал справиться и помочь. Этот день был днем рождения Локкарта. Они обедали вдвоем с Хиксом.

Во вторник 3 сентября газеты были полны «заговором Локкарта», где он был обвинен во взрывах мостов, намерении убить Ленина и других преступлениях. Убийство Кроми тоже было описано во всех подробностях. Говорилось, между прочим, что он стрелял первый. «Англо-французские бандиты» и их глава, Рейли (исчезнувший, за которым началась охота), были объявлены врагами народа, которым должна была быть уготовлена казнь.

«Известия» писали:

«Заговор Союзных империалистов
против Советской России
Сегодня, 2 сентября ликвидирован заговор, руководимый англо-французскими дипломатами во главе с начальником британской миссии Локкартом, французским генеральным консулом Лавернем и др., направленный на организацию захвата, при помощи подкупа частей советских войск, Совета народных комиссаров и провозглашения военной диктатуры в Москве.

Вся организация, построенная по строго заговорщицкому типу, с подложными документами и подкупами, раскрыта.

Между прочим, найдены указания, что в случае удавшегося переворота должна была быть опубликована поддельная тайная переписка русского правительства с правительством Германии и сфабрикованы поддельные договоры в целях создания подходящей атмосферы для возобновления войны с Германией.

Заговорщики действовали, прикрываясь дипломатическим иммунитетом (неприкосновенность), и на основании удостоверений, выдававшихся за личной подписью начальника британской миссии в Москве г. Локкарта, многочисленные экземпляры которых имеются ныне в руках ВЧК.

Установлено, что через руки одного из агентов Локкарта, лейтенанта английской службы Рейли, за последние полторы недели прошло 1.200.000 рублей на подкуп.

Заговор обнаружен благодаря стойкости тех командиров частей, к которым заговорщики обратились с предложением подкупа.

На конспиративной квартире заговорщиков был арестован один англичанин, который после того, как был доставлен в ВЧК, назвал себя английским дипломатическим представителем Локкартом.

После установления личности арестованного Локкарта, он был немедленно освобожден.

Следствие энергично продолжается».

С утра Локкарт возобновил свое хождение по Москве. В это утро он узнал, что в Петрограде было арестовано около сорока англичан. Сначала он пошел в американское консульство, где люди очень серьезно отнеслись к происходившему. Там допускали возможность, что Рейли был провокатором на службе у ВЧК. Локкарт знал, что это было не так. Идти к себе домой у него не было желания. Он опять зашел к Карахану. Ему показалось, что на этот раз замнаркоминдела был менее внимателен. И тогда он принял решение: идти на Лубянку, там добиться свидания с Петерсом и узнать у него о судьбе Муры.

Когда он вошел и попросил провести его к Петерсу, человек с маузером как-то странно посмотрел на него. Локкарта ввели в кабинет, и он прямо начал с того, что сказал Петерсу, что заговора никакого не было, а если допустить, что он был, Мура ничего не могла знать об этом. Он попросил освободить ее теперь же. Петерс стоял и терпеливо слушал его. Он обещал, что примет во внимание то, что он сейчас услышал, а затем, посмотрев на Локкарта, не скрывая в глазах радости, сказал:

— Вы меня спасли от хлопот. Мои люди вас ищут. У меня есть ордер на ваш арест. Все ваши английские и французские друзья уже сидят под замком.

И Локкарт был отведен в камеру.

2 сентября правительство Ленина отправило правительству Его Величества в Лондон следующую ноту:

«Официальное сообщение
о ликвидации заговора
против советской власти, руководимого
англо-французскими дипломатическими
представителями
2 сентября 1918 г.

Сегодня 2 сентября ликвидирован заговор, руководимый англо-французскими дипломатами, во главе с начальником британской миссии Локкартом, французским генеральным консулом Гренаром, французским генералом Лавернем и др., направленный на организацию захвата, при помощи подкупа частей советских войск, Совета народных комиссаров и провозглашения военной диктатуры в Москве».

Далее шло слово в слово то, что было напечатано в «Известиях». В ответ на эту ноту 7 сентября была получена ответная нота английского министра иностранных дел Бальфура:

«Нота британского министра иностранных дел
Чичерину

Сентябрь, 6, 1918 г.

Мы получили информацию, что возмутительное нападение было совершено на британское посольство в Петрограде, что помещение было частично разграблено и частично разрушено и что капитан Кроми, который пытался защитить посольство, был убит, и тело его изуродовано до неузнаваемости. Мы требуем немедленного удовлетворения: жестокого наказания всех ответственных за это безобразие и тех, кто в нем участвовал.

Если русское советское правительство не даст нам полнейшего удовлетворения и насилие над британскими подданными будет продолжаться, британское правительство будет считать каждого члена русского правительства ответственным за происходящее и примет меры к тому, чтобы все правительства цивилизованного мира признали их индивидуально ответственными, и тем самым вне закона, и в случае необходимости не дали бы им убежища на своей территории.

Вам уже было послано извещение г. Литвиновым о том, что правительство Его Величества готово сделать все, что возможно, для немедленного возвращения представителей Великобритании в Англию и отъезда представителей русского советского правительства в Лондоне – в Москву. Гарантии были даны в случае обмена тех и других на русско-финской границе. Г. Литвинову будет разрешено покинуть пределы Англии, как только британские представители будут вне пределов России. До нашего сведения дошло, что 29 августа был издан декрет, что все британские подданные от 18 до 40 лет будут арестованы и что официальные представители Великобритании уже арестованы по ложному обвинению в заговоре против советского правительства.

Ввиду этого правительство Его Величества считает нужным подвергнуть г. Литвинова и его сотрудников превентивному аресту, до тех пор пока британские пред-

ставители и все остальные арестованные британские подданные не будут освобождены и доставлены на финскую
границу, с гарантией свободного перехода ее.

Бальфур».

Эта ответная нота Бальфура скрестилась с нотой наркоминдела, посланной в Лондон накануне:

*«Заявление Народного Комиссара Иностранных Дел
по поводу участия дипломатических представителей
Англии и Франции в организации заговоров
против советской власти*

6 сентября 1918 г. № 102

В то самое время, когда при посредстве представителей нейтральных держав Правительство РСФСР вело переговоры с правительствами Англии и Франции об обмене дипломатических представителей, военных и граждан
вообще, обнаружилось, что дипломатические и военные
представители Англии и Франции пользуются своим
званием для организации на территории РСФСР заговоров, направленных к захвату Совета Народных Комиссаров с помощью подкупа и агитации среди войсковых
частей, к взрыву мостов и продовольственных складов
и поездов.

Данные, имеющиеся в распоряжении Правительства
и отчасти уже опубликованные в сообщениях Чрезвычайной следственной комиссии и комиссаров Северной
Коммуны, устанавливают с несомненностью тот факт,
что нити заговора сходились в руках главы английской
миссии Локкарта и его агентов. Равным образом установлено, что здание английского посольства в Петрограде фактически было превращено в конспиративную
квартиру заговорщиков.

При этих условиях, будучи всецело проникнуто ис-
кренним желанием в полной мере соблюдать дипломатическую неприкосновенность и правила международного общения, Правительство РСФСР лишено возмож-

ности предоставить свободу действий лицам, прибывшим в Россию в качестве дипломатических и военных представителей и поставившим себя фактически в положение заговорщиков против Правительства нашей страны.

Поэтому Правительство РСФСР поставлено в необходимость создать для лиц, уличенных в заговорах, такие условия, при которых они лишены были бы возможности продолжать дальше свою преступную с точки зрения международного права деятельность.

Когда английские и французские войска продвигаются по территории РСФСР для поддержки открытых мятежей против Советской власти и дипломатические представители этих держав внутри России создают организацию для государственного переворота и захвата власти, правительство РСФСР принуждено во что бы то ни стало принять необходимые меры самообороны.

Все интернированные представители английской и французской буржуазии, среди которых нет ни одного рабочего, будут немедленно освобождены, как только русские граждане в Англии и Франции и в районе оккупации союзных войск и чехословаков не будут больше подвергаться репрессиям и преследованиям. Английские и французские граждане будут иметь возможность немедленно покинуть территорию России, когда эту же возможность получат российские граждане в Англии и Франции.

Французские военные получат эту возможность, когда русские солдаты при участии Международного и Русского Красного Креста будут возвращаемы из Франции. Дипломатические представители той и другой страны, и в том числе сам глава заговорщиков Локкарт, одновременно будут пользоваться возможностью возвращения на родину.

Уже после того, как Правительством Советской Республики были приняты приведенные выше решения, нами получено от английского правительства радио с сообщением об аресте т. Литвинова и его персонала. Это обстоятельство служит для нас еще лишним подтверждением правильности наших действий и полной обоснованности наших опасений, когда мы отказывались допустить выезд Локкарта и его сотрудников из России ранее выезда тов. Литвинова из Англии.

И в этом английском радио, и в одновременно полученном по радио заявлении французского правительства в случае дальнейшего содержания под стражей английских и французских граждан эти правительства угрожают индивидуальными репрессиями всем видным большевикам, которые попадут в их руки.

Это обстоятельство для нас не является новостью, так как уже теперь такого рода репрессии, вплоть до расстрелов советских работников, совершаются в районе оккупации держав Согласия. Мы остаемся при нашем прежнем предложении отказаться от репрессий в том случае, если таковые будут прекращены со стороны держав Согласия, как мы о том заявляли уже неоднократно.

Повторяем еще раз, что принимаемые нами меры предосторожности касаются исключительно английской и французской буржуазии и что ни одного рабочего мы не тронем.

Народный Комиссар по Иностранным Делам
Чичерин».

Мура была где-то близко, в том же подвале, может быть, но Локкарт не знал, где именно, и спрашивать было некого, и вообще некого было больше просить о чем бы то ни было. Он слышал и видел многое в первые же дни. Людей тащили на смерть, людей били. В первый же вечер в коридоре он увидел молодую женщину, он узнал ее, это была Дора Каплан. Ее вели куда-то. Он понимал, что в датском и норвежском посольстве, где у него были друзья, думают о нем и по возможности предпринимают шаги, но какие?

Через несколько дней сидения к нему в камеру пришел Петерс. Он принес ему две книги для чтения: русский перевод последнего романа Уэллса «Мистер Бритлинг пьет чашу до дна» и «Государство и революция» Ленина. Он не сел ни на стоявший здесь табурет, ни на койку, но постоял у окна и сказал, что все французы и прочие «коллеги» Локкарта посажены в Бутырки, в общую камеру, только он один сидит здесь в одиночке, а затем, как уже бывало прежде, поговорил на свои темы: об Англии, о дочери, о своем долге перед партией, о капитализме, который загнивает, о том, что сам он очень чувствителен и его что-то щиплет за сердце, когда он подписывает смертные приговоры. И потом помолчав перешел к роману Локкарта и Муры. Эта тема, как показало дальнейшее, тоже была одной из его любимых.

Они оба стояли у окна, когда во дворе, внизу под ними, красноармейцы образовали два тесных ряда и между ними прошли три фигуры, три старика, толстые, лысые и, видимо, больные. Локкарт узнал Щегловитова, Хвостова и Белецкого. Это были заложники, и их вели на расстрел. Кровь Ленина, пролитая Каплан, требовала отмщения.

— Куда они идут? — спросил Локкарт.

— На тот свет, — ответил ему Петерс.

Официальные цифры первых месяцев «красного террора» (август — сентябрь) общеизвестны: репрессированы были на территории России всего 31.489 человек. Среди них: расстреляны — 6.185, посажены в тюрьмы — 14.829, сосланы в лагеря — 6.407 и взяты заложниками — 4.068. Это был ответ ВЧК на выстрел Доры.

8 сентября Петерс вызвал к себе Локкарта, прислав за ним стражу. «Мы переводим вас в Кремль, — сказал он, — в апартаменты Белецкого». Это не предвещало ничего хорошего: Лубянка считалась как-то надежнее. В тот же вечер его перевезли. Это была небольшая квартира в Кавалерском корпусе (ныне разрушенном), чистая и удобная. Здесь когда-то жили фрейлины императриц. К его ужасу и отвращению ему на второй день подсадили Шмидхена. К этому он не был готов. Шмидхен пытался говорить с ним, но Локкарт не проронил ни од-

ного слова. Мысль о Муре не давала ему покоя. Заложники. Попала ли она в их число? Что ей поставлено в вину? Как и где ее допрашивают? И кто? Пытают ли ее? Наконец, Локкарт попросил чернила и бумагу, перо нашлось. Он решил написать просьбу об ее освобождении, как и об освобождении его русской прислуги. Повредить это не могло. И бумага ушла к Петерсу.

Через день Шмидхена убрали, и Петерс пришел опять. Вид у него был довольный, почти счастливый; Петерс тогда узнал, что мы знаем теперь и что Локкарт тогда не знал и узнал позже от Карахана: их всех выдал Рене Маршан, корреспондент «Фигаро». Его донос заставил Петерса произвести в тот же день массовые аресты среди подданных союзных держав.

Маршан в это время все еще оставался в Москве и вместе с генералом Лавернем, консулом Гренаром и некоторыми другими приглашался на все тайные обсуждения безумных планов Рейли. Садуль дал ему на донос свое полное благословение. Он сам на эти собрания не приглашался, да он и нередко уезжал из Москвы в эти недели, начав всерьез свою карьеру инструктора Красной армии. Впрочем, если бы он и был в городе, он постарался бы сделать себя незаметным, зная, что заговорщики обречены, и решив не вмешиваться в их судьбу. Но Маршан, которому в это время было совершенно нечего делать — никакие его корреспонденции никуда дойти уже не могли, — с удовольствием наблюдал, что происходит в открытых и закрытых собеседованиях. В начале своей карьеры журналиста он побывал в Ясной Поляне, и это придало его имени некий ореол: 2 января 1910 года он получил от Софьи Андреевны разрешение приехать и взять у Толстого интервью. В 1912 году, считаясь экспертом по русским делам, он издал книгу своих корреспонденциий в «Фигаро»: «Главные проблемы внутренней политики в России». В 1915 году он добровольцем пошел на русский фронт. После революции он жил года три в Москве, потом был на Балканах, затем — в Венгрии и одно время обосновался в Мексике, где преподавал в мексиканском университете и в Высшей школе. Член французской компартии (по словам Локкарта, в его книге воспоминаний) до 1931 года, когда он вышел из нее, Маршан по-прежнему занимался русскими делами, а в 1949 году выпустил книгу о «франко-русских литературных параллелях».

Уже с весны 1918 года он стоял на позициях невмешательства в русские дела, и хотя поддерживал идею десанта в Архангельске, но не для вооруженного наступления на Москву, а только лишь как помощь России сохранить свою территорию от немецкого захвата. К концу августа он постепенно стал все более враждебно относиться к теперь уже очевидной военной интервенции союзников: формирование на юге военных сил генерала Алексеева и организация и успех чехословацких частей убедили его, что молодой большевистской России грозит опасность уже не от немцев, которые с огромными потерями начали свое последнее отступление во Франции, тем самым показывая, что конец войны недалек, а от самой Антанты, не только помогающей контрреволюции во всех ее формах, но и оплачивающей ее и даже создающей ее. В конце августа он написал премьеру Франции Пуанкаре длинный рапорт о секретном заседании, на которое он был приглашен и где «присутствовали люди, которых [он] хорошо знал, и один человек ему неизвестный» (это был Рейли). Он с возмущением писал, что речь шла об измене и подкупе, о проектируемом саботаже и порче железных дорог и мостов. И копию этого своего донесения он в тот же день передал в Кремль.

Через три дня Петерс пришел опять. Решение судьбы Локкарта, сказал он, будет принято, и Локкарта отдадут в руки Революционного трибунала, где Крыленко его будет обвинять в измене. Но Муру, добавил он, по просьбе Локкарта он решил освободить. Она даже получит разрешение приносить ему пищевые пакеты и книги, табак и белье, несмотря на то, что редактор «Известий» Стеклов всюду говорит, что Локкарта и Лаверня давно пора расстрелять. После этого, весьма довольный ходом дел, Петерс согласился взять записку к ней у Локкарта, если он напишет ее по-русски. Он был в ровном, спокойном и добродушном настроении, намекнул, что Маршан — полностью «наш» человек, и обещал дать распоряжение страже, чтобы Локкарта отпускали ежедневно на двухчасовую прогулку по кремлевскому двору.

Все было правдой: и прогулки, и чистое белье, и книги, которые он получил. И даже длинное письмо от Муры, которое пришло запечатанным, с печатью ВЧК. Надпись на конверте была сделана самим Петерсом: «Доставьте это письмо в запечатанном виде. Оно было прочтено мною. Петерс». Когда через десять лет Локкарт писал об этом, он назвал Петерса «странным человеком».

Шесть дней он не мылся, не брился, не менял белья. Теперь он, несмотря на тяготевшую над ним угрозу Ревтрибунала, чувствовал себя почти счастливым. Он раскладывал пасьянсы — Мура прислала ему колоду карт, она подумала обо всем: о вечном пере, о блокнотах и носовых платках... Особенно его тронул ее выбор книг, и, действительно, этот выбор говорит многое о ее вкусах и интересах в это время: здесь были Фукидид и Ранке, Шиллер, Стивенсон, Ростан, Зудерман, жизнь и переписка Маколея, Киплинг, Карлейль, «Против течения» Ленина и Зиновьева и Уэллс.

Когда через несколько дней после этого Локкарт увидел входящего в его убежище Карахана, он прямо сказал, что знает, чей был донос и что донос ложный: Маршан передал копию своего рапорта Пуанкаре советским властям. Карахан, который обычно брал в разговоре с Локкартом шутливо-иронический тон, взглянул в глаза Локкарту чуть насмешливо, чуть хитро: «Он передал нам свой рапорт и список имен, присутствовавших на тайном собрании у американского генерального консула», — сказал он. Локкарт расхохотался: «Меня там не было!» — воскликнул он. «Да, — ответил Карахан с обычной своей полусерьезной медлительной манерой, — вы, вероятно, правы: вас там как будто не было»*. И он перешел к очередным политическим новостям. Он сказал, что на этот раз они превосходны: англичане очень слабо продвигаются на севере России, большевики бьют чехов в Сибири и гонят их на восток. И, между прочим, союзники одерживают победы у себя, по всему западному фронту, и немцам скоро придет конец. А Австрия и Болгария накануне сдачи.

Да, это были новости, действительно, добрые, и теперь, когда Мура на свободе, а война его родины с Германией идет к победному концу, ему остается только ждать решения своей судьбы.

Локкарт, судя по своим многочисленным книгам о себе самом и своем прошлом, был человек своего поколения, т. е. лишенный чувства трагического, и это спасало его от страха и трепета перед надвигающимся судом и разлукой с той, которая столько значила в его жизни. Она, несмотря на их близость, в эти недели сидения в заключении начала для него заволакиваться какой-то странной и темной загадкой, которую разгадать он не мог, ни теперь, ни после. Но благодаря отсутствию чувства трагического и при наличии прочно укоренившегося самоуважения и врожденной привычки не только не высказывать слишком громко сильных и необузданных чувств, но и не позволять им внутри себя управлять его настроениями, он стал замечать, что в нем теперь постоянно, как никогда прежде, появляется налет самоиронии, без которой англичанин, как кажется, не мыслит созерцания ни себя, ни своей судьбы. Это помогало Локкарту в дни, несомненно грозившие ему двойной катастрофой — личной и общественно-политической: бессрочной разлукой, если не разрывом, с Мурой и разрушением его карьеры дипломата, сделавшего цепь крупных ошибок, в которых он мог винить только са-

* Донос Маршана был опубликован в «Известиях» 28 сентября, а в «Ленинградской правде» — на следующий день.

мого себя. Так что выходило, что если даже спасена будет жизнь, то все равно эта жизнь будет навсегда исковеркана.

В его коридоре появилась женщина. Нет, это не была Мура. Это была Мария Спиридонова, левая эсерка. Он молча поклонился ей, когда они встретились, и она ответила ему. Она была больна и нервна, с черными тенями под глазами, и выглядела намного старше своих лет. Тут же на прогулке он увидел генерала Брусилова. Он гулял, тяжело опираясь на палку. Впоследствии он был выпущен на свободу и реабилитирован.

22 сентября в кремлевскую квартиру Локкарта вошел Петерс, улыбаясь и держа за руку Муру. Сегодня был день его, Петерса, рождения, и он решил сделать Локкарту сюрприз: он сказал, что больше всего на свете любит делать подарки, даже больше, чем их получать. Он сел, Мура стояла за его стулом. Три недели тому назад ее схватили и посадили, и *он* освободил *ее.* Теперь *она* пришла освободить *его,* — он это почувствовал, но еще не мог объяснить, почему это так. Но что было всего необычайнее в их дальнейшей истории, это то, что до конца жизни они оба в полном согласии друг с другом — без слов понятом или условленном? — создали миф о том, что в конце концов *он* спас *ее,* это звучало более естественно, этому было легче поверить: он был дипломат с дипломатическим иммунитетом. Но правда была в том, что у него никогда не было дипломатического иммунитета, потому что он не был дипломатом, а был только неофициальным «наблюдателем» в стране, правительство которой было в то время не признано Англией. Она, урожденная *графиня* Закревская и вдова крупного балтийского помещика, *графа* Бенкендорфа, оказалась на свободе через неделю после своего ареста, не была ни расстреляна, ни брошена на десять лет в подвалы Бутырской тюрьмы, ни сослана на Соловки, но вышла из заключения невредимой, если не под руку с Петерсом, то за руку с ним. Миф о ее тюремном заключении, угрожавшем ей казнью, и миф о его иммунитете никогда

никем не подвергались сомнению и не были положены под микроскоп — ни близкими, ни далекими. Они естественно выросли из фактов: молодая русская аристократка, дважды графиня, была дружна с «английским агентом», и «английский агент» ее спас, когда на самом деле она, становясь все старше, говорила о том, как Горький спас ее — не упоминая, что это произошло три года спустя, и в Петрограде, а не в Москве в 1918 году. А Локкарт подлежал суду Революционного трибунала по делу о «заговоре Локкарта», власти требовали его немедленного расстрела, и, действительно, он и был приговорен к нему, но позже, заочно, когда он уже был в Англии. И Локкарт знал, что благодаря Муре он был освобожден, и был благодарен ей, чему доказательством служат их дальнейшие отношения. Но это — дела далекого будущего, под другими небесами, среди других, не предвиденных обоими обстоятельств, и о них будет речь впереди.

Петерс сидел, она стояла за ним, и он опять говорил о своем революционном прошлом и долге перед партией, вспоминая геройские времена Сидней-стрит и ужасы царского времени. Она незаметно для Петерса, и все время глядя поверх его головы, через копну его каштановых волос, в глаза Локкарту, осторожно вложила заранее приготовленную записку в одну из книг, лежавших у нее под рукой. Он с ужасом смотрел, как она это делает, и высчитывал угол зеркала, висевшего между ней, и Петерсом, и книгой, куда была вложена записка. Но Петерс, не замечая ничего, продолжал рассказывать о своих геройских подвигах с пятнадцати лет на пользу социализма. И после того, как Петерс увел ее, Локкарт бросился к тому Карлейля.

Это была «История французской революции». Записка была короткая: «Ничего не говори. Все будет хорошо». В эту ночь он не спал, он бродил по комнатам. Он думал о том, куда его ведет его дорога, потому что теперь он твердо знал: из Кавалерского корпуса Московского Кремля дорога поведет в мир ответственностей, конфликтов и перемен. Он не закончит здесь свои дни, он вернется к себе в Англию.

У Горького был рассказ, я слышала его в его устной передаче. Его невозможно найти в полном собрании его сочинений, он, вероятно, никогда не был написан, а если и был, то потом — уничтожен, потому что ни в «Заметках», ни в «Неоконченных произведениях» его нет. Он в 1923 году, в Саарове, рассказал его домашним, как он это часто делал, вечером за чайным столом.

Рассказ должен был называться «Графиня». Чекист, кровожадный фанатик, преданный партии, безжалостный и жестокий, арестовывает людей, расстреливает их, но ему все мало: он хочет, чтобы в руки ему попалась графиня, настоящая, одна из тех, о которых он читал в книгах или знал понаслышке. Но графини нет. Имеются жены министров, есть жена губернатора, и он ждет, он знает: графиня будет, будет для него, ее приведут к нему. Наступает день (в разгаре «красного террора»), он сидит у себя в кабинете, подписывает смертные приговоры, курит и думает о величии происходящего. И вдруг открывается дверь и входит его помощник, обмотанный пулеметными лентами, с маузером на поясе. Стирая с лица пот, в шапке набекрень, он говорит чекисту:

— Иди. Твою привели....

Я помню, что ночью, оставшись вдвоем с Ходасевичем, и он, и я согласились друг с другом, что Горький этого рассказа или не напишет, или, если напишет, то никогда не напечатает, и даже, может быть, сказал В.Ф., «он его в своих бумагах не оставит». И я согласилась с ним, и только некоторое время спустя, когда разговор стал затихать, выяснилось, что мы говорим о разном: я чувствовала неловкость в рассказе оттого, что Горький жил теперь с «графиней», которая играла в доме роль его жены. Но Ходасевич вовсе об этом не думал: он думал о Петерсе.

Но до того, как Локкарт вернулся к себе на родину, прошло не менее двух недель. Только теперь все было по-иному: Мура приходила ежедневно, приносила (все из того же неисчерпаемого американского Красного Креста) сардинки, вино, масло, и сама вместе с ним ела эти яства или только делала вид, что ест. Голод в Москве стоял острый, и даже в столовой, где Чичерин и Карахан угощали завтраками германских, скандинавских и персидских дипломатов, часто бывал жидкий суп, и перловая каша, и тяжелый сырой хлеб, полный соломы и плохо перемолотого овса. Это было только начало. Через полгода уже не было и этого, и только тогда идейные спартанцы на верхах правительства после долгих колебаний начали организовывать, хотя бы для ответственных работников и их гостей, сносное питание. Долгие колебания не давали им этого сделать раньше, потому что — надо это признать — идейным спартанцам, поколению, родившемуся между 1870 и 1890 годами и воспитанному на социал-демократических принципах, было нелегко и непросто признать, что население делится на тех, кому необходимо иметь кусочек мяса и фунт сахару в месяц или новые калоши, и на тех, кто может обойтись без этих роскошеств (если, конечно, он не был контрреволюционером). Такие категории не входили в их план, и пухнувшие от голода дети мелких советских служащих, и умирающие на скамейках бульваров старики-пенсионеры, которым, разумеется, нельзя было давать карточки первой категории, даваемые ответственным работникам, как-то не входили в схему людей, имевших, по старомодному выражению, идеалы и идеи героев, которым они поклонялись. В этом последнем поколении «чистых» революционеров, со всей их нетерпимостью к врагам, людей, насаждавших «красный террор», были еще живы принципы, по которым они *своих не убивали* и голодом не морили и оценку человека производили, принимая во внимание не только его настоящее, но и прошедшее, и возможное будущее.

Но дифференциация была произведена, и очень скоро. Только благодаря дифференциации в рангах они и выжили, другого выхода у них не было. От Ленина до академика И.П.Павлова и от Горького до опоры режима, палачей ВЧК, а также поэтов, воспевающих их, и актеров, развлекающих их, люди были первой категории. Среди остальных граждан, по Дарвину, выживали наиболее приспособленные.

Мура приходила на час, на два, и их обоих, по распоряжению начальства, оставляли вдвоем. Они почти не говорили о будущем, т. е. о том времени, когда он будет освобожден; оба понимали, что это будет концом их отношений, потому что ему не дадут и недели прожить на свободе в Москве. Они говорили о прошлом. И он пытался узнать подробности ее жизни в настоящем, что она ест и куда ходит. И он два раза заставил ее рассказать о ее недавнем сидении в тюрьме с вдовой бывшего военного министра Сухомлинова, которая оказалась сильной женщиной, поддерживала всех вокруг и пошла на смерть без страха. Мура рассказала о своем освобождении, и как она вышла на улицу и пошла, как во сне, не в ту сторону, куда надо было. И долго шла, пока не сообразила, что идет совсем не туда. Одного она ему не рассказала: при первом допросе, когда она отрицала свою близость с ним, из толстого дела, лежавшего на столе, были извлечены пять фотографий и показаны ей: она в объятиях Локкарта, она у него на коленях, они оба в постели. И тогда она потеряла сознание, в первый раз в жизни. Когда она пришла в себя, пришлось попросить полотенце или просто тряпку: ей вылили на голову графин воды. Над ней стоял Петерс.

Когда она теперь приходила в Кавалерский флигель, на ней все еще были красивые и дорогие вещи, сделанные у дорогих портних года два-три тому назад. Их было мало, и они грозили превратиться в лохмотья: шить она не умела, не была научена, стирать было не в чем да и нечем: не было ни горячей воды, ни мыла. Наступали холодные ночи, на деревьях вокруг Арбатской площади, во дворах Хлебного переулка, где она продолжала жить на истерзанной мебели, почти уже не было листьев. Голые сучья впервые казались людям страшными, зловещими предвестниками гибельной зимы. Первой убийственной зимы, и, может быть, — не последней.

Вертемон скрылся (он прятался в шведском посольстве); Рейли ушел в подполье, все еще грозясь единолично опрокинуть вверх дном если не Россию и не Москву, то по крайней мере Кремль, подарить Японии Сибирь, а Англии — Кавказ. За ним рыскали по всем углам столицы и пригородов, но он оставался неуязвим. Немногие французы и англичане, которые были на свободе, выйдя из Бутырской тюрьмы, ожидали освобождения Локкарта, чтобы вместе с ним уехать в Архангельск и Швецию. Русские, замешанные в делах Рейли или просто его знакомые, были выловлены и ликвидированы. Мура приносила Локкарту вести об исчезновении того или другого москвича, которого он знал (а знал он очень многих), о победах союзников и неизбежном поражении Германии, а может быть, и скором мире; о Гражданской войне, которая теперь была уже в полном разгаре на юге, и о Сибири, где чехи противостояли посланным туда частям Красной армии.

Но больше всего они говорили о своей любви. И иногда Мура спрашивала себя, что ее ждет, и с кем, и где? Он уедет, его, конечно, вышлют, и даже, наверное, вышлют очень скоро, потому что в день, когда в Англии узнали об его аресте, в Лондоне арестовали Литвинова, и теперь, по слухам, готовится обмен, и прервутся всякие, даже неофициальные, отношения между обеими странами. Его вышлют. А она останется. Из них обоих он был гораздо более склонен к иллюзиям и к англосаксонскому «все образуется». Она была такая трезвая, такая серьезная, умная и зоркая. Она сумела сделать все, что могла, для его освобождения, и она будет делать все, чтобы облегчить ему отъезд. Но больше ничего она для него сделать не может, да ему и не надо будет больше ничего от нее. Но что она может сделать для самой себя? Ничего. Это не в ее силах. Она не уедет, она останется здесь, в холоде и голоде, в эпидемиях сыпного тифа и испанки, с этими шелковыми и бархатными лохмотьями на плечах, с этой зловещей фамилией, оставленной ей убитым Иваном Александровичем Бенкендорфом, третьим секретарем русского посольства в Берлине. Без крыши над головой, куда она могла бы приткнуться после того, как Хлебный переулок будет ликвидирован.

А люди? Нет больше никого, а если кто и есть, отпущенный после допросов (что сомнительно, разве что кухарка и дворник), то ведь они боятся теперь каждого, кто имел отношение к Локкарту, к Рейли, к Хиксу, к Вертемону и Лавернью, к Марье Петровне, которая давала им уроки русского языка, и к Ивану Ивановичу, певшему им под гитару «Глядя на луч пурпурного заката»:

> Стояли мы на берегу Невы.
> Вы руку сжали мне. Промчался без возврата
> Тот сладкий миг!.. Его забыли вы...

Петерс, на следующий день после прихода с Мурой, явился со шведским генеральным консулом: он хотел показать консулу, что Локкарт жив, что его не пытали в подвале ВЧК, как об этом пишут в европейской прессе, что он получает ту же пищу, что и сам Петерс. Еще прошел день, и «Известия» опубликовали письмо Маршана. Хотя имя Локкарта в нем не упоминалось и Локкарт теперь окончательно был уверен, что его не расстреляют, он начал опасаться, что ему дадут долгий срок заключения, долгий срок одиночки — десять, пятнадцать лет, может быть, больше.

26 сентября в передней кремлевской квартиры отворилась дверь, и он увидел Карахана. Он пришел спросить, возможен ли, по мнению Локкарта, в ближайшем будущем мир между союзниками и большевиками? Он сказал, что Локкарта судить не собираются, что он, по всей вероятности, будет скоро выпущен. Когда он ушел, Локкарт раскрыл Шиллера и, чтобы собраться с мыслями, начал переводить на английский язык монолог Вильгельма Телля:

Пройти он должен

Пустынную долину. Нет другого

Пути в Кюснахт. Я здесь подстерегу

Его. Какой благоприятный случай!

Я все свершу, стрелой его настигну,

И будет тесен для погони путь.

Итак, кончай, наместник, счеты с жизнью!

Твой час настал. Ты должен умереть!

В субботу, в шесть часов вечера Петерс пришел вместе с Мурой. Он выглядел счастливым. На нем была кожаная куртка и щегольские брюки, маузер, и широкая улыбка на лице. Он объявил, что во вторник Локкарт будет выпущен. Он был весел, что-то озорное было в его лице. Он обещал дать Локкарту два дня, чтобы тот мог собраться, в четверг ему придется оставить Москву. Затем, нисколько не смущаясь присутствием Муры, он начал говорить о заговоре. Он считал, что американцы тоже, не менее других, замешаны в нем (это был намек на К.Д. Каламатиано, который позже был расстрелян, как и А.В. Фриде). Потом он спросил, почему Локкарт не хочет остаться навсегда в России, стать русским советским подданным, работать на пользу революции? Будущее, сказал он, через десять, двадцать лет будет прекрасным, и Россия — самой прекрасной, счастливой и свободной страной в мире. «Мы дадим вам работу. Мы вас используем. Капитализм обречен, ведь так?»

«Он, видимо, не понимал, — писал Локкарт через двенадцать лет в своих мемуарах, — как я мог уехать и оставить Муру». Когда он вышел и Мура осталась с Локкартом одна, они смеялись и плакали, перебивали друг друга и обнимались. Мура рассказала, что французы, арестованные в начале сентября, до сих пор сидят в Бутырках, и Уордвелл посылает им продукты ежедневно, американской снедью кормит всех своих, и ее, и на всех у него хватает, никому отказа нет. И что была страшная сцена недавно между датским посланником и Чичериным, когда посланник вдруг решил, что

ВЧК решила расстрелять Локкарта. Он телеграфировал об этом в Лондон. Ллойд-Джордж немедленно послал угрожающую телеграмму наркоминделу. И что все потеряли надежду, пока Ленин был между жизнью и смертью. Все успокоились, когда опасность миновала. Говорят, когда он пришел в себя, первое, что он сказал, было: «Остановите террор!» И вот решено: выпустят и вышлют и Локкарта, и всех остальных. Его обменяют на Литвинова, который сидит со 2 сентября. Как только Локкарт переедет финскую границу, Литвинов выедет из Англии, обмен будет в Бергене. Она так и сыпала новостями. Хикс, Гренар и Вертемон спрятались в бывшем американском консульстве, но чекисты их выловили оттуда. И Хикс не знает, удастся ли ему, успеет ли он между тюрьмой и поездом жениться на Любе Малининой.

Поздно ночью она ушла, и Локкарт понял, что будущее не сулит ему ничего хорошего: он никогда не вернется больше в этот город, в эту страну, к этой женщине. Он почувствовал, что не в силах уехать. Он думал о предложении Петерса остаться в России, остаться с ней навсегда. Не расставаться. Он думал о том, что Садуль решился на это, что молодой Пьер Паскаль тоже решил не возвращаться во Францию*. И, вероятно, Маршан. Но он также знал, что он никогда не сможет стать большевиком, и что у него есть родина и долг перед ней и теми, кто его послал сюда восемь месяцев тому назад, и он должен отчитаться перед ними и объяснить свое поведение.

Мура теперь была больна: высокая температура, слабость, головные боли. Она продолжала приходить, зная,

---

* Паскаль, сочувствовавший большевикам в эти годы, был послан в Россию еще в 1915 году как член французской военной миссии в Петербурге. Позже он вернулся во Францию, едва избежав ареста, как шпион, и «ликвидации», стал ученым славистом, автором книги о протопопе Аввакуме и многолетним директором Школы восточных языков в Париже.

что выхода нет, что будет то, чего избежать нельзя: разлука, и почти наверное – разлука навсегда. Она теперь с утра до вечера была с ним, несмотря на то, что едва стояла на ногах. Воскресенье и понедельник были их последними днями, никто не мешал им. Во вторник, 1 октября, Карахан зашел проститься. В среду вечером назначен был день отъезда Локкарта и других из Москвы, и во вторник его повезли под стражей на квартиру в Хлебном переулке.

В последнюю минуту Петерс дал Локкарту свою фотографию на память, подписанную им, и, стараясь это сделать незаметно, вложил в руку Локкарта письмо к своей жене в Англию. Они простились.

Чтобы закончить историю этого, не совсем обычного, чекиста, необходимо сказать несколько слов о его конце: в 1920-х годах его жена и дочь, после долгих стараний, получили от советского правительства разрешение и приехали к нему, но он оказался женат на другой женщине, не будучи разведенным. Английская жена поступила прислугой (по другим сведениям – кухаркой) к известной американской коммунистке, жившей годами в Москве, Анне Луизе Стронг. Стронг была долгие годы в Москве редактором коммунистической газеты на английском языке. После того, как в 1950 году Сталин обвинил ее в шпионаже и выслал из Советского Союза, она переехала в Китай, сделалась поклонницей Мао и там закончила свою жизнь. Дочь Петерса, Мэй, в 1933 году училась в балетной школе, а потом поступила телефонисткой в английское посольство в Москве (когда отношения между СССР и Англией стали нормальными). По советским законам она считалась советской гражданкой, по английским – англичанкой. В конце 1930-х годов ее взяли на улице в Москве агенты ОГПУ: в 1952 году она была приговорена (после двенадцати лет тюрьмы) к десяти годам концлагеря. В 1955 году она еще была жива. Несмотря на все попытки английского правительства снестись с ней и вызволить ее из России, ей не удалось выехать в Англию, где она родилась.

Что до самого Петерса, то в 1930 году мы находим его сердитую и крикливую статью в номере «Известий» от 19 декабря — тринадцатилетний юбилей существования ВЧК — ОГПУ. Дифирамбы Дзержинскому (он умер в 1926 году) заполняют большую часть одной страницы газеты, на другой — статья Петерса о негодяях, которые едва не погубили молодую большевистскую Россию, и только бдительность ВЧК, Дзержинского и его самого, Петерса, спасла Россию от восстановления монархии и капитализма. Тут среди самых злейших врагов названы Черчилль и Пуанкаре, Локкарт, Рейли и Вертемон, замышлявшие гибель революции и раздел России, подкупавшие подонков русского населения, готовившие восстания, взрывы мостов и железных дорог, которые окончательно лишили бы и Москву, и Петроград снабжения и обрекли бы население на голодную смерть. Только героическое письмо Рене Маршана и бдительность ВЧК спасли страну от этих чудовищ (ровно через год Рене Маршан вышел из членов компартии Франции).

Эта статья была напечатана в 1930 году, а через семь лет Петерс, вместе с Лацисом и другими помощниками Дзержинского и сотнями других сотрудников ВЧК — ОГПУ — НКВД, был расстрелян, по приказу Сталина, сменившими их на время работниками этих учреждений, которые позже также были ликвидированы. Об этом можно прочесть в «Бюллетене оппозиции» (1938 г.) Троцкого, в статье, где он пишет о первых, после Сталинской конституции, выборах в СССР:

«В последние минуты перед подсчетом голосов выяснилось, что 54 кандидата партии исчезли. Среди них называли зам. председателя совнаркома Валерия Межлаука, шесть членов правительства, генерала Алксниса, командующего воздушным флотом, семь других генералов, а также Лациса и Петерса, служивших в ВЧК с первого дня ее существования».

В квартире в Хлебном был большой беспорядок. Тут, после взятия Локкарта, одно время жила стража. Деньги, которые он оставил, и его ценные жемчужные запонки исчезли. Обои были ободраны, кресла вспороты. Выходить из дома в этот день ему не было позволено — до завтрашнего вечера, но он мог принимать приходивших к нему и во вторник, и в среду друзей. После ночи вдвоем с Мурой наступил этот последний день. Все было Петерсом тщательно обдумано, и Локкарт стал укладывать чемоданы.

В девять часов вечера за ним приехал на автомобиле шведский консул и повез его на вокзал. Там он увидел выпущенных из тюрьмы и прямо из тюрьмы привезенных к поезду англичан и французов. В группе англичан было человек сорок, французов было не меньше. Все гурьбой пошли по шпалам на далекий запасной путь, где стоял их поезд. Вечер был теплый, почти летний. Каждый нес свой багаж, провожающие — их было мало — замыкали шествие. Хикс, в этот же день обвенчавшийся с Любой Малининой, племянницей московского городского головы Челнокова, увозил ее с собой. Локкарт шел с Мурой. Ее трясла лихорадка, и она спотыкалась на высоких французских каблуках, в длинном, слишком теплом и тяжелом пальто, единственном, другого не было. Шли молча. Латыши-красноармейцы охраняли едва освещенный изнутри поезд. Уордвелл, пришедший проводить друзей, и русские родственники Малининой стояли кучкой, пока остальные взбирались в вагон. Мура молчала, молчал и Локкарт, стоя на платформе. Прошел мучительный час, поезд запаздывал с отходом. Было неуютно от присутствия солдат, и Локкарту казалось, что все, как и он, стараются не думать о том, что происходит. Назойливо лезли в голову: граница, Стокгольм, Берген, Литвинов, переход через Северное море. Застрять в Шотландии у дяди, перед тем как явиться с докладом на Даунинг-стрит? Нет, прямо ехать в Лондон. А что если в последнюю минуту не пустят поезд?

144

Потом, всё ожидая сигнала, оба заговорили о пустяках, о таких вещах, будничных и неинтересных, о которых, кажется, никогда раньше не говорили друг с другом. Она стояла рядом с ним, он все вспоминал, как они третьего дня поспорили из-за пустяков и она сердито сказала, что он «немного хитрый, но недостаточно хитер, что он немного сильный, но недостаточно силен, и что он немного слабый, но недостаточно слаб». А он рассердился в ответ на это. Она говорила это, потому что он сделал ей больно, и в этом, он понимал, была правда.

Он, наконец, заметил, что Мура едва держится на ногах. Поезд все стоял. Локкарт пошел вдоль вагонов, нашел Уордвелла и попросил отвезти Муру домой. Она не возражала. Уордвелл взял ее под руку, и они пошли по шпалам обратно. Локкарт смотрел ей вслед, пока она не исчезла в черноте вокзальной ночи. И тогда он поднялся в свое тускло освещенное купе и остался один со своими мыслями. Поезд отошел только в два часа ночи.

БОРЬБА

О, сердце тигра, скрытое в шкуре женщины!

«Король Генрих VI».

Часть 3. I, 4, 137

Куда было ей теперь идти? Где был теперь ее дом? Был ли у нее выбор, или выбора не было? Начальник американского Красного Креста Уордвелл был лицом если не официальным, то по существу несомненно политическим, как и его предшественник Робинс; он, сначала живший в здании американского консульства, вот уже около месяца как поселился со всеми своими пищевыми запасами во флигеле во дворе норвежской миссии. Сами норвежцы переехали в это здание, с просторным двором, садом и флигелем, еще весной здание принадлежало американцам. Здесь вначале было консульство, но когда дипломатические отношения между США и Россией были прерваны и посол Френсис со всем штатом посольства и консульства в Москве выехал в Вологду, норвежцы сняли этот дом, и Уордвелл жил в хорошо ему знакомом помещении, но как бы в гостях. Можно сказать с уверенностью, что Уордвелл в ту ночь не посмел привести Муру к себе. Он был широким и гостеприимным человеком и своим сгущенным молоком, какао, бобами в банках и прочим добром щедро делился со всеми вокруг, аре-

146

стованными и оставленными на свободе, как союзными, так и нейтральными представителями государств больших и малых. Но он должен был соблюдать осторожность, потому что видел в эти месяцы, что большевистское правительство не делает слишком глубоких различий между своим отношением к Англии и Франции, с одной стороны, и к США — с другой. Президент Вильсон по-прежнему требовал полного невмешательства во внутренние дела России и твердо стоял против интервенции. Пуанкаре и Ллойд-Джордж были, разумеется, противоположного мнения. Уордвелл научился необходимости соблюдать некоторое расстояние между своим Красным Крестом и Гренаром, Хиксом и Лавернем — этот последний, укрываясь от ареста в первые дни сентября в американском консульстве, доставил ему неприятные минуты. Личные отношения не влияли на его поведение в деловой сфере, но он по приказанию из Вашингтона соблюдал строгий нейтралитет во всем, что касалось политики, продиктованной Белым домом в отношении Москвы. О том, чтобы вести Муру к себе, в здание норвежской легации, не могло в таком случае быть и речи. Вести ее сейчас к кому-нибудь из общих «нейтральных» друзей он тоже не мог: близкие личные отношения с ней за последний месяц у многих сильно испортились, и сейчас контакт с Мурой шведов и датчан мог только усложнить их жизнь, уже и без того нелегкую. Вести ее к англичанам или французам, не связанным с дипломатией (если такие еще были), было тоже невозможно: все эти люди были под угрозой ареста, если еще не были арестованы или высланы. Срочным порядком, вместе со своими семьями, все они теперь выезжали из Москвы на родину.

Оставались русские знакомые. Но кто были они? В дореволюционные годы ни Мура, ни ее семья, ни Бенкендорфы с Москвой не имели ничего общего. Конечно, можно предположить, что еще в тюремной камере (т. е. в Кавалерском флигеле) при свиданиях с Локкартом они вместе нашли ответ на вопрос, куда ей деваться, нашли кого-то, кто мог бы приютить ее, кто не был бы связан ни с дипломатическим корпусом, ни с прошлым Муры, не знал о ней ничего и открыл бы ей свои двери. В советских газетах, среди дюжины имен от Локкарта до Каламатиано и от Фриде до Вертемона, никогда, ни теперь, ни позже, не было упомянуто ее имя. У прислуги Локкарта была сестра, жившая где-то за Таганкой, была Мария Николаевна, старая цыганка, которая пела в цыганском хоре и однажды гадала им обоим в Сокольниках. Или, может быть, можно было найти случайно встреченную этим летом институтскую подругу, жившую продажей остатков дворянской роскоши, торгуя ею на Смоленском рынке, в «дворянском ряду»? Деньги у Муры были: из тех, которыми были набиты ящики письменного стола Локкарта и которые были украдены стражей, кое-что потом было Петерсом возвращено. Но оставить ей много он не мог, он боялся, что если у нее найдут крупную сумму, ее заподозрят в связях с контрреволюцией, а от обыска теперь никто не был гарантирован, и меньше всех она. Он оставил ей немного, и на эти деньги она, вероятно, могла прожить несколько недель. Но где?

В ту ночь, больная и разбитая, она в конце концов оказалась в Хлебном переулке. Ключ у нее был. Она никогда не говорила о следующих днях, об этих московских неделях. Одно она тогда знала: за ней не следят, филеров не было. Но этого было недостаточно, чтобы чувствовать себя — не то что счастливой, об этом речи быть не могло, — но хотя бы спокойной. Больная сравнительно легкой формой испанки, в полном одиночестве, в сущности в чужой ей Москве, она понимала, что необходимо что-то сделать, собрать свои силы и шагнуть куда-то из этого отчаяния, которое теперь было в тысячу раз страшнее, чем то, в котором она была меньше года тому назад, когда узнала об убийстве Бенкендорфа от незнакомого ей человека на одном из перекрестков Петрограда. Тогда был близкий ей город, были иностранные посольства, были лавки, где можно было купить хлеба, были человеческие лица вокруг.

Сейчас был «красный террор», Лубянка, разлука с любимым человеком, ее первая любовь — другой до того не было, другой она никогда еще не знала, — первая и навсегда оборванная любовь.

Она рассчитала деньги правильно, и когда они кончились, она продала свои девичьи бриллиантовые сережки, последнее, что у нее было, на том же Смоленском рынке, и хотя половину денег у нее немедленно украли, их хватило, чтобы купить билет до Петрограда. Это был верный шаг: она принадлежала Петрограду, в Москве ей нечего было делать. Она часть ночи простояла в коридоре вагона третьего класса и часть ночи просидела на площадке вагона на своем чемодане. На подножках всю ночь висели люди.

Декабрь был холодный и снежный. Ничего не известно о ее последних днях в Москве. Простилась ли она с кем-нибудь? Было ли с кем проститься? Нашла ли она кого-нибудь из тех, кто всю осень просидел в тюрьме по «заговору Локкарта» и теперь, в декабре, был свободен? Были ли такие? Искала ли она их? Простилась ли с Петерсом? Или он и без нее знал, куда и когда она едет?

Она выехала после Рождества. Ноябрь и декабрь были месяцами огромных событий, общих и личных: 11 ноября было заключено перемирие союзников с Германией; Европа, США и Япония выходили из войны победителями. С 28 ноября по 3 декабря Революционный трибунал при ВЦИКе рассматривал «дело Локкарта». На скамье подсудимых отсутствовали главные действующие лица: Локкарт, Вертемон, Лавернь, Гренар и Рейли. Все они были приговорены трибуналом к расстрелу и объявлены вне закона. К расстрелу же были приговорены присутствовавшие на суде А.В. Фриде, офицер царской службы, и К.Д. Каламатиано, работавший в американской контрразведке. Оба были казнены немедленно. На пять лет принудительных работ были приговорены восемь человек, а один, некто Пшеничко, — к тюремному заключению на срок «до прекращения чехословацких военных действий против Советской России». Все это Мура прочитала на углу Поварской и Никитского бульвара, где теперь начали расклеивать стенгазеты, и на перекрестке обычно стояли небольшие кучки людей и молча, всегда молча, с каменными лицами читали о том, кого и за что вывели в расход, кому завтра идти чистить улицы от снега со своими лопатами (казенных не выдавали), кому получать селедки, кому пшено, а кому — овес с соломой. У нее продовольственных карточек не было: она жила без прописки.

Наступал 1919 год, Гражданская война на юге была в разгаре. На востоке шла борьба с большевиками между чехами и эсерами, с одной стороны, и казачьими атаманами, поддерживаемыми Японией, — с другой. На западе начинался поход генерала Юденича, который шел так успешно, что падение Петрограда казалось неминуемым. Но в Петрограде, в противоположность Москве, у Муры была над головой крыша — у бывшего генерала-лейтенанта А.А. Мосолова, впоследствии автора книги воспоминаний «При дворе императора». Он был до революции начальником канцелярии министерства Двора и Уделов. Она его знала по военному госпиталю, где она работала в 1914—1916 годах. Госпиталь был имени одной из великих княжен, Мосолов был там одним из администраторов, хотя главным образом его назначили туда за представительную фигуру, благородное лицо и врожденную светскость манер, которые особенно нравились высокопоставленным дамам. Эти дамы, частично «распутники», еще в 1914 году надели на себя косынки, нашили на грудь красные кресты и больше мешали, чем помогали в лазарете раненым. Теперь большинство из них сидели в Петропавловской крепости или на Шпалерной, пройдя через ВЧК на Гороховой улице.

Здесь, в этом умирающем городе, пришла Муре впервые мысль о работе, о заработке. Она раньше никогда не думала, что может что-то делать полезное, чтобы прожить. Это показалось ей почти смешным, но постепенно смехотворная сторона этой мысли как-то померкла, она стала серьезной, даже навязчивой и под конец неотступной. Работать? Но как, и где?

Мосолов жил в огромной, уплотненной чужими людьми довоенной квартире с высокими потолками, с видом на Неву. Только опять не могло быть ни карточек, ни прописки. Она поселилась в комнате за кухней, где когда-то жила прислуга. На третий день на Троицком мосту ее арестовали: в ее карманах нашли две продовольственные карточки, на которые она обменяла соболью муфту. Карточки оказались фальшивыми.

Она просидела на Гороховой около месяца. Только через неделю после ареста она решилась сказать, чтобы позвонили в Москву, Петерсу. На нее посмотрели недоверчиво и спросили, не хочет ли она поговорить с самим Лениным в Кремле? Она смолчала и стала ждать. Прошли две недели, и ничего не случилось. Она все сидела в подвале, в общей камере. Здесь не было политических, одни уголовные — за мелкие кражи, за проституцию и по черному рынку. Контингент менялся в несколько дней, она одна была забыта. Наконец она была вызвана на допрос. Она опять сказала, чтобы позвонили на Лубянку. На этот раз не было саркастических ответов, было удивление. Через четыре дня ее освободили.

1919 год, страшный год. Симметрия двух девяток для многих на всю жизнь осталась зловещим знаком голодной смерти, сыпного тифа, испанки, лютого холода в разрушающихся и разрушаемых (топили паркетами) домах и самодержавного царствования ВЧК. Мертвые лошади лежали, подняв в воздух растопыренные, закаменевшие от двадцатиградусного мороза ноги, наполовину занесенные снегом. В нежилых домах не было ни оконных рам, ни дверей, ни паркетов — все было сорвано на топку. Петроград в снегу, сугробах и вьюгах, черных ночах был неузнаваем. Люди сначала бежали из него, куда могли, потом бежать стало некуда, с трех сторон был фронт Гражданской войны. Не было ни хлеба, ни сала, ни мыла, ни бумаги. От лопнувших труб в коридорах и кухнях квартир бывал каток — до начала апреля месяца. В мае тихо и спокойно, как на лесной поляне, начала расти трава на улицах — там, где мостовые были мощены булыжником, а дыры от выломанных торцов на Невском засыпали щебнем те, кто питался по пятой категории, т. е. не имели постоянной работы. Их гнали на очистку улиц и починку мостовых, они едва стояли на ногах и не всегда могли поднять лопату. По площади Зимнего дворца, в Эрмитаж и из Эрмитажа, ходил Александр Николаевич Бенуа, закутанный в бабий платок, а профессор Шилейко стучал деревянными подошвами, подвязанными тряпками к опухшим ногам в дырявых носках. И в квартире Горького, на Кронверкском проспекте, где в ту зиму жили не менее семи-восьми человек (не считая гостей и случайно заночевавших приезжих), весь день толпились ученые, писатели, актеры, художники и даже цирковые клоуны с просьбами подписать бумажку на выдачу калош, аспирина, билета в Москву, очков и свидетельства о благонадежности.

Зоологический сад был рядом. Львы и тигры давно умерли от голода, верблюдов и оленей съели, и там теперь было пусто. Только И.П. Павлову, открывшему недавно собачий рефлекс, удавалось кормить своих собак (по особому распоряжению Ленина), да доктору Воронову — обезьян, пока он наконец не уехал в Швейцарию. И тогда обезьяны сдохли в два дня. Бумажки Горьким подписывались, но ходу обычно не имели, так как наверху, в Петроградском Совете, сидел наместник Северной области, имевший неограниченную власть над Северной Россией, Григорий Евсеевич Зиновьев, председатель Северных Коммун, председатель Совета комиссаров Северной области, председатель Петроградского Совета рабочих и солдатских депутатов, правая рука Ленина в бывшей столице после переезда правительства в Москву. По его настоянию Ленин отдал в июле 1918 года приказ о закрытии газеты Горького, и 16-го числа «Новая жизнь» прекратила свое существование.

Это было тяжелым ударом для Горького. Не будет преувеличением сказать, что он лет пять не мог оправиться от него. Незадолго до того, как газета была закрыта, весной 1918 года, ему в печати был задан вопрос: откуда он получил деньги для этого издания? Газета была начата им еще до Октябрьской революции, 1 мая 1917 года. Видимо, у Зиновьева, приехавшего вместе с Лениным из Швейцарии в апреле, были подозрения, не получил ли Горький субсидию из-за границы от человека, помогшего самому Зиновьеву, Ленину и другим большевикам приехать в Россию. Горький воспринял этот вопрос как пощечину и ответил, что деньги ему дал банкир Э.К. Груббе, уехавший за границу, давний его знакомый и либерал (Груббе был одним из двух владельцев банкирской конторы «Груббе и Небо», вывеска их все еще висела на Невском). После Февральской революции по его инициативе было создано «Свободное общество для развития и распространения точных наук». Горький писал, что Груббе дал ему 270 тысяч рублей на газету и он сам, Горький, добавил к ним свои личные деньги — гонорар, полученный им от издателя А.Ф. Маркса, который, как приложение к своему журналу «Нива», издал его полное собрание сочинений.

На самом деле все это было несколько иначе, и версия Горького не совпадает с версией одного из его кредиторов. Э.К. Груббе был не один: дело началось в феврале 1916 года, когда Горький решил начать издавать либерально-радикальную газету. Денег у него было недостаточно. Он искал их и нашел: известный издатель И.Д. Сытин, Б.А. Гордон, редактор-издатель «Приазовского края», ежедневной газеты в Ростове-на-Дону, и Груббе тогда же дали ему по 150 тысяч рублей. Но из газеты ничего не вышло, и Горький, сохранив эти деньги, в апреле следующего года начал издание «Новой жизни». Когда Гордон познакомился с первыми номерами газеты Горького (в мае 1917 года), он счел ее слишком «коммунистической» и потребовал свои деньги обратно. Третейский суд, призванный решить это дело, присудил Горькому отдать деньги Гордону. Ни Сытин, ни Груббе своих денег обратно не требовали. 8 августа 1917 года Горький послал Гордону записку, в которой благодарит его за 150 тысяч рублей, полученных в свое время на газету, и возвращает их сполна. Вот ее текст:

«Уважаемый Борис Абрамович!

С благодарностью возвращаю Вам 150.000 р. данные Вами мне взаимообразно в марте с. г.

Сердечно благодарю Вас за Вашу помощь.

М. Горький
8.VIII.17»*.

Однако Гордон, получив записку, никаких денег в конверте не нашел. 8 мая 1949 года, по просьбе М.А. Алданова и Б.И. Николаевского, будучи в эмиграции, Гордон передал им вместе с запиской Горького также написанное им, Гордоном, от руки подробное объяснение того, что произошло. Трудно предположить, чтобы Горький написал свою благодарственную записку, не приложив к ней денег, присужденных Гордону судом. Возможно, что тот, кому было поручено передать конверт, вынул из него деньги, возможно, что Горький забыл их в конверт вложить. Но Гордон настаивал на том, что он никогда не получал от Горького ему принадлежавших денег и что в конверте их не было.

Советская печать, однако, продолжала резко упрекать Горького, что он продался банкирам, на что он возражал, что Ленин в свое время брал у Саввы Морозова деньги на «Искру», но это Горькому не помогло. Он сам и его ближайшие сотрудники по «Новой жизни», Тихонов, Десницкий и Суханов, социал-демократ интернационалист и историк русской революции, до последнего дня не могли поверить, что газете грозят репрессии.

---

* Архив Гувера, Калифорния.

«Новая жизнь» была против выступления большевиков 25 октября (7 ноября), считая, что для этого еще не наступил момент. Когда произошла Октябрьская революция, Горький начал не без страха и возмущения смотреть на то, что делалось кругом. 23 ноября он писал: «Слепые фанатики и бесчестные авантюристы, заговорщики и анархисты типа Нечаева вершат делами страны». Советская печать в долгу не оставалась, и Горького уже в декабре называли «хныкающим обывателем». Брань не прекращалась. Закрытие других газет и начало «красного террора» вызвали в Горьком ярость. Он писал:

«В эти дни безумия, ужаса, победы глупости и вульгарности...»*

Зиновьев в эти месяцы состоял в редакционной коллегии «Петроградской правды» и фактически был ее полновластным хозяином. С московской «Правдой» у него был самый тесный контакт, и нападки на «Новую жизнь» были явно координированы. «Правда» писала, что газета Горького «продалась империалистам, фабрикантам, помещикам, банкирам» и редакторы ее «были на содержании» у этих банкиров. Статья эта была напечатана на первой странице газеты анонимно, можно предположить, что Зиновьев написал ее сам или она была им заказана.

Уехать на лоно природы и отдохнуть, как ему советовали его высокопоставленные друзья, Горький и не мог, и не хотел. Искать дела не надо было, оно подвернулось само. Он был охвачен ужасом перед наступающей зимой

---

* Это относилось, разумеется, не только к властям, но и к народу: еще в 1913 году у Горького иногда вырывались такие признания, как, например, в письме к А.Н. Тихонову: «Изготовлением ежовых рукавиц в России занимаются не только Кассо [тогдашний министр народного просвещения] и Щегловитов [министр юстиции, спровоцировавший Осло Бейлиса, и председатель Государственного совета], но почти все население страны» [9 июня 1913 года].

(1918–1919), ежедневными смертями и немыслимыми лишениями, которых они были следствием и которые грозили смести с лица русской земли не только мировых ученых среднего и старшего возраста, членов академического мира Петербурга, но просто всех вообще интеллигентов, кто не принадлежал классу потомственных пролетариев или чудом не закрепился на советской службе конторщиком или кладовщиком.

У Горького еще с молодости была одна идея, которая родилась в начале века и позже, в последние годы его жизни, приняла маниакальную форму. Эта идея — популяризация культуры, энциклопедического издания достижений всех времен и народов во всех областях науки и искусства, не энциклопедии типа старого русского словаря Брокгауза, или Британики, или большого Ларусса, но энциклопедического объема издания серии книг, которая стала бы обязательным чтением (а не только справочником) для масс. В этот план должны были войти в алфавитном порядке великие произведения прошлого (и, может быть, настоящего), которые «помогли бы мировому пролетариату освободиться от цепей мирового капитализма, а интеллигенции правильно понять всю мировую культуру» от Гомера до наших дней. Если в оригиналах они были написаны сложно и мало понятно для рабочего читателя, их следовало упростить и переписать опытным переводчикам или специально подготовленным для этого кадрам редакторов. Сам Горький еще в феврале — марте 1908 года собирался переписать заново «Фауста» Гете, о чем Мария Федоровна Андреева, в то время его жена, писала их другу Н.Е. Буренину, что «это будет нечто изумительное».

Переводы, разъяснения к ним или переделка классического произведения и целевая направленность такого издания могли бы облегчить приход мировой революции, по мнению Горького, только бы было все вредное отметено раз и навсегда, и не только оно, но и все ненужное, которое больше не будет переиздаваться и постепенно принуждено будет сгнить в подвалах библиотек и частных книгохранилищ. В миллионных тиражах, распространяя великое, зовущее в бой, поднимающее дух, разрушающее религиозные суеверия и всякую мрачную декадентщину, эта гигантская серия книг на всех языках мира должна будет воспитать юношество, открыть глаза рабочим и крестьянам на величие таких имен, как Ньютон и Павлов, Гиппократ и Яблочков, Шекспир и Салтыков-Щедрин, Сеченов и Джек Лондон, и тысячи других. Напоминая об этих гениях прошлого, необходимо заставить других великих гениев настоящего писать популярные биографии и популярные, понятные каждому, комментарии к новым, свежим и прекрасным переводам. Будет отстранено все бесполезное и оставлено только прогрессивное, оптимистическое и всем понятное. Но пока этого сделать нельзя (Горький, как мы увидим, через четырнадцать лет пришел к заключению, что время для осуществления его мирового плана настало), пока этот мировой план не готов (в него должны будут включиться минимум 10 тысяч идеальных переводчиков), можно было бы начать с более скромного проекта: во-первых, издания переводов литературы Запада и Востока в их прогрессивных образцах и, во-вторых, популярные научные издания о достижениях величайших умов человечества. Еще в 1909 году он писал своему другу и издателю И.П. Ладыжникову (близкому человеку, посвященному во все тайны личных и денежных дел Горького) в письме с Капри, советуя тому переговорить с известным дирижером С. Кусевицким, только что женившимся на богатой москвичке, о возможном денежном участии его в замышляемом издании «Энциклопедии» — так называл Горький серию научно-популярных книг, проектируемых в эти годы: «Ставьте ему на вид, что наша Энциклопедия будет иметь характер строго научный и широко демократический».

На основании идеи, созревавшей в его уме более пятнадцати лет, Горький решил в сентябре 1918 года организовать издательство «Всемирная литература», подчиненное Наркомпросу, которое ставило бы себе целью осуществить первую часть его старого проекта: массовое издание новых переводов (и частичное переиздание старых) произведений Европы и Америки, главным образом XIX века. Наряду с задачей образовать необразованного читателя была и другая цель, которая казалась Горькому столь же важной, если не важнее: дать ученым и писателям, включившимся в его проект, возможность получить продовольственные карточки высших категорий и не умереть с голоду. По плану Горького им должны были выдавать за их труды не только селедку и муку, но и калоши.

В конце 1918 года издательство «Всемирная литература» открылось. Договорное письмо об организации издательства было подписано между Горьким, А.Н. Тихоновым, З.И. Гржебиным и И.П. Ладыжниковым. Все трое были его ближайшие друзья: Тихонов был издателем его журнала «Летопись» (1915—1917), Гржебин был в 1905 году редактором-издателем (и иллюстратором) революционно-сатирических журналов, издателем литературного альманаха «Шиповник» и владельцем «Издательства З.И. Гржебина», издававшего главным образом сочинения Горького; позже в Берлине Горький стал крестным отцом его сына (Алексея Зиновьевича). Иван Павлович Ладыжников был техническим редактором и организатором издательства и сборников «Знание», «Летописи» и издательства «Парус» (1917).

В начале 1919 года выпущен был первый каталог «Всемирной литературы». Заведующим издательством стал А.Н. Тихонов, позже оставивший воспоминания о Горьком. План художественных переводов сейчас же раздвоился: одна часть изданий оказалась «основной», другая — «народной». В основной план были включены не только переводы восточных литератур, но и переводы литературы Средних веков. Много было роздано и подписано контрактов и, благодаря энергии Горького, выдано пайков. Он хотел стать «директором культуры» и стал им, и к зиме сотрудникам были выданы даже дрова.

Три первых тома вышли в июле 1919 года, но уже в феврале Горький начал жаловаться, что издательство «запаздывает», потому что нет ни бумаги, ни типографской краски, ни подходящей типографии, а в июне он грозил все бросить, несмотря на то, что «все наличные литературные силы [т. е. переводчики] были привлечены, и несколько сот книг находилось в работе». Это было первым моментом его, еще неопределенного, решения уехать на время за границу. Как раз в это время Ленин начал уверять его, что ему надо «подлечиться и проехаться в Европу». Дела «Всемирной литературы», однако, к 1920 году начали медленно поправляться. Всего за три года с лишним существования ее, вышло около двухсот названий. Если принять во внимание трудность в добывании бумаги, чернил, клея и ниток для брошюровки, то эта цифра не должна казаться ничтожной.

Как Мура прожила несколько холодных и голодных месяцев начала 1919 года в квартире Мосолова, никогда не было ею рассказано. В этот год на юге России умерла ее мать. Сестры тоже были на юге, а возможно, что уже и во Франции: семья Кочубей жила позже в эмиграции, в Париже, как и Алла Мулэн, которая в начале 1920-х годов разошлась со своим мужем французом, а через несколько лет покончила с собой. О Мосолове Мура однажды сказала, что он был и красив, и умен, и имел «золотое сердце». Его воспоминания были позже изданы в Риге, а в 1935 году — переведены на английский язык и вышли в Лондоне под редакцией старого русского журналиста А. Пиленко. По этим воспоминаниям бывшего чиновника министерства Двора, где министром был, как известно, несменяемый престарелый член Государственного совета, впавший в детство еще в 1914 году, граф В.Д. Фредерикс, видно, как Мосолов преклонялся перед «благородством и добротой, кротостью и прозорливостью» последнего царя и как обожал всю его семью. Нетрудно представить по ним самого автора, которому в 1919 году было шестьдесят пять лет. Во всяком случае, он не побоялся взять Муру к себе в дом, впрочем, вероятно, и не подозревая о ее московском прошлом. Однажды (это случилось как-то вдруг) Мура отправилась во «Всемирную литературу», потому что кто-то ей сказал о К.И. Чуковском. Корней Иванович, работавший как вол, но тем не менее голодавший в эти годы в Петрограде, с женой Марьей Борисовной и тремя детьми, из которых старшему, Николаю, было четырнадцать лет, а второй, Лиде, одиннадцать, был известен Муре не столько как переводчик с английского, сколько как один из устроителей вечеров в Англо-русском обществе, процветавшем во время войны. Когда Мура и муж ее приехали из Берлина в столицу, она часто бывала там и на вечерах встречалась с ним. Что именно он переводил, она не знала; о том, что он был критик, что у него были книги, она тоже не слыхала. Но она помнила его хорошо, его огромную неуклюжую фигуру, руки до колен, черные космы волос, падавшие на лицо, и огромный, сиранообразный нос. Ей кто-то сказал, что он ищет переводчиков с английского на русский, для нового издательства, организованного Горьким, для переводов романов Голсуорси и сказок Уайльда. Она решила пойти к нему и попросить работы.

Она никогда не переводила на русский язык, она позже переводила на английский (с русского и французского), но русский язык ее был недостаточен: она не только не знала его идиоматически, но она как будто бы даже щеголяла этим своим незнанием (и чуть манерным произношением некоторых русских слов, так впоследствии поразившим Ольгу Ивинскую: когда Мура в 1960 году приехала в Переделкино, Ивинская приняла ее за иностранку). «Я называю лопату — лопатой, — говорила Мура. — Эта интересная фильма [когда-то и фильм, и макет были женского рода, позже Академия наук произвела над ними операцию перемены пола] — эта фильма бежит уже третий месяц в этом театре». И все кругом смеялись и говорили, что жизнь подражает литературе и Мура — Бетси Тверской.

Чуковский обошелся с Мурой ласково. Он не дал ей переводов, но дал кое-какую конторскую работу. В это время она была очень худа, глаза ее увеличились, скулы обтянулись, зубы она не лечила: не было денег, нечем было их чистить, и не было зубных врачей, потому что не было ни инструментов, ни лекарств. Она проработала у Чуковского несколько недель, он достал ей продовольственную карточку третьей категории, и она прописалась под своей девичьей фамилией, получив личное удостоверение, заменявшее в эти годы паспорт. Настало лето, и Чуковский повел ее к Горькому.

Они пришли вечером, к чаю. На столе стоял самовар. Чай был жидкий, но не морковный, настоящий. Комната была — с буфетом и обеденным столом — большая столовая. В остальных комнатах — в каждой — кто-нибудь жил. Этих комнат было много, и людей было много, особенно потому, что неизвестно было — кто живет здесь постоянно, а кто только временно, кто только ночует, а кто сидит целый день не сходя с места, а ночью исчезает. И кто вот-вот уедет в Москву, и кто только сегодня утром оттуда вернулся.

Квартира на Кронверкском проспекте (теперь — проспект Горького) в доме 23 находилась сначала, когда ее сняла М.Ф. Андреева, на пятом этаже (№ 10), но позже она стала мала, и все семейство переехало ниже, в квартиру 5. Это были, в сущности, две квартиры, теперь слитые в одну.

В разное время различные женщины садились в доме Горького к обеденному столу на хозяйское место. С Марией Федоровной разрыв начался еще в 1912 году, но не сразу, и они продолжали не только видеться, но и жить под одной крышей. Теперь Андреева жила на Кронверкском в большой гостиной, но часто на время уезжала, и тогда в доме появлялась Варвара Васильевна Тихонова, по первому мужу Шайкевич, вторым браком за уже упомянутым А.Н. Тихоновым. От Шайкевича у Варвары Васильевны был сын, Андрюша, лет пятнадцати, который жил тут же, от Тихонова — дочь Ниночка, позже во Франции известная балерина, ученица О.О. Преображенской, одного выпуска с Тумановой, Бароновой и Рябушинской. Разительное сходство Ниночки с Горьким ставило в тупик тех, которые не знали о близости Варвары Васильевны к Горькому — если были такие. Нина родилась около 1914 года, и то, что в лице Горького было грубовато и простонародно, то в ней, благодаря удивительному изяществу и прелести ее матери, преобразилось в миловидность вздернутого носика, светлых кос и тоненького, гибкого тела. Не могу сказать, жил ли сам Тихонов в квартире на Кронверкском в это время, думаю, что нет. Там в 1919–1921 годах жила молодая девушка, Маруся Гейнце, по прозвищу Молекула, дочь нижегородского приятеля Горького, аптекаря Гейнце, убитого в 1905 году черной сотней, и теперь удочеренная Горьким, который любил усыновлять сирот. Он усыновил в свое время, как известно, брата Я.М. Свердлова, Зиновия, который даже носил его фамилию (Пешков), и если бы не его первая жена, Екатерина Павловна Пешкова, и не Мария Федоровна Андреева, то вероятно усыновил бы и многих других.

Затем там жили художник Иван Николаевич Ракицкий, по прозванию Соловей, тоже отчасти «усыновленный», Андрей Романович Дидерихс и его жена, художница Валентина Михайловна Ходасевич, племянница поэта, а в 1920 году, рядом с гостиной, поселился секретарь Марии Федоровны Петр Петрович Крючков, молодой присяжный поверенный, несмотря на разницу в семнадцать лет ставший ей близким человеком.

Андреева была в эти годы в зените своей третьей карьеры: первая началась до встречи с Горьким, в театре Станиславского, и она прервала ее благодаря Горькому, уехала с ним в Америку и потом на Капри; вторую она пыталась начать в 1913 году, когда увидела, что разрыв с Горьким неизбежен, и поступила в театр Незлобина. Теперь Ленин назначил ее комиссаром петроградских театров, и она посвящала все свое время преобразованию Большого драматического театра, бывшего А.С. Суворина. С Варварой Васильевной и ее детьми отношений у нее не было, она их не замечала. В свое время она тяжело пережила роман Горького с Тихоновой, которая приезжала гостить вместе с мужем на Капри. Варвара Васильевна оставила первого мужа, Шайкевича, отца Андрюши, вышла за А.Н. Тихонова в 1909 году, и в то время, о котором здесь идет речь, считалась хозяйкой в доме Горького.

Мария Федоровна в первом браке была женой тайного советника Желябужского, от которого у нее было двое детей: дочь Екатерина, родившаяся в 1894 году, и сын Юрий (родился в 1896), кинорежиссер. Мария Федоровна вступила в большевистскую партию в 1904 году и стала личным другом Ленина. Она была предана партии, и когда известный московский миллионер Савва Морозов застрелился и оставил ей (не по завещанию, а на предъявителя) 100 тысяч рублей, она взяла себе 40 тысяч, а 60 тысяч передала большевистской фракции РСДРП. Любопытно отметить, что ее и Горького общий друг, Буренин, тоже партийный большевик, писал в своих воспоминаниях, что «Ленин послал Марию Федоровну в США не только как спутника А.М.Г., но и как партийного товарища, на которого можно было положиться». Впрочем, и сам Буренин поехал в 1906 году в США по решению ЦК партии, может быть, тоже с таким же заданием. Оставив Горького на Капри и тем как бы признав начавшийся с ним разрыв, Мария Федоровна вернулась в Россию в 1912 году. Там ее сначала арестовали, потом выпустили, и на ее месте в те месяцы появилась жена А.Н. Тихонова.

В комиссии по реорганизации Большого драматического театра Андреева, вместе с актером Монаховым и А.А. Блоком и с помощью преданного ей Крючкова, работала энергично и властно. В ней все еще была жива горечь от неудавшейся театральной карьеры, о чем она писала тому же Буренину, жалея о жертвах, которые были не оценены. Позже, когда она уехала с Крючковым в Берлин заведовать художественно-промышленным отделом советского торгпредства в Германии, она всеми силами отстаивала партийность в искусстве и писала (в 1922 году), что делала все возможное, «чтобы в театрах не занимались завиральными фокусами». Она состояла также в редколлегии журнала «Жизнь искусства» и руководила массовыми постановками и празднествами на петроградских площадях. «Совершенно неосновательна, — говорила она, — претензия футуристов быть глашатаями революции. Сочетание имен Маринетти и Маркса непристойно». Она громко сочувствовала красноармейцам и рабочим, когда они протестовали против того, что «футуристы сумели развесить свои полотнища на некоторых площадях города». В лето 1919 года, когда Мура появилась в доме Горького, Крючков во всем помогал Марии Федоровне, бывал часто с ней, а то и один, в разъездах, а выехав с ней в 1921 году в Берлин, постепенно перешел на неофициальную должность секретаря самого Горького, когда тот переехал в Германию.

Еще совсем недавно одна из больших комнат, выходящих четырьмя окнами на улицу, была занята князем Гавриилом Константиновичем Романовым* и его женой, бывшей балериной Анастасией Рафаиловной Нестеровской (и их бульдогом). Андреева и Горький в полном смысле слова спасли от расстрела Гавриила, сына К.Р., президента Академии художеств: позже все его родичи были расстреляны во дворе Петропавловской крепости и среди них — историк Николай Михайлович, а брат его погиб в шахте в Алапаевске вместе с братом царя и сестрой царицы. Анастасия Нестеровская, на брак князя с которой царь категорически не давал своего согласия, венчалась без согласия царя, и брак считался морганатическим. Она в прямом смысле, не иносказательно, бросилась в ноги Урицкому, когда летом 1918 года Гавриила арестовали. Ей помог чекист Бокий, заменивший Урицкого, который перевел князя из подвала Гороховой

* Г.К. Романов был сыном вел. кн. Константина Константиновича и правнуком вел. кн. Константина Павловича, брата Николая I.

в больницу. Доктор Манухин, лечивший Горького, привез Нестеровскую к Андреевой, и она помогла через Бокия спасти обоих.

Это было в канун убийства Урицкого, и Нестеровская знала в Петрограде только одно верное место — квартиру Горького, — где ее мужа не арестуют. Она перевезла его туда. Вот как она пишет об этом в своих воспоминаниях:

«Горький встретил нас приветливо и предоставил нам большую комнату в четыре окна, сплошь заставленную мебелью.

Здесь началась наша новая жизнь. Я выходила из дома редко. Муж ни разу не вышел. Обедали мы за общим столом с Горьким и другими приглашенными. Бывали часто заведомые спекулянты, большевистские знаменитости и другие знакомые. Я видела у Горького Луначарского, Стасову, хаживал и Шаляпин. Чаще всего собиралось общество, которое радовалось нашему горю и печалилось нашими радостями. Нам было в этом обществе тяжело.

В это время М.Ф. Андреева была назначена управляющей всеми театрами Петрограда, и я, пользуясь ее положением, начала хлопотать о получении разрешения на выезд в Финляндию. Подала также через Финляндское Бюро прошение в Сенат о позволении нам въехать в Финляндию.

Дни тянулись, и мы оба томились. Я изредка ходила на нашу квартиру и выносила некоторые вещи — платье, белье. Выносить было запрещено, и потому я надевала на себя по несколько комплектов белья мужа и других вещей. В один из моих визитов на квартиру я узнала, что ее реквизируют, а обстановку конфискуют. Муж в это время болел, а затем слегла и я.

Оправившись после испанки, я снова начала письменно хлопотать о разрешении на выезд и об освобождении также великого князя Дмитрия Константиновича из тюрьмы. Я добилась того, что доктор Манухин осмотрел его в тюрьме и нашел его здоровье сильно пошатнувшимся.

М.Ф. Андреева рекомендовала нам бросить все хлопоты об отъезде и лучше начать работать в России. Мне она предлагала начать танцевать, а мужу заняться переводами.

В эти мучительные дни, полные огорчений и отчаяния, мой муж получил повестку из Чека с приказанием явиться по делу. Что за дело? Мы не знали. Муж был так слаб, что о выходе из дому не могло быть и речи. Вместо него хотела идти я. Спросила совета у М.Ф. Андреевой.

— Я справлюсь у Зиновьева, в чем дело, — ответила она, — едемте со мной.

У гостиницы «Астория», где жил Зиновьев, я в автомобиле ждала М.Ф. Андрееву более часа. Когда она вернулась, я боялась спросить о результате. Наконец, после продолжительного молчания, когда мы отъехали довольно далеко, она заговорила:

— Ну, можете ехать в Финляндию. Сегодня получено разрешение: ввиду тяжелого состояния здоровья вашего мужа выезд разрешен. Дано уже распоряжение о выдаче всех необходимых для вас документов. В Чрезвычайку можете не являться, Зиновьев туда сам позвонил.

Радости моей не было конца. Я поспешила обрадовать мужа. Затем поехала в Финляндское Бюро, и там, на наше счастье, было получено разрешение на въезд в Финляндию.

Для того, чтобы получить выездные документы, я должна была явиться в министерство иностранных дел. Оно помещалось в Зимнем дворце. Когда я вошла туда, меня поразило необыкновенное количество крестьян, запрудивших лестницы и залы. Дворец представлял картину полного разрушения: дорогая мебель почти вся поломана, обивка порвана, картины лучших мастеров продырявлены, статуи, вазы разбиты. Весь этот наполнивший дворец люд приехал со всей России на какие-то лекции.

Мы собирали вещи, прощались с родными и знакомыми. Приходила милая, симпатичная Б., которую я искренне полюбила. Со стороны Горького и его жены мы видели полное внимание и желание нам помочь. Как мы им благодарны! Накануне отъезда, когда я получила в долг деньги, я расплатилась со своей прислугой. До последнего момента нас преследовали всевозможные трудности, из которых главная была та, что мы не имели письменного разрешения Чека на выезд, — но все прошло благополучно: 11 ноября 1918 года в 5 часов утра я с больным мужем, моя горничная и бульдог, с которым мы никогда не расставались, поехали на вокзал. От волнения ехали молча. На вокзале я подошла к кассе и спросила билеты до Белоострова. К моему изумлению, мне выдали их беспрепятственно. Радоваться я все-таки еще боялась.

Муж был очень слаб. Пришлось долго ожидать разрешения сесть в поезд. Наконец, мы заняли места. Вагон наполнился солдатами, и мне все казалось, что эти солдаты подосланы, чтобы убить моего мужа. Эти моменты были, пожалуй, самые тяжелые из всех, пережитых нами. Поезд тронулся.

Приехали в Белоостров. Более часу ожидали в буфете. Наконец, нас вызвали.

— Где ваш паспорт? — спросил комиссар.

— Наши паспорта остались в Чека, — ответила я.

Пока он не снесся по телефону с Гороховой, мне казалось, что все потеряно: нас могли отослать обратно, нас могли арестовать. Это были ужасные моменты. Но вот нас попросили в различные комнаты, раздели, обыскали, затем осмотрели багаж, и мы получили разрешение выехать в Финляндию.

Лошадей не было. Больного мужа усадили в ручную тележку. Дошли до моста, на котором с одной стороны стояли солдаты финны, а с другой — большевики.

После некоторых переговоров финны взяли наш багаж.

В это время строгий комиссар, который только что почти глумился над нами, подошел ко мне, и я услышала его шепот:

— Очень рад был быть вам полезным...

Я растерялась. Комиссар скрылся. В ту минуту мне показалось, что он не сносился по телефону с Гороховой и выпустил нас без разрешения этого учреждения, и что́ вся его грубость была напускная.

В Финляндии мы остановились в санатории близ Гельсингфорса, где восстановили здоровье, но мысли наши были и всегда остались на нашей дорогой родине, на долю которой выпало столько страданий».

Так, в ручной тележке и с бульдогом в руках, Гавриила вывезли из Советской России. Финские власти приняли его за паралитика. Счастью Нестеровской не было конца. В Париже она стала портнихой.

Но это было и прошло. Теперь, осенью 1919 года, в предвидении второй страшной зимы, в доме начали происходить перемены. Тихоновы выехали, к Андреевой приехал сын с женой; из Москвы, тоже на время, приехал сын Горького от первой жены, Максим, член партии большевиков с 1917 года; он хорошо знал Дзержинского и Петерса, у которых работал в ВЧК сначала инструктором Всеобуча, потом разъездным курьером. Во время его пребывания на Кронверкском, в Большом драматическом театре Андреева в последний раз сыграла Дездемону, — ей было тогда пятьдесят два года, она выглядела на тридцать пять. Скоро после этого Максим выехал за границу, где стал дипкурьером между Берлином, Италией и теми европейскими странами, которые начинали постепенно заводить отношения с Кремлем.

Дом был всегда полон. В нем почти ежедневно ночевали засидевшиеся до полуночи и испуганные ночными нападениями гости. Им стелили на оттоманке в столовой. Среди них — приезжавший в Петроград из Москвы Ходасевич. Его племянница, Валентина, была моложе его всего на восемь лет, и он очень любил ее. Иногда появлялись и старые друзья Горького, добравшиеся до него из Нижнего Новгорода, или друзья его друзей. Всем находилось место.

Никто никогда не жаловался на тесноту; так как эта огромная квартира была соединением двух квартир, то места всем было достаточно. К чаю нередко собиралось до пятнадцати человек, чаепития продолжались с пяти до полуночи. Обед был ранний. Еды было по тем временам достаточно, но, конечно, ни о какой роскоши говорить не приходилось. В Европе писали в это время, что Горький живет, как миллионер (это была ложь). К чаю приходили сотрудники «Всемирной литературы», администраторы Дома ученых А. Роде* и М.П. Кристи (тоже одно из вдохновленных Горьким, или даже им созданных учреждений), писатели из недавно открытого «Дома искусств». Наиболее частыми гостями были издатель З.И. Гржебин, Ф.Э. Кример, вскоре назначенный в Лондон директором Англо-советского торгового общества (Аркос), А.Б. Халатов, председатель Центрального комитета по улучшению быта ученых (ЦЕКУБУ), востоковед академик С.Ф. Ольденбург, А.П. Пинкевич, В.А. Десницкий, К.И. Чуковский, Е.И. Замятин, Ф.И. Шаляпин, Борис Пильняк, Лариса Рейснер, ее муж Раскольников, комиссар Балтфлота, М.В. Добужинский, режиссер С.Э. Радлов, актриса французского

---

* Роде до революции был владельцем «Виллы Роде», ночного ресторана в Петербурге, с цыганским хором и отдельными кабинетами. Он был заведующим хозяйством в Доме ученых, куда его рекомендовал Горький. Он был вполне на месте в своей новой роли, но и себя не забывал. По этой причине в голодные годы Дом ученых в Петрограде называли «родовспомогательным заведением». В альбоме Чуковского «Чукоккала» помещена групповая фотография, где сидят Горький, Уэллс, сын Уэллса, Мария Федоровна, Мура, Шаляпин, Крючков, Кример и др. Видимо, в последнюю секунду перед съемкой, Роде забежал за кресла Горького и Уэллса и встал между ними, обеими руками держась за спинки их кресел, с довольной улыбкой на лице. Под этой фотографией – рукой Горького – надпись: «Роде и другие».

(Михайловского) театра Генриетта Роджерс (позже вышедшая замуж в Париже за известного писателя Клода Фаррера), а также, когда бывали в Петрограде, Красин, Луначарский, Коллонтай, Ленин и другие члены правительства.

Атмосфера, которая царила в доме, была не совсем обычной: почти каждый обитатель имел прозвище, и шутки, подвохи, анекдоты, и всяческие юмористические затеи, иногда нелепые, понятные только посвященным «внутреннего круга», не прекращались ни на один день. Разумеется, комиссар театров Андреева в этом шутовстве не принимала участия. Но Соловей (прозвище Ракицкого), Валентина (позже – главный декоратор Ленинградского Кировского театра), Молекула, а также приезжавший из Москвы Максим изощрялись в остроумии: шарадах, куплетах, фантастических рассказах о никогда не бывшем и якобы случившемся здесь только вчера. Этим всем угощали Горького за чайным столом, для которого это были редкие минуты юмора и смеха за целый день забот, огорчений, волнений, распутывания интриг в опекаемых им учреждениях и парирования козней Зиновьева, личного его врага.

Сейчас трудно себе представить, какую ни с чем не сравнимую власть имел этот человек, стоявший с момента Октябрьской революции на третьем месте в иерархии большевиков после Ленина и Троцкого, оставив позади себя и Каменева, и Луначарского, и Чичерина, и Дзержинского. В «Петроградской правде» каждое утро Зиновьев писал: «Я объявляю», «Я приказываю», «Я запрещаю», «Я буду карать безжалостно», «Я не потерплю»... и за этим чувствовался чудовищный аппарат неимоверной силы, который был у него в руках и которым он владел, не давая ни себе, ни другим ни минуты покоя. Все, что он ни делал, получало, постфактум, конечно, апробацию Кремля, и он это знал. С Лениным он жил в Швейцарии, с Лениным он приехал через Германию в Петроград и теперь был фактически единоличным диктатором севера России, опираясь на мощный аппарат ВЧК, созданный Урицким. Урицкого вот уже год как не было. Тысяча человек была расстреляна за него одного. Но были заместители — и все они исчезли в конце 1930-х годов, ликвидированные в подвалах Лубянки или, может быть, в другом каком-нибудь знакомом им месте, по приказу Сталина. Теперь даже о Зиновьеве нет ни строчки ни в советской истории, ни в советских энциклопедиях. Он выпал из советского исторического прошлого, как выпали Троцкий и Каменев, а Луначарский, Дзержинский, Чичерин и, может быть, сам Ленин остались в этом прошлом благодаря естественной смерти, преждевременно исключившей их из эпохи великого террора 1930-х годов.

Беззаботными шутками угощали не только Дуку (таково было прозвище, данное Горькому), но и его гостей, которые, пока не привыкали к духу этого дома, иногда молча обижались (как случилось с Б.К. Зайцевым в Херингсдорфе в 1922 году), иногда озабоченно озирались, думая, что над ними здесь издеваются (как было с Андреем Соболем в Сорренто, в 1925 году). И в самом деле: слушать рассказы о том, как вчера днем белый кашалот заплыл из Невы в Лебяжью канавку; или о том случае, когда двойная искусственная челюсть на пружине выскочила изо рта адвоката Плевако во время его речи на суде по делу об убийстве купца Голоштанникова, но в ту же секунду вернулась и с грохотом встала на место; или о том, что у Соловья один предок был известный индейский вождь Чи-чи-ба-ба, было не совсем ловко, а особенно самому профессору Чичибабину, если он при этом присутствовал.

Ракицкого звали Соловьем, Андрея Романовича Дидерихса — Диди, Валентину Ходасевич — Купчихой и Розочкой, Петра Петровича Крючкова — Пе-пе-крю, самого Горького — Дукой, и Муру, когда она пришла с Чуковским, мечтая переводить на русский сказки Уайльда и романы Голсуорси, и рассказала, что она родилась в Черниговской губернии, немедленно признали украинкой и прозвали Титкой. Она всем очень понравилась. Насчет переводов даже сам Чуковский не очень рекомендовал ее, но ее попросили придти опять, и она пришла, и стала приходить все чаще. А когда через месяц наступили холода и темные ночи, ей предложили переехать на Кронверкский.

В этом не было ничего странного: год тому назад Ракицкий, давний друг Дидерихсов по Мюнхену, где все трое учились живописи и дышали воздухом «Синего Всадника», пришел на Кронверкский едва живой, босой, обросший. Ему дали умыться, накормили, одели в пиджак Дидерихса и брюки Горького, и он так и не ушел — остался в доме навсегда, вплоть до 1942 года, когда умер в Ташкенте, эвакуированный вместе с вдовой Максима и ее двумя дочерьми. Так в доме осталась и Молекула и жила там, пока не вышла замуж за художника Татлина, и так уговаривали остаться Ходасевича, приехавшего однажды из Москвы больным, но он не остался. Титка переехала в дом на Кронверкском постепенно, сначала ночуя то здесь, то у Мосолова. Квартиру Мосолова должны были вот-вот реквизировать под какое-то новое учреждение, очередное детище зиновьевской фантазии. Затем настал день, когда Титка окончательно осталась у Горького. А еще через месяц она уже печатала для него письма на старом разбитом «Ундервуде», который нашелся где-то в чулане, неизвестно чей, и переводила на английский, французский и немецкий его письма на Запад, письма в которых он взывал о помощи голодающим русским ученым. Эти письма, одно из десяти, доходили чудом. Герберт Гувер, директор Американской Организации Помощи, был первым, кто откликнулся на них в 1920 году и организовал посылку пакетов АРА погибающим интеллигентам России. И так как ни Молекула, учившаяся в университете, ни Валентина, писавшая портреты, не стремились к организованному хозяйству, Муре пришлось постепенно взять в свои руки надзор над обеими старыми прислугами (кухаркой и горничной Дидерихсов) и вообще упорядочить домашние дела. «Появился завхоз, – сказал Максим, приехав из Москвы и увидев счастливую перемену на Кронверкском, – и прекратился бесхоз».

Ходасевич много лет спустя писал о Муре; он впервые увидел ее в начале 1920 года, когда очередным образом приехал в Петроград – он в то время заведовал московским отделом «Всемирной литературы»:

«Она рано вышла замуж, после чего жила в Берлине, где ее муж был одним из секретарей русского посольства. Тесные связи с высшим берлинским обществом сохранила она до сих пор. В начале войны она приехала в Петербург, выказала себя горячею патриоткой, была сестра милосердия в великосветском госпитале, которым заведовала баронесса В.И. Икскуль, вступила в только что возникшее общество англо-русского сближения и завязала связи в английском посольстве. В 1917 году ее муж был убит крестьянами у себя в имении – под Ревелем. Ей было тогда лет двадцать семь. В момент Октябрьской революции она сблизилась с Локкартом, который, в качестве поверенного в делах, заменил уехавшего английского посла Бьюкенена. Вместе с Локкартом она переехала в Москву и вместе с ним была арестована большевиками, а затем отпущена на свободу.

Покидая Россию, Локкарт не мог ее взять с собой. Выйдя из ВЧК, она поехала в Петербург, где писатель Корней Чуковский, знавший ее по Англо-русскому обществу, достал ей работу во «Всемирной Литературе» и познакомил с Горьким.

Несколько лет тому назад вышла книга английского дипломата Локкарта – воспоминания о пребывании в советской России. В этой книге фигурирует, между прочим, одна русская дама – под условным именем Мура. Оставим ей это имя, уже в некотором роде освященное традицией...

Личной особенностью Муры надо признать исключительный дар достигать поставленных целей. При этом она всегда умела казаться почти беззаботной, что надо приписать незаурядному умению притворяться и замечательной выдержке. Образование она получила "домашнее", но благодаря большому такту ей удавалось казаться осведомленной в любом предмете, о котором шла речь. Она свободно говорила по-английски, по-немецки, по-французски и на моих глазах в два-три месяца заговорила по-итальянски. Хуже всего она говорила по-русски — с резким иностранным акцентом и явными переводами с английского: "вы это вынули из моего рта", "он — птица другого пера" и т. д.».

Мария Федоровна постепенно тактично отдалилась из центра этой семейной картины, и Мура постепенно тактично установила с ней самые лучшие отношения.

Комнаты их были рядом, Горького и Муры. По другую сторону от спальни Горького был его кабинет, небольшой, заваленный книгами и бумагами, выходивший в столовую. По другую сторону от Муры была комната Молекулы, затем — пустая, для гостей, которая, впрочем, редко оставалась незанятой. Дальше в одну сторону шли комнаты Андреевой и Пе-пе-крю, ее рабочий кабинет, выходивший окнами на улицу, светлый и не без изящества убранный, а в другую — открывалась перспектива квартиры Дидерихсов, где жил и Ракицкий.

Мура уже через неделю после окончательного переезда оказалась в доме совершенно необходимой. Она прочитывала утром получаемые Горьким письма, раскладывала по папкам его рукописи, нашла место для тех, которые ему присылались для чтения, готовила все для его дневной работы, подбирала брошенные со вчерашнего дня страницы, печатала на машинке, переводила нужные ему иностранные тексты, умела внимательно слушать, сидя на диване, когда он сидел за столом, слушать молча, смотреть на него своими умными, задумчивыми глазами, отвечать, когда он спрашивал, что она думает о том и об этом, о музыке Добровейна, о переводах Гумилева, о поэзии Блока, об обидах, чинимых ему Зиновьевым. Она подозревала, что никто иной, как она, — причина все увеличивающейся зиновьевской ненависти к Горькому, что Зиновьев все знает про нее и что Горький тоже знает это.

«Когда, почему и как, — пишет Ходасевич, — начали враждовать Горький с Зиновьевым, я не знаю. Возможно, что это были тоже давние счеты, восходящие к дореволюционной поре; возможно, что они возникли в 1917–1918 годах, когда Горький стоял во главе газеты "Новая жизнь"», отчасти оппозиционной по отношению к ленинской партии и закрытой советским правительством одновременно с другими оппозиционными органами печати. Во всяком случае, к осени 1920 года, когда я переселился из Москвы в Петербург, до открытой войны дело еще не доходило, но Зиновьев старался вредить Горькому где мог и как мог. Арестованным, за которых хлопотал Горький, нередко грозила худшая участь, чем если бы он за них не хлопотал. Продовольствие, топливо и одежда, которые Горький с величайшим трудом добывал для ученых, писателей и художников, перехватывались по распоряжению Зиновьева и распределялись неизвестно по каким учреждениям. Ища защиты у Ленина, Горький то и дело звонил к нему по телефону, писал письма и лично ездил в Москву. Нельзя отрицать, что Ленин старался прийти ему на помощь, но до того, чтобы по-настоящему обуздать Зиновьева, не доходил никогда, потому что, конечно, ценил Горького, как писателя, а Зиновьева — как испытанного большевика, который был ему нужнее. Недавно в журнале "Звезда" один ученый с наивным умилением вспоминал, как он с Горьким был на приеме у Ленина и как Ленин участливо советовал Горькому поехать за границу — отдыхать и лечиться. Я очень хорошо помню, как эти советы огорчали и раздражали Горького, который в них видел желание избавиться от назойливого ходатая за "врагов" и жалобщика на Зиновьева. Зиновьев со своей стороны не унимался. Возможно, что легкие поражения, которые порой наносил ему Горький, даже еще увеличивали его энергию. Дерзость его доходила до того, что его агенты перлюстрировали горьковскую переписку, в том числе письма самого Ленина. Эти письма Ленин иногда посылал в конвертах, по всем направлениям прошитых ниткою, концы которой припечатывались сургучными печатями. И все-таки Зиновьев каким-то образом ухитрялся их прочитывать — об этом впоследствии рассказывал мне сам Горький. Незадолго до моего приезда Зиновьев устроил в густо и пестро населенной квартире Горького повальный обыск. В ту же пору до Горького дошли сведения, что Зиновьев грозится арестовать "некоторых людей, близких к Горькому". Кто здесь имелся в виду? Несомненно — Гржебин и Тихонов, но весьма вероятно и то, что замышлялся еще один удар — можно сказать, прямо в сердце Алексея Максимовича».

В этих последних словах Ходасевич намекает на Муру.

Она смотрела на свое будущее холодно и трезво, с тем же чувством, с каким и раньше оценивала и себя, и обстоятельства своей жизни, зная себя достаточно сильной для борьбы, даже с власть имущими. И этим она так восхищала его, и с каждым днем становилась ему все дороже. Откуда такая сила, — недоумевал он, в то же время презирая собственную слабость, зная, что ничего не может сделать, чтобы ей помочь, или почти ничего. Мировое имя? Но разве мировое имя может спасти сейчас в России? Дружба с главарями? Но эти люди всякую дружбу отдадут за чугунной тяжести поход к осуществлению своей идеи. Он знал о Муре немногое: кое-что о Локкарте, кое-что о Петерсе, знал о ее дружбе с Мосоловым (которого взяли на улице и отправили неизвестно куда, и квартира была разграблена). Она рассказала Горькому далеко не все, конечно, и то, что он воспринял как главное, было убийство Бенкендорфа и разлука с детьми. Про детей он просил ее рассказать поподробнее: она не видела их — вот уже третий год идет, и так это продолжаться не может. Она должна выбраться отсюда. Она должна вернуться к ним.

Горький любил слушать ее рассказы, он всегда любил слушать о жизни людей, чей быт был далек от его собственного и от быта его окружения, от старой революционной нелегальщины, от теперешних партийных тревог и интриг. У нее была короткая, праздная и нарядная молодость, которая рухнула от первого удара карающего эту жизнь топора. У него было два брака, аресты, высылки, всемирная слава. И теперь — пошатнувшееся здоровье, давно запущенный туберкулез, которому не помог и Капри, постоянный кашель запойного курильщика.

Железные люди, железные женщины, а он не железный: харкает кровью, зубы шатаются, старость, хоть ему только пятьдесят два года. Но он человек прошлого века — так ему говорят — времени, когда в пятьдесят лет наступала старость, и прошлый век он несет в себе полностью, когда судит о ней, о железной женщине: вот она, ничего не боится, идет себе своим путем, день за днем, не сломит ее ни Зиновьев, ни ВЧК, ни то, что мужа разорвали на части, ни то, что дети бог весть где! Женщина. Ей бы кутаться в кружева и смотреть на него выжидающими глазами, выжидающими его решения ее судьбы, но она вовсе ничего не ждет от него и ничего не просит. А у него и решения нет.

Иногда и она брала папироску и, глубоко затягиваясь, смотрела в темный угол комнаты, слушала звуки в доме: Мария Федоровна выезжает в театр с Крючковым, кто-то пришел к Дидерихсам, звенит посуда, Молекула напевает что-то, сидя у себя за книжкой. Уютно. Ей никогда не было уютно, ни в детстве, ни в Лондоне, ни в Берлине, ни в Ревеле, ни даже в Москве. В Москве было страшно иногда от собственного легкомыслия. А от *его* легкомыслия ей было весело. И только у цыган, когда цыганка запевала своим низким голосом «Я вам не говорю про тайные страданья», что-то вдруг намекало, появлялась мысль, что это все скоро кончится, какие-то подозрения о будущем. Его рука лежит в ее руке, его светлые глаза смотрят в ее темные глаза, и это вино, которое они пьют, и говорят, говорят, говорят о своей любви. Роберт Брюс. Она звала его Брюс. Дома в Англии его звали Бобом. Теперь он дома, с женой и сыном. А она здесь. Но она знает, что хотя ей здесь уютно, это все неправда, и никакой уют еще никому никогда ни в чем не помог. Она знает, что будет отъезд, ее отъезд к нему.

— О чем вы думаете? — спрашивает человек в очках, с рыжими висящими усами, сидящий за столом. Они всегда были на «вы» и называли друг друга по имени и отчеству. И она задумчиво отвечает: «О детях».

Но эти уютные минуты, не часы, были редки. Обычно бывало долгое общее шумное самоварное сидение, игра Добровейна, пение Шаляпина, чтение самого Горького или уединение его в кабинете то с Гржебиным, то с Кристи, а то и с Крючковым. В эти годы, 1918—1921, Горький много болел и сильно старел. Кровохарканью он привык не придавать особого значения, курил непрестанно, пил довольно много, но пьяным его никто никогда не видел. Он пил, когда было что пить, и вместе со всеми. Это никому не казалось опасным, как и куренье.

Закрытие «Новой жизни» было и ударом по личным отношениям Горького с Лениным, после их долголетней дружбы они стояли одно время на самой низкой точке. Только выстрел Каплан заставил Горького повернуть назад и переоценить Ленина, и действительно, когда Ленин оправился от ранения, отношения если и не вернулись к прежнему уровню взаимного доверия, все же стали дружескими. Но не с Зиновьевым. У Горького не было не только причины прощать ему что-либо, но, наоборот, было ясно, что Зиновьев никогда не изменит своего враждебного отношения к нему. Этому были две причины: Зиновьев, как ближайший человек Ленину, не терпел мысли о возможности Горького занять его место в сердце великого человека, и — вторая причина — Мура, о которой он знал все и которая теперь занимала такое положение в доме Горького. Он откровенно считал ее состоящей на службе в английской разведке (а Петерс позже считал ее германской шпионкой), и это стало поводом для обыска в доме на Кронверкском, унизительного для Горького и опасного для всех, живших там.

Взято ничего не было. Для вида открыли книжные шкафы и комоды Дидерихсов и Ракицкого, задержались ненадолго в комнате Молекулы, где на стене висели рисунки Малевича и Татлина. Оставили нетронутыми комнаты Андреевой и Крючкова, отсутствовавших в тот день дома, и два часа перетряхивали белье и бумаги, платья и книги Муры, пока она, очень бледная, боясь потерять свою крепость и упустить нить, за которую держалась все эти месяцы, прислонившись к косяку двери, курила, курила до одури, изредка поправляя падавшие ей на лоб и уши темные пряди волос ледяными руками, следя за собой все время и испытывая некоторую радость от того, что руки ее не дрожат.

Этот обыск в 1920 году ошеломил очень многих. Но больше всех был возмущен, взволнован, взбешен сам Горький. Он выехал в Москву немедленно, чтобы требовать прекращения травли, которой подвергал его Зиновьев. Ходасевич позже писал:

«В Москве, как всегда, он остановился у Екатерины Павловны Пешковой, своей первой жены. У нее же на квартире состоялось совещание, на котором присутствовали: Ленин, приехавший без всякой охраны, Дзержинский, рядом с шофером которого сидел вооруженный чекист, и Троцкий, за несколько минут до приезда которого целый отряд красноармейцев оцепил весь дом. Выслушали доклад Горького и решили, что надо выслушать Зиновьева. Его вызвали в Москву. В первом же заседании он разразился сердечным припадком — по мнению Горького симулированным (хотя он и в самом деле страдал сердечной болезнью). Кончилось дело тем, что Зиновьева пожурили и отпустили с миром. Нельзя было сомневаться, что теперь Зиновьев сумеет Алексею Максимовичу отплатить».

Горький считал в этот период своей жизни, что то, что должно было бы целиком восприниматься большевиками как дружеская и конструктивная критика одного из их же среды (потому что он был их человеком с 1903 года, и только слепые могли сомневаться в этом), воспринималось ими как враждебные выпады; террор ужаснул его, потому что он был реальностью, а он, как он любил говорить, не любил реальности, а любил золотые сны и иллюзии, от которых слезы набегали ему на глаза и сжималось горло. Он, как это ни странно сказать, принимая во внимание его отрицание всякой мистики, считал, что, если верить иллюзиям изо всех сил, они перестанут быть иллюзиями и станут каким-то колдовским образом действительностью, уже хотя бы потому, что человек есть Бог и все может, если захочет, потому что у него есть разум. А разум, он в этом был абсолютно непоколебим, разум всесилен, надо только развивать его, поднимать, питать его. Но как сочетать этот обоготворенный разум, этот коллективный и потому бессмертный разум с фактом разгона Учредительного собрания? С расстрелами в Петропавловской крепости?* С бессудной ликвидацией тысяч заложников после убийства Урицкого? Возможно, что в молодые годы Горький был, или начинал становиться, фанатиком, и несомненно тоже, что в старости, около 1930 года, он им стал, но в эти первые годы советской власти он фанатиком не был.

Фанатиком он был и оставался всю жизнь только в области просветительства, и не только в науке, но полезного просветительства и в искусстве, литературе, поэзии, т. е. во всем, что касается той стороны человеческого духа, которая для людей имеет дело не с пользой, а с красотой, не с утилитаризмом, а с творчеством сво-

* Любопытно, что лидер меньшевиков Ю.О. Мартов, один из умнейших людей своей партии, тоже был взволнован расстрелом великих князей, о чем имеется документальное свидетельство («Соц. Вестник», 1959, № 9).

бодного гения, не с просветительной деятельностью человека, но с радостью от сознания своей свободы и своих сил и дивной возможности высказать себя.

У него всегда было сознание, внушенное ему чтением Чернышевского и Добролюбова, что у писателя (а он решил быть писателем) есть педагогическая миссия и что у произведения искусства предумышленная задача — служить прогрессу, сознательное намерение улучшить мир на всех трех уровнях человеческого бытия: умственного развития, морального совершенствования и экономического благополучия. Эти три уровня покрывали все нужды человечества и давали каждому право называться Человеком. Результатом предварительного полезного умысла была и поэзия Бодлера, и трагедии Шекспира, и сонаты Бетховена, и картины Рембрандта — вплоть до романов Флобера и рассказов Чехова. Он не различал, что было искусством и что было утилитарным, уродливым искажением его, и не мог различить этого, потому что он не мог себе представить творчество, не имеющее никакого умысла, т. е. творчество, которое бы не имело целью улучшить одну из трех сторон человеческого существования. Он всю жизнь предпочитал Подьячева — Вячеславу Иванову и Ярошенко — Сезанну, и только короткое время, в 1920-х годах, стал стыдиться в этом признаться, стал задумываться и даже иногда старался понять, в чем тут дело. Он стал прислушиваться, что говорилось в эти годы вокруг него — поэты, художники, артисты, о чем они спорили? И даже, как это ни дико звучит сегодня, он задавал им вопросы, как будто прикрыто спрашивал у них совета — что ему делать, как думать? Но в 1930-х годах он уже ничему не учился, и ничего не стыдился, и ничего не хотел понять заново. Он так никогда и не узнал (написав тридцать томов сочинений), что литература дает не прямой ответ на жизнь, но только косвенный, что в творчестве есть игра, есть тайна, есть загадка, ничего не имеющая общего ни с бичеванием, ни с пригвождением к позорному столбу, ни с массовым безъюморным прославлением кого-то или чего-то, ни с праведной жизнью, ни с радикальными убеждениями. И что эту загадку так же невозможно объяснить сквозь нее не прошедшему, как невозможно объяснить радугу слепому от рождения или оргазм девственнице. Или заповедь блаженства орангутангу, или силу Первой поправки к Конституции США человеку, оплакивающему Сталина.

В 1920 году началось некоторое движение в жизни петроградской интеллигенции. Были открыты не только Дом Ученых и Дом Искусств, но и Дом Литераторов, и Зубовский институт истории искусств, и какие-то начали выходить сборники стихов с обложками Добужинского, тщательно изданные и набранные «елисаветинским» шрифтом. Стихи. И кое-кого из пишущих их Мура стала встречать во «Всемирной литературе»: мужчин в лохмотьях и гимнастерках с чужого плеча, женщин в бархатных шляпах с перьями, в пелеринах, словно все это было одолжено ими из костюмерной Александрийского театра. Тут и там по вечерам бывали лекции, и люди старались идти по улицам кучками, чтобы анархисты (которых давно уже не было, а были теперь беспризорные) не сняли шубу. Лекции, и концерты, и вечера чтения стихов. Во «Всемирной литературе» собирались сотрудники: М.Л. Лозинский, Е.И. Замятин, К.И. Чуковский, Блок, носивший белый свитер с высоким воротником, и Мура с Блоком говорила о его стихах, как она умела говорить с А.Н. Бенуа о его рисунках, с Замятиным о его рассказах и с Добровейном (которого Максим звал ван Бетховейном) о достоинствах роялей Бехштейна и Блютнера. В этом был ее прирожденный талант, и я помню, как в Сорренто, в 1925 году, когда в гости приехал профессор Старов, специалист по замораживанию трупов, она за завтраком внимательно слушала его, смотря ему в лицо, и, пережевывая телятину, спокойно вникала в его объяснения деталей его профессии о гниении, разложении и хранении трупов, о борьбе с трупными паразитами, задавая не никчемные, но очень даже тонкие вопросы, и благодарила его за его пояснения. Но с Блоком у нее мгновенно установились какие-то особые чуть-чуть таинственные отношения, о которых она не говорила дома, хотя у нее было достаточно чувства юмора, чтобы спокойно принять возможные насмешки домашних, она легко привыкла, что ее дразнили поклонниками. «Замятин к Титке неравнодушен», — говорил кто-нибудь, а другой немедленно подхватывал: «Что Замятин! Вчера слесарь приходил Дуке замок чинить, так он просто обалдел от ее малороссийского профиля!»

Блок приходил и садился в редакционной комнате около ее «Ундервуда». «С Пряжки на Моховую пешком, — объяснял он, словно оправдываясь, — пришел, чтобы дать вам вот это. Это для вас. Мне сейчас нелегко пишется, но это должно было написаться. Впрочем, это такой пустяк. Но в нем есть хорошее».

Это был только что вышедший сборник Блока «Седое утро». Она раскрыла небольшую книжку в желтой обложке. На первой странице было написано стихотворение, на белом листке, твердым, круглым почерком:

> Вы предназначены не мне.
>
> Зачем я видел Вас во сне?
>
> Бывает сон — всю ночь один:
>
> Так видит Даму паладин,
>
> Так раненому снится враг,
>
> Изгнаннику — родной очаг,
>
> И капитану — океан,
>
> И деве — розовый туман...
>
> Но сон мой был иным, иным,
>
> Неизъясним, неповторим,
>
> И если он приснится вновь,
>
> Не возвратится к сердцу кровь...
>
> И сам не знаю, для чего
>
> Сна не скрываю моего,
>
> И слов, и строк, ненужных Вам,
>
> Как мне, — забvenью не предам.

Она хранила эту книжку. Позже она отвезла ее в Эстонию. Она оставила ее там, как оставила все свои бумаги, все письма — ранние и поздние, полученные из многих мест и во многие места адресованные ей, в места, где она жила двадцать лет, кочуя из страны в страну, и письма были из разных городов — из Сорренто, Лондона, Праги, Таллина, Загреба, Парижа. И как все это горело, когда советская армия в конце второй войны брала города и деревни! Не всегда было ясно, горят ли они от советских бомб или уходящая немецкая армия поджигает их? Но как все пылало!

Горький вернулся из Москвы ни с чем: ему не дали обещания ни что обыск не повторится, ни что ему когда-либо в будущем позволят иметь свою газету. Он сильно кашлял ночами, ежедневно поднималась температура, и доктор Манухин Иван Иванович, когда-то член большевистской партии, лечивший его много лет и недавно сделавший медицинское открытие лечения туберкулеза, делал ему усиленное просвечивание селезенки рентгеном. Большинство врачей в России считали этот способ лечения шарлатанством, но Горький говорил, что Манухин уже много раз спас ему жизнь, что в 1914 году ему, Горькому, даже пришлось печатно выступить, защищая Манухина от официальной медицины. В 1930-х годах, когда Манухин оказался в эмиграции, он продолжал давать свои сеансы лучей, но французские врачи не дали ему возможности развить свое искусство, практику ему запретили. Он был известен в Париже как частый посетитель собора на улице Дарю.

Горький вернулся в Петроград и стал теперь много говорить о женщинах, о новых женщинах. Он всегда говорил о женщинах нежно, но теперь он говорил о том, что в них появилось железное начало и что женщины как-то по-своему опережают мужчин. Раньше он даже о мужественной Екатерине Павловне, первой своей жене и матери Максима, с которой он разошелся в 1903 году, говорил как о чем-то хрупком и драгоценном, хотя Екатерина

Павловна никогда не была таковой. Она в свое время приняла разрыв «без истерик», она была «передовой», принадлежала к эсеровской партии, но ведь и он был не какой-нибудь застарелый, заматерелый в патриархальных принципах человек прошлого! Он оставил тогда ее с двумя детьми (девочка умерла в 1906 году), и она не плакала, она была «твердая». Он оставил ее, потому что встретил Марию Федоровну Андрееву. Эта бросила семью, мужа и детей, и ушла из театра Станиславского, потом — в партию Ленина, к ужасу всего светского Петербурга, а потом, ради Горького, и вовсе бросила театр. Она как будто была еще тверже. А он? Нет, он чувствовал в себе все свое тысячелетнее, нет! — стотысячелетнее наследство, которое все еще требовало от женщины покорности, кротости и отражения мужчины. Но женщины вокруг него никого не хотели отражать: ни Молекула, ни Валентина, ни Мура — они знали чего хотели — выжить сами по себе, и он чувствовал себя с ними... да, слабым и растерянным. Предки его брали хлыст, кнут, кочергу. Его дед бил его бабку, его отец поднимал руку на его мать. А у него нет даже твердого голоса с Мурой, когда она говорит ему о том, что уедет, не дождавшись его, уедет сама и одна или, если надо, — уйдет. И просто немыслимо сказать ей: «Я не пущу вас», — потому что совершенно нереально прозвучали бы эти слова: «Я вас укрою», «Я вас спасу», «Я вас не дам в обиду». Этого ему сделать не дадут, как не дали в Москве позволения делать, что он хочет. Но еще страннее то, что Мура как будто от него ничего и не ждет, она ни о чем не просит, ни чтобы он защитил, ни чтобы он спас, ни чтобы укрыл ее. Она отводит глаза, когда он спрашивает ее: «Что же вы решили?» Она молчит. А внутри нее работает этот хорошо свинченный механизм, который он не совсем хорошо понимает и никогда уже не поймет. Он смотрит на нее пронзительно и, не подозревая, что «медная Венера» Вяземского вовсе никогда не была ее прабабушкой, говорит:

— Не медная вы, а железная. Крепче железа в мире нет.

— Теперь мы все железные, — отвечает она, — а вам бы хотелось, чтобы мы были кружевные?

Переполох в доме начался ужасный, когда пришла телеграмма на имя Горького от Герберта Уэллса. Знаменитый английский писатель сообщал, что он «приедет посмотреть Россию»: он приветствовал революцию февральскую, и приветствовал революцию октябрьскую, и на весь мир объявил свой восторг, и печатно, и в письмах, по поводу подписания Брестского мира — Россия оказалась всех умней: она первая вышла из этой бойни. Он писал «своему старому другу Максиму Горькому», выражая свое восхищение перед новой Россией, которая указывает миру путь и наконец дала пример — свергать царей и не воевать! В Англии ему давали высказываться свободно. Мудрость России — в прекращении бессмысленной войны. Он говорил, что хотел. Его последняя книга «Мистер Бритлинг пьет чашу до дна», вышедшая в переводе, имела среди русских читателей огромный успех, не говоря уже о ранних его произведениях, которые в начале нашего века читались всеми грамотными русскими. Любопытно отметить, что три человека встретились в издании «Мистера Бритлинга» — Уэллс его написал, Горький напечатал его в своем журнале «Летопись», а русским переводчиком романа был тот самый М. Ликиардопуло, близкий друг Локкарта, русский грек: в 1912—1917 годах этот человек, которого и Локкарт, и его друзья называли Ликки, служил в разведке и в образе греческого купца в 1915—1916 году ездил в Германию. Он, видимо, имел отношение не только к русскому военному шпионажу, но и к британской секретной службе (он прекрасно знал шесть языков), так как в 1918 году он оказался в Англии, где, не вступая ни в какие отношения с бывшими друзьями, теперь эмигрантами, прожил и проработал до самой смерти.

Горький впервые встретился с Уэллсом в 1906 году в США. Они оба читали друг друга в переводах; их переписка, особенно после второй встречи, в Лондоне в 1907 году, была дружеской и не прерывалась, хотя и не была слишком частой. Получив телеграмму, Горький вынужден был ответить, что гостиниц в Петрограде нет, т. е. дома по-прежнему стоят, но они пусты — служащие мобилизованы и добивают Юденича, ни электрического света, ни постельного белья нет. Еды тоже нет и ресторанов не имеется, так что может быть Уэллсу лучше бы было остановиться где-нибудь в частном доме, хотя бы, например, у него на Кронверкском. Уэллс с радостью согласился, написав, что приедет с сыном и пробудет два-три дня, а затем съездит в Москву поговорить с Лениным, с которым давно мечтает познакомиться.

И вот Уэллс появился сам, в сопровождении старшего сына, Джипа, в клетчатом пиджаке, румяный, круглый, восхищенный Петроградом, который он называл Петербургом и в котором он был в 1914 году. Он был рад видеть Горького и Марию Федоровну, которую помнил по Америке и которую называл мадам Андереивной. Дом искусств организовал обед в его честь (в доме Елисеева, на углу Невского и Морской, еда была убогая, но елисеевская челядь и елисеевские сервизы спасли положение), и Уэллс всех немедленно покорил своим умом, веселым разговором, быстротой движений и готовностью воспринимать решительно все с нескрываемым энтузиазмом. А если и были некоторые скрипучие голоса на этом вечере, то только тех людей, которых усиленно, но безуспешно пытались не пригласить в Дом искусств; они все-таки явились со зловредной целью нажаловаться Уэллсу на то, что с ними сделали, и показать, до чего они доведены. Они даже пытались раздеться (не при дамах) и показать Уэллсу свое нижнее белье, а кстати уж и обтянутые кожей от недоедания ребра, но их очень быстро и решительно оттеснили к дверям, и как они ни пытались высказаться на чистейшем английском, французском и немецком языках, а некоторые, как, например, Аким Волынский, и по-итальянски, им не дали сказать ни одного слова, объяснив Уэллсу, что по недоразумению на вечер явились какие-то тени проклятого прошлого и обращать на них внимание не стоит.

Мура переводила с русского на английский и с английского на русский целыми днями. На заседаниях Петроградского Совета, куда Уэллс был приглашен, это ей было особенно трудно. Несколько неожиданно было то обстоятельство, что она официально была приставлена к нему по распоряжению Кремля, о чем сам Уэллс писал в своей книге. Джип, которому было неполных двадцать лет, учился русскому языку и знал язык: совсем недавно Уэллс уговорил одну английскую среднюю школу в Ондл начать русские классы, первые в Англии, и послал Джипа учиться именно туда. Кроме того, Джип перед отъездом брал частные уроки у С.С. Котелянского, позже известного переводчика и друга Вирджинии и Леонарда Вульф.

Джип старался помочь Муре, как мог, но его сразу взяли в оборот Соловей и Валентина, нашлась молодежь, и он стал пропадать с Кронверкского с утра до вечера. Ему все было интересно. А Уэллс днем сидел с Горьким в его кабинете, Мура примащивалась между ними, и часами шел разговор — о будущем обучении необученных, о братстве народов, о технике, как способе победить природу, о мире во всем мире. Вечером разговор продолжался за чайным столом. Уэллс в столовой Горького перезнакомился и с профессором Павловым, и с Замятиным, и с Чуковским, и с Шаляпиным. Два-три дня затянулись на две недели. Уэллс ходил всюду: в Эрмитаж, в Смольный, на «Отелло» в Большом драматическом театре, в Гавань, еще и еще смотреть на заколоченные досками магазины Невского. Он гулял по Васильевскому острову, где были ряды сломанных на топливо деревянных домов, и интересовался, о чем пишут в «Жизни искусства», и просил свести его на Гороховую, дом 2, чтобы взглянуть, как работает известное учреждение.

Но на Гороховую Мура его не повела.

В прошлом у Горького и Уэллса были две встречи: одна в доме редактора «Вильтшайр Магазин», в США, и вторая – в Лондоне, куда Горький приехал в 1907 году на V съезд РСДРП, и они оба оказались гостями на одном светском вечере. Эти две встречи позволили им узнать друг друга, но не дали возможности обстоятельно и спокойно поговорить. Оба высоко ценили книги и также высоко ценили политическую сторону друг друга: общее для обоих желание переделать мир, улучшить человека и условия его жизни, и общий их расчет на разум человека, и воинственное стремление обоих к прогрессу – даже насильственному. В 1908 году Горький хотел переписать «Фауста», Уэллс во время Первой мировой войны собирался переписать всю мировую историю, дать ей новую интерпретацию — с самого ее зарождения до современности, ведущей мир к концу и культуру — к гибели. Роль обоих, по их мнению, заключалась в следующем: постараться, чтобы этого не случилось. Оба всю жизнь считали, что только знание, всеобщее просвещение остановит этот ход и спасет человечество и что они поведут его по этому пути. И мысль об универсальной энциклопедии тогда не одному Горькому, но и Уэллсу казалась панацеей от всех зол.

Уэллс помнил, как в 1914 году, когда он с неизменным, верным Морисом Берингом пошел на заседание Государственной Думы в Таврический дворец, его поразил и возмутил огромный портрет Николая II, висевший в русском парламенте. Он не мог поверить своим глазам: царь в парламенте? Кому он нужен? Что общего? Он тогда назвал Россию «последней границей человечества», и говорил о ее «замерзшей дикости», и после этого еще больше стал ценить Горького. Вышедший в 1917 году английский перевод «В людях» он ставил очень высоко, а Горький, приблизительно в то же время прочитавший «Мистера Бритлинга», написал Уэллсу восторженное письмо:

«Конец декабря 1916 [начало января 1917], Петроград.
Книгоиздательство "Парус".
Петроград, Б. Монетная, 18

Г. Уэллсу

Дорогой друг!

Я только что закончил корректуру русского перевода Вашей последней книги "М-р Бритлинг" и хочу выразить Вам мое восхищение, так как Вы написали прекрасную книгу! Несомненно, это лучшая, наиболее смелая, правдивая и гуманная книга, написанная в Европе во время этой проклятой войны! Я уверен, что впоследствии, когда мы станем снова более человечными, Англия будет гордиться тем, что первый голос протеста, да еще такого энергичного протеста против жестокостей войны раздался в Англии, и все честные и интеллигентные люди будут с благодарностью произносить Ваше имя. Книга Ваша принадлежит к тем, которые проживут долгие годы. Вы — большой и прекрасный человек, Уэллс, и я так счастлив, что видел Вас, что могу вспоминать Ваше лицо, Ваши великолепные глаза. Может быть, я выражаю все это несколько примитивно, но я хочу просто сказать Вам: в дни всемирной жестокости и варварства Ваша книга — это большое и поистине гуманное произведение.

Вы написали прекрасную книгу, Уэллс, и я сердечно жму Вашу руку и очень люблю Вас.

А теперь я хочу сказать Вам следующее. Два моих друга, Александр Тихонов и Иван Ладыжников, организовали издательство для детей. Сейчас, может быть, более чем когда-либо, дети являются лучшим и наиболее нужным, что есть на земле. Русские дети нуждаются более, чем все другие, в знакомстве с миром, его великими людьми и их трудами на счастье человечества. Надо очистить детские сердца от кровавой ржавчины этой безумной и ужасной войны, надо восстановить в сердцах детей веру в человечество, уважение к нему; мы должны снова пробудить социальный романтизм, о котором так прекрасно говорил м-р Бритлинг Лэтти и о котором он писал родителям Генриха в Померанию.

Я прошу Вас, Уэллс, написать книгу для детей об Эдисоне, о его жизни и трудах. Вы понимаете, как необходима книга, которая учит любить науку и труд. Я попрошу также Ромена Роллана написать книгу о Бетховене, Фритьофа Нансена – о Колумбе, а сам напишу о Гарибальди. Таким образом, дети получат галерею портретов ряда великих людей. Я прошу Вас указать мне, кто из английских писателей мог бы написать о Чарльзе Диккенсе, Байроне и Шелли? Не будете ли Вы добры указать мне также несколько хороших детских книг, чтобы я мог организовать их перевод на русский язык?»

В это время мысль о полезных знаниях для детского возраста уже владела Горьким, и он пользовался каждым случаем контакта с западными писателями, чтобы просить у них сотрудничества. В это время он писал Ромену Роллану:

«Конец декабря 1916 [начало января 1917],
Петроград

Дорогой и глубокоуважаемый товарищ
Ромен Роллан!

Очень прошу Вас написать биографию Бетховена для детей. Одновременно я обращаюсь к Г. Уэллсу с просьбой написать "Жизнь Эдисона", Фритьоф Нансен даст "Жизнь Христофора Колумба", я – "Жизнь Гарибальди", еврейский поэт Бялик – "Жизнь Моисея" и т. д.

Мне хотелось бы при участии лучших современных писателей создать целую серию книг для детей, содержащую биографии великих умов человечества. Все эти книги будут изданы мною.

Я уверен, что Вы, автор "Жана Кристофа" и "Бетховена", великий гуманист, Вы, так прекрасно понимающий значение высоких социальных идей, — не откажете мне в этом...»

Отказать ни тот, ни другой не решились. Они просто обошли молчанием это предложение, и из этой детской серии ничего не вышло. Теперь, в 1920 году, в совершенно новых условиях, Горький снова начал настаивать на том, чтобы Уэллс включился в работу и помог ему просветить жаждущих просвещения.

К концу второй недели своего пребывания в Петрограде Уэллс внезапно почувствовал себя подавленным, не столько от разговоров и встреч, сколько от самого города. Он стал говорить об этом Муре, он смутно помнил ее перед войной в Лондоне, еще перед ее отъездом в Берлин, куда Бенкендорф получил назначение в русское посольство. У их общего друга Беринга был в это время дом, и он давал вечера, и там они встречались несколько раз, но почему-то он совершенно не запомнил Бенкендорфа. Он помнил ее и до замужества, на балах у русского посла в Лондоне, графа Александра Бенкендорфа, где величественная жена посла (урожденная графиня Шувалова) представила их друг другу. Девять лет тому назад. Ей тогда было двадцать, а сейчас ей двадцать девять. Он заговорил с ней об этих странных, незнакомых ему до того, минутах беспричинной подавленности, которые, когда он остается один, просачивались или втирались в его воспоминания, незначительные сами по себе и потерявшие свои яркие краски, но милые ему — о старом Петербурге, — которые здесь, в первые дни, ожили в нем. Он был рад ей сказать об этих учащающихся «затемнениях» настроения, о которых «своему старому другу» сказать он не мог, об ужасно грустном чувстве, которое он испытывает глядя на дома и памятники, на мосты и церкви. Почему? Ведь это можно все легко покрасить и обновить, и это непременно и сделают, а ему так все кажется непоправимо погибшим, вся эта красота города, которой он любовался перед проклятой мировой катастрофой 1914 года. И энтузиазм, и восторг, и весь этот праздник победившей революции как-то вдруг для него померкли.

Но она, железная, не оплакивала вместе с ним русское прошлое и не радовалась его радостью, когда он говорил ей о светлом будущем человечества, к которому Россия указывает миру путь. Она, по своей врожденной способности делать все трудное легким и все страшное — не совсем таким, каким оно кажется, не столько для себя и не столько для других людей, сколько для мужчин, которым она знала, что нравится, улыбаясь своей лукавой и кроткой улыбкой, уводила его — то на набережную, то в Исаакиевский собор, в котором уже начинались работы для превращения его в антирелигиозный музей, то в Летний сад. Там с легким шелестом падали листья, золотые и красные, и на заросших дорожках никто больше не ходил.

Он провел в Петрограде две недели, он остался бы и дольше. Шумный уют дома на Кронверкском был ему мил. Он был много лет связан с Ребеккой Уэст, от которой имел шестилетнего сына, но отношения за последний год стали уже не совсем те, что были (он разорвал с ней в 1923 году). Ее книги имели огромный успех у читателей, ее окружали в Лондоне поклонники, она становилась знаменитостью, ее ловили издатели, и деньги сыпались на нее. И он стал с ней жесток и даже иногда груб: в Париже, где они недавно были вместе, в гостинице, когда он пошел к Анатолю Франсу и она попросила взять ее с собой, он сказал, чтобы она сидела дома, потому что она там будет ему мешать и все равно она недостаточно красива, чтобы идти в гости к Франсу. Как она любила его когда-то! Но он, кажется, убил эту любовь такими ответами, своей требовательностью к ней и несносными капризами. А она больше, чем им, сейчас увлечена пришедшей к ней славой.

Он думал остаться дольше, но, приехав в Москву около 12 октября, увидел, что оставаться ему в этом городе не имеет смысла: не с кем было спокойно посидеть, заводя длинные-длинные, блистающие умом и юмором утопические разговоры, к каким он был приучен в своем клубе в Лондоне, где все, начиная с Честертона, были такими прекрасными и увлекательными собеседниками за бутылкой превосходного портвейна. С Лениным такой разговор оказался немыслим. Ему дали пропуск в Кремль, назначили час. До того он побывал в музеях, осмотрел город. После посещения Ленина, 15 числа, в тот же вечер он выехал обратно в Петроград. Ленина он назвал в своей книге «Россия во мгле» — кремлевским мечтателем, а Ленин говорил о нем Троцкому, как о мещанине, мелком буржуа. Кое-кто старался развлечь английского гостя, но это не вышло, и Уэллс дал понять, что развлечения дела не спасут, что он убит тем, что русские совершенно не умеют разговаривать.

Через четыре года после этого Троцкий писал в лондонском ежемесячнике, издаваемом английской компартией:

«Я довольно отчетливо представляю себе эту картину: британский салонный социалист, фабианец, автор фантастических романов и утопий, приехал поглядеть на коммунистический эксперимент... В том, что он сейчас пишет об этом, очень мало Ленина, но сам Уэллс виден как нельзя более ясно. Он жалуется, что Ленин был ему скучен и его раздражал. Скажите пожалуйста! Что, разве Ленин приглашал его? Разве у Ленина было для него время? Наоборот. В эти дни у него особенно было много дела, он с трудом нашел час для свидания с Уэллсом. Это должно было бы быть понятным иностранцу. Но господин Уэллс, уважаемый иностранец и, со всем своим "социализмом", английский консерватор да еще империалист, был уверен, что делает большую честь нашей варварской стране и ее вождю, снисходя до посещения их. И от всей статьи Уэллса, от первой до последней строки, несет ограниченной, недопустимой самонадеянностью».

Он вернулся на Кронверкский, выспался и, отдохнувший, на следующий день опять стал бродить по городу. Он зашел в КУБУ, которое помещалось в те годы в Мраморном дворце, на Миллионной, попал на заседание комиссии по усовершенствованию быта ученых, и услыхал, что русским академикам нужны сало и мука, без которых они вымрут в наступающую зиму. Каждый день учил его чему-нибудь новому, а он был жаден до нового и любил учиться. Мура переводила ему странные слова, о которых он и по-английски понятия не имел: что значило «уплотнение жилплощади работников умственного труда», или кому нужен был керосин, о выдаче которого люди собирались хлопотать у Зиновьева? И зачем было беспокоиться о будущей принудительной расчистке улиц от снега, с угрозой лишения продкарточек не вышедших на работу профессоров университета? Это были какие-то неинтересные мелочи советского быта, значение которых ускользало от него.

Накануне его и Джипа отъезда на Кронверкском был устроен ужин, собрали все, что было в доме, и из какого-то специального распределителя достали вино для проводов именитого гостя. Все были в сборе, кроме Молекулы, гостившей у родных. Мура, которая со дня приезда Уэллса перебралась из своей комнаты в комнату Молекулы и спала там на тахте, теперь спала на ее кровати и была одна в комнате. В ее комнате опять жил Уэллс. Джипу, после возвращения из Москвы, снова дали комнату для гостей. Разошлись после ужина поздно и в веселом настроении. Было около часу, когда Мура легла; вино, разговоры, непривычная еда (достали пять коробок сардинок, сделали картофельный салат, из распределителя был отличный сыр и три больших банки фаршированного перца) и мысль о том, что Уэллс обещал остановиться по дороге в Лондон в Ревеле, чтобы повидать ее детей и написать ей о них (дипломатической почтой), не сразу дали ей уснуть. Она думала о том, что он свободен ехать куда ему вздумается, и приезжать и уезжать, а она здесь, тайно от всех, ждет дня, когда замерзнет Финский залив (в начале декабря вероятно), чтобы бежать по льду на Запад. Она заснула около двух.

Внезапно она проснулась. Кто-то несомненно был в комнате. Она протянула руку и повернула над изголовьем выключатель, зажегся свет, и одновременно с этим забили в столовой часы — они били всегда, это были старинные часы, но у Муры спросонья мелькнула абсурдная мысль, что бой часов как-то был связан с включением света, и она тотчас же судорожно повернула выключатель, чтобы прекратить бой. Но она успела увидеть Уэллса, стоявшего у ног ее кровати.

В атмосфере дома Горького, где все подвергалось коллективному обсуждению, и остроты, и шутки — изредка слегка задевая и самого хозяина — касались не только обычных происшествий домашнего быта, но и личной жизни обитателей дома, эта ночь стала на много лет темой для фантастических вариаций. Тема была: мучимый бессонницей, Уэллс долго гулял по квартире и наконец решил зайти к Муре и поговорить с ней на прощание. Вариаций было несколько: он сорвал с нее одеяло, обуреваемый бешеной страстью, и она брыкнула его ногой так, что он вылетел в коридор и поплелся к себе в комнату, в холодную постель, набив шишку на лбу, ударившись о косяк. Другая была: она пригласила его посидеть на диване, они покурили, поговорили, и, видя, что Мура заснула, Уэллс на цыпочках отправился к себе. Третий вариант... Но был ли третий вариант? Кажется, его вовсе и не было. Все знали, что Мура не прогнала его, и что он уютно не сидел у нее на диване в пижаме (они только что вошли тогда в моду в Англии, Джип привез одну в подарок Максиму). Все знали это, но на этом месте шутки и остроты вдруг обрывались. Здесь проводилась невидимая черта, и за эту черту ходу не было.

Он прислал из Ревеля письмо с оказией, но не ей — он боялся пересудов и подозрений, а она еще больше боялась их. Да и как бы он мог написать ей при существовавшей в это время блокаде? Никакие письма в Советскую Россию из-за границы дойти не могли до начала 1922 года, а уж написанные на иностранном языке и подавно. Письмо было доставлено через секретаря советской миссии в Эстонии. Одно письмо заканчивалось: «Передайте мои самые теплые чувства дорогой мадам Андереивне и дорогой Муре». Другое: «Передайте мою любовь мадам Андереивне и Муре, а также всем остальным членам вашей семьи». Третье: «Мою любовь шлю мадам Андереивне, товарищу Бенкендорф и всем остальным». Четвертое: «[Д-р Эльдер] передаст вам мои самые теплые приветы, а также мадам Андереивне, и Марии Бенкендорф, и всем остальным». Горький в ответ на это последнее письмо послал Уэллсу подарок для его письменного стола: небольшую статуэтку Льва Толстого. Никаких поклонов ни от Андереивны, ни от товарища Бенкендорф в нем нет. Может быть, четыре различные концовки были условным шифром? Что-нибудь вроде «дети здоровы», «я их видел», «они помнят и ждут вас». Или он сумел в то же время препроводить Муре из Ревеля английское письмо через того же д-ра Эльдера (сиониста, отца погибшего впоследствии в Испании в гражданской войне члена Интернациональной бригады), и она спрятала его от всех, сохранила, а через полгода довезла до Эстонии? Тогда оно тоже пылало со всеми остальными бумагами в 1944 году.

Жизнь пошла своим чередом. Мура работала и дома, и во «Всемирной литературе», на ней было семейное хозяйство, и прием гостей. Но уже шли обсуждения о том, что в будущем, 1921 году Горький уедет за границу: здоровье его было плохо, и было ясно каждому, что в России оно могло стать только хуже. Это же говорил и писал ему Ленин. С этим же были согласны и Мария Федоровна, и Е.П. Пешкова, приезжавшая из Москвы. Они обе, впрочем, говорили с ним о том, что пора всем проехаться за границу: Максиму решено было выхлопотать место дипкурьера, это могло в будущем позволить ему побывать не только в Германии, но и в Италии.

Но до будущего года Мура ждать была не согласна. Финский залив должен был покрыться льдом, Неву, как тогда говорили, уже «схватило», а через недели три «схватит» и залив. В квартире все ходили, накинув на плечи одеяла, и вечером сидели у печек. И она тоже сидела и думала о том, как уйдет.

Несмотря на то, что по мужу она официально значилась под фамилией Бенкендорф (Закревской она была только для Горького и «Всемирной литературы») и, казалось бы, в это время, в 1920 году, эта фамилия могла помочь Муре доказать свою принадлежность Эстонии (страна после Версальской конференции получила самостоятельность и с Россией никак связана больше не была, так как находилась по ту сторону блокады), этот законный путь совершенно исключался: правительством в свое время были даны сроки для оптации, т. е. для заявления о желании выехать из пределов России после отказа от русского подданства, и оптанты — французы, греки, поляки, балтийцы — давно были репатриированы. Многие из них не только жили всю жизнь в России, но даже родились здесь, тем не менее они уехали к себе «на родину», и теперь сроки прошли. Время было упущено, и оставался только один путь — нелегальный.

В декабре она ушла, и куда именно она ушла, конечно, всем было известно. Как случилось, что она попалась и оказалась на Гороховой, она никогда не говорила. «Было скользко, было холодно. Было темно». И даже «было страшно». Пять человек, которых вели эстонцы к своему берегу, недалеко от устья реки Наровы этой безлунной ночью, не могли ошибиться дорогой. Но случайно советский пограничник на высоком берегу оглянулся и увидел их, когда оглядываться ему не полагалось. С Гороховой позвонили, телефон у Горького в это время уже действовал. Горький сейчас же поехал в петроградскую ЧК. Начальником был бывший заместитель Урицкого Бокий. Послана была телеграмма в Москву, товарищу Дзержинскому. Хлопотала первая жена, Екатерина Павловна, давний друг и большая поклонница Дзержинского (через нее в свое время Максим устроился на работу в его учреждение). Ходасевич пишет коротко: «Благодаря хлопотам Горько-го Муру выпустили». И Дзержинский дал ей разреше-ние уехать.

Подробностей ее отъезда в январе 1921 года нет. Тог-да люди все еще выезжали на Запад через Финляндию. В эти месяцы положение в Прибалтике было иным, чем летом 1918 года, когда Мура сказала Локкарту, что по-едет к детям. В то время, почти после годового стояния под Ригой, германские войска, прорывом через местеч-ко Икскюль, взяли город в августе 1917 года и стали постепенно передвигаться на север и северо-восток, укрепляясь на правом берегу Двины, угрожая столице и постепенно приближаясь к Петрограду. Сейчас воен-ные действия прекратились, блокада была снята, и не-мецких войск в этих районах уже давно не было. Сооб-щение с Эстонией (и Латвией) с каждым днем улучша-лось, и если в октябре, когда Уэллс уезжал, еще не было регулярной почтовой связи, а в декабре все еще не бы-ло железнодорожного сообщения, то в марте 1921 года уже ходили, правда, редкие и только товарные, поезда. Эстония начала с того, что отстроила и открыла Таллин-ский порт для идущих из Германии в Россию товаров и для перевоза зерна и картофеля из России в немец-кие порты Балтийского моря. В марте 1921 года в чис-ле товаров, пришедших в Москву через Таллин из Штеттина, были, кстати (на радость советским писате-лям и издателям), типографские краски, шрифты и ро-тационные машины, а также тринадцать вагонов пе-чатной бумаги, а уже в апреле это количество возрос-ло почти в десять раз. В июне из Таллина в Петроград (и Москву) через Изборск началось железнодорожное движение, и в то же время начали действовать телеграф и беспроволочное сообщение*. Но в январе, когда Му-ра ушла с Кронверкского, пассажирских поездов все еще не было, и она только в самой Эстонии, в пятиде-

_____

* Этот путь существовал до 1922 года, когда пограничный пункт был установлен в Себеже. В начале 1930-х годов его перенесли в Негорелое.

сяти километрах от русской границы, смогла сесть в поезд, привезший ее в Таллин.

В эти первые месяцы 1921 года на Кронверкском всем стало постепенно ясно, что скоро все обитатели квартиры окажутся в Европе. Теперь Ленин писал Горькому из Москвы: «Уезжайте!» — и с двусмысленным юмором: «А не то мы вас вышлем».

Все понимали, что он уедет, но не были уверены, как, вероятно, и он сам, что Мура дождется его выезда в Эстонии, что она встретит его где-то близко. Об этом только можно было гадать. Может быть ночь с Уэллсом дала им повод усомниться в ее чувствах к Дуке? Но Горький в самом деле начал подготавливать свой отъезд. Мария Федоровна получила назначение в берлинское торгпредство и должна была вместе с Крючковым переехать туда весной, и Максим, который собирался жениться, теперь со дня на день ждал получения должности. Соловья решено было отправить в Германию вместе с Андреевой и Пе-пе-крю, причислив его как знатока старины и искусства к тому же торгпредству. Таким образом, Горький чувствовал, что ему будет спокойнее за сына: Соловей присмотрит за ним. Незрелость, вернее, какая-то запоздалая детскость Максима начинала заботить Горького не на шутку. Он надеялся, что и Соловей, и будущая жена возьмут его в руки. Она была дочерью профессора Московского университета А.А. Введенского, подругой по гимназии Лидии Шаляпиной, дочери Федора Ивановича, в доме которого они познакомились.

Забот и без Максима у Горького было достаточно: дела «Всемирной литературы» и других учреждений, им созданных (как бы Зиновьев не прикрыл их после его отъезда!), и новая экономическая политика, которую Ленин собирался ввести, и футуристы, и голодающее население на Волге, где, как говорили, начался каннибализм, и нищета в городах, и вымирание столичной интеллигенции, и его собственные денежные обстоятельства: чем он будет жить в Европе? Хватит ли гонораров? Сможет ли он сейчас же сесть писать? И как понять колебания валюты победивших и побежденных европейских стран? И – как их ни игнорируй – собственные недомогания: похудение, ослабление сердечной деятельности, кашель с кровью, бессонница; вспоминалось все чаще его любимое, толстовское:

Не пора ли старинушке
Под перинушку? –

и лезли в голову мрачные мысли: если еще год-два не будет ни бумаги, ни хлеба, ни мяса, ни молока, ни новых подошв, ни электрического света, то погибнет она, эта русская едва расцветшая культура, обязательно погибнет. Ничего от нее не останется. Ни пушинки.

Мура вышла из поезда в Таллине (как теперь назывался старый Ревель), столице Эстонии (не Эстляндии, как это было до революции), в конце января. День был ясный, и впереди была встреча с детьми и Мисси, о которых она, после октябрьского письма Уэллса, знала, что они живы. Город показался ей веселым, нарядным, каким-то европейским, полным белого хлеба и пахучего туалетного мыла, и людей, и лавок, и газет. Она только успела взглянуть вокруг, обвести глазами вокзальную площадь, ступив на последнюю ступеньку вокзального крыльца, и носильщик, который нес ее старый довоенный чемодан, крикнул извозчика, как два человека в черной форме с двух сторон взяли ее под руки. «Вы арестованы», – было сказано на чисто русском языке, и ее втолкнули в коляску с поднятым верхом. Чемодан поставили ей в ноги, один полицейский сел рядом с ней, другой вскочил на козлы. Ее локоть был крепко сжат твердой рукой. Она не нашла слов, не сразу их нашла, чтобы спросить «почему?», «за что?». У нее все было в порядке.

– Что это у вас именно в порядке? – спросил полицейский насмешливо, и она ответила: документы, виза, билет, разрешение, деньги, законно вывезенные, стараясь не спешить и ставить слова, разделяя их запятыми.

Он сказал, что будет допрос, что она преступница и потому арестована. И что теперь она должна молчать.

Она замолчала. В полицейском участке, куда ее привезли, ее заперли в чистую, пахнувшую дезинфекцией камеру, пришла женщина, обыскала ее, ощупала ее всю, потом потребовала ключ от чемодана, открыла его и перетряхнула все, что там было. Но что же там было? Две ночные сорочки, последние дырявые чулки, туфли с острыми носами, какие носили в 1913 году, кусок английского мыла — подарок Джипа в последнюю минуту перед отъездом, мелочи. Потом она осталась одна в своей потертой шубе и шапочке, которую ей смастерила на Кронверкском Валентина из куска старого бобрика. Она просидела так до трех часов, когда ей принесли еду: мясной суп с жирным наваром, кусок белого хлеба и вареный картофель, политый маслом и посыпанный укропом. Это все показалось ей очень вкусным, и на время она решила, что будущее совсем не так страшно.

Потом ее повели на допрос. Она узнала о себе многое: она работала на Петерса в ВЧК, она жила с Петерсом, она жила с большевиком Горьким, ее прислали в Эстонию как советскую шпионку. (В Эстонии ее считали советской шпионкой, в окружении Локкарта ее считали агентом британской разведки, в эмиграции в 1930-х годах о ней говорили, как о немецкой шпионке, то же, что писал о ней Петерс в 1924 году.)*

---

* В советской печати, насколько мне известно, имя Муры как сотрудницы германской секретной службы и вообще ее «сомнительное» прошлое было упомянуто за шестьдесят лет всего один раз: в журнале «Пролетарская революция», в 1924 году, № 10, стр. 28—29. Я. Петерс в своей статье «Воспоминания о работе в ВЧК в первый год революции», в главе 4, «Дело Локкарта», пишет:

«Я уже говорил, что Локкарт после своего первого ареста был немедленно освобожден, но вместе с ним была арестована баронесса [!] Бенкендорф, его любовница. И вот через несколько дней после освобождения Локкарта он явился к заместителю народного комиссара ино-

Петерс в этих воспоминаниях дает некоторые, большей частью ошибочные, детали дела Локкарта: Константин (!) Рейли был французский агент (!); он и Гренар имели контакт с патриархом Тихоном, переговоры заговорщиков велись в кафе «Трамбле» на Цветном бульваре; конспиративная квартира находилась в Грибоедовском переулке, дом 24; Рейли, он же Массино, жил на Торговой улице, дом 10, подъезд 2, квартира 10; Каламатиано выдал много имен; письмо Маршана Пуанкаре (копия Кремлю) «послужило чрезвычайно интересным материалом для раскрытия всей подлости иностранных бандитов в России». Это было в 1924 году, а в 1930-м Петерс уже не упоминает Муру в своей статье «На боевом посту» (о деле Локкарта), возможно, потому, что в это время «Жизнь Клима Самгина» уже печаталась в «Новом мире».

Она узнала на этом первом допросе, что, когда с неделю тому назад до Таллина дошло известие, что она собирается приехать, брат и сестра ее покойного мужа Ивана Александровича Бенкендорфа обратились в Эстонский Верховный суд, поддержанные другими родственниками Бенкендорфами, Шиллингами, Шеллингами и фон Шуллерами, с прошением о немедленной высылке ее обратно в Петроград и о запрещении ей свидания с детьми. Не попадая зубом на зуб, Мура сказала следователю, что она хочет адвоката.

странных дел тов. Карахану и сообщил ему, что он хочет поговорить со мной не как с официальным лицом, а как человек с человеком. Я изъявил согласие, и Локкарт приехал ко мне в ВЧК. Войдя в кабинет, он был очень смущен, потом сообщил, что находится с баронессой Бенкендорф в интимных отношениях и просит ее освободить. Я об этой истории не рассказывал на суде, ибо это для карьеры Локкарта могло бы явиться чрезвычайно опасным фактом, — баронесса Бенкендорф, по заявлению другого арестованного и по документам, найденным у князя П., во время империалистической войны являлась немецкой шпионкой».

Против этого следователь не возражал. Он молча извлек из ящика стола лист бумаги и подал ей. Это был список присяжных поверенных города Ревеля, напечатанный по старой орфографии, явно дореволюционного времени. Часть имен была зачеркнута лиловыми чернилами. Она медленно про себя начала читать, шевеля губами и водя пальцем по строкам.

Фамилии были русские, немецкие и еврейские. Русских она боялась: это могли быть друзья и сподвижники генерала Юденича, ненавистники Горького, они все до одного, наверное, будут предубеждены против нее, слишком страшное было время, даже адвокаты не могут оставаться беспристрастными, и лучше ей, например, если понадобится операция, к русским хирургам в этом городе вовсе не обращаться. Немецкие фамилии были ей знакомы, их было немного, это были собственно фамилии ливонского дворянства, тевтонский орден, крестоносцы, с XIII века сидящие на своих землях на берегах Балтийского моря. Их было мало, потому что тевтонский орден не шел в свободные профессии, а служил в гвардии, в министерствах, в Государственном совете. Они все показались ей родственниками или свойственниками Бенкендорфов. Оставались евреи. Фамилии их ничего не сказали ей. До революции она вовсе не знала евреев, ни одного, и в институте евреек не было, и в русских посольствах Лондона и Берлина она евреев не встречала. У Горького она познакомилась с Зиновием Исаевичем Гржебиным, кто-то сказал ей, что Чуковский — еврей. Роде был румын, Кристи был грек. Она поймала себя на мысли, что все пропало все равно, что никакой адвокат ее не спасет. И вдруг строчек больше не было, была какая-то серая полоса, и в эту полосу она осторожно показала пальцем.

— Который? Рабинович? Рубинштейн?

После этого ее увели и она уснула, не раздеваясь. Ночью пила воду из крана и радовалась тому, что у нее есть часы на руке, да, часы тикали, и от них было легче. Но не намного легче.

На следующий день к вечеру ее повели в другую сторону, в комнате в углу сидел стражник, вооруженный до зубов, с хмурым лицом, молодым и прыщавым. Адвокат вошел в шубе и так ее и не снял, но распахнул, и размотал шарф, шелковый, длинный и элегантный.

Дальше все пошло так, как если бы пустой отцепившийся от поезда вагон покатился вдруг сам по рельсам: запрещение видеть детей на третий день сняли, отсылкой обратно в Россию не угрожали, взяли подписку о невыезде и отпустили. Адвокат, который взял ее на поруки, пришел только в последнюю минуту, чтобы объявить ей что-то очень важное:

— Во-первых, за вами будут следить, будут филеры с утра до ночи и даже ночью, — сказал он быстро и тихо, — во-вторых, вам согласны дать разрешение на три месяца, а потом вам придется уехать, потому что сомнительно, чтобы дали пролонгацию. В третьих, никто из ваших знакомых вас к себе не пригласит и к вам не пойдет, и на улице вас узнавать не будет. Бойкот. Игнорирование. Они будут вас игнорировать. Абсолютно. Хорошо было бы вам переменить фамилию и уехать в провинцию. Или схлопотать визу куда-нибудь в Чехословакию... нет... не в Чехословакию. В Швейцарию... нет... и туда вас не пустят. — Он вдруг смутился, умолк и задумался. — Вам, может быть, лучше всего было бы выйти замуж.

Что-то мелькнуло у него в лице — сочувствие, жалость или мгновенная меланхолия? И он ушел. А она, собрав вещи, вышла на улицу, и ей вызвали извозчика. Она села, и по пустынной булыжной мостовой, гремя колесами, коляска поехала по тому адресу, где, она знала, жила Мисси с детьми: это был старый большой бенкендорфовский особняк, который наполовину выгорел в ту страшную ночь, а потом кто-то приехавший сказал, что его отстроили. Все-таки кое-какие слухи доходили за эти годы до нее, а о том, что Мисси жива и что дети живы, писал ей Эйч-Джи*.

Девочке было неполных шесть лет, мальчику семь с половиной. Девочка ее не помнила, мальчик сказал, что помнит. Чувств выказано не было: Мисси воспитывала их, как воспитывали ее около полувека тому назад в Англии и как она сама воспитала Муру и ее двух старших сестер двадцать лет тому назад, в Черниговской губернии, а потом в Петербурге, в доме Игнатия Платоновича Закревского, чиновника, служившего в Сенате. Она научила их отвечать, когда спрашивают, самим разговоров не начинать, вопросов не задавать и чувств не выказывать, а если нужно на горшок, то шепотом попросить позволения вымыть руки. Не шуметь, ничего не трогать, пока не дадут. Дети были здоровые, выросшие на свежем масле, куриных котлетах и белой булке. И Мура провела с ними, не выходя из дому, две недели.

У нее была виза на три месяца, и эти три месяца прошли без того, чтобы она видела кого-либо из ей знакомых людей. Она даже не знала, есть ли кто-нибудь в этом городе, кто был ей известен раньше и кто, если и не обрадуется ей, то хотя бы протянет руку. Вряд ли найдется такой. Она принимала порошки от бессонницы. А филеру, приставленному к ней, было совершенно нечего делать. Так он и стоял на углу, и зимнее солнце играло на его медных пуговицах. Мисси отводила детей — одного в школу, другую — в детский сад. Им давно было сказано, что они дети героя, погибшего от рук большевиков, защищая эстонскую родину. Имение сперва было заложено, потом были проданы земли и оставлена только усадьба. Деньги с продажи лежали в банке (отчетность была в большом порядке), они приносили проценты, и Мисси объяснила, что ничего кроме благодарности она к Бенкендорфам — старым и моло-

---

* H.G. — инициалы Герберта Джорджа Уэллса, и так его звали все, и так его зовут до сих пор.

дым — не чувствует. Но виза кончалась в апреле, и незадолго до ее истечения Р. пришел опять и сказал ей, что он хлопотал и ему удалось достать пролонгацию. Он также сказал, что так как она не только виделась с детьми, но поселилась с ними в одном доме (который наследники Бенкендорфа оспаривали, утверждая, что Муре он никак не может принадлежать), то брат и сестра ее покойного мужа прекращают всякую денежную поддержку детям и впредь никаких счетов оплачивать не будут, в том числе и докторских. «Но до суда они все-таки дела не доведут, — сказал Р., — потому что тогда все это попадет в газеты и ваша общая фамилия будет трепаться в прессе, — и, помолчав, добавил: — там уже было немножко обо всем этом».

Она решительно спросила его, почему они «идут в суд» или «не идут в суд», когда, собственно она должна идти судиться, а не они. Он посмотрел на нее, как смотрят на тихую сумасшедшую, потерявшую всякую способность понимать, что ей говорят, и сказал задумчиво: «У вас нет шансов».

Она не спросила почему. Она не хотела этого знать. Смутная мысль вдруг пришла ей в голову: искать защиты у советского представителя (она точно не знала, была ли уже здесь дипломатическая или только торговая миссия). Но после посещения советского представителя ей, конечно, останется только одно — уехать обратно.

В начале июня Р. пришел не один. Ей был представлен очень высокий молодой блондин, стройный, щелкавший каблуками, с манерами щеголя военной выправки: «Мой друг и помощник», — сказал Р. Они втроем просидели около часу, поговорили о погоде. «Помощник в чем?» — подумала она. Он кончил Пажеский корпус, у него нет никакого юридического образования. Что Р. хотел этим сказать? Но она поняла ночью, когда не могла заснуть, зачем они приходили. Р. выбрал для нее якорь спасения: она должна выйти замуж за барона Николая Будберга, бездельника, шалопая и совершенно свободного молодого человека, который застрял в Эстонии, тогда как он считал, что его место было где-то совсем в ином измерении — он видел себя то ужинающим с красотками на Монмартре, то посреди Большого канала, в гондоле, полулежащим на бархатных подушках.

Когда она снова увидела Р., был июль, и все разъехались к морю, и город — мирный, веселый и сытый — стал пустеть. Р. сказал ей, что уважает ее и уважает Горького, которого он видел один раз в Москве на улице, на Кузнецком Мосту, который называется так, хотя никакого моста там не видно. Горький стоял у входа в Художественный театр с какой-то красивой дамой. И Р. тогда снял шляпу и поклонился писателю земли русской, и писатель ответил ему на поклон. Рассказав этот случай, Р. объявил, что он выхлопотал ей последнюю пролонгацию. И что третьей, в октябре, не будет.

Нисколько не смущаясь деликатностью дела, он спокойно открыл ей свои карты: молодой человек, с которым он к ней приходил месяц тому назад, был из известной семьи Будбергов. Отец лишил его наследства, мать отказала ему от дому. А все потому, что он живет не по средствам. В общем — он нищий. Ему, как и Муре самой, но по совершенно другим причинам, невозможно оставаться здесь, кроме того, он уже однажды стрелялся от скуки. Но... (тут Р. передохнул, ожидая эффекта от своих слов) он эстонский подданный, и ему дадут визу в Берлин, в Париж, в Лондон, и, если он женится, жена его станет баронессой Будберг и эстонской подданной, и ей тоже откроются все двери. «Я все это делаю, — сказал Р., — для моего любимого писателя. Для мирового автора "На дне" и "Челкаша"».

Мура не помнила, читала ли она «Челкаша». Она сказала, что подумает. Она поняла его речь в трех смыслах: в политическом, финансовом и бытовом. И он понял, что она поняла его.

Предок Николая Будберга, некий Бенингаузен-Будберг, в XIII веке переселился из Вестфалии в Прибалтику, которой в то время владел Тевтонский орден под присмотром шведов. Через четыреста лет его потомок получил от шведского короля баронский титул, который еще через двести лет был признан русским правительством. Начиная с войны 1812 года Будберги сто лет были известны в России как военные в высоких чинах и высокопоставленные государственные люди; среди них был министр иностранных дел и член Государственного совета Андрей Яковлевич (1750—1812); эстляндский губернатор и дипломат Богдан Васильевич (при Николае I); а в XX веке трое братьев Будбергов: один — шталмейстер и главноуправляющий канцелярией Его Величества по принятию прошений, статс-секретарь и член Государственного совета; второй — гофмейстер, тайный советник и камергер, состоял при министерстве иностранных дел; и третий был царским послом в Испании. Кроме того, Будберги отличались некоторой склонностью к писательству: в 50-х годах прошлого века некий Будберг, русский посланник в Берлине, Париже и Вене, отмечен в литературных словарях как «писатель», а Роман Будберг, живший приблизительно в то же время, как «стихотворец», правда, не русский, а немецкий, и переводчик на немецкий язык стихотворений Лермонтова. К этим литературно настроенным Будбергам необходимо прибавить еще двух, живших уже в наше время и о которых, к сожалению, ничего не известно: один был специалист по древнеливонским и тевтонским аристократическим родам, курляндским рыцарям и крестоносцам балтийских земель, выпустивший в 1955 и в 1958 годах две небольшие книги по-немецки (одну в 51 страницу, другую в 23 страницы). Другой был некто Михаил Будберг, автор книги «Русские качели», вышедшей на английском языке в Лондоне в 1934 году.

Этот последний, рожденный около 1905 года, несомненно, был исключением в семье: сначала беспризорник и мешочник, потом комсомолец и моряк, служивший под начальством комиссара Балтфлота Раскольникова, а затем — юнга на советском торговом пароходе, сбежавший в середине 1920-х годов в одном из английских портов, он был сыном убитого в революцию царского офицера, воспитанный в холе и в четырнадцать лет убежавший из дома. В своем роде книга его — единственная, где он рассказал о том, как некий молодой барон, бросив дом, переменив имя и несколько лет делавший завидную карьеру в молодой коммунистической организации, где ему суждено было преподавать своим сверстникам марксизм, циник и авантюрист, использовав все возможности, которые ему оставались в России, выскочил из нее и навсегда исчез, оставив после себя беспорядочный, но чем-то подкупающий рассказ о своих похождениях; в этом рассказе имеются некоторые странные неувязки — как, например, путь с Морской на Каменноостровский (в Петрограде), по словам автора, лежит через Литейный мост; или настойчивое желание Чан Кайши познакомиться с молодым авантюристом, которое тот не исполнил (когда советский пароход стоял на рейде в одном из китайских портов). Они наводят на подозрение, что вся история этого бесшабашного господина вообще выдумана.

Но наиболее известный из Будбергов в последние годы царского режима был Алексей Павлович Будберг, автор «Мемуаров белогвардейца» (название принадлежит ему самому), изданных в эмиграции в 1929 году и слово в слово переизданных затем в Советском Союзе. В них беспристрастно и исторически верно рассказана колчаковская эпопея. Сам Алексей Павлович состоял в правительстве Колчака военным министром.

Писатель Лесков очень недолюбливал «ливонское дворянство», да и за что было его любить? Его никто в России особенно не чтил. В свободные профессии бароны не шли или шли весьма редко, они успешно делали карьеру в военном и чиновном мире, были в самом надежном смысле опорой самодержавия и часто стремились занять высокие посты и административные должности именно в самой Прибалтике, где у них были родовые земли. Николай Будберг прошел ту же школу, что и его предки: привилегированное военное училище, выход в гвардию. Он был на несколько лет моложе Муры, и 1917 год застал его двадцатидвухлетним. Ни к Колчаку, ни к Деникину он не попал, у Юденича он как-то не сумел сделать карьеры. В Эстонии ему делать было совершенно нечего. Не столько за игру в клубе, сколько за поведение, которое считалось в его кругу недостойным его предков, семья отказалась от него. Перспектив у него не было никаких, профессии тоже. Таллин, освобожденный, наконец, от царского попечения и ввергнутый Версальским миром в новую свободную эру, был полон трудолюбивых, сознательных и, вероятно, добродетельно настроенных людей, среди которых гедонистам, потомкам ливонских рыцарей и паразитам не было места.

Лай (так его звали те, кто еще общался с ним) после первого же разговора с осторожным Р. почувствовал в Муре выход для себя из мизерного существования в провинциальной «дыре». Теперь кончалось лето, и в сентябре он пришел к ней и слегка смущаясь рассказал ей о себе, впрочем, утаив кое-какие грехи молодости. Она поняла тотчас же, что ему необходимо уехать, и в Берлине (для начала) на что-то жить. Она была для него некой нитью, по которой он мог выбраться из этой глуши, где делать ему было совершенно нечего. Что он, собственно, намеревался делать в жизни, она не спросила. Она поняла после этого второго прихода, что и он был ее нитью — не только новая фамилия и титул должны были реабилитировать ее, но и тот факт, что паспорт гражданки Эстонии открывал ей путь в любую страну. Это было больше всего того, о чем она могла мечтать.

В эти месяцы до нее из Петрограда доходило немногое, и только кружным путем. Почта не действовала, конечно, но Мария Федоровна и Крючков проехали через Гельсингфорс в Берлин в апреле, и в мае с Пе-пе-крю был установлен контакт. Крючков писал ей, что Дука серьезно болеет, что он окончательно решил выехать лечиться в Европу и выедет очень скоро. Что контакт с ним у Пе-пе-крю и Ладыжникова, заведующего издательством «Книга» в Берлине, установлен сейчас через торгпредство. Он писал, что Горький беспокоится о ней, что до него дошли слухи, что ее отдали под суд и судили за дружбу с ним, и он дал Крючкову распоряжение выслать ей порядочную сумму денег, тем более, что Ладыжников, как и прежде, был доверенным лицом Горького в эти годы, и у него скапливались деньги, получаемые за иностранные переводы, главным образом за «Детство» и «На дне». Крючков писал еще, что дела «Всемирной литературы» как будто стоят на месте, зато появились другие всемирные планы благодаря возродившейся у интеллигенции умственной энергии, а энергия появилась потому, что объявлен НЭП и интеллигенты начали кушать масло. Он тоже сообщал, что Дука совсем ничего не сочиняет больше, т. е. беллетристику, потому что он занят исключительно писанием писем великим мира сего о голодающем населении России. Каждый день уходят письма то Ромену Роллану, то Элтону Синклеру, то Голсуорси, то директору АРА Герберту Гуверу в США, то еще кому-нибудь — кому бы и знать об этом, как не ему, Крючкову, — вся эта корреспонденция идет через него.

Мура, прочитав очередное письмо еще тогда, в июле, поняла, что нужно не откладывать дела о замужестве, а действовать: в день, когда Горький проедет из Петрограда в Берлин, она должна быть готова выехать ему навстречу. По каким-то словам или строчкам Крючкова она догадалась, что Варвара Васильевна Тихонова опять переехала на Кронверкский (в этом Мура была права). Но почему-то все-таки она надеялась, что Тихонова с ним вместе за границу не поедет, что до этого дело не дойдет, да и А.Н. Тихонов этого не допустит (и в этом она тоже оказалась права). Но все же надо было торопиться с бумагами и венчанием, потому что, в сущности, решение ею было принято: в конце концов, Тихонов ведь мог тоже получить командировку в берлинское торгпредство, и Варвара Васильевна тогда окажется с Горьким в Европе*.

Как теперь известно, еще в июле, между 6-м и 12-м, Горький телеграфно разослал Герхарту Гауптману, Уэллсу, Анатолю Франсу, Голсуорси, Элтону Синклеру, Т. Масарику, Бласко Ибаньесу и другим воззвание к писателям Европы и Америки о голодающих в России. 18 июля в «Фоссише Цайтунг» это воззвание, переданное в газету Гауптманом, было опубликовано, 23 июля коммунистическая «Роте Фане» перепечатала его и добавила от себя, что Горький на днях выезжает в Финляндию. Эта последняя новость сильно встревожила Муру, и хотя она окончательно ей не поверила (ей казалось, что раньше осени Горький из России не выедет), она на всякий случай стала думать о том, как ей поступить, если он действительно выедет в Гельсингфорс до того, как она получит свои новые эстонские документы. В начале августа Крючков переслал ей из Берлина письмо самого Горького (датированное 13 июля), там он писал, что будет в Европе очень скоро. Но вслед за этим лондонские газеты, поместив текст горьковского воззвания о помощи голодающим, сообщили, что Горький уже находится на пути в Гельсингфорс. Одни газеты утверждали, что он оттуда поедет в Берлин через Таллин, другие полагали, что он уедет в Швецию и Норвегию. Мура, конечно, понимала, что ни в Швецию, ни в Норвегию, ни в Таллин Горький не заедет, что он проедет из Гельсингфорса в Берлин пароходом через Штеттин и что она во что бы то ни стало должна его увидеть в Финляндии. Выхода у нее не было, она бросилась в советское представи-

---

* В.В. Тихонова с обоими детьми приехала в Берлин значительно позже Горького, в 1922 году. Андрюша Шайкевич гостил несколько раз в Саарове, в доме Горького зимой 1922/1923 года, но Ниночку она в Сааров не пускала и сама там не бывала. В 1928 году и Андрюша, и Нина подавали в Париже в советское консульство прошение о возвращении на родину. Им было отказано. Горький до своего отъезда в Россию заботился о них и помогал им деньгами.

тельство, она знала, что там сидит недавно приехавший из Москвы Г.А. Соломон, друг Л.Б. Красина, который в 1918 году был первым секретарем советского посольства в Берлине, а потом там же генеральным консулом. С июля 1919 года до недавнего времени он был в Москве, теперь он приехал в Эстонию как глава советской дипломатической миссии*.

Георгий Александрович Соломон, который позже, в начале 1922 года, уехал из Таллина в Лондон служить в Аркосе, а затем, в 1923 году, ушел с советской службы, был другом не только Красина, но и директора Аркоса Ф.Э. Кримера, которого Мура хорошо знала по Петрограду: и он, и его жена часто бывали на Кронверкском. Соломон порвал с Москвой в 1923 году, а в 1930 году в Париже выпустил книгу воспоминаний «Среди красных вождей» (она была потом переведена на английский, французский и немецкий языки), став таким образом одним из первых «невозвращенцев». В 1931 году вышла его вторая книга — «Ленин и его семья», а в 1934 году он умер. Соломон принадлежал к той категории людей, которые приняли Октябрьскую революцию, в первые годы после нее сделали дипломатическую карьеру, но через несколько лет отошли от российских дел и успешно стали жить и работать подданными Англии, Франции или США, иногда порвав с Москвой шумно, с портретом на первой странице газет, как сделал Беседовский в Париже, а иногда инкогнито, переменив фамилию (как сын Ганецкого в Риме) и исчезнув без следа.

Соломон происходил из образованной, интеллигентной петербургской семьи, живал за границей, знал языки и по своей речи и внешности был несомненно исключением из массы неуклюжих, необразованных советских дипломатов (особенно более позднего времени) с деревянными лицами и полуинтеллигентной речью. Он немедленно дал Муре проездное свидетельство в Гельсингфорс, и она на следующий день выехала на парохо-

* До него в Таллине полномочным представителем был И.Э. Гуковский.

де навстречу Горькому. Переход был опасным: вход в Финский залив все еще оставался минированным с тех пор, как в 1917—1918 годах англичане защищали Кронштадт от немцев.

Она не могла не поверить газетным сообщениям, кроме того, она, конечно, хотела им верить. Еще 13 июля Горький писал ей в письме, посланном на берлинское торгпредство (возможно, что Максим привез его, он в это лето начал служить дипкурьером), полностью подтверждая газетные сведения, что он стремится выехать как можно скорее. Им выдвигались те же причины: агитация в пользу сбора средств голодающим в России и лечение сердца и легких.

Но Горький в августе выехать не смог, и телеграммы лондонских газет оказались преждевременными. Однако обвинять их в этом нельзя: Горький, действительно, выехал из Петрограда на финскую границу, провел три дня (20—23 августа) в Белоострове и вернулся обратно. Поездка эта была сделана с исключительной целью — отдохнуть нравственно и физически. В последние недели он потерял много крови, температура держалась выше 39 градусов, и он находился в особенно подавленном состоянии после ареста Гумилева (3 августа) и смерти Блока (7 августа).

Два дня Мура искала Горького по Гельсингфорсу и на третий день, не найдя его, выехала обратно. Максим в Берлине, с которым она тоже была в переписке, как и с Крючковым и Ладыжниковым, получив ее отчаянное письмо, написанное по возвращении в Таллин, сообщил отцу в своем очередном письме о том, что произошло: «Титка ездила в Гельсингфорс встречать тебя. Семейные дела ее плохи. Мы звали ее в Берлин. Приедет через две недели. Вот я и думал: соберемся мы компанией [т. е. он сам, его жена, Соловей и Мура] и махнем в Италию к морю». Так, видимо, представлял себе недавно женившийся Максим свой медовый месяц.

Через две недели Мура получила извещение из эстонского Государственного банка, что Дрезденский банк перевел на ее имя тысячу долларов. Она разделила эту сумму на три части: одну дала Мисси, другую — Лаю и третью оставила себе.

В Берлине в это лето жили не только Мария Федоровна и Крючков (на квартире, снятой им заблаговременно Иваном Павловичем Ладыжниковым около Курфюрстендамма), но и Соловей с Максимом и его женой, Надеждой Алексеевной Пешковой, урожденной Введенской, дочерью профессора медицины, москвичкой и подругой дочери Шаляпина. Ее в это время уже успели окрестить Тимошей, и только один Горький в течение короткого времени, когда с ней познакомился, звал ее Надей. Эта вторая квартира была нанята Соловьем перед приездом новобрачных из Москвы. Она находилась в пяти минутах ходьбы от первой. Но был кроме этих двух домов еще и третий — Ладыжников с женой и дочерью и его издательство «Книга», помещались на Фазаненштрассе, в том же районе. Он был ближайшим другом Горького, доверенным лицом во всех его делах, преимущественно — денежных, и, хотя не состоял в большевистской партии, был с юности единомышленником и союзником Ленина. С благословения Ленина и с бюджетом, утвержденным Наркомпросом, он теперь продолжал свое издательское дело, почти целиком посвященное изданию сочинений Горького. Молчаливый, медлительный и мрачный на вид, он был спокойным и энергичным человеком, преданным Горькому до конца жизни. Он отлично соображал в делах. Горький очень любил его, доверял ему и называл его «ты» и «Иван Павлов».

Ладыжников начал издательское дело задолго до первой войны с книжной фирмы «Демос» в Швейцарии. Оно перешло в Берлин и стало «Книгой», когда Горький еще жил на Капри. Теперь новое издательство «Книга», к которому имели касательство и З.И. Гржебин, и А.Н. Тихонов (находившиеся еще в России), было создано главным образом для того, чтобы охранять права автора при издании его на иностранных языках, так как в то время международного договора, ограждающего эти права, у России с западным миром не было. Была и вторая цель: издавать книги за границей, чтобы ввозить в Россию (с разрешения Главлита), так как в России не было бумаги.

В частности, еще в России Горький запродал Ладыжникову свое полное собрание сочинений, и первые тома должны были выйти осенью 1921 года. Бумага была закуплена в Лейпциге и перевезена в Берлин. Все денежные расчеты шли через Дрезденский банк, где, кстати, Ладыжниковым, по просьбе Горького, был снят довольно внушительных размеров сейф. Туда Горький, когда, наконец, приехал в октябре в Германию, положил материалы и документы, вывезенные им из России, в том числе и письма Короленко.

Ладыжников, видимо, по просьбе Горького, еще весной начал переписку с Мурой. И он, и Крючков, как доверенные лица Горького, пересылали Муре его письма уже с начала июля, когда была налажена техника пересылки всей корреспонденции, как личной, так и деловой, дипломатическим путем, на что имело право советское торгпредство. Оно также имело отношение к издательству «Книга» и участвовало в договоре на издание собрания сочинений Горького Ладыжниковым. Это издание было необходимо, книг Горького на рынке было недостаточно, последнее собрание было издано А.Ф. Марксом в 1917—1918 годах. За три года (1921—1923) Ладыжниковым была выпущена бо́льшая часть томов, когда в 1924 году «Книга» слилась с Госиздатом. Об этом будет сказано позже.

Все издание было расчитано на 22 тома, тираж его был 20—35 тысяч. Оно до сих пор называется литературоведами «издание Книга-Госиздат».

Мура писала Ивану Павловичу не реже, чем раз в месяц, и он в общих чертах знал, как ей живется в Эстонии. И теперь, получив деньги, Мура написала в Берлин, что она ездила в Гельсингфорс, чтобы встретить Дуку, но Дуки там не было.

Она по совести предпочитала писать Ладыжникову, а не Крючкову: она не была уверена, что он не читает ее писем Андреевой. В Ладыжникове она была абсолютно уверена, а потому и о своем решении выйти замуж она написала ему. Впрочем, она написала об этом и Максиму. Он теперь почти ежедневно видался со всеми остальными, был в постоянной связи и с «Книгой», и с торгпредством, и с Марией Федоровной. По традиции, установленной на Кронверкском, по-прежнему все — и новости, и семейные дела — обсуждалось вместе, иногда включались в домашний совет и просто добрые знакомые, и сотрудники издательства. И Мурино замужество, надо полагать, было ежедневной темой общего разговора.

Получив первые сведения о Муре от Ладыжникова, Горький писал в ответ, как бы между прочим реагируя на сообщенную ему новость: «Что именно и *когда* писала вам Мария Игнатьевна? Таинственно и нелепо ведет себя эта дама, Господь с ней!» В этом «Господь с ней!», а также в словах «нелепо» и «эта дама» чувствуется его плохо скрываемое раздражение. Но это входило в план Муры: все, что она сообщила о себе Крючкову, Ладыжникову, Максиму, и то, что, наконец, стала писать ему самому, всегда было тщательно обдумано.

Мура любила писать письма и всегда относилась к писанию их серьезно. В августе этого года она особенно много писала их: в Берлин и Петроград, в Париж сестрам и в Лондон. Но из Лондона ответов не было.

Лай теперь приходил к ней два-три раза в неделю, и в городе, т. е. в их кругу, в кругу фон Шуллеров, Шиллингов и Шеллингов, начались толки. Лай приносил ей эти толки в дом, чем больше их было, тем больше они забавляли его. Все Балтийское побережье, оказывается, говорило о предстоящем браке «этой чекистки» с «этим лоботрясом», и люди спорили, на службе у кого именно она состоит: у Англии или у Германии — потому что прошел слух, что когда Бенкендорф служил секретарем в русском посольстве в Берлине, накануне войны, у Муры был роман с кайзером Вильгельмом. Но ее эти толки не веселили. Ей было не до веселья, потому что деньги подходили к концу, и парижская жизнь сестер казалась ей адом (Анна с семьей бедствовала, Алла была неизвестно где и неизвестно с кем).

Сентябрь 1921 года и первая половина октября прошли в хлопотах о бумагах, свадьба откладывалась из-за каких-то чисто формальных трудностей, но возможно, что были и колебания — и с той, и с другой стороны. Твердо известны следующие факты: 16 октября Горький в сопровождении З.И. Гржебина, его жены Марии Константиновны и трех дочерей выехал из Петрограда в Гельсингфорс. Между 17-м и 29-м он оставался в Гельсингфорсе — он был настолько слаб, что его боялись везти дальше. В эти дни, видимо, около 20-го числа, Мура, вторично получив разрешение эстонского правительства через Соломона выехать и вернуться, была в Гельсингфорсе, и состоялось свидание. Месяц спустя, уже из Берлина, Горький писал Валентине Ходасевич: «В Финляндии видел Марию Игнатьевну в крепких башмаках и теплой шубе. Похудела, стала как-то еще милее и по-прежнему все знает, всем интересуется. Превосходный человек! Она желает вылезти замуж за некоего барона: мы все энергично протестуем, пускай барон выбирает себе другую фантазию, а эта — наша! Так?»

29 октября Горький выехал из Гельсингфорса через Стокгольм в Берлин, где его встретили на вокзале Максим, Тимоша и Соловей. Он предполагал прожить там сначала несколько дней, потом неделю или две, но остался до 2 декабря, т. е. больше месяца. Причиной этому были не только свидания с европейскими почитателями, вовлеченными Горьким в дело помощи голодающим, и в огромной переписке с Европой и Америкой, с ней связанной, но и немецкие доктора, которым надо было показаться, и денежные проблемы, возникшие в связи с окончательным планом его собрания сочинений, а также и с другим событием, о котором я скажу позже и о котором он мог говорить только с Ладыжниковым. Наконец, 2 декабря состоялся его отъезд в Шварц-

вальд, в санаторий, в местечко Санкт-Блазиен, выбранное ему докторами. Максим, Тимоша и Соловей отвезли его туда едва живого. Они оставались с ним там некоторое время, а когда они уехали, то им на смену стали приезжать то Крючков, то Ладыжников, то Екатерина Павловна Пешкова, в это время также приехавшая из Москвы на отдых к своему близкому другу М.Н. Николаеву, занимавшему в «Книге» место помощника заведующего.

Здесь, рядом с Горьким и членами его семьи, появляется человек необыкновенной судьбы, удивительной жизни, такой, какие только очень редко встречаются на свете: его приемный сын, Зиновий Алексеевич Пешков. Зиновий был младшим братом Якова Свердлова, сподвижника Ленина. Ленин называл Свердлова «профессиональным большевиком», он занимал после Октябрьской революции место президента российской республики; он был председателем ВЦИКа и сыграл роль в убийстве царской семьи (в его честь Екатеринбург был переименован в Свердловск); он умер в 1919 году. Зиновию было пятнадцать лет, когда в 1899 году Горький, живший тогда вместе с Екатериной Павловной и двухлетним Максимом, решил усыновить мальчика, сироту, брата своего товарища по соц.-демократической партии. Он дал ему свое имя, воспитал и образовал его, и в 1914 году, когда Зиновий жил с Екатериной Павловной и Максимом летом в Италии и началась война, он пошел добровольцем, записавшись во французский иностранный легион. Он уехал в первый же день войны, сражался в легионе и 9 мая 1915 года, когда он геройски повел свой взвод в атаку, был ранен в руку, которую пришлось ампутировать до самого плеча. В 1916 году он вновь вернулся в легион, был в нескольких сражениях и, получив награды и чин полковника, был послан с французской миссией в Китай, Японию и Манчжурию.

Он постепенно объездил весь мир, был несколько раз в США, был в Африке, где командовал легионом в колониальной войне Франции с Абд-эль-Керимом. Вторая война застала его в чине генерала французской армии.

В 1940 году он уехал в Лондон и поступил в распоряжение генерала де Голля, который послал его к генералу Мак-Артуру своим представителем.

Он вышел в отставку в 1949 году, но в 1964 году опять был приглашен (восьмидесяти лет) де Голлем, правительство которого в это время признало Китайскую Народную Республику: помочь в дипломатических отношениях Франции с Тайванем. После этого генерал Пешков был одно время главой французской миссии в Японии, а когда отошел от дел, поселился в Париже, где и умер 28 ноября 1966 года в Американском госпитале, в Нейи.

Стоит сказать и о том, что он похоронен на русском эмигрантском кладбище в Сент-Женевьев-де-Буа, в месте, отгороженном для русских солдат двух мировых войн. Как ни странно это звучит, но этот факт с несомненностью доказывает его принадлежность к одной из многочисленных белоэмигрантских военных организаций.

С Горьким до 1928 года, когда тот поехал в первый раз из Италии в Россию, генерал Пешков сохранял самые дружеские отношения. У него была дочь, которая приезжала с ним вместе гостить к Горькому (он был дважды разведен). Горький называл его Зина*, очень его любил и полностью доверял ему. В 1921 году, как только Зиновий узнал, что Горький находится в Германии, он немедленно приехал в Санкт-Блазиен. Он прожил там около двух недель и позже, в 1925 году летом, гостил у Горького в Сорренто. С Мурой он встречался и в Париже, и в Лондоне после 1924 года.

Теперь, осенью и зимой 1921 года, между Горьким и Мурой, разумеется, была нормальная почта, и никто, если не считать возможных перлюстраторов, чиновников Эстонии и Германии, уже не читал их писем. Она, наконец, послала ему полное объяснение своего брака с Будбергом, и реакция Горького была гораздо мягче: «Получил письмо от Марии Игнатьевны, – писал он Ла-

---

* Уэллс называл его «Зиновьевым» и путал иногда с председателем Петрокоммуны, а также с сыном Андреевой, Юрием Желябужским.

дыжникову 28 декабря. — Она действительно вышла замуж [она вышла замуж только в начале января 1922 года] и заболела туберкулезом — сообщите это Петру Петровичу, адреса ее я не имею [!], она не написала его, но письмо из Эстонии».

Вскоре после этого письма пришел новый чек из Дрезденского банка.

Рождество она провела с детьми и Мисси, и теперь, наконец, был назначен день свадьбы. Лаю не терпелось вырваться из Таллина, и венчаться с Мурой он поехал с билетом в Берлин в кармане. Рождественские праздники ему были совершенно ни к чему, они только задерживали его отъезд. Наконец, все было готово, и Мура вызвала по телефону Р., взяла с собой Мисси, и они вчетвером, невеста, жених и два свидетеля, вошли в одну чистенькую, светлую канцелярию, где им на двух языках были прочтены их будущие обязанности друг к другу. Вечером Лай выехал туда, где, как он выразился, «ему светили огни Курфюрстендамма», а она, выждав несколько дней, приняла решение: прежде чем ехать в Санкт-Блазиен, написать еще одно последнее письмо в Лондон, но на этот раз не Локкарту и не Уэллсу, а Морису Берингу. Он не мог ей не ответить, у него не было причин ей не отвечать.

Но почему те двое не ответили ей? Она написала четыре письма, по два каждому. Почта не вернула их. Значило ли это, что письма были получены? Мысль о возможности перлюстрации мало беспокоила ее, но она писала осторожно, давая понять адресатам, что и они должны ответить ей, ни на минуту не забывая, что, прежде чем она их прочтет, их прочтут враждебные ей лица. Но все это оказалось ни к чему: ни Уэллс, ни Локкарт ей не ответили.

Она написала Берингу живое, веселое, но и осторожное письмо: спросила, как он прожил эти годы, много ли написал и издал книг, скучает ли по России? И как поживают все знакомые, милые сердцу: Уолпол? Рансом? Хикс? Девочки — Люба Малинина и Женя Шелепина, которых они увезли с собой тогда? А кстати: где Брюс, где Эйч-Джи? И написал ли что-нибудь сногсшибательное ее старый приятель Сомерсет Моэм?

Она скоро получила ответ. Беринг писал ей с какой-то незнакомой ей робостью и осторожностью. Он поздравил ее с возвращением «домой», в старую Европу, которая принадлежит ей и которой она принадлежала и будет принадлежать: писал, что жалеет, бесконечно жалеет, что не может ей послать адреса Эйч-Джи, который ездит по США из колледжа в колледж, читает лекции о будущих судьбах мира и как их улучшить и имеет там огромный и заслуженный успех, а также и адрес Брюса, который не то на Балканах, не то в Венгрии, не то директор международного банка, не то связан с Форин Оффис, а также недавно, говорят, решил испробовать свои силы в журналистике.

Почему после этого письма она не поехала в Санкт-Блазиен, мы не знаем. Она не только не поехала туда, но, выждав около месяца, она, ничего никому не сказав, поехала в Лондон, даже проездом не остановившись в Берлине. Она видела кое-кого в Лондоне, кого именно, мы не знаем, во всяком случае, ни Уэллса, ни Локкарта там не было. Она пробыла там неделю и вернулась в Таллин, не выходя из поезда в Берлине. Позже она мимоходом сказала Ходасевичу: «Я должна была поехать, я должна была увидеть Лондон. Не было людей? Кое-кого я видела. Но главное — город. Я больше не могла ждать».

Теперь у нее были не только «крепкие башмаки» и «теплая шуба», но и черная шелковая юбка в складку, и светлые чулки, и лайковые перчатки, и белый пуховый берет, надевавшийся по последней моде низко на лоб и на одно ухо, и белый к нему пуховый шарф. Она в Лондоне пошла к парикмахеру, самому лучшему, с вывеской «Гастон де Пари», а вытертое бархатное «манто», доходившее ей до щиколотки, большую черную шляпу с пером, туфли с острыми носами и французскими каблуками и старый вытертый соболий палантин она выбросила в Таллине, как хлам.

Она не остановилась в Берлине, потому что решила сохранить эту поездку в полной тайне. Она тогда вечером просто перешла на станции Фридрихштрассе в другой вагон, который помчал ее на восток. Проводник международного вагона взял ее новенький, пахнувший клеем паспорт и сказал ей, что ее не будут будить на границе для проверки бумаг и вещей и что он утром принесет ей кофе, и, почтительно щелкнув каблуками, пожелал ей спокойной ночи, назвав ее «фрау баронин».

Теперь она вела игру, которую не имела права проиграть. Она знала, что ни на минуту не должна забывать о той самой цели, которая еще три года тому назад явилась ей: уцелеть во что бы то ни стало.

А в это время Горький из Санкт-Блазиена писал Ленину:

«Работают [немцы] изумительно! Вы подумайте: на 20 декабря безработных во всей стране они считают 47 тысяч! Не верится, хотя похоже на правду. В санатории, где я живу, идет постройка нового огромного здания, рвут динамитом гору, кладут стены, дробят камень для железобетона — и как все это делается умно, экономно, солидно!.. Одолевают журналисты, но говорить с ними я не хочу, нестерпимо и злостно искажают...»

«На голодающих, — сообщал он, — начали собирать продукты и деньги». Но работа, по его мнению, недостаточно координирована: «Не знают, куда посылать, вся работа идет как-то в розницу». Он считал, что нужно назначить «агентов», которые бы координировали и регулировали посылку хлеба, обуви, лекарств, одежды в Россию, и так как в это время он уже не сомневался, что Мура к нему вернется, он рекомендовал Ленину для этой работы агентов: «Мария Федоровна Андреева и Мария Игнатьевна Бенкендорф — обе энергичные и деловые». Теперь он перестал называть ее Закревской, но решил впредь игнорировать ее новую фамилию.

ИТАЛЬЯНСКОЕ ИНТЕРМЕЦЦО

> Я отмечу вас в книге моей памяти.
> *«Король Генрих VI».*
> *Часть 1. II, 4, 101*

Дрезденский банк был одним из пяти больших банков Германии, начинавшихся на букву «д», имевших отделения во всех крупных центрах страны. В берлинское отделение Дрезденского банка были положены письма Короленко к Горькому и другие бумаги, привезенные им в ту осень в Берлин. Но Горький сам в банк не ходил, Ладыжников имел полную доверенность для всех банковских операций, включая и общий с Горьким текущий счет. Позже, когда в 1924 году все операции были переведены в Неаполь, включая и сейф с материалами, в неаполитанском банке было два текущих счета: один для подписания чеков требовал подписи Горького и Муры, другой — Горького и Максима. Это было сделано для большего удобства, ввиду частого отсутствия Муры. Счет с Ладыжниковым в это время был закрыт, так как И.П. оставался до конца 1920-х годов в Берлине.

Доверие к Ладыжникову было таким, что, не говоря уже о деньгах Горького, в которых он был много лет полным хозяином, Горький доверял ему и свои литературные дела. В одном письме из Санкт-Блазиена он пишет ему прямо: пойдите в Дрезденский банк, найдите там письма Короленко и дайте их Гржебину для снятия копий для их издания. Интересно отметить, что Горький, когда выезжал из Петрограда за границу, вывез с собой оригиналы писем к нему различных людей, в том числе и Ленина, а *копии* были переданы на хранение в Петроградскую публичную библиотеку.

Ладыжников полностью оправдал это доверие. Он пережил 1930-е годы, смерть Максима, смерть самого Горького, московские процессы, ликвидацию Крючкова, войну, эвакуацию, позже – смерть Марии Федоровны, с которой его связывала пятидесятилетняя дружба; он похоронил и жену, и дочь, и умер в глубокой старости, в 1945 году, до последнего дня работая в архивах Горького в Институте литературы его имени, стараясь разобраться в невообразимом хаосе, который он в конце концов привел в порядок, идентифицируя письма и рукописи.

Дружба началась, как уже было сказано, в 1903 году. Иван Павлович не был членом РСДРП, но после 1903 года вместе с Лениным, Марией Федоровной и другими примыкал к ее большевистской фракции. Горький был его кумиром, и, будучи исключительно честен, И.П. вел не только его дела, но и дела заграничной кассы большевиков. Отношение к нему Горького известно. В письмах Марии Федоровны к нему слышится их общее доверие и любовь, укрепленная годами ничем не омраченной дружбы. Екатерина Павловна Пешкова смотрела на него, как на члена семьи; ближайший к ней человек, сотрудник «Книги» (позже – «Международной книги») Николаев, был помощником И.П. и работал с ним в тесном согласии. К Муре И.П. относился с абсолютным доверием, чувствовалось, что для него Горький – божество, и все близкие этому божеству люди само собой делаются для И.П. драгоценными.

С самого начала отношений И.П. с Горьким он незаметно и преданно начал помогать Горькому в его переговорах с переводчиками, агентами и издателями – русскими и иностранными, разрешая успешно все вопросы, возникающие у Горького ввиду отсутствия литературной конвенции между Россией и другими странами. И.П. знал все, что мог знать умелый адвокат, специалист по этим вопросам, он всегда был тут как тут, либо присутствовал, либо аккуратным, дельным письмом отвечал на всевозможные запросы.

В 1902 году Горький закончил «На дне», и пьеса была поставлена в МХТ, а уже 10 мая 1903 года немецкий переводчик Август-Карл Шольц писал автору об успехе, который пьеса имела в Германии — в Дрездене, Мюнхене и Берлине (там она прошла шестьсот раз), а также в Вене, Праге и Будапеште. Она шла в театре Макса Рейнхардта в постановке Рихарда Валентина*. Деньги заграницей накопились по тем временам очень большие не только от постановок, но и от издания сочинений понемецки, и от публичных чтений на утренниках Горьким своих сочинений, деньги с которых, впрочем, шли большевикам прямым путем на покупку оружия. (Этот факт известен из воспоминаний М. Литвинова.) По соглашению с Ладыжниковым, Горький решил поручить сбор денег в Германии, а также их хранение специальному агенту, боясь, что не сегодня завтра он сам окажется либо на нелегальном положении, либо будет сослан. Но кто мог быть таким агентом? Только свой брат, член большевистской фракции, конечно, живущий в Европе постоянно и знающий все ходы и выходы, как получать авторский гонорар с европейских театров. 20 процентов должны были идти такому агенту, 40 процентов — в кассу большевиков (о чем Горький своевременно осведомил Ленина) и 40 процентов решено было класть на имя Горького в банк.

Человек, на которого пал выбор Горького и который стал его агентом в Европе, был Александр Лазаревич Парвус, тот, который впоследствии, в 1917 году, помог

---

* Вопреки советским данным, Рейнхардт пьесу не ставил, но ему принадлежал сам театр, где она шла, и он также играл роль Луки.

Ленину вернуться из Швейцарии в Россию. В 1903 году Горький жил в Крыму, куда Парвус и приехал к нему за доверенностью. Он приехал нелегально (в юности он был замешан в дела «Народной воли»), по фальшивому паспорту. Он пробыл в Севастополе два дня, Горький приехал к нему на свидание из Кореиза, и на Севастопольском вокзале было подписано соглашение. Они знали друг друга раньше, свидетелем был К.П. Пятницкий, издатель сборников «Знание» и близкий друг Горького в то время. Через несколько лет отношения между Пятницким и Горьким испортились, Горький ушел из редакторов «Знания», и дело кончилось судом. Но в Севастополе Горький действовал как официальный редактор «Знания», а Парвус — как владелец недавно открытого им немецкого издательства, где его компаньоном был некто Юлиан Мархлевский (он же Карский), польский коммунист, деятель международного революционного движения. С подписанным документом в кармане Парвус уехал в Германию.

Парвус был одновременно и членом РСДРП, и германской социал-демократической партии и имел крупные знакомства среди немецких социалистов. Ему в это время было тридцать пять лет. Он лично был знаком с Рейнхардтом и многими известными людьми в Центральной Европе. Родившись в 1867 году, он начал свою авантюрную — политическую и уголовную — карьеру рано.

Настоящая его фамилия была Гельфанд. Он уехал из России, когда ему едва минуло девятнадцать лет. Он приехал в Швейцарию учиться в Базеле и Берне. В Цюрихе он познакомился с Плехановым, Аксельродом и Верой Засулич, которых покорил своим молодым энтузиазмом и ненавистью к царской России. Они, как и все, кто его знал в молодые годы, удивлялись его уму, энергии, фанатизму, который, впрочем, не мешал ни ясности мысли, ни способности к теоретическому мышлению. Переехав в Германию, он вступил в германскую с.-д. партию и уже через год был своим человеком в доме Розы Люксембург, где познакомился с Бебелем и Каутским (позже он ввел Троцкого в дом Каутского), спорил с Бернштейном, стал редактором социалистической «Арбейтер Цайтунг» и начал писать в ленинской «Искре».

Его основной идеей была идея «перманентной революции», которую Троцкий, после знакомства и сближения с ним, усвоил и развил*. Перманентная революция должна была начаться всеобщей забастовкой на политической почве. Хозяйству страны должен был быть нанесен смертельный удар. Буржуазия должна была дать трещину и рухнуть. Всеобщая забастовка и разрушение государства должны были начаться в России, как в наиболее реакционной стране. Россия должна была стать первой «жертвой», и ее примеру должны были последовать остальные страны. Парвус верил во всеобщую забастовку не только как в самое сильное, но и единственное средство переворота — это средство было сильнее и террора, и пропаганды, и баррикад, и гражданской войны, и, конечно, конституции. Всеобщая забастовка должна была стать первым шагом к окончательному и бесповоротному освобождению европейских стран и России от капитализма.

Эта идея, которой Парвус был одержим и которая питалась его безудержной ненавистью к русской реакции, напоминает отчасти маниакальную идею Рейли о роли подкупа. Но Рейли был авантюрист, и только. Парвус был и авантюрист, и блестящий теоретик революции, и «слон с головой Сократа» (как его звали всю жизнь), который сумел за несколько лет поставить себя если не в самый центр, то очень близко от центра как германской, так и русской социал-демократии, стать другом Розы Люксембург, своим человеком у Бебеля, вдохновителем Троцкого и «многоуважаемым Александром Лазаревичем» для Горького.

---

* Некоторые историки с.-д. партии считают, что Троцкий взял свою идею о «перманентной революции» целиком у Парвуса. См. «Соц. Вестник», 1940, № 11, стр. 172.

Он говорил, что через несколько лет в Европе начнется война, и эта война будет способствовать «распадению капиталистических структур». Россия проиграет эту войну, и тогда Россией будет дан сигнал к падению европейских монархий. Через всеобщую политическую забастовку сначала рухнет русский государственный аппарат, а затем и остальные страны последуют за ней. Разрушение хозяйственной системы Европы нанесет капитализму-империализму «финальный удар, непоправимый и необратимый».

В годы перед первой войной Парвусом было написано на двух языках (русском и немецком) около пятидесяти статей и издана дюжина книг по вопросам политической экономии Европы и разрушения хозяйства мировой революцией. Его идея мировой войны, как первого шага к этому, принималась далеко не всеми, и отношения его с некоторыми видными германскими с.-д. стали портиться. Из некоторых мест его высылали. Он обосновался в Мюнхене; после одной из своих нелегальных поездок в Россию он пришел к заключению, что ни Плеханову, ни Засулич он доверять не может. Войну России с Японией он воспринял как пролог к революции и напечатал в «Искре» в 1904 году статью «Война и революция», где предсказал 1905 год. Но с Лениным отношения у него были неровные, и одно время Парвус перешел к меньшевикам: это случилось во время его близости с Троцким.

Троцкому было 26 лет, когда они встретились. Он с увлечением стал развивать идеи Парвуса, и вскоре «перманентная революция» приняла свой окончательный вид. В своей брошюре «До 9 января», вышедшей с предисловием Парвуса, Троцкий был всецело на стороне того, кто считал всеобщую забастовку средством более сильным, чем террор и баррикады. Позже, в своей автобиографии, Троцкий, признавая роль, которую Парвус сыграл в его жизни, писал, что «Парвус без сомнения был одним из главных марксистов на рубеже двух столетий».

Как пишет историк того времени: «Троцкий был горд, агрессивен, страстен»*, для него Парвус был слишком «ненадежный гедонист, лишенный стабильности, подверженный лени, может быть, неспособный довести до конца свои намерения и теорию перевести в практику. Идентифицируясь с ним в их общей интеллектуальной кооперации, Троцкий не мог идентифицироваться в активной жизни, но тем не менее их отношения в первые годы столетия были отношениями ученика и учителя».

Уже в 1904 году они были настолько близки, что Троцкий с женой одно время жил у Парвуса в Мюнхене. Когда наступил 1905 год, они оба, Троцкий и Парвус, с фальшивыми паспортами оказались в Петербурге. Настоящая (и первая в истории России) всеобщая забастовка пришла в мае и октябре, т. е. после 9 января, и следом за ней — революция 1905 года, которая подтвердила прогнозы Парвуса и Троцкого. Этот последний оказался председателем первого Совета рабочих депутатов, а после ареста Троцкого Парвус занял его место (уже в подпольном Совете), пока и он не был арестован. Они, когда были еще на свободе, издавали вдвоем газету, которая с 30 тысяч в первые же дни подскочила до 100 тысяч экземпляров в день, — этот тираж намного превысил тогдашнюю «Новую жизнь» большевиков.

Очередная цель была достигнута, надо было думать о цели окончательной. Но обоих судили и сослали в Сибирь, откуда оба бежали, но не вместе, за границу и скоро оказались снова в Германии.

Любопытно, каким стилем Парвус позже описал свои совместные действия с Троцким: «Мы были струны одной и той же арфы, на которой играла буря Революции». Оба тогда, летом 1907 года, жили вместе в Мюнхене. Они были гораздо более интересны и необходимы друг другу, чем были им все остальные с.-д., как русские, так и немецкие, включая, конечно, и Ленина, который в эти годы сомневался в том, что Россия может перешагнуть

* *Parvus Winfried Scharlau*. Eine politische Biographic. Köln, 1964.

(не имея за собой опыта Европы 1848 года) через этап буржуазной революции в революцию социалистическую и диктатуру пролетариата.

130 тысяч золотых немецких марок, которые были собраны Парвусом со спектаклей Рейнхардта, пришлись ему в этот момент очень кстати, как и деньги забастовочного комитета петербургского Совета, которые Парвус прикарманил. Ни Горький, ни большевистская фракция никогда не видели ни тех, ни других денег. Реакция германских с.-д. была различной: Шейдеман и Эберт до конца жизни оставались с Парвусом в наилучших отношениях; Либкнехт (отец) отвернулся от него, как и большинство членов партии; Роза Люксембург писала своему другу, Яну Тышке (Леону Иогихесу), явно сочувствуя Парвусу, а не Горькому (однако позже, когда Парвус хотел увидеть ее, она его не приняла). Роза писала: «Вчера виделась с Карлом и его женой, рассказывали мне ужаснейшие вести о том, что тут теперь говорят о Парвусе. Прямо как о бездельнике и мошеннике. И это делает систематически Горький через своих агентов! В воскресенье у нас будет по этому поводу маленькая конференция у Карла, где агент Горького должен показать мне документы мошенничества Парвуса». И еще: «Парвус отнял у меня полдня. Расстались мы почти в ссоре... Я его предупредила, что он может сломать себе шею и скомпрометировать социализм в России. Он принял все это близко к сердцу. Ну ничего! Это ему полезно... У Парвуса вообще проекты путешествовать. Но он, бедный, в хлопотах в связи с Горьким, который их душит. Он, конечно, мне немножко мешает, но я хочу его все-таки сердечно принять, как всегда. У него кроме нас никого нет, и он в основном благородный человек. И из хорошего материала»*.

Горький за эти годы побывал в Америке и затем поселился в Италии. Гонорары его за это время выросли во много раз, и в США, где после его посещения сла-

---

* Обе цитаты в оригинале по-русски.

ва его была велика, ему платили за брошюру 5 тысяч долларов, а 17-е издание «Фомы Гордеева» в Америке дало ему возможность поселиться на Капри. Вообще уже с 1903—1904 годов деньги шли к нему легко, и он легко расстался с ними, когда в конце 1904 года он послал через А. Богданова Ленину в Женеву 700 рублей для издания его газеты «Вперед». (Получив эти деньги, Ленин написал Богданову: «Тащите с Горького хоть понемногу».)

Деньги Горького и деньги забастовочного комитета дали Парвусу возможность стать на ноги и начать разворачивать свои дела во всеевропейском масштабе. Эти деньги были для него спасением, потому что, пока он был в России, его издательство прогорело, и компаньон Мархлевский, объявив себя банкротом, находился в бегах. Горького поведение Парвуса сначала не смутило, он решил прибегнуть к третейскому суду. Уже в 1905 году мы застаем И.П. Ладыжникова в Берлине, в переговорах с Лениным и Л.Б. Красиным (партийная кличка Никитич), будущим советским наркомом и первым послом во Франции. Ленин и Красин уполномачивали И.П. начать издательство русских с.-д. большевиков в Берлине. Собственно, И.П. должен был не столько начать издательство, сколько перенести свое, уже существующее небольшое печатное дело, «Демос», из Женевы в Берлин и расширить его под новым названием.

Издательство учреждалось для ввоза нелегальной литературы в Россию, и для этого следовало востребовать с Парвуса горьковский гонорар, им присвоенный. Денег И.П. с Парвуса, однако, не получил, а третейский суд, хотя и погубил социалистическую репутацию Парвуса навсегда, но нисколько не помешал его успехам в дальнейшем. Его исключили из германской с.-д. партии, и русские социалисты подвергли его остракизму, но он перенес это легче, чем можно было предполагать. 130 тысяч золотых марок было у него в кармане, и он не прочь был начать новую жизнь. Троцкий отвернулся от него одним из последних, около 1908 года, к этому времени ученик давно уже перестал нуждаться в учителе. Кое-как перебиваясь от одной спекуляции к другой, Парвус за все свои проделки был наконец выслан из Германии и в 1910 году уехал в Турцию, где через пять лет стал богатейшим человеком, дельцом, работавшим на военных поставках — главным образом с Германией. В 1915 году Троцкий публично отмежевался от него (в «Нашем слове»), прощаясь с ним, как с еще живой, но для него — исторической фигурой.

Горькому ничего не помогло: ни его официальная жалоба в ЦК русской и германской социал-демократических партий, ни созданная для суда над Парвусом «партийная комиссия» в составе русских и германских социал-демократов, ни вмешательство в это дело Карла Каутского, Августа Бебеля и Либкнехта-отца, ни то, что со стороны Горького шли в третейский суд Ильич и Никитич. Одновременно с задачей получить с Парвуса деньги была и вторая — «не дать в руки буржуа каких-либо козырей». Эта последняя задача удалась куда лучше первой: дело обеим сторонам, хотя и с большим трудом, удалось удержать от огласки. Только гораздо позже, а именно в 1930 году, Горький наконец решил нарушить молчание и в своей заново переделанной статье о Ленине дал краткий и не очень точный отчет о происшедшем двадцать семь лет тому назад. Но в этот год у Горького были причины раскрыть старую тайну: в 1930 году он решил уехать в Россию навсегда. После двух поездок туда он увидел, что самые поездки ему не под силу и надо переселяться окончательно. Он поехал туда еще два раза и потом сделал наконец тот роковой шаг, который повлиял не только на его дальнейшую жизнь, но и на жизнь его близких. Строки о деле Парвуса были его прощанием со своим долголетним европейским прошлым:

«К немецкой партии у меня было "щекотливое" дело: видный ее член, впоследствии весьма известный Парвус, имел от "Знания" доверенность на сбор гонорара с театров за пьесу "На дне". Он получил эту доверенность в 1902 году в Севастополе, на вокзале, приехав туда нелегально. Собранные им деньги распределялись так: 20% со всей суммы получал он, остальное делилось так: четверть — мне, три четверти в кассу с.-д. партии. Парвус это условие, конечно, знал, и оно даже восхищало его. За четыре года пьеса обошла все театры Германии, в одном только Берлине была поставлена свыше 500 раз, у Парвуса собралось, кажется, 100 тысяч марок. Но вместо денег он прислал в "Знание" К.П. Пятницкому письмо, в котором добродушно сообщил, что все эти деньги он потратил на путешествие с одной барышней по Италии. Так как это, наверно, очень приятное путешествие лично меня касалось только на четверть, то я счел себя вправе указать ЦК немецкой партии на остальные три четверти его. Указал через И.П. Ладыжникова. ЦК отнесся к путешествию Парвуса равнодушно. Позднее я слышал, что Парвуса лишили каких-то партийных чинов, говоря по совести, я предпочел бы, чтоб ему надрали уши. Еще позднее мне в Париже показали весьма красивую девицу или даму, сообщив, что это с ней путешествовал Парвус».

Первые два года в Константинополе для Парвуса были трудными, так что Троцкий даже помог ему устройством нескольких его корреспонденций в «Киевской мысли», где в это время писал сам. Понемногу Парвус вошел в дружбу с младотурками и получил место представителя заводов Круппа в Оттоманской Империи. Он также оказался очень скоро в связи с одним из богатейших людей Европы, греком Базилем Захаровым, поставщиком, как и Крупп, оружия без разбора любому государству-заказчику. Перед самой войной, весной 1914 года, Парвус почувствовал под ногами твердую почву: он положил в банк свой первый миллион. Начиная с зимы 1914–1915 года он начал ворочать крупными заказами для Германии: зерна, угля, оружия. Победа Германии для него значила поражение России.

Поражение России значило революцию и конец капиталистического мира.

Несмотря на то что он был изгнан из с.-д. кругов России, Германии, Австрии, Швейцарии, он продолжал писать и печатать политические статьи, всегда яркие, всегда крайние, всегда злободневные. Одно время он был экономическим редактором младотурецкой газеты. Во время Балканской войны он делал военные поставки турецкому правительству и работал в турецкой военной разведке. Немецкий язык он знал в совершенстве, теперь он отлично владел турецким. Он, как мог, толкал Турцию к тесному союзу с Германией еще в 1912 году. Имперская Германия давно была для него символом свободы и прогресса, Россия — символом мракобесия и реакции. Одно время он жил в Болгарии, где вел прогерманскую пропаганду и где его публичные лекции собирали аудиторию в 4 тысячи человек. Он связался, по совету германских послов в Константинополе и Софии, с украинцами-сепаратистами. Все были ему нужны, кто был против России за Германию, в партиях ему разбираться было некогда. Поддерживая отношения с русскими эмигрантами в Швейцарии, он искал среди них пораженцев и сторонников раздела России по национальностям. В 1915 году он начал получать от имперского правительства Германии деньги. Часть их он раздавал своим ученикам, сотрудникам и единомышленникам*.

К 1915 году Парвус был своим человеком у многих германских дипломатов, живших в Константинополе, познакомился с германским статс-секретарем фон Яговым и открыл ему свой замысел: он просил, чтобы денежная помощь была оказана так называемым пораженцам, т. е. крайне левому крылу русского политического сектора, преимущественно находящегося в эмиграции в Швейцарии, а также некоторым национальностям, ко-

* В архиве Гувера в Станфорде, Калифорния, имеется расписка Парвуса на один миллион марок (золотых, 1915 г.), полученных им от германского правительства.

торые боролись за свою независимость. Фон Ягов обещал ему поддержку. Первой задачей Парвус считал — оторвать от России Украину. План заключался в том, чтобы на немецкие деньги создать единый антирусский фронт. Германское правительство обсудило его проект. Оно сочувствовало ему, считая, что этим Германия окажет давление на русского царя и ускорит сепаратные мирные переговоры. К концу 1915 года Парвус сделался главным советником по революционному движению в России при германском генеральном штабе. Он получил миллион золотых марок для работы в Цюрихе, Бухаресте и Копенгагене. Он выехал в Берлин, в Вену, в Копенгаген, в Швейцарию. Он поражал своей энергией, здоровьем, физической силой (он весил полтораста кило). Но сочувствия среди социал-демократов, как немецких, так и русских, он не встретил: его называли «спекулянт» и «агент Турции». Роза Люксембург разорвала с ним отношения, она была в курсе всех его авантюр, Троцкий отказался встретиться с ним. Ленин старался его избегать. Только Шейдеман и Эберт остались до конца ему верны. Для своего престижа, и отчасти, чтобы камуфлировать свою деятельность, Парвус открыл в Копенгагене «Научно-исследовательский Институт для изучения последствий войны», но главным образом — для нужной ему политико-экономической международной информации. Он перевез через Германию в Данию русских эмигрантов, которых взял к себе на службу в институт. Старый и много болевший в эти годы лидер русских с.-д. Ю.О. Мартов, живший в Швейцарии, считал, что поведение Парвуса «нетактично».

В Копенгагене он своих сотрудников устроил в комфортабельных квартирах, положил им приличное жалованье, а в ближайшие помощники себе взял своего родственника Фюрстенберга-Ганецкого, который был его связующим звеном с Лениным и оставшимися в Цюрихе и Женеве большевиками. Есть историки, которые считают, что Ганецкого к Парвусу подослал Ленин (о чем Парвус не догадывался), чтобы через Ганецкого, который был Ленину верен, знать о том, что делается в копенгагенском институте, и быть в курсе деятельности Парвуса, к которому Ленин никаких симпатий не питал. Быть может, этим объясняется позже успешная карьера Ганецкого в наркоминделе: одно время он был заместителем наркома.

Война не только не мешала коммерческим делам Парвуса, она шла ему на пользу. Из Германии через Данию вывозились товары в Россию, а из России — в Германию. Миллионы были им заработаны на угле. (Здесь, между прочим, его пути скрестились с дорогой Г.А. Соломона.) Дания во всем этом играла первенствующую роль, ничего нелегального не было в торговых сношениях с этой страной. Земанн в своей книге о Парвусе* говорит, что торговля между Германией и Россией с августа 1915 года до июля 1916 года составляла более одиннадцати миллионов золотых рублей (т. е. по тогдашнему золотому курсу около 22 миллионов германских марок). Парвус, пишет Земанн, искусно мешал политику и коммерцию, восемь человек служили в Копенгагене в Институте, десять ездили из Дании в Россию и из России в Данию. К концу 1916 года открылись еще «институты» в Турции, Германии и Швеции. Со Швецией, однако, не все пошло благополучно, шведское правительство стало ловить и выселять «шпионов», русских эмигрантов, которые постепенно бежали в Норвегию. Большевик Шляпников пишет даже о панике в связи с высылками Бухарина, Пятакова и Коллонтай. О Парвусе же Шляпников выражается не совсем по-русски в своих воспоминаниях: Парвус, пишет он, начал «жертвовать и учреждать полезные предприятия».

Щедро раздавая деньги, он сам теперь жил по-царски, вокруг него кормились организации — русские и не русские. Экспортным делом заведовал Ганецкий, который

---

* *Z. Zemann & W. Scharlau*. The Merchant of Revolution. London — N. Y., 1965.

через два года оказался помощником Чичерина в наркомате иностранных дел, в Москве.

(Много лет спустя, в 1930-х годах, один из его двух сыновей, дипломат в Риме, Лев, сделался одним из первых советских невозвращенцев и вместо того, чтобы вернуться в Москву по вызову Сталина, уехал по фальшивому паспорту в США, где в Нью-Йорке в 1960-х годах и умер. Другой сын, Евгений (Лазарь), от второго брака, тоже советский дипломат, но в Берлине, был сослан Сталиным в концлагерь, был возвращен в 1955 году и, по слухам, в конце 1960-х годов был еще жив.)

Дружбы Парвус заводил легко. Граф Брокдорф-Ранцау, германский посол в Копенгагене, позже — посол в Советском Союзе, в нем души не чаял. Сепаратный мир с Россией мог быть достигнут через революцию, и немцы это понимали. О Парвусе уже знал канцлер Бетман-Гольвег, которого Парвус через Брокдорф-Ранцау осведомлял о плохом состоянии вооружения в России, об ухудшающемся положении с продовольствием, и о падении духа в войсках. Но когда Парвус предложил канцлеру начать печатать фальшивые русские деньги в Германии, чтобы уронить русский рубль, это его предложение было отвергнуто.

Еще в 1915 году он стал германским подданным. Это обстоятельство и вся вообще его деятельность, а также его журнал «Die Glocke» («Колокол») — потому что он успевал и писать, и издавать политический журнал — направлены были также и против немецких с.-д. типа Каутского, которые ничего не хотели иметь с ним общего; его действия не находили сочувствия у Ленина и его окружения. Мысль Парвуса о том, что германский генштаб есть покровитель пролетариата в его борьбе с царизмом, коробила Ленина, и он старался не подпускать Парвуса и его «Колокол» близко к себе. То, что Парвус считал себя посредником между германскими военными и русским рабочим классом, было Ленину глубоко противно. Орган Парвуса он считал органом ренегатов и лакеев, «помойной ямой германского шовинизма». Все, что делал и даже думал Парвус, Ленину было известно через Ганецкого, с ним Ленина связывали давние дружеские отношения, с ним Ленин не порывал.

Весь 1915 год Парвус твердо обещал Брокдорф-Ранцау и за ним стоящим, что в январе 1916 года в России вспыхнет всеобщая забастовка, вызванная его, Парвуса, стараниями. Этого не случилось, но к удивлению многих вспыхнула забастовка частичная: в Николаеве забастовали 10 тысяч рабочих и в Петрограде — 45 тысяч. Это слегка подняло Парвуса в глазах немцев, которые начали охладевать к нему после его проекта печатания фальшивых денег. Ему в том же месяце дали миллион марок. Он решил переехать на жительство в Копенгаген, у него там было несколько домов; кроме того, он держал постоянную квартиру в отеле «Кайзерхоф». На библиотеку исследовательского Института он давал в месяц 40 тысяч датских крон. Дела его теперь были необычайно разнообразны: уголь, презервативы, оружие, чулки, лошади и т. д. Глава датских профсоюзов был его другом. В эти месяцы он давал один миллион датских крон кредита своим поставщикам.

В марте 1917 года он решил, что Временное правительство подпишет сепаратный мир с немцами, крестьяне поделят землю и солдаты бросят оружие, и сейчас же послал телеграмму в Петроград: «Ваша победа — наша победа!» На это приветствие он ответа не получил.

Но это не смутило его. Он немедленно повернул в другую сторону. В Стокгольме жил в это время Радек, и через него Парвус начал посылать деньги в Петроград, чтобы поддержать пораженческую прессу. Часть денег Радек удерживал для будущих посылок в австрийскую часть Польши, а Раковский брал деньги для посылки в Румынию. Большевики, высокомерно обращавшиеся с Парвусом в 1914 году, были за мир, и этого ему было довольно. Агенты Радека ездили в Россию и обратно. Парвус поехал в Стокгольм и сам открыл там несколько текущих счетов.

Любопытно видеть, как люди, причастные в эту весну 1917 года к русским делам, судили о деятельности Парвуса: германские министры считали, что он работает на треть для Германии кайзера, на треть — для германских социал-демократов и на треть для большевистской партии; стоявшие на платформе Временного правительства журналисты Бурцев и Алексинский громили его, а заодно и Ленина, раскрыв в печати связь Ленина с Ганецким; швейцарские эмигранты считали, что Германия давала транзит из Швейцарии в Скандинавские страны по первому требованию Парвуса; все говорили о субсидиях, которые посылаются из Копенгагена «Правде». Парвус, однако, считал, что легче подорвать русскую буржуазную революцию анархией, чем социальной революцией, и в этом он глубочайшим образом расходился с Лениным.

Он, видимо, без согласия Ленина (но и без изъявления протеста, т. е. при полном его, Ленина, молчании) как-то вовлекся в дело устройства переезда нескольких групп большевиков в апреле из Швейцарии в Россию. Но это не смягчило отношения к нему ни Ленина, воспользовавшегося этой возможностью, ни Зиновьева, ехавшего с ним: визы Парвусу на въезд в Россию Ленин не выдал и дал ему знать, что если Парвус приедет без визы, его немедленно вышлют обратно. Он продолжал перевозить русских социалистов-эмигрантов до конца лета 1917 года, как пишет советский историк М.Н. Покровский, цитируя данные британской разведки.

К этому времени у него началась мегаломания, к которой он всегда был близок: он хотел издавать двести ежедневных газет сразу — в России, Китае, Афганистане, Японии; смета была 200 миллионов. Обнаружились какие-то скандалы, от которых пострадала репутация поддерживавших его дольше других Шейдемана и Эберта. Все богатея, он видел, что репутация его пошатнулась всерьез. Его мечта о победе Германии была разрушена в сентябре 1918 года, когда началось наступление союзников во Франции. Он стремительно выехал в Швейцарию, купил замок под Цюрихом, населил его женщинами, старыми друзьями, которых кормил и поил, и всяким сбродом. Швейцарские власти выслали его в Германию за «оргии». В 1920 году он купил другой замок, вернее — дворец, под Берлином, на Ванзее. Тут он жил широко, принимал толпу знакомых, среди которых бывали и бывшие министры, и дипломаты, а также германские социал-демократы и члены правительства. Ливрейные лакеи, секретари, мажордом, повар окружали его. Он установил этикет. Сброда больше не было. Были женщины — кокотки, актрисы, красавицы. Тут он предсказывал Вторую мировую войну, полемизировал в своем «Колоколе» с президентом Вильсоном, Клемансо, Ллойд-Джорджем по поводу Версальского мира. Сюда летом 1921 года к нему приехал из Берлина медлительный, никогда не улыбающийся, тучный Иван Павлович Ладыжников, знакомый ему еще в начале века «агент Горького», большевик, не состоящий в партии, но разделявший программу той фракции с.-д., которая теперь была в России у власти.

Иван Павлович прямо перешел к делу: он потребовал когда-то растраченных денег Горького, растраченных Парвусом «на блондинку» — 130 тысяч золотых германских марок, по тогдашнему счету 35 тысяч золотых долларов, плюс — три с половиной процента годовых за семнадцать лет. На этот раз, объяснил ему И.П. своим тягучим басом, всегда звучавшим одной и той же нотой, он собирается начать не третейское разбирательство, на этот раз будет коронный суд. Если тогда Горький боялся за свою репутацию сутяги — у него были судебные разбирательства с Пятницким и с немецким переводчиком Бруно Кассирером, — то теперь он ничего не боится, и Ладыжников пойдет в суд — настоящий. Немецкий.

Уезжая из Петрограда в Берлин в феврале и зная, что Горький в течение этого года непременно выедет тоже, если только «не отдаст Богу душу», — И.П. любил старые русские выражения, а также славянские слова, а кроме того, был реалистом и не слишком верил в просвечивание селезенки доктором Манухиным, — он взял у Горького нотариальную доверенность на взыскание с Парвуса старого долга. Ладыжников знал возможные доходы, и настоящие, и на год вперед, Горького до последней копейки, они были немалые, если их сравнить с доходами других русских писателей, которые жестоко бедствовали уже в это время в Париже, Праге и Белграде, не говоря уже о тех, которые оставались у себя на родине. Но для Горького они были недостаточны. Выдумка желтой прессы до революции, а позже белых эмигрантов о том, что Горький живет в роскоши, что у него миллионы и виллы, всегда была только выдумкой. Со времени разрыва с первой женой, Екатериной Павловной, начинаются его постоянные жалобы в письмах на безденежье, на затруднения с платежами. Уже в 1906 году, когда, казалось бы, на одни американские переводы можно было жить безбедно, он писал Ивану Павловичу, обещая, впрочем, дать денег на большевистские издания: «Туго мне придется, ох, туго!» Редкое письмо к Ладыжникову, вплоть до разрыва с Марией Федоровной в 1913 году, не содержит в себе таких лаконических жалоб, как: «Денег нет», или более подробных: «Трудно мне. Пришлите, что можете». Несколько раз в переписке с И.П. встречается просьба взять у кого-нибудь на время или даже послать ему срочно деньги Шаляпина, которые хранились у И.П. (гонорар Шаляпина за его книгу, написанную с помощью Горького): «Денег у меня нет. Взять их неоткуда и придется истратить деньги Шаляпина». А если и это не удастся, то надо будет «взять аванс у Сытина» или еще немного «выжать» из «Знания». Или даже: «Продайте мою часть в "Знании"», — хотя не совсем ясно, о какой части здесь говорится: когда «Знание» было ликвидировано, за Горьким остался большой долг.

Причин этим постоянным денежным заботам было немало: под давлением Андреевой, которая, впрочем, никогда не шла против его желаний, он давал значительные суммы большевистской партии на всевозможные революционные издания, в которых иногда участвовал и сам, или отказывался от гонорара за статью или даже книгу, посылая деньги партии; он жил на виду у России и Европы, и в его вилле на Капри (нанимаемой, не купленной в собственность) постоянно гостили четыре — шесть человек, а то и больше. Был повар, была прислуга. В России оставалась Ек.П. Пешкова с сыном Максимом, которой он регулярно посылал средства: «Ек. П. тоже надо дать немного денег. Пожалуйста! Хоть займите где-нибудь под проценты, а?» У нее была квартира и прислуга в Москве, Максим учился, летом ездили на Итальянскую Ривьеру. Кроме того, были люди, которые в течение многих лет целиком жили на то, что регулярно посылалось им Горьким, их можно было насчитать не меньше семи, в том числе два старых приятеля из Нижнего Новгорода и жена писателя Ивана Вольного, итальянка, которая позже с сыном гостила несколько раз в Сорренто, а также отчасти и его приемный сын Зиновий Пешков.

Теперь, в 1921 году, Ладыжников понимал, что денег Горькому нужно будет еще гораздо больше, и прежде всего потому, что, как бы сенсационно ни писали о нем европейские и американские газеты, тираж его сочинений несомненно упадет в послевоенной Европе. А сможет ли Горький писать киносценарии, еще неизвестно, как бы он ни мечтал об этом. И.П. казалось, что Горький этого делать не сумеет, и как показало будущее — он оказался в этом прав. «Семья», которая очень скоро должна была вся осесть в Германии, или Италии, или другом каком-нибудь месте, будет гораздо больше, чем была его довоенная каприйская семья. Совсем недавно в одном из писем Горький уже запрашивал Ладыжникова: «Не дадите ли мне двадцать пять тысяч?» Будет Мура, которая должна будет содержать в Эстонии гувернантку и двух детей; будут Максим с женой и, вероятно, постепенно — их дети; будет Соловей, который никогда ничего не мог заработать и только может вести домашнюю жизнь, обуреваемый мнительностью и просто ленью, но тем не менее, по мнению всех, добрый, уютный и по-своему очаровательный человек (И.П. называл его «дефицитный»); в Москве оставалась Ек.П., у которой хотя и была служба советницы Дзержинского по делам ликвидированной эсеровской партии, в которой она когда-то состояла и потому считалась спецом по этому вопросу, но она работала без жалованья, из каких-то старых своих принципов, которые, впрочем, репрессированным членам партии не помогли. Андреева и Крючков числились теперь чиновниками берлинского торгпредства, и о них заботиться не надо было. Но вот-вот должен был встать серьезный вопрос об издании Горького в России: если, как считалось в данный момент, из-за отсутствия бумаги Ивану Павловичу было дано разрешение открыть издательское дело в Берлине, чтобы печатать Горького и, может быть, со временем даже других советских писателей, то сможет ли он, Ладыжников, довести до конца собрание сочинений, которое он с Горьким проектирует? Не перейдет ли вся печать в конце концов в руки Госиздата? И надо сказать, что он и тут был прав: опасения его были не напрасны: в 1924 году Госиздат сделался единоличным издателем Горького.

Сейчас это обстоятельство не могло еще казаться опасным. Было слишком рано думать об этом. Колебания европейской валюты гораздо больше волновали Ладыжникова. Австрийский шиллинг уже ничего не стоил, немецкая марка начала падать, и до катастрофы оставался еще год. Между тем, срок приезда Горького в Берлин приближался: сначала был назначен август, потом сентябрь. И.П. знал, что Горький приедет без денег, что старые довоенные контракты потеряли свою силу и что извлечь что-либо из европейских издателей за напечатанное с 1916 года будет делом нелегким. И, действительно, он опять оказался прав: в письмах Горького после его приезда в Европу, в октябре, возобновляются мольбы о деньгах: из России была им вывезена его коллекция нефрита, и он с первого же дня начал искать европейского или американского коллекционера, чтобы ее продать. Он также постарался довести до сведения Ленина, через Ек.П., что он, приехав в Германию, бедствует. Ленин писал Молотову в декабре 1921 года, что необходимо Горького «включить в список людей, лечащихся за границей за счет советского государства». Насколько сейчас известно, из этого ничего не вышло. И к новому 1922 году Иван Павлович преподнес Горькому сюрприз: первый платеж Парвуса его старого долга.

В том, что Парвус, после некоторого колебания, согласился на возврат денег, ничего удивительного не было: в конце концов, при его тратах, при трех домах в Копенгагене, замке в Швейцарии, миллионах в Женевском банке, при его содержанках и дворце на острове посреди озера Ванзее (позже этот дворец принадлежал Геббельсу и сейчас открыт для осмотра туристами), при всем его богатстве, 35 тысяч долларов, даже с процентами, по тогдашнему обычаю три с половиной процента годовых, были для него суммой небольшой. Но удивительно, с какой тщательностью, с какой твердостью, с каким упорством те, кто знали об этом факте в 1920-х годах, хранили тайну. А знали, конечно, и Андреева, и Максим, и Мура, и Крючков, и, возможно, но не наверное – Екатерина Павловна. Я сама присутствовала в кабинете Горького в Саарове, когда Горький рассказывал об этом Ходасевичу, но я в то время была совершенно глуха к разговорам денежного порядка. Не только я не проронила ни слова, я очень туманно помню этот разговор, и если бы Ходасевич не напомнил мне позже о нем, я бы никогда не вспомнила о горьковском признании. Ходасевич также напомнил мне, что тогда же Горький пожаловался ему на Зиновьева, одной из первых обид которого, нанесенных им Горькому, был запрос в печати одного из зиновьевских сатрапов о деньгах, полученных Горьким для издания «Новой жизни»: Зиновьев хотел знать, была ли это субсидия Парвуса? Ходасевич не только никогда ни с кем о «тайне Горького» не говорил, но нигде даже для себя ее не записал и не намекнул на нее ни в книге воспоминаний «Некрополь» (1939), ни в напечатанном мной посмертно тексте послесловия к воспоминаниям о Горьком («Совр. Записки», кн. 70). И я сама не выдала секрета, когда в автобиографии («Курсив мой», 1972) описала прощальную сцену с Горьким в день нашего отъезда из Сорренто, в апреле 1925 года. Когда коляска итальянского возницы покатила по дороге в Кастелламаре, Ходасевич сказал (текст «Курсива»):

«Нобелевской премии ему не дадут, Зиновьева уберут, и он вернется в Россию».

На самом деле, Ходасевич сказал:

«Нобелевской премии ему не дадут, Зиновьева уберут, платежи Парвуса прекратятся, и он вернется в Россию».

Парвус умер за три месяца до этого.

Удивительно было не только то, что со стороны Горького соблюдалась тайна. Видимо, и Парвус хотел этого. Его секретари и адвокаты умели молчать. Но почему Горький так боялся разоблачения? Ведь он был жертвой и получал теперь свои же деньги, которые по праву принадлежали ему. Что было в этом такого, что требовало хранения тайны? Вот именно жертвой-то он и не хотел быть, ему было стыдно быть жертвой, стыдно, что его, умного человека, провели, что его провел свой же товарищ социал-демократ. Вся деятельность Парвуса с 1903 до 1922 года была такова, что стыдно было иметь с ним хоть какое-нибудь дело — особенно русскому писателю, большевику, другу Ленина, хоть и не члену партии. Горький по всему своему характеру и привычкам был поздний викторианец, стыд для поздних викторианцев был тучей, непрестанно тяготевшей над ними в еще гораздо более сильной степени, чем над ранними викторианцами.

Стыд их всегда был связан с тайной — личной, семейной, групповой, общественной или даже всенародной, т. е. отечественной. Была ли это «дурная болезнь» дедушки, подхваченная в молодости, или самоубийство племянника, или незаконный ребенок сестры, или безумие тетки, или это был скандал в карточном клубе, где человек был членом много лет, или ренегатство товарища по партии — все должно было храниться в тайне, чтобы не было стыда, а если родиной была проиграна война или случился «национальный позор» (в просторечьи: кто-то в международном масштабе сел где-то там в калошу), то единственный способ вычеркнуть этот факт из памяти — не говорить о нем, не слушать, не думать о нем, забыть его.

Стыд за другого и стыд за самого себя как-то смешивались в Горьком в одно, и быть обокраденным было так же неловко, как обокрасть кого-нибудь. Видеть в неаполитанском музее, стоя рядом с женщиной, статую без фигового листа, было таким внутренним терзанием, что он становился темно-красного цвета и немедленно скрывался с глаз; видеть на сцене женщину с обнаженной грудью было для него нестерпимой мукой; было стыдно за мокрые пеленки крестьянского младенца, за непечатное слово, произнесенное незнакомым прохожим вслух, и особенно было стыдно за собственные подтяжки, забытые утром в уборной на гвозде. И стыд за чужое бесстыдство, за все, что выходит за рамки кодекса поведения людей прошлого века: за свет лампы, когда двое в объятиях друг друга — а по кодексу должно быть темно; за незастегнутые брюки маляра, громко поющего итальянскую песню про солнце, любовь и Сорренто. И за небольшую кучу, наложенную фокстерьером утром в саду.

Парвус начал выплачивать деньги в январе 1922 года, делая взносы четыре раза в год. Каждый взнос был в две тысячи долларов, и Ладыжников клал его (в долларах) в Дрезденский банк. Крючков переправлял сумму сначала в Сааров, потом — в Чехию, а затем, с весны 1924 года, — в Сорренто. Таким образом, Горьким было получено 26 тысяч долларов. Весь 1924 год были задержки. В январе 1925 года деньги не пришли, а были получены только в феврале. Это был последний платеж, и Иван Павлович написал Горькому, что в декабре 1924 года Парвус скоропостижно умер, что платежи прекращаются: завещания найти не удалось, наследников — потомство от четырех (незаконных) браков — появляется с каждым днем все больше, и разобрать, кто — адвокат, кто — компаньон, а кто — просто мошенник, ему до сих пор не удалось. Что до капиталов, то их, видимо, предстоит искать днем с огнем.

Последние десять тысяч долларов и проценты долга оказались невыплаченными. Парвус в последние месяцы своей жизни уже был недосягаем. Ладыжников постепенно потерял с ним контакт. Не исключена возможность, что он в это время скрывался от полиции: его репутация после изгнания из Швейцарии, особенно в последние месяцы его жизни, была на той точке, ниже которой спуску не было. Его здоровье было подорвано распутной жизнью, едой и питьем; при его огромном росте и необъятной толщине, его диабет мог только усилиться от совершенно безрассудного и безудержного гурманства. Стало известно, что он умер от удара. Секретом было, в какой валюте держал он свои капиталы, но несомненно, что катастрофа с германской маркой не могла не повлиять на его дела, особенно потому, что новые немецкие законы теперь облагали огромным налогом недвижимость и капиталы, приобретенные благодаря спекуляции на валюте. «Слон с головой Сократа», по выражению Розы Люксембург, исчез с лица земли, а с ним и его дела. Великий конспиратор сумел уйти из жизни, окружив свой последний шаг такой же тайной, какой он окружал свою жизнь.

Ладыжников и Крючков очень скоро узнали в торгпредстве, что в Берлине появился сын Парвуса от первой жены, человек лет двадцати пяти, преданный советской власти, служащий в Москве в наркоминделе. Он был принят туда по рекомендации старого компаньона Парвуса, польского коммуниста Мархлевского, и продвигался по службе благодаря покровительству Ганецкого. Евгений Александрович Гельфанд-Гнедин с разрешения центра приехал в Берлин хлопотать о миллионах отца не для того, чтобы получить их, но для того, чтобы их передать советской власти. Гнедина в Берлине встретила четвертая жена его отца (с которой он обвенчался накануне смерти) и ее дочь от Парвуса. Затем появились, один за другим, сын от второй жены и два — от третьей. Они тоже требовали своей доли наследства. Но немецкий суд не признал этих трех последних правомочными и назначил над наследством опекуна, с которым Евгений Гнедин не сумел установить никаких отношений. Этот опекун, а также дельцы, доверенные лица, нотариусы, юрисконсульты и адвокаты (все — члены германской соц.-дем. партии), после целого года волокиты, выделили Гнедину одну тысячу марок, которую он передал торгпредству. Один из доверенных лиц между прочим сказал Гнедину, что Парвус «забыл, что дал ему в свое время полмиллиона».

В сейфе Парвуса в швейцарском банке, куда швейцарское правительство Гнедина не пустило, оказалась одна веревочка. Наряду с этим, Гнедин узнал о принадлежавшем Парвусу пароходстве, но найти его ему не удалось.

Он наконец передал все свое дело в руки берлинского торгпредства, вернее — в руки немецких адвокатов торгпредства и двух русских его сотрудников. Еще больше чем деньгами, Гнедин был озабочен судьбой архивов Парвуса; в дом на Ванзее его не пустили, и бумаги оттуда ушли без его ведома в архивы германской соц.-дем. партии. Что касается документов копенгагенского Института, то их взяли чиновники, присланные из Москвы в помощь торгпредству, и увезли их в Ленинскую библиотеку. А двое русских сотрудников торгпредства, помогавшие адвокатам, через несколько лет ушли со службы, отказались от советского подданства и уехали из Германии в США, где стали состоятельными людьми и домовладельцами.

Наконец, в 1927 году Гнедин получил свою долю отцовского наследства — сто тысяч рейхсмарок, которые он немедленно перевел торгпредству «для борьбы с капитализмом», как он и обещал. Дальнейшая судьба его ничем не отличалась от судьбы тысяч других советских чиновников: в 1939 году он служил первым секретарем советского посольства в Берлине, когда был арестован, — видимо, его оговорил Михаил Кольцов. Гнедина пытал сам Берия (с помощником), после чего он был сослан в концлагерь на двадцать лет, но срока не выполнил, и через шестнадцать лет (после смерти Сталина) был возвращен и реабилитирован. Он пострадал со всеми другими служащими наркоминдела, когда Литвинов был сменен Молотовым вследствие прогерманской политики Сталина, в последние месяцы перед заключением советско-германского пакта.

Рассматривая теперь этот период жизни Горького, надо сказать, что годы 1921—1927 (первая поездка в Советский Союз была в 1928 году) были счастливыми годами — хотя колебания, ехать или не ехать в Россию, и были*. Лучшие вещи его были написаны в это время, и, несмотря на болезни и денежные заботы, была Италия. Годы эти были счастливыми и для его сына, и невестки,

---

* На втором месте после денежных забот стояла проблема допущения в Россию «Беседы», на третьем — процессы эсеров, которые шли в России в 1922 году. Об этом свидетельствует письмо Горького Рыкову, которое мы здесь приводим полностью:

«Алексей Иванович!
Если процесс социалистов-революционеров будет закончен убийством, это будет убийство с заранее обдуманным намерением, гнусное убийство.

Я прошу Вас сообщить Л.Д. Троцкому и другим, это мое мнение. Надеюсь, оно не удивит Вас, ибо за все время революции я тысячекратно указывал Советской власти на бессмыслие и преступность истребления интеллигенции в нашей безграмотной и некультурной стране.

Ныне я убежден, что если эсэры будут убиты, — это преступление вызовет со стороны социалистической Европы моральную блокаду России.

М. Горький. 1 июня 1922».
(Архив Гувера, Калифорния).

и даже для Муры. Летом 1922 года, когда я впервые увидела ее, было ясно, что Горький и она пришли к некоему согласию, форма жизни была установлена, и все теперь шло гладко. Но это случилось не сразу: целый год, с июля 1921 года, когда Мура металась между Таллином и Гельсингфорсом, Таллином и Лондоном и все откладывала свой приезд в Санкт-Блазиен, и до июня 1922 года, когда я встретила ее, она, видимо, сама не знала, какие условия ставить и на какие уступки идти. Осенью 1921 года она написала Горькому, что вышла замуж, когда она вышла замуж только в январе 1922 года. В декабре она сообщила ему, что едет к нему, но не приехала. В апреле, когда он (3-го числа) переехал из Санкт-Блазиена в Берлин и поселился с Максимом, Тимошей и Ракицким в квартире на Курфюрстен-дамм, № 203, снятой ему Андреевой, Мура была в Эстонии. Трудно представить себе, чтобы она, после краткого свидания с ним в Гельсингфорсе, ждала до июня — больше полугода, — чтобы наконец принять решение и поехать жить к нему в дом. Шел ли между ними спор об условиях сохранения ею свободы, или какое-то постороннее обстоятельство мешало ей приехать? Не потребовал ли Лай, чтобы она оставалась с ним, угрожая ей, или В.В. Тихонова не так легко согласилась на разрыв? Были ли замешаны во всем этом деньги или политические причины — остается неизвестным.

Когда он 30 мая 1922 года переехал в Херингсдорф на лето, со всеми вместе, она наконец решилась приехать к нему. А еще через три месяца, осенью, когда вся семья стала жить в Саарове, общая их жизнь, видимо, стабилизовалась.

Ее сияющее покоем и миром лицо и большие, глубокие и играющие жизнью глаза, — может быть, это все было не совсем правда, или, наверное, даже не вся правда, но этот яркий и быстрый ум, и понимание собеседника с полуслова, и ответ, мелькающий в лице, прежде чем голос зазвучит словами, и внезапная задумчивость, и странный акцент, и то, как каждый человек, говоря с ней или только сидя с ней рядом, был почему-то глубоко уверен в своем сознании, что он, и только он, в эту минуту значит для нее больше, чем все остальные люди на свете, давали ей ту теплую и вместе с тем драгоценную ауру, которая чувствовалась вблизи нее. Волосы она не стригла, как тогда было модно, она носила низкий узел на затылке, заколотый как бы наспех, с одной или двумя прядями, выпадающими из волны ей на лоб и щеку. Чуть подведенные глаза говорили, всегда говорили, и говорили именно то, что людям хотелось знать: серьезное, или смешное, или печальное и умное, или что-нибудь тихое и уютное. Ее тело было прямо и крепко, фигура ее была элегантна даже в простых платьях. Видимо, она уже тогда привозила из Англии хорошо скроенные, хорошо сшитые костюмы, научилась ходить без шляпы (что тогда было новостью), покупать себе дорогую и удобную обувь. Драгоценностей она не носила, мужские часы на широком кожаном ремне туго стягивали ее запястье. Пальцы всегда были в чернильных пятнах, и она от этого всегда напоминала школьницу.

В лице ее, несколько широком, с высокими скулами и далеко друг от друга поставленными глазами, было что-то жесткое, несмотря на кошачью улыбку невообразимой сладости, если бы не было этой сладости, Мура была бы мужеподобна и суха. Теперь, стройная и сильная, она научилась скрывать свою звериную или кошачью повадку, когда хотела, только здоровье ее говорило о выносливости. Один-единственный раз я помню ее больной в постели. Я вхожу в ее комнату ночью, рассвет в окне чуть брезжит. Я слышу ее стоны. Она мечется под простыней, я стараюсь укрыть ее одеялом, она внезапно требует таз, я лечу к умывальнику и держу ее голову в руках, пока ее рвет чем-то зеленым. А к утру она уже ходит широким шагом по комнате и собирает свои шпильки.

В ее обязанности входило все, что касалось сначала, в Германии и Чехословакии, пансиона или гостиницы, в которой мы все жили, потом, в Италии, дома, который она сняла, и повара, которого наняла. Когда я в первый раз приехала с Ходасевичем в немецкое приморское местечко Херингсдорф, на просторную дачу, виллу «Ирмгард», на берегу Балтийского моря, ее не было, она была в Эстонии, у детей. Потом она вернулась, и мы снова приехали: я познакомилась с ней, и мы узнали, что на зиму они переберутся в Сааров, в полутора часах от Берлина, и Горький хочет, чтобы мы тоже поселились там.

В Херингсдорфе она была за хозяйку. Он кашлял, курил без конца. Шварцвальд, где он провел зиму, едва ли помог ему. Как только он уехал оттуда, ему сразу стало хуже, и в Берлине все, что он получил в Санкт-Блазиене, пошло насмарку. Теперь лечивший его доктор Краус (или Маус) нашел тяжелое состояние сердца, серьезный невроз и сильное переутомление, но запретил и думать о том, чтобы лечить сердце, пока не вылечены будут легкие и не будет остановлен процесс. Еще из Санкт-Блазиена Горький писал Ленину: «Лечусь, два часа в день лежу на воздухе во всякую погоду. Здесь нашего брата не балуют: дожди — лежи, снег — тоже лежи! И смиренно лежим! Нас здесь 263 человека, один другого туберкулезнее. Жить — очень дорого».

Теперь в Херингсдорфе она была с ним. Дом был большой, и «молодежь» не мешала им. Там, на Кронверкском, они мало бывали одни, здесь они были вместе день и ночь. Гости приезжали все те же: Ладыжников, Гржебин, Шаляпин, Ал. Н. Толстой, Зиновий Пешков, Крючков. Он теперь уже не был только секретарем Марии Федоровны, он теперь был крупным служащим берлинского торгпредства, доверенным лицом и ее, и Горького. Между Крючковым и Мурой возникало иногда какое-то странное интуитивное понимание, не нуждавшееся в словах, понимание, что можно и что нельзя, что нужно и что не нужно.

Когда ему становилось лучше, днем, они ходили гулять к морю. Как потом в Саарове, в Мариенбаде и позже в Сорренто, он (и тот, кто шел с ним) ходил медленно; он носил черную широкополую шляпу, сдвинув ее на затылок, носил длинные усы, желтые, загнутые книзу, и волосы бобриком. Утром он читал газеты, надев на нос большие в железной оправе очки, и писал письма.

Он, в общем, болел всю жизнь и давно примирился с этим положением вещей; он как-то привык к своему туберкулезу, который, вероятно, в конце жизни и свел его в могилу. Он не замечал особой разницы: Шварцвальд, или Берлин, или дом в сосновом лесу в Саарове, куда его повезли осенью. Дом назывался санаторием только потому, что в нем жил доктор, который был к услугам гостей круглые сутки. В Сааров приехали и мы, но жили скромнее — в гостинице около вокзала, Банхофотеле, и ходили почти каждый вечер после обеда в санаторий. Он любил, когда вокруг него были люди.

Местечко зимой, не в сезон, было тихое, оно оживало только летом; людей кругом было мало. Они жили просторно и удобно. Внизу были «детские», т. е. комнаты Максима, Тимоши и Соловья, там жила и Валентина Ходасевич, когда приезжала гостить; на втором этаже жил Горький, и была какая-то неуютная, холодная, большая и пустая комната Муры. Но в это время уже начался новый период ее жизни: пишущая машинка была куплена, расписание дня установлено, порядок создан. А все-таки вплоть до января 1923 года никто не мог сказать, что все это надолго: может быть, ее отъезды и приезды, и трехмесячное ежегодное отсутствие не были уж так спокойно и покорно приняты Горьким? Она уезжала к детям — и ничто не могло изменить этого раз навсегда принятого обычая — летом, на Рождество и на Пасху она исчезала регулярно и неизменно. В одном письме своем к Ладыжникову, в декабре 1922 года, Горький писал: «Вы правы — надо жить в Берлине... Я написал Воровскому в Рим*, чтобы он узнал: как меня, пустят туда? Но — до Италии далеко, и я прошу вас поискать

---

* Характерная для Горького непоследовательность.

квартиру, хотя бы в городе, комнат пять, я думаю, ибо со мной будут жить Максим, Надя, да, конечно, и Соловей».

Но из этого ничего не вышло. Думал ли он, что в одну из своих поездок «к детям» она не вернется? Она не только возвращалась всегда, она писала часто, и все ее письма всегда приходили со штемпелем Таллина. Когда, после летней разлуки, мы следующей осенью соединились уже в Чехословакии, год делился на три части поездками Муры. Каждый раз она отсутствовала месяц, редко — полтора. У меня хранится запись этих поездок. По ним видно, что она ни разу не пропустила ни одной из них, вплоть до весны 1928 года, когда Горький начал свои ежегодные поездки в Россию. Тогда и Мура стала свободнее, и в письмах этого времени можно прочесть, что она была, например, в 1928 году во Флоренции, а в 1931 — в Лондоне, и не скрывала этого. Эти два упоминания мест, не связанных с Эстонией, любопытны: до этого она писала только из Берлина, где останавливалась по пути в Таллин и из Таллина, застревая там на неделю, иногда на две. Ее берлинские задержки были, по ее словам, всегда связаны с делами изданий Горького, которыми заведовали, как обычно, Ладыжников и Крючков, а также с деловыми свиданиями Муры с немецкими издательствами и европейскими и американскими литературными агентами. Все трое — И.П., Пе-пе-крю и она — работали в тесном единении, и Максим, живший в эти годы безвыездно при отце, был в полном согласии с ними.

Но в Берлине было и другое дело, и оно для Муры становилось огромной помехой во всем, что она ни делала, а главное — оно грозило испортить ее планы и взорвать будущее. Это был законный муж ее, барон Николай Будберг, который, как она говорила Ходасевичу, не сегодня завтра может сесть в тюрьму. За какие преступления? За шалости с карточными долгами, неоплаченными чеками, за какие-то женские истории, полные невыплаченных алиментов и, как ему самому казалось, совершенно безвредного любовного шантажа. Он мог легко погубить всем этим и ее репутацию, тем более что он теперь начал заниматься псевдо-политическими авантюрами, стал членом какого-то русско-немецкого союза, который как будто числится нелегальным. Она хотела доброго имени, а получила как раз обратное, и у нее все деньги уходят на него.

Ходасевич был из тех людей, которые умеют и любят слушать. Он никогда не спрашивал, начинала говорить она. Он особенно хорошо умел слушать женщин, с которыми он вообще чувствовал себя ближе и более легко, чем с мужчинами. Он привлекал их своим вниманием к ним, серьезностью и силой своего интереса. Никогда — и они это знали — ему не приходила мысль поучать их, или отечески покровительствовать им, или давать им непрошенные советы. Он слушал с абсолютным вниманием и реагировал только тогда, когда знал, что они ждут и хотят этого. И когда реагировал, то по-своему, не как отец, брат, или учитель, или любовник, но как старый преданный друг. И в ту минуту, когда он именно так реагировал, это было искренне и только таким, без единой фальшивой ноты, и могло быть. Только позже, когда эти минуты (или часы) проходили, появлялись в нем критика, ирония и суждение о том, что было услышано. Но он никогда, и мне в том числе, не высказывал их. Только косвенно можно было догадаться об этом.

Она говорила ему многое, но, конечно, далеко не все, и не только потому, что часто и я бывала в комнате, в его комнате узкой и длинной, и сидела в углу, у окна, и читала книжку, а она говорила, потому что в эти три года она с Ходасевичем дружила, как многие женщины и до, и после нее. Советов она у него не просила, она сама знала, что надо было делать. Я слушала в полуха, о чем шел разговор. Она была старше меня на девять лет и относилась ко мне, как к подростку. Я не мешала ей. Мне кажется, что ей не с кем на всем свете было говорить. Соловей мог только улыбаться,

когда люди рассказывали ему что-нибудь, и терпеливо
ждать, когда настанет минута для него рассказать одну
из своих занятных историй (как, например, однажды
в Мюнхене Кандинский облил себе фрачную грудь то-
матным соусом во время торжественного обеда, или как
у Явленского на одном из вернисажей украли штаны).
С Валентиной она никогда не говорила о себе; мне кажется, Мура вообще в то время не любила женщин и не
доверяла им.

Удивительна была внутренняя схожесть в те годы
между Максимом и его женой; они в некоторых отношениях были тогда близнецами: оба и не взрослые, и не
молодые, а ребячливые, занятые сначала раскрашивани-
ем картинок в книгах, потом — самостоятельной работой. Он рисовал уличные сценки на большом картоне,
где человек сорок маленьких уродов жили своей мирной
городской жизнью: угол площади, посреди нее — верхом
на верблюде всадник в короне; парикмахер в открытом
окне нечаянно, вместе с бородой, срезал клиенту голову; справа идет толпа с флагами и оркестром, состоящим
из десяти барабанщиков; вдали строят виселицу; на первом плане три нарядных дамы ведут на цепочках восемь
собачек, собачки весело переговариваются между собой.
У лошади извозчика только что родился жеребенок, свя-
щенник с причтом спешит крестить его. Мама-лошадь
смущена, она — поясняет Максим — не совсем уверена,
кто папа. Нищий держит в руках свою отрубленную ногу. Преобладает синий и красный цвет. Тимоша рисует
тоже — бабочек и цветы в вазе. Соловей устраивает ей
натюрморт, утром приносит из кухни морковь и редис-
ку. Не спеша, всегда не спеша, раскладывает их на столе. Он сам живет странной жизнью, в нем чувствуется
ум, образование и даже талант, но он никогда ничего не
делает, лежит на боку, подперев голову рукой, или у себя на кровати, или на диване, а иногда даже на трех со-
ставленных стульях, — большой, сильный мужчина,
всегда чем-то больной, но по всему видно: ему хорошо

и сладко живется на свете. Он умеет рассказывать истории, говорит на пяти языках, приятно поет украинские и еврейские песни, а иногда читает что-нибудь, книги, которые никому в голову не придет читать: о встрече Стэнли и Ливингстона, о Наполеоне на острове св. Елены, о нравах обезьян в районе реки Амазонки. Он очень много спит. Ему покупают костюм, его водят к зубному врачу. Вдвоем с Максимом они, по выражению Тимоши, «устраивают балаган», ведут диалоги:

Максим: Как ты думаешь, Соловей, кондор комод поднять может?
Соловей: Конечно, может!
Максим: А кондор два комода поднять может?

Они сочиняют двустишия и шарады. Двустишия приводят Горького в ужас, он краснеет до корней волос, и видно, что ему хочется провалиться сквозь землю от присутствия при этом Тимоши и меня:

> Сейчас я подойду к окну,
> И вниз на публику какну.

Шарады составляются по принципу — чем непонятнее, тем лучше (я иногда им помогаю): мое первое — сладкий напиток (сироп), мое второе — животное (лань), мое целое — способ передвижения (аэроплан). Кроме этих забав у Соловья имеется настоящий талант: он по почерку человека говорит о его характере, внешности, о прошлом его и будущем. Помню два вечера в Сааро-ве: вчетвером, Андрей Белый, Ходасевич, Соловей и я, сидели в пустом кафе. Ходасевич дал ему письмо Гершензона. Подпись была заклеена, Соловей не мог говорить, если знал, кто писал письмо. После получаса его точнейшего рассказа о Гершензоне и какая будет его судьба Соловей так устал, что пот лился градом с его лба и носа. В другой раз, там же, Ходасевич принес ему страницу, написанную мной. Он говорил долго и подробно, и мы все трое молча слушали. После этого он был вынужден немедленно лечь, и тут же в кафе он растянулся на стульях и приходил в себя минут десять.

Считалось, что Соловей уже много лет влюблен в Валентину Ходасевич, это началось еще в Мюнхене, и она тогда, кажется, ответила ему, но потом раздумала и вышла за Андрея Романовича Дидерихса, из известной семьи фабрикантов роялей. «Потому что у него были рояли, а у Ракицкого не было ничего», — комментирует Ходасевич. А.Р., или Диди, тоже иногда гостит здесь. Он служит в торгпредстве у Марии Федоровны, но хочет перевестись в Лондонский Аркос, к Кримеру; в скором времени он попадает туда, но в конце концов уезжает обратно в Россию.

Все эти люди отлично относятся друг к другу: Валентина к Тимоше, Диди и Максим — к Муре, и все вместе — к нам с Ходасевичем. И все вместе мы почтительно и нежно обращаемся с Дукой, и нет никаких заноз, недовольств, недоразумений. Но говорить с ними со всеми Мура не может. И она говорит с Ходасевичем. Он никаких подробностей мне не рассказывает, только вечером, когда мы остаемся одни, он мимоходом говорит:

— Она собирается отправить его в Аргентину.

И я понимаю, что он говорит о Будберге. Вероятно, весной, когда кончалась эта сааровская жизнь, потому что Горькому опять стало хуже, и опять доктор Краус или Маус заговорил о Шварцвальде, Ходасевич сказал мне, после того как они с Мурой после обеда ушли на прогулку и вернулись поздно, а я, уже лежа в постели, читала очередную книжку:

— Она отправляет его в Аргентину.

— А если он вернется? — спросила я.

— Оттуда, знаешь, не так это легко сделать.

Она для меня в то время была, конечно, интереснее всех остальных, включая и самого Горького, но я знала, что между нами сближения быть не могло, прежде всего потому, что не было равенства. Когда на Рождество в Сааров приехали Белый, Шкловский, Гржебин, Ладыжников, актер Миклашевский (Валентинин поклонник, автор книги «Гипертрофия искусства») и, конечно, Андреева и Крючков, мне ее не хватало (она, как обычно, на праздниках была в Эстонии), не хватало ее ума, и живости, и тайны, которая жила вокруг нее, не как покрывало, наброшенное на нее, и не как построенная искусственно система, но тайны, составлявшей одно целое с ней самой, излучая ауру особенную и неизменную. Между Рождеством и Новым годом мне пришлось съездить на день или два в Берлин, и вечером на вокзале Цоо, в толпе, я увидела ее, идущую под руку с высоким блондином (возможно, что это был Будберг). Она шла, одетая совсем по-иному, чем одевалась дома, в Саарове, элегантная и веселая, накануне пришло ее письмо из Таллина о том, что она занята детской елкой и, может быть, задержится на неделю. Первая мысль моя, когда я увидела ее, была постараться, чтобы она не увидела меня. И она не заметила, она прошла, не смотря по сторонам. А когда на следующий день я сказала Ходасевичу, что видела ее вечером и она, красивая и оживленная, — слава Богу — не видела меня, Ходасевич сказал, что все возможно, когда дело касается ее, что у нее где-то там, за стенами сааровского «санатория», идет сложная, беспокойная и не всегда счастливая жизнь и что она говорит нам о том, чего не было, и молчит о том, что было. Так, спустя двадцать лет после сааровского житья, она в 1942 году молчала о своих встречах с Гарольдом Никольсоном, завтраках с Сомерсетом Моэмом, о дружбе с Витой Саквилл-Уэст и приемах во французском посольстве.

Санаторий был только обыкновенным пансионом, стоявшим в сосновом лесу; доктор, живший при нем неотлучно, следил за Горьким и настаивал на диете, но напрасно: диету он не соблюдал. Других клиентов в это время года в доме не было, и на обоих этажах шла жизнь очень русская: гости не переводились. Горький вставал в восемь, пил кофе и работал по утрам. Поезд из Берлина доставлял гостей к полудню. После шумного Рождества, когда гости Горького наполнили весь дом и даже весь наш Банхоф-отель, стало тише, но кое-кто продолжал приезжать регулярно: Андреева — в отсутствии Муры — каждое воскресенье, а с ней Пе-пе-крю; Гржебин и Иван Павлович, в это время все еще владельцы издательства, под угрозой, что Госиздат проглотит их. Время от времени появлялись иностранные журналисты, которые в большинстве случаев не допускались до Горького, а особенно — в отсутствии Муры, потому что она теперь считалась присяжной переводчицей. Валентина жила тут же, приехав из Петрограда и рассказав нам под величайшим секретом о том, что «там, у нас, переоценивают Дуку», и «Маяковский, Татлин, и вообще авангард» [Леф, имажинисты и прочие, которые все были личными друзьями Валентины] считают, что Горького, собственно, тоже пора «сбросить с корабля современности» и что это «мало кому сейчас нужно», — ее любимое выражение, когда ей что-нибудь не нравилось.

Одно время в Банхоф-отеле жили Андрей Белый и издатель «Эпохи» С.Г. Каплун-Сумский, страдавший от неразделенной любви к молодой талантливой пианистке Миклашевской, ушедшей от него к Л.Б. Красину, которого прочили в будущие советские послы во Франции, как только Франция решит признать советскую Россию (это случилось в 1924 году). В феврале или марте я впервые увидела в санатории приехавшего к Горькому, вместе с Рыковым, Б.И. Николаевского, меньшевика, историка, человека больших знаний, державшего связь с европейскими социал-демократами, собирателя книг и материалов по истории русской революции. Он просил Рыкова (своего зятя) взять его с собой, когда он поедет к Горькому, он собирался предложить Горькому вдвоем с ним редактировать исторический журнал «Летопись революции», где бы они печатали документы о Февральской и Октябрьской революциях, издавали бы журнал в Берлине, а продавали бы в России. Ему в тот год было тридцать шесть лет, он был высокий и тяжелый, молчаливый и внимательный человек, с умными глазами, курчавыми волосами и высоким голосом.

В один из его следующих приездов, когда он вернулся, чтобы вплотную обсудить дела будущего журнала (из которого ничего не вышло, в Россию он допущен быть не мог), уже без Рыкова, он попал на пельмени. Мысль о пельменях давно волновала всех в доме, и наконец был назначен день. Мы заранее изучили кулинарную книгу и, с помощью Соловья, уговорили повара санатория предоставить нам на один день кухню. Когда мы спустились вниз и заняли наши позиции (Соловей немедленно тут же улегся на стульях), сверху в огромном переднике — это была простыня, повязанная у пояса, — спустился Горький и, засучив рукава, стал мастерить пельмени вместе с нами. То, что делали мы, Тимоша, Валентина и я, был «Фрейшюц», разыгранный перстами учениц, но то, что делал Горький, было высокое искусство. Было сделано 1500 штук. Он научился этому искусству, служа в молодости у булочника. Николаевский, который обладал прекрасным аппетитом, получил от обеда огромное удовольствие. Много лет спустя, когда Борис Иванович и я завтракали в Russian Tea Room в Нью-Йорке и ели пельмени (он заказал себе три порции, одну за другой), я напомнила ему о сааровских пельменях. Он сказал, что никогда не мог забыть их.

Из иностранных корреспондентов только немногие были приняты Горьким, и только один стал на время своим человеком сначала в Саарове, потом в Гюнтерстале, куда Горький был летом отправлен докторами. Это был американец Барретт Кларк, позже описавший свои посещения в книге воспоминаний «Интимные портреты». Удача его состояла в том, что его английское письмо с просьбой дать интервью было получено Мурой, и она сообщила ему день и час, когда Горький будет рад его видеть. Кларк предполагал, что увидит «старого льва на смертном одре». Впервые Мура играла при постороннем человеке роль хозяйки дома, секретарши, переводчицы и литературного агента, и сыграла ее блестяще. Кларк был совершенно очарован ею: он пишет, что она была «прелестна, оригинальна и прекрасно делала свое дело», что в ней была смесь «внимания, такта и спокойствия». После нескольких визитов он стал приезжать в Сааров запросто и с грустью наблюдал, как Горький «бедствует из-за ничтожных гонораров, которые он получает за издания своих рассказов и статей». Но его появление в доме привело Горького к мысли, что его идущая в Москве пьеса «Старик» («Судья») (премьера была еще в феврале 1919 года) может быть переведена и поставлена в США, и Кларк ухватился за эту мысль, причем обоим одновременно представился план, по которому перевести пьесу должна была Мура. Она немедленно согласилась на это, и Горький сейчас же дал ей рукопись, а также обещал подумать о дальнейших возможных переводах.

Сааров был оставлен весной 1923 года по двум причинам: во-первых, через месяц в местечке должен был начаться дачный сезон, что грозило изменить тихую жизнь санатория, и, во-вторых, опять усилился туберкулез, и Горький опять кашлял кровью. Решено было вернуться в Шварцвальд, но уже не в Санкт-Блазиен, а в Гюнтерсталь, поближе к Фрейбургу.

Мы вернулись в Берлин, чтобы там остаться на время, а все остальные только на короткий срок остановились там (Мура была в Эстонии), чтобы двинуться дальше. Кларк приехал в конце лета в Гюнтерсталь за переведенной Мурой пьесой. На этот раз и Максим, и Тимоша очаровали его; Максим, «член теннисного клуба», целыми днями пропадал на теннисных кортах (Кларк отмечает, что он в России «имел должность в правительстве Ленина»), Соловей лежал у себя, а Тимоша была за хозяйку: Мура написала ему, что она больше не занимается домом, потому что занята новыми переводами — писем Чехова к Книппер. Ее ожидало разочарование: когда она их закончила (работа представляла для нее непреодолимые трудности), выяснилось, что письма эти выходят в переводе Констанции Гарнетт одновременно в Англии и в США.

Кларк был разочарован «Судьей», перевод, по его словам, был сделан «грубовато» и был «не отделан», он должен был полностью переработать его. Это был, как он писал в своих воспоминаниях, «больше подстрочник, чем перевод». Единственное, что его могло примирить с этим фактом, было сообщение Муры, что Горький специально для англо-американского издания напишет к пьесе предисловие. Она послала об этом ему вдогонку письмо, где писала: «Я уговорила Горького написать к моему переводу пьесы предисловие, специально для вас».

Он особенно ценил в Муре то, что она гордилась, что она «наименее русская из всех русских», и что благодаря ей он, молодой журналист, только что начинающий свою карьеру, вхож к «великому писателю» и получил право опубликовать и поставить на сцене его пьесу. Он засел за переработку подстрочника, стараясь придать ему «форму, необходимую для печати».

Пьеса поставлена не была, но была издана в переводе «Кларка и Закревской» в серии «Современная драма». Последнее его посещение Гюнтерсталя было неудачным: сосед-немец убил в этот день кошку Максима, и тот, в драке с ним, едва его не убил. Оставаться Горькому после этого было невозможно, надо было уезжать в Берлин и ждать там итальянскую визу: недавно до Горького, через советского посла в Риме, дошло известие, что Муссолини «ничего не имеет против приезда Горького в Италию на постоянное жительство на берегу Неаполитанского залива». Но были поставлены два условия: не заниматься политической пропагандой и не жить на Капри. На эти условия Горький легко согласился.

По некоторым фразам в книге Кларка можно догадаться, что Мура говорила ему о своем прошлом, но не много. Кларк не был наделен хорошей памятью, чему может служить примером его рассказ о «черном кокере

Кузьке», когда Кузька был белый с черным ухом фокстерьер. Но он узнал с Муриных слов, что она сидела в тюрьме в Петрограде и что Горький ее освободил. Не в Москве это было, не на Лубянке, но в Петрограде, на Гороховой, когда ее арестовали, поймав при переходе границы. Кларку этот ее рассказ показался романтичным. «Если бы не вмешательство Горького...», пишет он. Но о другой своей тюрьме, в Москве, Мура не рассказала ему ничего.

Этим летом она не только была, как обычно, «у детей», но и часть его прожила в Берлине, возможно, что в Гюнтерстале ей было скучно: туда никто, или почти никто, не приезжал, и она, пользуясь тем, что Максим и его жена жили там и никуда не собирались двигаться, застряла в городе. Есть запись ее приходов к нам, мы жили в то лето в пансионе Крампе на Виктория-Луиза Платц, шесть приходов за два месяца. Это были недели, когда она снаряжала Будберга в Аргентину. 14 сентября она наконец выехала в Гюнтерсталь вместе с Ходасевичем, я провожала их на вокзале в Берлине. Итальянской визы все не было. В октябре — ноябре она опять была у нас, после чего мы выехали в Прагу, куда через месяц приехали и они, — на этот раз она была со всеми вместе. Я помню, как я, смотря с платформы на уходивший поезд, увозивший их в Гюнтерсталь, думала о ней. Мне была близка и понятна ее энергия, сила ее живучести, ее дикое отчаянное желание не погибнуть, причем «не погибнуть», как я всегда понимала это выражение, вовсе не значит «не умереть» от голода, холода, бедности и болезней, т. е. не «смерть на скамейке бульвара в чужом городе», о которой позже писал Беккет. Не погибнуть значит не опуститься на дно жизни, не примириться с отсутствием книг, музыки, чистого белья, теплой одежды, с отсутствием вокруг знающих, способных, живых людей. Не погибнуть значило не довольствоваться только теми, кто был выкинут из русской реальности в гремящую счастливым безумием негритянской музыки послевоенную Европу, но искать и найти тех, кто поднялся после революции, Гражданской войны, «красного террора», найти доучившихся недоучек, залечивших переломанные кости, тонувших, но добравшихся до твердой земли. Я уже знала тогда, как женщины ее круга сейчас начинали жизнь в Берлине, Париже, Праге, бывшие мамины дочки, хрупкие и пугливые, воспитанницы благородных институтов без образования, жены белых офицеров и секретарей царских посольств, белоручки с выпавшими зубами и заскорузлыми ладонями от чистки чужих квартир, с мозгом, затвердевшим, как асфальт, от всего пережитого, которого они не могли ни осилить, ни осмыслить. Мыть чужие полы? Вышивать крестиками? Делать шляпы? Сидеть при уборных в ночных ресторанах? Или идти на сверхурочные курсы медсестер и, окончив их (иностранки с волчьими паспортами), иметь право наняться госпитальной прислугой в городских больницах Лаэнека и Валь-Ле-Граса и выносить подкладные судна? Никто не даст ей ни стипендии, ни нового платья, ни квартиры с лифтом. Она карабкается, как акробат, чтобы, повиснув на дрожащем канате, слушать рояль Добровейна, соблазнять Блока, говорить с Белым о Штейнере, со Шкловским о Стерне и теперь ехать в поезде, в спальном вагоне, с умнейшим из людей, с собеседником, которого она не забудет во всю свою жизнь. И в ее энергии, независимости, свободе, в разрыве ее с ее бабками и прабабками, настоящими или придуманными, медными Венерами и шелковыми и кружевными бабочками, я видела свою собственную энергию и способность выжить, и свой собственный разрыв с прошлым.

Только одно меня смущало: в ее загадочности, в ее таинственности и, вероятно, лжи сквозило что-то темное, хитрое, что-то не совсем мне понятное. Не постараться ли сделать так, чтобы этого не было? Как было бы прекрасно, если бы за этими масками не сквозило что-то двусмысленное! Но я говорила себе, что рассуждаю, как муравей номер 987.654.321, несущий на голове сучок в три раза тяжелее себя (несет и радуется, дурак!), а она не муравей и никогда не будет им, она — ястреб, она — леопард, и встретила я ее не для того, чтобы учиться у нее, а для того, чтобы, смотря на нее, выжить по-своему, по-другому, не став ни ястребом, ни леопардом.

Но я все-таки научусь у нее чему-нибудь, думала я, она знает, что такое savoir vivre; это не только обратное, противоположное savoir crever, которое еще задолго до Беккета так хорошо знал Ходасевич, т. е. «умение дохнуть» как противоположность «умению жить», это — обратное всякому желанию «не быть» и вернуть билет, умение противостоять самоубийственному импульсу, с внеразумной жаждой удержаться на том уровне, который ее поколению никогда не был ни дан, ни даже обещан, который она сама обещала себе.

Ее покровительственное поглаживание меня по круглым щекам и тщательно закрученным волосам не обижало меня. Мы обе по-разному раз и навсегда решили не возвращаться к пещерной жизни и обе знали моменты ответственности и выбора. И свои поступки видели не как цепь женских капризов, не как общие грехи эпохи или результат несовершенной среды, но как часть себя, за которую мы единолично отвечаем.

Это время было трудным для нее: по совету Крючкова они теперь старались отправить Будберга в Южную Америку. Она достала ему нужные бумаги и посадила на пароход, дав ему обещание ежемесячно высылать определенную сумму денег, но он сошел с парохода, не то в Антверпене, не то в Шербуре, и вернулся, решив, что устное обещание недостаточно, требуя нотариусом заверенное письмо. В октябре он был еще в Германии и уехал только через год. Они никогда больше не виделись. Вторая задача была спасти сестру Аллу, вернее, помочь ей. Она жила одна в Париже, стала в эти годы наркоманкой, и тяжелые драмы, которые сопутствовали ее многим увлечениям, в конец разрушили ее. Она теперь брала деньги у всех, кто мог ей их дать, и впала в тяжелую нервную депрессию перед тем, как покончить с собой.

Ходасевич вернулся через неделю. Он ездил к Горькому по делам «Беседы». Этот журнал, редакторами которого были Горький, Белый, Ходасевич и профессора Адлер и Браун (по научному отделу), был основан осенью 1922 года. Журнал планировался как двухмесячный и внепартийный, в традиции русских толстых журналов; он должен был печататься в Берлине и помещать материал столько же внутрироссийский, сколько и зарубежный. Но распространять его планировали в России, и на это Горький просил разрешение властей в Москве. Издатель «Беседы» С.Г. Каплун-Сумский, как и сам Горький, решил не ждать формального разрешения Кремля и выпустил первый номер в мае 1923 года. Горький привлек к журналу европейских писателей, которых считал особенно ценными: Ромена Роллана, Голсуорси, Уэллса, Келлермана, Стефана Цвейга, Франца Элленса и других. Проблема допущения журнала в Россию и сотрудничество под одной маркой зарубежных и русских писателей стояла очень остро: без допущения журнала в Россию он существовать не мог. Каждый месяц либо непосредственно из Кремля, либо через Е.П. Пешкову, либо из писем корреспондентов Горького доходили слухи, что «Беседу» допустили или вот-вот допустят. В этом неопределенном состоянии Горький продолжал приглашать сотрудников и с той, и с другой стороны, сам писал серию рассказов для журнала и без конца обсуждал план его на будущее.

Подписка, однако, шла очень медленно. Никто не был уверен, что журнал действительно будет продолжаться. Кроме того, кое-кого начал беспокоить некоторый разнобой в его окраске: с одной стороны были привлечены живущие за границей Ремизов и Белый, с другой — Горьким было отвергнуто «Детство Люверс» Пастернака. Сохранилась телеграмма Муры, посланная осенью 1924 года Ходасевичу из Сорренто в Париж (где мы тогда жили): «Рассказ Пастернака не пойдет письмо следует Будберг».

Мура полностью была вовлечена Горьким в эти заботы. Возможно, что она в это время искренне верила, что ее будущая карьера — не переводы русских классиков на английский язык, а место в редакционной коллегии русско-европейского журнала. Еще в 1923 году, через полгода после выхода первого номера, она писала Ходасевичу, стараясь постичь сложности русских и советских законов литературной собственности, даже тогда, когда дело касалось не только материала, помещенного в журнале Горького, но и других изданий:

«Дорогой Владислав Фелицианович. — Как доехали? — Очень о Вас беспокоились. — Как дела, отчего не пишете? — "Мы" написали в Италию, ждем ответа.

Не знаю, где Каплун, поэтому обращаюсь к Вам с просьбой: меня здесь спрашивают: можно ли переводить на английский рассказ Ирецкого "Пчелы". Его, очевидно, надо спросить. Альманах, в котором вышли "Пчелы", издан "Эпохой"? — Может ли редакция запросить Ирецкого? — Узнайте мне, пожалуйста, и напишите — буду очень благодарна, а также велите прислать книжку эту. Ждем известий, а еще лучше — Вас обоих. Привет Н.Н.

Ваша Мария Будберг»*.

Беспокойство о журнале росло и потому, что в 1923 и 1924 годах начали появляться в европейской печати новые имена, в Англии — Литтона Стрэчи и Вирджинии Вульф, Форстера, Лоуренса, во Франции — Пруста, Бретона и других, до этого неизвестных, и заметно стало падение интереса к писаниям Беннетта и Анатоля Франса, корифеям начала века. Серия статей о по-

---

* В. Ирецкий, род. около 1890 года, писатель, москвич, имел литературное имя в эти годы. Через несколько лет его перестали печатать, и он исчез с литературного горизонта. Краткая Литературная Энциклопедия не дает о нем сведений. Открытка послана из Гюнтерсталя, на ней почтовая марка и 100 тысяч немецких марок. Рукой Ходасевича дата: 27 сентября 1923 года.

слевоенной Европе и ее литературе была заказана Горьким заблаговременно, и, когда пришла статья Голсуорси о том, что, к сожалению, Англия с 1914 года не дала ничего сколько-нибудь значительного, Горький обрадовался этому, как ребенок, так как это соответствовало его постепенно утверждающемуся мнению о том, что Европа кончилась, сгнила окончательно и что Анатоль Франс, Шоу и другие мировые гении уйдут, не оставив достойного потомства. «Кроме меня, — писал Голсуорси, — Беннетта и Уэллса, нет никого, кого я мог бы назвать». В этом же духе пришла корреспонденция из Франции. На этом можно было, казалось бы, успокоиться, но из России в это же время стали приходить письма с тревожными новостями: там Малевич, Татлин, Маяковский и вернувшийся из-за границы Шкловский не чувствовали, по-видимому, никакого почтения ни к Горькому, ни к другим «эпигонам реализма» и, не стесняясь, повторяли ставшее модным выражение: «вряд ли это кому-нибудь сейчас нужно». В печати этого уже сделать было нельзя, но были собрания и литературные кафе, где можно было ругаться, по выражению Маяковского.

С «Беседой» к осени 1923 года дела были далеко еще не выяснены. С итальянскими визами тоже. Положение в Германии, как политическое, так и экономическое, становилось все более трудным. Люди, которым было куда уехать, уезжали. Нам было некуда, и мы поехали наудачу в Прагу. Это было 16 ноября, а 26-го Горький всем домом последовал за нами «ждать, когда Муссолини соблаговолит прислать ему визу».

Мура настояла на Чехословакии: стоило ли устраиваться в нищей, разоренной Австрии, где жизнь была еще более «ненормальной», чем в Германии? Швейцарской визы достать в то время было невозможно, все считали, что месяц — два ожидания, и итальянская виза придет (визы пришли в марте 1924 года). 6 декабря мы все вместе из Праги переехали в Мариенбад — заколоченный на зиму, засыпанный снегом — как в Саарове:

Горький любил жить в местах не в сезон. Мура выехала в Эстонию сейчас же и вернулась 13 января. Мы жили в отеле «Максхоф», куда чешские репортеры пускались редко и ненадолго. На этот раз был один этаж, семь или восемь комнат, выходящих в широкий коридор.

Наступила жизнь трудовая и тихая, с утра Горький писал, потом выходил на короткую прогулку по снежным дорогам. Гостей, кроме Крючкова, приезжавшего два раза по делам, не было никого. В городе все было закрыто: магазины, театр, курзал. Перед обедом Горький писал письма, вечером, за чаем, бывали долгие разговоры. Он делился новостями дня: визы все обещают, «Беседу» все не пускают в Россию, первый и второй номера лежат в подвале издательства «Эпоха», третий печатается и его негде хранить. Он заметно начинал терять терпение, и в это время приблизительно он сообщает в Берлин Крючкову (в торгпредство) и Ладыжникову (уже связанному с Госиздатом), что он, до разрешения ввоза «Беседы» в Россию, ничего в русских журналах печатать не будет и никакого дела с русскими издательствами иметь не будет. Он говорил об этом Ходасевичу и писал Николаевскому (1 сентября 1923 года): «Я вчера отказался от предложения сотрудничать в журналах "Звезда"... в альманахе "Круг" и альманахах "Атеней". Отказался на том основании, что т. к. "Беседу" в Россию не пускают, то это ставит меня в дикое положение перед ее иностранными сотрудниками, приглашенными мною для участия в "Беседе"». И 15 октября опять: «Как я уже писал, не стану печататься в России до поры, пока окончательно не выяснится вопрос о "Беседе". Одновременно его расстраивало также то, что «сотрудники и возможные сотрудники в журнал не верят. Мало имеют материала, нет энтузиазма — ни там [Сергеев-Ценский, Чапыгин], ни здесь [Шоу, Эптон Синклер]. Один Роллан поддержал [я в это время переводила для "Беседы" его книгу о Ганди]. В России формалисты, футуристы, какие-то конструктивисты безобразничают. Надо это прекратить».

«Ты мог бы о «Беседе» написать Ильичу», — говорит ему Максим, но Ленину писать бессмысленно: у него был очередной удар, он парализован и потерял дар речи, это все знают, и не только из газет, но и из писем Ек.П., и когда Ленин умирает (24 января 1924 года), от нее приходит телеграмма. Мура не дает ему проливать слезы, она считает лучшей терапией — труд, и, как позже писал Ходасевич:

«Чуть ли не на другой день Мура его засадила писать воспоминания о Ленине — были все основания рассчитывать, что их переведут на многие языки. Едва он их кончил, из Берлина, как будто случайно, приехал заведующий "Международной книгой" Крючков. Алексею Максимовичу доказали, как дважды два, что буревестник революции обязан высказаться о великом вожде революции, т. е. ради такого случая он должен нарушить зарок и разрешить печатание воспоминаний в России. Крючков увез с собой рукопись, которую в СССР подвергли жесточайшим цензурным урезкам и изменениям».

Но эти урезки и изменения были ничто в сравнении с последующими изменениями, сделанными самим Горьким под давлением вдовы Ленина Крупской. Всего имеется около шести — семи версий этой статьи, которая называлась и «Воспоминания о Ленине», и «Памяти Ленина», и «В.И. Ленин»: 1924 год в «Русском современнике»; 1924 год — отдельным изданием; 1926–1931 годы в «Наших достижениях»; 1927 год — изд. «Книга», Берлин; 1927 год — том 19 собрания сочинений под редакцией Луначарского и Груздева, «Книга — Госиздат»; 1928 год — том 20 собрания сочинений, Госиздат; 1930 год — том 22 собрания сочинений, Госиздат. Изменения разнятся между собой иногда двумя–тремя словами, а иногда целыми абзацами. Последние перемены были сделаны Горьким в 1930 году, когда он писал Крючкову, что «после письма Н. Крупской» он «лихорадочно переписывает воспоминания о Ленине», меняя их до неузнаваемости.

Венок Ленину был заказан по телеграфу, и надпись на ленте послана вдогонку с наказом Ек.П. сделать, что нужно. Она исполнила все, с той добросовестностью, с которой она всегда исполняла его поручения и до, и после разрыва с ним.

Смерть Ленина не только встревожила Горького, но и в корне переменила его отношение к нему. В первый раз он полностью почувствовал его величие, когда Ленин был ранен Дорой Каплан 30 августа 1918 года. В тот момент, когда Горький узнал о покушении, все его обиды, связанные с Зиновьевым, исчезли, и он признал, что Ленин был во всем прав, а он, Горький, со своими мелкими спорами с председателем Петрокоммуны, во всем не прав. Теперь опять то же чувство раскаяния нашло на него. «Величайший», «гениальнейший» умер, и он ощутил свое сиротство, зловещий дух будущей неизвестности и сожаления о прошлом. Разумеется, статья о Ленине была дана Крючкову, и он немедленно выехал с ней в Берлин. У Муры перед его отъездом был с ним долгий деловой разговор: не все шло гладко с иностранными изданиями в Европе и США. Надо было подумать о будущих финансах. Было ли у них предчувствие, что платежи Парвуса могут прекратиться? Каждый раз, как Ладыжников сообщал о получении Дрезденским банком очередной суммы, по дому проходил вздох облегчения.

Но не только с Крючковым у Муры был важный разговор. Он был у нее и с Ходасевичем. Однажды вечером, после того как все разошлись по своим комнатам, они остались вдвоем сидеть на двух жестких стульях у пустого стола в той комнате, в конце коридора, которая не имела названия и служила утром для утреннего завтрака (обедали внизу, в огромной пустой столовой гостиницы), а днем для Максима и Тимоши, где они раскрашивали картинки. Здесь иногда лежал на трех стульях Соловей, здесь мы с Тимошей завивали друг другу волосы в дни семейных праздников. В этой комнате Мура и Ходасевич остались разговаривать, что иногда случалось, когда обоим было еще рано спать. Я проснулась среди ночи. В комнате горел свет. Кровать Ходасевича была нетронута. Часы показывали половину третьего. Я удивилась, накинула халат и вышла в коридор. В самом конце дверь была открыта, и слышались тихие голоса. Я подошла к двери. Одинокая лампочка горела в потолке. Они сидели друг против друга, и было что-то напряженное в их приглушенных голосах.

Незамеченная, я осторожно вернулась и легла. Что-то беспокоило меня. Уснуть я не могла. Прошло около получаса, и Ходасевич, бледный и усталый, вошел в комнату. «Что случилось?» — спросила я. Он ответил: «Она хочет сделать все возможное, чтобы он уехал в Россию».

Мне всегда казалось, что этого хотел Максим, но ни Тимоша, ни Ракицкий этому не сочувствовали. Что касается Муры, то ожидать от нее такого решения судьбы Горького было бы странно. Но она, по выражению Ходасевича, рассуждала здраво: тираж его книг на иностранных языках катастрофически падает, несмотря на уверения Голсуорси и Роллана, что он по-прежнему — величайший из них всех. В Европе за это время случилось многое, о чем ни Горький, ни его окружение понятия не имеют. О Беннетте недавно вышла статья Вирджинии Вульф, которая десять лет тому назад не могла быть написана, а о Фаррере, авторе «Человека, который убил», даже во Франции забыли, хотя он еще жив. Да и в США, кроме Марка Твена, Синклера и Джека Лондона, есть еще гораздо более замечательные писатели. Работу над сценарием «Стенька Разин», заказанным ему французской фирмой, он принужден был бросить — еще не дописанный сценарий в Париже забраковали. И он дал зарок никогда больше не иметь «киноиллюзий». Постепенно становится ясно, что надо как можно скорее забыть о том, что до войны Америка ему платила 2 тысячи золотых рублей за печатный лист!

Я спросила Ходасевича: почему она заговорила об этом именно теперь? Ответ был прост: потому что он все эти последние недели не знал, что будет с ним, — «Беседу» в Россию не пускают, Муссолини молчит, киноопыт результатов не дал. Между тем годы идут, и если он не вернется в ближайшее время, то его и в России перестанут читать и помнить. «Ваш личный враг, — сказала Мура Ходасевичу, — Маяковский, становится со всей их хулиганской компанией и нашим врагом». (Горький никогда не мог забыть, что 27 октября 1922 года в Берлине, в кафе «Ландграф», на докладе Шкловского «Литература и кинематограф», во время прений, при упоминании имени Горького, Маяковский встал и громовым голосом объявил, что Горький — труп, он сыграл свою роль и больше литературе не нужен.)

За последний год многое, что шло из России, раздражало Горького и даже озлобляло его. Когда он узнал, что Крупская составила список книг, которые следовало изъять из библиотек, в котором находились и Библия, и Коран, и Данте, и Шопенгауэр, и еще около ста авторов, он решил, что ему надо выйти из советского подданства и написать об этом в лондонской «Таймс». Затем он поставил «им» ультиматум: или «Беседу» допускают в Россию, или он начинает печататься в эмигрантских журналах. Это особенно испугало Муру: «Чем тогда жить?» — это был вопрос первостепенной важности. Ходасевич позже писал об этом так:

«Не знаю, в какой степени серьезно отнесся Горький к возможности своего участия в эмигрантском журнале. Думаю даже, что он только представлял себе это, как соблазнительный, но несбыточный поступок — вроде выхода из советского подданства, о чем он порой даже принимался писать заявление во ВЦИК, быть может — до слез умиляясь над этим трагическим посланием, о котором знал наперед, что никогда его не отправит по адресу.

Как-то вечером, когда все уже улеглись, Мура позвала меня к себе в комнату — "поболтать". Должен отдать справедливость ее уму. Без единого намека, без малейшего подчеркивания, не выпадая из тона дружеской беседы в ночных туфлях, она сумела мне сделать ясное дипломатическое представление о том, что ее монархические чувства мне ведомы, что свою ненависть к большевикам она вполне доказала, но — Максим (сын Горького) вы сами знаете, что такое, он только умеет тратить деньги на глупости, кроме него у Алексея Максимовича много еще людей на плечах, нам нужно не меньше десяти тысяч долларов в год, одни иностранные издательства столько дать не могут, если же Алексей Максимович утратит положение первого писателя советской республики, то они и совсем ничего не дадут, да и сам Алексей Максимович будет несчастен, если каким-нибудь неосторожным поступком испортит свою биографию.

"...для блага Алексея Максимовича и всей семьи надо не ссорить его с большевиками, а наоборот — всячески смягчать отношения. Все это необходимо и для общего нашего мира", — прибавила она очень многозначительно. После этого разговора я стал замечать, что настроения Алексея Максимовича внушают окружающим беспокойство и что меня подозревают в дурном влиянии».

Дурное влияние, конечно, было. Но оно не сыграло никакой роли в дальнейшем: давление Муры, Максима, Крючкова, Андреевой (партийный работник) и Е.П. Пешковой (бона фиде сотрудница Дзержинского) не могло не быть в сто раз сильнее влияния Ходасевича. Мура в тот год недолго оставалась с нами: вернувшись после Рождества в Мариенбад, она уже 6 февраля снова уехала, на этот раз не «к детям», а по делам в Берлин. Уже 12-го числа она писала Горькому, что Госиздат требует у Ладыжникова полного слияния его издательства «Книга» с ним, Госиздатом, что в Берлине появился представитель Госиздата, который предлагает Горькому контракт на полное собрание сочинений тиражом в 40 тысяч экземпляров. Теперь, когда сочинения Горького в СССР выходят в 300 тысяч экземпляров (издание Академии наук 1968—1976 годов), эта цифра кажется не столь внушительной, но в 1924 году предложение было соблазнительно. Торгпредство, субсидировавшее Ладыжникова, думает, что Горькому нужно как можно скорее подписать контракт, хотя, конечно, не надо забывать, что после этого Горький не будет иметь права печатать отдельные вещи по своему усмотрению в других издательствах (впрочем, к этому времени их уже не оставалось) или в журналах — без разрешения Госиздата. Но деньги они дадут теперь, и Крючков выедет на днях к Горькому с контрактом, который Горький, как они полагают, подпишет без задержки, потому что все должно быть закончено к концу месяца. Картина отчасти осложнялась тем, что в контракте с «Книгой» были замешаны интересы крупного германского издателя, Курта Вольфа.

Эти дела ее задержали в Германии дольше обычного. В конце марта она вернулась только для того, чтобы вывезти Горького и его семью из Мариенбада в Италию — визы наконец были получены, а 5 мая она снова была в Берлине, и Горький, не без раздражения, уже из Сорренто спрашивал в письме Крючкову: «Где Мария Игнатьевна?»

Мы тоже получили визу, недели за три до них, и 13 марта выехали в Италию самостоятельно. Туда, сначала в Венецию, потом в Рим и позже в Париж, пришло пять писем от Муры.

Марта 13-го [1924 г.]

«Милые мои Ходасевичи —

Мне очень хотелось, чтобы вы получили это письмо во Флоренции, как можно скорее — пока нас еще не вытеснили из вашей памяти Палаццо Питти, синее небо, Асти и "Sul mare lucica"... Пусть над вами пронесется, как грозное привидение, воспоминание о прямой, как вечность, Кайзерштрассе, пусть прозвучит в ушах ваших трубный глас "до свидания". Да, да.

У нас какой-то беспорядок. За стеной у меня не слышно ни откровенной жизнерадостности Берберовой (не сердитесь: она – тише моей) – ни таинственно-шуршащего присутствия Ходасевича. – Вместо них Роза и Мишель – чистят!!* В "тетку" не играем – символ! Ал. Макс., сходя вниз, говорит, как Скаррон: "Что? Нет Ходасевичей?" (шипит).

Вот. Решили ехать развлекаться в Прагу. Там – посидим на мотоциклетках в прямом и переносном смысле.

А о вас все-таки думать будем... И очень, очень хочется зажить опять вместе.

Крепко обнимаю обоих. Мария».

Марта 29-го [1924 г.]

«Конечно же письмо лежит во Флоренции, сумасшедшие! Вам не стыдно вести себя как дети! Как дети ли?

Не зазнавайтесь – мы тоже едем. Т. е. не мы, т. к. я отправляюсь в свое лимитрофное государство, – но остальные: Ал. Макс., vier Mann hoch – едут числа 5–6-го в Неаполь, Отель Руаяль. Вот. – 27 марта день, когда разыгралось необычайное количество потрясающих человечество событий: рождение А.М., виза – его же. Новый вулкан на Кавказе, открытие всемирной автомобильной выставки в Брюнне, падение – и возрождение – Пуанкаре. Как видите – на все вкусы. И мы выпили. –

О "Книге". Насчет Вашей еще нет ответа, но думаю, что ответ будет положительный, т. к. они писали "вообще", вновь выражая большой интерес и говоря, что рынок стал оживленнее. В Берлине получу ответ – до отъезда дальше – и сейчас же сообщу вам в Рим.

"Беседа" вышла, № вышел, по-моему, превосходный. Ал. Макс., тоже очень доволен. Миленький, поговорите там с кем-нибудь, достаньте нам стишков и беллетристики, очень хочется! Я вам напишу из Берлина, каковы

* Т. е. убирают комнаты.

теперь будут ставки. Вот и все пока. Напишите мне в Берлин — буду там до 11 апреля. Нина Николаевна, гм... попали-то в Рим!?... Всего Вам обоим доброго.

Ваша Мария Будберг».

22.V [1924 г.]

«Милый Владислав Фелицианович,

Вот какое у меня к вам предложение и просьба: у меня есть заказ американский на перевод книги пушкинской прозы: 1) Арап П. В. 2) Рославлев 3) История села Горюхина. Надо малюсенькое предисловие. Не хотите ли его написать? Думаю, что это и денежно Вам кое-что даст, а меня очень обяжете. Совсем коротенькое. Конечно, если это Вам не скучно и не отрывает от более важной работы. Но если согласитесь, то нельзя ли было бы получить его скоро, скажем, в начале июня? Напишите мне!

Очень хочется вас обоих видеть, вот хорошо бы, если бы Вы приехали на самом деле! По тону Ваших писем мне кажется, что хоть Париж и хорош, но Вам все же что-то в нем не нравится? Нет? Уж очень Вы сердитый.

Насчет "Беседы". Вы теперь знаете — надо только выяснить, как это отразится практически на журнале в дальнейшем. Ну — пока всего доброго. Обнимаю Нину Николаевну, а Вас боюсь — колючий!

Мария Б».

1.VI [1924 г.]

«Милый Владислав Фелицианович,

Большое спасибо за согласие написать предисловие и примечания к переводу — мне самой непонятно, почему именно эти три рассказа составляют книжку.

О гонораре смогу Вам написать дней через 10.

"Обратная сторона медали" — вещь чисто индивидуальная и для меня состоит лишь в том, что разрешение "Беседы" — вычеркивает одну лишнюю причину "сердиться" на коммунистов. (Положим и без этого хватит.)

Кроме того — это уже детское — приятно было быть "неразрешенными".

Практически же все говорит в пользу. Каплун пишет об аккуратном печатании каждые 2 месяца, о значительном увеличении гонорара и пр. — Пока не конкретно. — Просит готовить материал к 6-му №. Вы что-нибудь дадите?..

Самое трагичное это конечно то, что происходит с лучшими людьми в России — вот это уж действительно такая патология, от которой руки опускаются. Между прочим, видели ли Вы "Бунт машин" Ал. Ник. Толстого — целиком "переведенный" с R.U.R. чеха Чапека.

Очень смеялась над Куприным. Удивляюсь действительно его невежеству по части героинь "Ямы". Казалось бы, ему и книги в руки!

Очень, очень ждем вас — когда, в сентябре? Уж если так поздно, т. е. не сейчас — то приезжайте в сентябре — я к тому времени вернусь из летней поездки по земному шару.

У меня — приобретение в моей коллекции неприятностей: моего сына укусила бешеная собака. Делают прививки.

Вы на меня не рассердитесь? Скажите, как у вас с деньгами? Плохо? Напишите откровенно, может быть, что-нибудь придумать можно.

...Мы здесь живем ничего. Я довольно много работаю. Аристократическая молодежь загорает. Ал. Макс., немного хворал — теперь лучше. Нет, Италия — хорошая страна, хорошо бы из нее сделать Россию. С нетерпением жду письма, а пока всего доброго. Обнимаю вас обоих.

Мария Будберг».

21.IX [1924 г.]

«Милый Владислав Фелицианович.

Я только что вернулась из северных стран и нашла Ал. М. совсем расклеившимся — сегодня пишу Вам — собственное желание — по его просьбе, в ответ на запрос о его здоровье. Дело в том, что у него начались страшные боли в области желудка – я очень боялась язвы или еще не дай Бог чего хуже, но сегодня приехал доктор из Неаполя и ручается, что это "только" острый катар. Но и то слава богу! – Надеюсь, что скоро вылечим. Ал. Макс., все-таки работает, не лежит, но очень похудел... Просит очень Вам кланяться, также Нине Ник. – ждем вас с нетерпением около 10-го, есть 2 комнаты и все, чему в них полагается быть.

Я еще ничего не имею из Америки относительно "Арапа", хотя обещали еще месяц тому назад выслать деньги. Очень, очень радуюсь увидеть вас – очень! Не могу сказать, как соскучилась.

Увидите Розу, спросите, получила ли она мои письма в Лондоне и поцелуйте ее – когда же она приедет? Привезите книжек. Целую Нину Николаевну – а Вас еще можно?

Нина Николаевна – Вам Стивенс нравится? Приезжайте скорей!

Мария Будберг».

Эти письма, написанные между 13 марта (все еще из Мариенбада) и 21 сентября 1924 года (Сорренто, вилла Масса), были получены нами сначала в Италии, а затем – в Париже, где мы были летом. Четвертое, предпоследнее письмо о разрешении «Беседы» было написано, очевидно, под влиянием какого-то ложного слуха: в это же время в письмах Горького к Ходасевичу нет ни одного слова об этом радостном событии. И сама Мура больше не вернулась к нему. Многое в этих письмах характерно для ее тона с нами: шутки, кокетство, путаница, парадоксы, которые, взятые сами по себе, звучат бессмысленно, нежность чувств и заботливый голос, не ведущий ни к каким последствиям: она знает, что если у нас «с деньгами плохо», то у нее мы помощи просить не будем, мы знаем, что «Арапа Петра Великого» в ее переводе не издадут – как не издали ее переводов писем Чехова, «Очарованного странника» Лескова и «Детства Люверс». Она играет с Ходасевичем, и он отвечает ей игрой, насколько может и умеет играть в ее ключе. Слова «мы», «нам», «наши» заявляют о близости ее к русской литературе; она имеет на них полное право.

9 октября 1924 года мы из Парижа приехали в Сорренто. Горький и остальные, после краткого пребывания в Неаполе, переехали сначала в гостиницу в центре Сорренто, а потом сняли виллу у обрыва, на берегу залива. Это была вилла Масса. Она смотрела на Неаполь, на Везувий, на Искию, на пароходики, которые шли из Неаполя вправо на Кастелмаре, влево — на Капри.

Дом был большой, в саду росли пальмы, агавы, цвели кусты, апельсиновые и лимонные деревья. Но вилла была неуютной, дорогой, и чувствовалось, что город слишком близко. Прожив в ней лето и осень, через месяц после нашего приезда Мура начала искать более подходящее жилище, и я вместе с ней ходила смотреть предлагавшиеся дома.

Максим теперь купил мотоциклет и мог взять трех пассажиров — двое помещались в колясочке и один на седле, позади него. Обычно Тимоша и Соловей садились в колясочку, а я — на седло. Было немыслимо представить себе Соловья, сидящим на седле. Когда приехала Валентина, Максим сажал нас в колясочку и катал по холмам, в Равелло и Амальфи. Горький никогда мотоциклетом не пользовался, он боялся быстрой езды.

Мне запомнился день, в ноябре, когда «дети» все втроем уехали на юг смотреть Пестум, а мы с Мурой поехали на Капо-ди-Сорренто смотреть виллу герцога Серра ди Каприола, которая сдавалась. Она стоит к западу от Сорренто, на мысу. Это было чудное место: на юг — холмы, между ними — кипарисы кладбища, где в свое время был похоронен русский художник Сильвестр Щедрин, живший и умерший здесь. На север сверкала вся панорама Неаполитанского залива. За выступом берега на западе угадывался остров, на который Горькому было запрещено показываться и где он прожил шесть лет своей жизни. Но с Капри к нему приезжали старые друзья, рыбаки, знавшие его с 1907 года, и среди них его прежний повар, которого Мура обещала нанять, если будет снята вилла «Иль Сорито». Этого повара, синьора Катальдо, пришлось в 1926 году рассчитать: он не только оказался вором и приписывал к счетам, но и состоял на службе у фашистской полиции и следил за Горьким, Мурой и за их гостями.

Место было удивительное, и я начала бессовестно приставать к Муре, чтобы снять «Иль Сорито». Ее останавливало одно: четвертую часть дома (с отдельным входом) хозяева хотели непременно оставить за собой.

Я удивлялась и раньше тому, как Мура умела разговаривать с прислугой, со служащими, с почтовыми чиновниками, приказчиками и хозяевами пансионов и гостиниц. Фрау баронин, ла синьора баронесса, только и слышалось, а она проходила из комнаты в комнату, открывала и закрывала окна, пробовала краны, зажигала и тушила свет и замечала все. И все перед ней расстилались.

Герцог Серра ди Каприола* сам жил в Неаполе, и два его взрослых сына имели там свои дома, но две дочери, незамужние, и не совсем уже молодые (так мне казалось тогда, когда я сама была всех моложе), оставались жить в доме. У них было две комнаты и балкон, и это помещение находилось как раз под комнатами Ходасевича и моей. Старшая, Матильда, темноволосая и тихая, лет тридцати, учила нас с Тимошей танцевать фокстрот, младшая, Элена, мужеподобная и независимая, весь день носилась в своей открытой машине по окрестностям. Они потом подружились со всеми нами.

Дома Горький и Ходасевич сидели в саду. Мура сказала: Нина хочет эту виллу герцога. Сделаем удовольствие Нине. Как вы думаете? Только там ванна мала и в уборную надо ходить через балкон. При слове «уборная» Горький залился краской и стал нервно барабанить пальцами по столу и что-то напевать. На следующий день виллу решено было снять.

---

* Предок герцога был посланником в России при Павле и Александре I и женился на княжне Вяземской.

Но в эти же дни я узнала от Ходасевича новость, которая поразила меня: он сказал мне, что Мура видела Локкарта. Где? Когда? В Праге, в августе. Она наконец нашла его, впрочем, найти его было нетрудно, он человек достаточно известный. Она просто решилась на этот шаг: она встретилась с ним.

Удивительно было то, что три раза за последний год их пути скрестились и они могли легко встретиться случайно, как встречались герои старинных романов, в неожиданном месте, облегчая тем самым автору устройство их судьбы: Локкарт был во Фрейбурге летом 1923 года, когда Мура была в Гюнтерстале, в 1924 году — в Мариенбаде, и между этими двумя датами — в Праге. Но встречи не произошло. Она ничего не знала о нем, кроме того, что он где-то в Центральной Европе. Она не переписывалась с Берингом, она встречалась с ним изредка, когда бывала в Лондоне. Когда именно она бывала там и как часто — на пути своем «к детям», — осталось навсегда неизвестным, но она бывала там, ее эстонский паспорт давал ей возможность жить там краткий срок, и она, начиная с 1924 года, даже видала там время от времени Уэллса. Но Локкарта она не видела, и только в конце прошлого лета, устроив Горького на вилле Масса, она выехала в Таллин через Австрию и Чехословакию и, остановившись на пути в Вене, нашла его следы. В Вене, в конторе английского общества Кунард Лайн, служил их давний друг Уильям Хикс, по прозвищу Хикки, тот самый, что был арестован на Лубянке и выпущен вместе с Локкартом на свободу через месяц, за тридцать шесть часов до насильственной отправки в Англию. В этот день он успел обвенчаться с Любой Малининой и вывез ее тогда вместе с собой. Шестнадцать дней они плыли до Абердина...

Все дальнейшее известно по записям дневника, который Локкарт вел все эти годы, и по его книге «Отступление от славы». Хикки, после телефонного разговора с Мурой, позвонил Локкарту в Прагу, где тот жил с 1919 года, сначала служа при английской миссии коммерческим атташе, а затем, с 1923 года — одним из директоров Англо-Австрийского международного банка, который теперь переименовался в международный филиал Английского банка. Центральное отделение его находилось в Праге; но Локкарт ведал и другими отделениями: в Будапеште, Вене, Белграде и Софии. Ему тогда предложили выбрать между Белградом и Прагой постоянное жительство, и он выбрал Прагу, потому что давно знал, что вокруг Праги замечательная рыбная ловля, а в Белграде этого нет.

Он взял это место, потому что у него не было другого выхода: в эти годы он считал, что дипломатическая карьера его окончена и что место атташе — единственное, на которое он может рассчитывать, без надежды вернуться на настоящую политико-дипломатическую службу. Когда в октябре 1918 года он вернулся в Лондон, только мельком встретившись в Христиании с Литвиновым, на которого его обменяли, он встретил в министерстве иностранных дел и в парламенте сильнейшую против себя оппозицию; его обвиняли в преступных ошибках: начал с того, что работал в пользу большевиков, требуя ни в коем случае не начинать вооруженной интервенции против них, затем изменил свое мнение, нашел нужным стакнуться с безнадежно непопулярными царскими генералами, тратил сотни тысяч на Савинкова, делал ставку на чехословаков в Сибири и в результате сел в тюрьму и уцелел только благодаря тому, что правительство Его Величества вовремя арестовало Литвинова и таким образом нашлось, на кого его обменять. Не то три, не то пять раз о нем в парламенте были запросы с участием Черчилля; правые требовали отдать его под суд, умеренные не собирались его защищать. Даже старый его покровитель, а теперь военный министр, лорд Милнер, не мог помочь ему. После его личных докладов Бальфуру, Керзону и Ллойд-Джорджу и даже аудиенции у короля он написал и напечатал в лондонской «Таймс» четыре статьи, «Портреты большевиков», где пытался оправдать свое поведение, но друзья посоветовали ему на некоторое время скрыться, например, съездить на родину его предков, в Шотландию, где он сможет целыми днями ловить рыбу, пока вся эта история не забудется на верхах правительства. Он уехал как только смог — от жены, с глаз долой от родителей, и особенно от бабушки, которой он боялся и которая считала его чуть ли не большевиком.

Он был рад быть вне пределов досягаемости, когда в Москве его приговорили к смертной казни, провел в Шотландии несколько недель с наездами в Лондон и в начале 1919 года отправился в Чехословакию, где был дружески принят Масариками — отцом и сыном, они не забыли, что он помогал чехам в Сибири вооружаться и оказывал им широкую денежную поддержку, а потом помог им добраться до Чехословакии.

Хикки позвонил Локкарту из Вены в Прагу по телефону, и, как полагается у англичан, они обменялись несколькими словами о погоде и здоровье.

«Затем, — пишет Локкарт, — когда я уже начал удивляться, зачем он мне звонит из одной европейской страны в другую по пустякам, он внезапно сказал: "Здесь кое-кто хочет поговорить с тобой". И передал трубку кому-то другому.

Это была Мура. Ее голос звучал, как если бы он шел из другого мира. Он был мелодичен, и слова шли медленнее, и были под контролем. Она вырвалась из России. Она была в Вене, гостила у Хиксов. За все эти годы она ничего не знала обо мне, не слышала, что делалось здесь. Трубка дрожала у меня в руке, и я задавал ей идиотские вопросы: "Как вы поживаете, дорогая?" и "Вы здоровы?" Гедульдигер [служащий банка] был в комнате, его присутствие меня раздражало. Я всегда ненавидел телефоны. Но в то же мгновение, как в блеске молнии, я вспомнил дни кризиса в июле 1918 года, когда она поехала в Эстонию, а я звонил из Москвы в Петроград по семь или восемь раз в день спросить, нет ли от нее новостей. Она вернулась ко мне в Москву с опасностью для жизни и осталась со мной до конца моего тюремного сидения, до последнего прощания на вокзале, когда меня высылали из России под надзором большевистской стражи. Теперь после шестилетней разлуки я опять говорил с ней по проклятому телефону! "Дайте мне Хикки", — сказал я наконец, заикаясь. И быстро спросил его: "Могу я приехать на уик-энд? Можно остановиться у вас?"

Когда мы условились, я вышел из банка и пошел домой в состоянии тупой нерешительности. Из-за моего эгоизма и привычки потворствовать собственным капризам, моя семейная жизнь никогда не была полностью счастливой. Работа в банке была непрочной и неинтересной. Я был весь в долгах, и на минуту я схватился за отчаянную мысль: навсегда отказаться от возвращения в Англию и начать все сначала. Я когда-то сделал это (уехав в Россию], и это могло быть осуществлено опять. Но... было несколько "но". Я теперь был старше, чем тогда, на шесть лет и был ближе к сорока годам, чем к тридцати. У меня были жена и сын, послевоенный ребенок, о котором надо было заботиться. Наконец, я совсем недавно перешел в католичество, и мой развод мог значить только одно: полный разрыв с моими недавно принятыми решениями.

На следующий день вечером я выехал в Вену, все еще не решив, что делать. Я приехал в 6.30 утра и пошел в собор св. Стефана к утренней службе. После мессы я пешком вернулся в гостиницу. Хикки просил быть у него в конторе в 11 часов. Я не знал, будет ли там Мура. Мы должны были все вместе поехать к нему на дачу на два дня. Я сидел у себя в номере, пил кофе, без конца курил и пытался читать утренние газеты. В половине одиннадцатого я вышел и медленно пошел по Кертнерштрассе. Небо было безоблачно, и горячее солнце плавило асфальт на тротуарах. Я останавливался у окон магазинов, чтобы убить время. Наконец, когда часы пробили одиннадцать, я повернул на Грабен, где над большим книжным магазином помещалась контора "Кунард Лайн".

Мура стояла внизу, у лестницы. Она была одна. Она заметно постарела. Лицо ее было серьезно, в волосах появилась седина. Она была одета не так, как когда-то, но она изменилась мало. Перемена была во мне, и не к лучшему. В эту минуту я восхищался ею больше, чем всеми остальными женщинами в мире. Ее ум, ее "дух", ее сдержанность были удивительны. Но мои старые чувства умерли.

Мы поднялись наверх в кабинет Хикса, где он и Люба ждали нас. "Ну вот, — сказала Мура, — это мы". Это напомнило мне давно прошедшие времена. Мы взяли свои чемоданы и поехали в Хинтербрюлль на маленьком электрическом поезде... Все говорили хором и все время смеялись. Это был нервный смех. Хикки, добрый, деликатный, до глубины души англичанин, явно чувствовал себя неловко. Когда мы выходили, он пробормотал в мою сторону что-то касательно осторожности, и я понял, о чем он думает.

Люба Хикс говорила без умолку, перескакивая с предмета на предмет, вспоминая революцию и пикники в Юсуповском дворце, в Архангельском. Мура, единственная из всех, полностью владела собой. Я не мог сказать ни слова в ожидании чего-то, и это было мучительнее, чем сами муки. После завтрака Люба и Хикки оставили нас одних. Мы с Мурой пошли гулять по холмам, которые начинались за дачей. Она все сейчас же поняла. Там мы сели. Несколько минут мы молчали. Потом я начал расспрашивать, как она жила со времени нашей разлуки. Она отвечала деловито и спокойно. Она сидела в тюрьме и пыталась спастись бегством. Ее освободили, и она сделала попытку убежать из России по льду Финского залива. Потом она встретила Горького, подружилась с ним. Он дал ей литературную работу, сделал ее своей секретаршей и литературным агентом. Наконец она получила заграничный паспорт и уехала в Эстонию, где был ее дом. Земли были отобраны, но усадьба уцелела. Это был дом ее двух детей; она должна им дать образование. Она платит за все сама — и за себя, и за детей, из того, что зарабатывает, переводя русские книги на английский язык. Она переводит 3000—4000 слов ежедневно, перевела за эти годы 36 книг, по шесть книг в год. Почти все, что написал Горький. Она зарабатывает переводами 800—900 фунтов стерлингов в год. Ее энергия поразительна; ее переводы исключительно хороши».

Локкарт не знал, что и как ему говорить о себе.

«Я потерял за эти годы все, даже мою самоуверенность. Она слышала, что после войны у меня родился сын. Она не знала, пока я не сказал ей, что я стал католиком. Я старался замять вопрос о моих долгах и других безумствах. "Боже мой!" — прошептала она.

Она презирает меня за то, что я не бросаю все, не решаюсь смело начать все сначала. Но по правде говоря, даже если бы это было возможно и не было бы препятствий, я бы все-таки не захотел сделать этого. В глазах у меня стоял туман, в висках бил молот».

Она сказала ему, что было бы, вероятно, ошибкой вернуться к прежнему. «Да, это было бы ошибкой», — сказала она и пошла по дорожке к дому. Вечером все четверо говорили о прошлом, и Локкарт рассказал, как он летом 1918 года помог Керенскому выехать из России, через Архангельск, дав ему сербские бумаги, и как они виделись в 1919 году в Лондоне, а Рейли встретился с Керенским в 1921 году, в Праге. «В те времена, — сказал Керенский Локкарту о семнадцатом годе, — только социалисты могли рассчитывать на поддержку народа, но социалисты были совершенно неспособны организовать и вести за собой армию, которая так в те времена была нужна». Они говорили о будущем, о том, что мировая революция неминуема. Локкарт пишет: «Мура пророчила, что мировая экономическая система быстро изменится и через двадцать лет будет ближе к ленинизму, чем к старомодному капитализму. Если капиталисты умны, система изменится без революции».

На следующий день Локкарт должен был возвращаться в Прагу вечерним поездом. Мура решила ехать с ним. Спальных вагонов в поезде не было, и им пришлось просидеть всю ночь в тесноте купе первого класса. У Муры в лице была горечь. Они вспоминали прошлое: припадки бешенства Троцкого, остроумие Радека, любовные дела Коллонтай, английскую жену Петерса, половые синдромы Чичерина. Он рассказывал ей о дальнейшей судьбе Рейли, с которым он встречался в Лондоне, о его безумных планах, мегаломании и смелости и полном непонимании русской действительности в прошлом и настоящем, которое и погубило его.

Он рассказал ей об Уэллсе, который приезжал в Прагу в прошлом году, и они вдвоем ходили на гастроли МХТ, и Уэллс был без ума от их игры; о рыбной ловле, о гольфе и теннисе, и о цыганских оркестрах в пражских ресторанах. Карсавина была в Праге, и они вспоминали Петроград, и ужасы уже не казались ужасами.

А теперь он толст и стар, и у него бывают дни упадка, когда он не знает, что с собой делать. И мечтает стать писателем. Он говорил ей о Масарике и Бенеше, и о сыне Масарика, Яне, близком друге, какого у него никогда не было. И о своих денежных делах, которые, как все вообще у него, в большом беспорядке, хотя он и состоит членом правления многих центральноевропейских банков и промышленных компаний и знается с министрами финансов по крайней мере десяти стран.

Рано утром на пражском вокзале они расстались: он должен был быть в своем банке, она сказала, что едет в Берлин и Таллин, что еще вернется в Прагу. «Когда я ехал по городу, — пишет Локкарт, — я чувствовал себя и нервным, и смущенным. Была ли моя нерешительность следствием трусости, или романтическое пламя любви само по себе угасло?»

Он описал эту встречу с Мурой дважды: один раз кратко в своем дневнике и во второй раз в своей книге воспоминаний в 1934 году. Из этих записей ясно, что он не сказал ей ни о том, что он расстался с женой после рождения сына и после того, как она с ребенком гостила у него в Праге в 1921 году, ни что год назад, в 1923 году в Праге, у него был роман с молодой актрисой МХТ, когда труппа приехала из России в Европу на гастроли. Группа Качалова позже вернулась домой, по приказу правительства, вместе с Книппер, Лилиной, Москвиным и другими, а группа Германовой осталась в эмиграции, вместе с Вырубовым, Токарской, Крыжановской, Булгаковой. И самое главное, он утаил от Муры то обстоятельство, что полгода тому назад он встретил леди Росслин, молодую светскую красавицу, третью жену старого лорда Росслина, с которой он связал свою судьбу: прошлым летом они вместе были в Австрии, недавно она приезжала к нему в Прагу; она, будучи католичкой, перевела его в свою веру.

Он умолчал об этом. Но что сказать о ее признаниях? О каких шести переводах в год сочинений Горького могла идти речь, когда в годы 1921—1924 была издана (с помощью Барретта Кларка) одна его пьеса и теперь вот-вот должен был выйти сборник его рассказов («Отрывки из моего дневника»), составленный из тридцати семи отдельных коротких заметок, позже вошедших в 17 том тридцатитомного издания сочинений Горького 1949—1956 года? А в это время в переводе С.С. Котелянского, в сотрудничестве с Вирджинией Вульф вышли «Воспоминания о Толстом» (1920), «Воспоминания о Чехове» (1921) и его же, в сотрудничестве с Кэтрин Мансфилд, «Воспоминания о Леониде Андрееве». Горький был в переписке с Котелянским и был доволен деловыми отношениями с «Хоггарт Пресс», в котором выходили книги. Когда с повестью Лескова случилось то же, что и с письмами Чехова к Книппер и с повестью Пастернака (Мура перевела три четверти ее, когда вышел перевод некоего Пашкова), она стала переводить книгу рассказов Горького для издательства «Дайал» в Нью-Йорке. Но эта книга вышла только в 1925 году, так что о ней не могло еще быть речи. Кларк устроил ей этот перевод, как и позже — перевод романа Сергеева-Ценского «Преображение». А Пастернаку не помогло и предисловие Горького (оно до сих пор не было напечатано в его собраниях сочинений и не вошло в его библиографию. Оно помещено в книге 70 «Литературного наследства», на стр. 308) – рукопись была возвращена Муре издателем. «Судья» вышел под фамилией Закревской; том рассказов, названный по-английски «Рассказ о романе и другие рассказы», – под фамилией Будберг. Но эта последняя книга вышла только через два года после ее разговора с Локкартом...

Кстати, роман Сергеева-Ценского был задуман, как первая часть трилогии, потом, когда трилогия написана не была, автор его перетасовал и соединил с другим романом, и теперь он выходил под другим названием как «роман в трех частях»; первую часть романа Горький признал гениальным произведением, выше всего того, что было написано за последние десять или двадцать лет. По просьбе Ценского Горький написал предисловие для английского издания. Когда перевод романа дошел до автора в Россию, Ценский прислал Горькому письмо, в котором отмечал ошибки переводчика и пропуск целой главы. В ответ на это Горький написал Ценскому, что «переводы Будберг вообще все хвалят» и что «она училась в Кембридже и английский знает лучше русского». Что касается исчезнувшей главы, то Горький высказал мысль, что «вероятно, [ее] американцы сами вычеркнули, они это делают очень бесцеремонно». До конца 1920-х годов Мура не смогла перевести ничего больше, а как раз в это время вся продукция Горького перешла в руки казенных переводчиков Госиздата (Foreign Languages Publishing House) в Москве, и частным переводчикам нечего было больше делать*.

---

* Необходимо отметить, что после окончательного переезда Горького из Сорренто в Москву, в 1933 году, Госиздат несколько ослабил связывающие Горького условия касательно переводов на иностранные языки: некоторые книги его выходили параллельно – в Foreign Languages Publishing House при Госиздате и в частных издательствах Европы и США. Иногда Госиздат опережал заграничные переводы, иногда запаздывал. Так, например, английский перевод «Дела Артамоновых» вышел в Москве в 1952 году, а в Нью-Йорке в 1948-м. Качество переводов Госиздата было всегда, без исключения, ниже переводов заграничных издательств.

Теперь, начиная с августа 1924 года, она заезжала до и после Таллина не только в Берлин, но и в Прагу. Иногда это был Загреб, или Белград, или Вена – Локкарт давал ей знать, где и когда он будет. Только в Англии она не встречалась с ним в эти годы: там жила леди Росслин, и его отношения с ней, хотя и не были больше тайной для узкого круга их светских друзей, всему лондонскому обществу только-только становились известны. Там жили его жена и сын. Бывала ли Мура вообще в эти годы в Лондоне? На это есть только косвенные указания.

Последний год платежей Парвуса, 1924-й, начался смертью Ленина в январе и кончился нашим отъездом из Сорренто, в марте 1925 года. На поверхности особые перемены не были заметны. Так же Горький работал по утрам, читал газеты, журналы, книги, чужие рукописи. Так же ходил гулять с фокстерьером и восхищался итальянским небом, людьми, климатом, музыкой и пейзажем, расстилавшимся перед его балконом. Так же Мура выезжала три раза в год «к детям», и Максим клеил марки в альбом (у него была прекрасная коллекция) и ездил (и катал всех, кто хотел) на своем мотоцикле, тяжелом устойчивом Харлей-Дэвидсоне. Так же приезжали гости и останавливались в гостинице «Минерва», напротив виллы «Иль Сорито», на той же извилистой дороге, ведущей из Сорренто через Капо-ди-Сорренто к чудным, тогда еще пустынным местам, лежащим напротив Капри, смотрящим на запад, на заход медленного солнца. Так же приезжает в январе Валентина, которая живет в доме, пишет портреты (Горького и мой) и учит нас танцевать чарльстон, которому научил ее недавно Маяковский. Но этот период положил грань между первой и второй частью жизни Горького за границей, когда в его сознании появились реальные мысли о возвращении в Россию. Они были особенно сильны после прекращения платежей Парвуса – между последним его платежом и первым авансом Госиздата.

В свете смерти Ленина Горький переоценил свое отношение к Октябрьской революции и к первым годам большевизма, роль Ленина, его правоту и свои собственные ошибки. Он теперь забыл все свои расхождения, все обиды и счеты и поддался всеобщему вокруг него возвеличиванию Ильича; он искренне начал считать, что осиротел вместе со всей Россией, или даже вместе со всем миром, и, обливаясь слезами, говорил о нем. Он писал свои воспоминания плача и читал их корректуры в «Русском современнике» плача, когда они, после одобрения их Мурой, Максимом, Пе-пе-Крю, Марией Федоровной и Екатериной Павловной, были набраны петроградским журналом*. В этой первой редакции, само собой разумеется, не упоминалось об истории растраты Парвуса.

В это время Госиздату особенно легко было уговорить Горького (через Крючкова и Ладыжникова) подписать контракт на полное собрание его сочинений, что он и сделал под дружным давлением Муры, Максима и остальных. Ек.П. в это время как раз была в Сорренто. «Полное» собрание сочинений значило не только 30 или 25 томов его сочинений, находящихся в руках издательства «Книга», но и все, что будет написано им в дальнейшем, и все старое, что будет напечатано отдельными сборниками. Это сначала не было понято Горьким, он пытался даже доказывать, что есть вещи, им написан-

---

* Этот журнал начал выходить в 1923 году и в 1924-м закончил свое существование. В редакционную коллегию его входили Е.И. Замятин, К.И. Чуковский, А.Н. Тихонов и Абрам Эфрос. В своих воспоминаниях Ходасевич пишет:

«В конце 1924 года, по выходе четвертой книжки, "Русский Современник" был закрыт, а Тихонов, главный редактор и личный друг Горького, арестован. Когда я уезжал из Сорренто, Тихонов, несмотря на все интервенции Горького, все еще не был освобожден, причем Горький мне говорил, что "Русский Современник" — только придирка, на самом же деле Зиновьев держит Тихонова в тюрьме по другой причине: предполагает, что у Тихонова где-то спрятаны письма Ленина к Горькому, и хочет эти письма из Тихонова "выжать"».

ные, которые он «обещал» дать издать Гржебину или Сумскому, но Ладыжников объяснил ему, что этого сделать он не может и что он сам, Ладыжников, поступает служить в Госиздат, в его берлинское отделение; и если Гржебин и Сумский хотят идти в суд, то пусть идут — вмешиваться в эти дела Горькому не следует.

Оба эти издателя были теперь накануне разорения. «Беседа», все больше запаздывая с выходом, едва дышала, и, несмотря на ложные слухи о допущении журнала в Россию, о которых так весело писала Ходасевичу Мура, в начале 1925 года вышел двойной (шестой — седьмой) и последний номер. Журнал в России был запрещен. Госиздат через берлинское торгпредство сигнализировал, что время каких-то примирений между писателями «там» и «здесь» прошло, и если отчетливая граница между писателями эмиграции и советской России сама не пройдет, они сумеют ее провести раз и навсегда.

Таким образом, завязывался сложный экономический узел, который привел Горького — медленно и мучительно — к решению вернуться. Смерть Парвуса и прекращение выплаты его долга; отказ допустить «Беседу» в Россию; постепенная потеря читателя — особенно молодого — в Германии, Франции, Англии, США и идущие под гору тиражи его книг на иностранных языках; трудность получения денег от этих издательств, чувство, что процесс падения интереса к нему необратим и может только усилиться, и постоянная, как следствие этого, нехватка в деньгах заставили его повернуть свое внимание в другую сторону. Госиздат торопил его вернуться на родину. Он старался выполнить все пункты нового контракта; из России в редком письме не было настойчивого вопроса, когда же он приедет домой, где его любят и ценят; безделье Максима, которому скоро будет тридцать лет, и его игры, которым пора было прекратиться, и беременность Тимоши, и, может быть, отношение к нему Муры и ее поведение, которое было не совсем таким, каким оно воображалось ему, когда она тогда наконец приехала к нему в Херинг-сдорф. Решение принималось постепенно, можно сказать, что в 1926 году оно было принято, но исполнено – только в 1928-м.

Зато его переводы на языки российских меньшинств, издаваемые специальным отделом Госиздата в Москве, росли с каждым месяцем: его переводили на туркменский, украинский, грузинский, армянский, молдавский, чувашский, башкирский, марийский, татарский, удмуртский и другие языки, и так как в это время начал работать закон «принудительного ассортимента», то и тиражи были достаточно внушительными. Для него всегда хватало бумаги, и он об этом мог не беспокоиться.

В это время в Сорренто приехал Андре Жермен, французский литературный агент Горького и один из директоров Лионского Кредита. Он был фигурой комической, не умел сам себе мыть руки, говорил тонким голосом и не расставался ни на минуту со своим не то секретарем, не то лакеем. Ходасевич написал о нем, как об одном из первых представителей «салонного большевизма», которых в 1930-х годах было очень много в Европе. Валентина пишет, что Андре Жермен привез французский контракт, и Горький едва не подписал его. Вмешалась Мура: она внимательно прочла бумагу и увидела, что директор Лионского Кредита брал себе 65 процентов горьковских гонораров, оставляя Горькому 35 процентов.

Это теперь случалось нередко. Без нее (и в отсутствии Крючкова и Ладыжникова) он, вероятно, совершенно запутался бы в своих денежных делах, контрактах и условиях. Он начал сердитый спор, когда дошло дело до издания «Дела Артамоновых»: Мура объяснила ему, что, подписав контракт с Госиздатом, он не может печатать роман ни у Гржебина, ни у Сумского. Улаживать, примирять, терпеливо объяснить уже не раз объясненное было ее главной доблестью, и все это знали, но один случай остался загадочным и едва не нарушил безоблачные отношения ее с Максимом.

В феврале на семейном совете было решено продать у Сотби, крупного лондонского аукционщика, горьковскую коллекцию нефритовых фигур. Это было сделано ввиду первой задержки в пересылке денег Госиздата (позже их было довольно много) и отчаяния Ладыжникова, который не знал, как реагировать на просьбы Горького о деньгах.

Враги давно говорили, что Горький присвоил себе коллекцию из Эрмитажа в 1918 году, «спасая художественные ценности». Это была клевета. Слухи ходили, что какой-то царский генерал, будучи в 1904 году в Ляояне по делам сколь политическим, столь и коммерческим, восхитился этой коллекцией и попросил китайцев ему ее подарить, что они с радостью и сделали. В октябре 1917 года она была у него изъята (комиссией, в которой в это время работали многие из друзей Горького, в том числе А.Р. Дидерихс) и водворена в Эрмитаж, откуда была убрана и преподнесена Горькому. Третьи считали, что коллекция никогда не принадлежала Эрмитажу, что в Эрмитаже имеется другая коллекция нефрита, а эта, горьковская, была дана ему на хранение директором Петербургского частного коммерческого банка Э.К. Груббе, давшим Горькому деньги на «Новую жизнь» и уехавшим после Октября в Европу. Через четыре года, когда Горький выехал и вывез коллекцию за границу, Груббе отказался от нее и подарил ее Горькому. Как бы там ни было, деревянный ящик с крючками и замочком выволокли из-под кровати Соловья, и в день приезда фотографа из Неаполя Максим позвал меня, чтобы расставить на обеденном столе, на фоне красного бархата, двадцать три фигуры, от маленькой, сантиметров в двенадцать высотой, до крупных, сантиметров в двадцать и выше.

Фотограф приехал с огромным старинным аппаратом, похожим на сундук, и, накрывшись черной простыней, стал налаживать объектив. Максим просил меня никуда не отлучаться. Сам он решил быть все время при фотографе и не спускать с него глаз, а моя роль заключалась в том, чтобы я была недалеко, в комнате или рядом, если вдруг Максиму понадобится помощь. Горький заглянул в дверь, но Максим замахал на него руками. Фотограф прилаживался долго, потом ему дали закусить, потом он вернулся. Максим стоял подле фигур, я ходила из столовой в прихожую и из прихожей — в столовую. Мура вышла из своей комнаты полюбоваться на коллекцию, переставила фигуры по-своему, улыбнулась фотографу и ушла. Наконец, фигуры все были сняты, и черная простыня сложена пакетом, аппарат уложен в футляр красного дерева, и Максим пошел к мотоциклу отвозить фотографа в город. Я крикнула ему, что фигур не двадцать три, а двадцать две. Он посмотрел на счет, который фотограф дал ему. Были сняты двадцать две фигуры. Я сейчас же поняла, что Максим ошибся при счете, но Максим не соглашался со мной. Он пошел к Муре в комнату и сказал:

— Титка, отдай нефрит.

Она вышла к нему, она не понимала, чего он требует. Максим считал, что она шутит с ним шутки, но она никаких шуток не собиралась шутить. В воздухе повисла тяжелая неловкость. Мы вдвоем с ним молча собрали фигуры и уложили их в ящик. Я сказала ему: с самого начала было двадцать две фигуры, не двадцать три. Это совершенно ясно. Максим спорил со мной: так ошибиться он не мог. И фотограф не мог украсть — он с него глаз не сводил. Да, сказала я, и все-таки каждый человек может обсчитаться. В этом никакой беды нет.

На этом история с нефритом кончилась, он был послан в Лондон и там продан.

Мура в эту первую итальянскую зиму казалась всегда озабоченной, и причин для этого было много. Сестра Алла в Париже, Будберг в Аргентине, дети в Таллине — деньги только отчасти могли приглушить постоянную тревогу: что будет? как все устроится? и устроится ли? И здоровье Горького: он болел в январе, когда ее не было, Тимоша и я поочередно день и ночь дежурили около него. В больницу ложиться он не хотел. Доктор растерянно уверял нас, что только больница может его спасти. Когда Мура вернулась, он все еще едва стоял на ногах. Случай с тремя переводными неудачами словно выбил у нее почву из-под ног. Смерть Парвуса ставила вопросительный знак над прочностью этого общего устройства жизни, которое оказалось совсем не так прочно, как все думали. Госиздат? Он может оказаться соломинкой, за которую утопающий не удержится, или он может оказаться гранитной скалой — все зависит от того, как будет себя вести утопающий. Могут из Москвы поставить ультиматум: или возвращайтесь, или мы прекращаем платежи. Максим в этом деле ее союзник, но сделать он ничего не может. Мария Федоровна может помочь и помогает, и Екатерина Павловна в Москве тоже.

Н.Я. Мандельштам в своей первой книге воспоминаний говорит о Пешковой: она в 1920—1930-х годах состояла председательницей «Политического Красного Креста»*, т. е. Пешкова была как бы посредником между политическими преступниками и ВЧК, или НКВД, или ГПУ. Началось все через ее дружбу с Дзержинским, которого она ставила очень высоко за «моральные качества». Когда-то она устроила к нему на службу Максима, и он тоже оценил личность Дзержинского, и даже иногда мечтал вернуться в Россию и опять работать с ним. Как председательница «Политического Красного креста», Ек.П. ходатайствовала перед председателем ВЧК за арестованных эсеров (она сама состояла в молодости в партии эсеров). Их расстреливали и ссылали все

---

* «Политический Красный Крест» сначала назывался «Польский Красный крест»: он был организован вскоре после Октябрьской революции для репатриации поляков на родину, когда, после Версальской конференции, Польша стала самостоятельной. Когда все поляки были выдворены, репатриация закончилась, и Ек.П., с разрешения начальника ВЧК, стала заниматься судьбой политических заключенных. Ей, несомненно, удалось облегчить участь десятка (из десятков тысяч) арестованных в «красном терроре».

равно, как бы ее и не было, но тем не менее живущие в эмиграции в Париже эсеры верили в ее помощь и ежегодно собирали суммы для посылки арестованным на ее адрес. Н.Я. Мандельштам пишет:

«Жены арестованных проторили дорогу в "Политический Красный Крест" к Пешковой. Туда ходили в сущности просто поболтать и отвести душу, и это давало иллюзию, столь необходимую в периоды тягостного ожидания. Влияния "Красный Крест" не имел никакого. Через него можно было изредка переслать в лагерь посылку или узнать об уже вынесенном приговоре и о совершившейся казни. В 1937 г. эту странную организацию ликвидировали, отрезав эту последнюю связь тюрьмы с внешним миром».

Она была женой Горького неполных десять лет. После кризиса в 1903—1904 годах они остались близкими друзьями. Она в свое время, судя по всему, не могла не знать о растрате Парвуса; в 1912—1913 годах она была посвящена в тот факт, что жизнь Горького с Марией Федоровной идет к концу. Она знала про В.В. Тихонову, и теперь (ей было в 1925 году сорок семь лет, она была моложе Андреевой на шесть лет), когда у нее был полуофициальный друг, как тогда говорили, Михаил Константинович Николаев, заведующий «Международной книгой», она очень спокойно относилась к Муре, только старалась гостить в доме Горького тогда, когда ее там не было. К ее эсерству Горький очень рано начал относиться презрительно: «Твои эсеры, — писал он ей в 1905 году, — довольно-таки пустяковый народ. Шалый народ!» Это не мешало ему доверять ей во всем. После разрыва из-за Андреевой, Горький мечтал, что «время все залечит», что и случилось. «Будь добра, — писал он Пешковой в отчаянные для него дни, когда в январе 1905 года Мария Федоровна, на гастролях в Риге, заболела перитонитом и с ней там был ее поклонник Савва Морозов, а Горький вырваться в Ригу не мог, зная, что его там арестуют, — будь добра, привыкни к мысли, что [М.Ф.] и хороший товарищ, и человек не дурной, чтобы в случае чего не увеличивать тяжесть событий личными отношениями».

Если «Политический Красный Крест», как пишет Н.Я. Мандельштам, не помогал заключенным и их семьям, то он несомненно помогал той, которая была его председательницей. Ек.П., благодаря работе с Дзержинским, сделалась «кремлевской дамой»: она ездила за границу раза два в год, оставалась там долго и даже навещала своих старых друзей, теперь эмигрантов-социалистов, игравших до Октябрьской революции роль в русской политике, и вплоть до 1935 года — насколько мне известно — видалась и с Ек.Д. Кусковой, и с Л.О. Дан. Помочь их друзьям и единомышленникам (которые когда-то были и ее партийные товарищи) она ничем не могла, но аура бесспорной порядочности, если и не прозорливости, окружала ее. В Европе она чувствовала себя так же уверенно, как у себя в Москве, в свое время она много лет прожила с сыном на Итальянской Ривьере и в Париже. В ней было что-то от старой русской революционерки-радикалки, принципиальное, жесткое, и, как это слишком часто бывает, — викторианское, пуританское. Юмора Максима она не понимала, его увлечений футболом, аэропланами новейшей конструкции, марками и полярными экспедициями не разделяла. Но в Сорренто чувствовала себя хорошо, была всем довольна и по четыре часа загорала на балконе в столовой, в купальном костюме, на январском солнце. В своих рассказах она сильно нажимала на энергию Дзержинского, на чистоту идей Ленина и на то обстоятельство, что Горького в России ждут, что без него там литературы нет и не будет, и что если он не вернется в ближайшие годы, то его там могут вытеснить в сердцах читателей те, кто побойчее и помоложе, а главное — погорластее. А какое будущее в Европе у их единственного сына? Он здесь совершенно не развивается. Ходасевич пишет:

«С первого же дня ее пребывания начались в кабинете Алексея Максимовича какие-то долгие беседы, после которых он ходил словно на цыпочках и старался поменьше раскрывать рот, а у Екатерины Павловны был вид матери, которая вернулась домой, увидала, что без нее сынишка набедокурил, научился курить, связался с негодными мальчиками — и волей-неволей пришлось его высечь. Порою беседы принимали оттенок семейных советов — на них приглашался Максим».

В лето после нашего отъезда (в 1925 году) Мура не поехала «к детям», они приехали к ней. Мисси привезла обоих на два месяца в Сорренто. Павлу было двенадцать лет, Тане — десять. Валентина (это было ее последнее пребывание в Италии, после которого она окончательно вернулась в Россию) писала Танин портрет, а Павел сидел в саду и читал книжку. Когда его спрашивали, что он читает, он говорил: «Я читаю роман Горького “Мама”». О Тане Горький писал мне в письме: «Татиана Бенкендорф, девица, которая говорит басом и отлично поет эстонский гимн. Замечательная девочка... Купчиха пишет [ее] портрет с бантиками».

В это лето особенно много было гостей, пансион «Минерва» был всегда полон: приезжал Мейерхольд с Зинаидой Райх, Ник. Ал. Бенуа, главный декоратор миланского театра «Ла Скала», певица Зоя Лодий, Вячеслав Иванов и многие другие. Для увеселения гостей, и особенно — детей, накануне их отъезда был нанят катер и была устроена поездка по Неаполитанскому заливу — Капри, Иския, Позилиппо, Неаполь, Кастелламаре. Но нервы Горького, пишет Валентина в своих воспоминаниях, «были в беспорядке по многим причинам». Она также рассказывает, что когда наконец все разъехались, у Тимоши начались родовые схватки. Максим съездил за льдом (был исключительно жаркий день) и, сложив его в тени под лестницей, поставил в него пиво. Все были в большом волнении, ничего не было готово, и доктора достали с трудом.

На этот раз Ек.П. приехала 12 сентября, опоздав к родам невестки. А через пять дней после приезда ей пришлось быть свидетельницей события, вероятно, еще ускорившего решение Горького вернуться в Россию: 17 сентября на вилле «Иль Сорито» был итальянской полицией произведен обыск, вернее, обыск (как и тот, шесть лет тому назад в Петрограде, по приказу Зиновьева) был произведен в комнате Муры (она уехала с детьми и еще не успела вернуться) и отчасти в комнате Горького, нижнего этажа не тронули. Полиция Муссолини пересмотрела книги и газеты, изъяла рукописи и переписку. По остальным комнатам вооруженные до зубов молодые люди прошли очень медленно, осматривая все с нескрываемым любопытством. Несколько дней после этого дом днем и ночью был под наблюдением сыщиков.

Горький немедленно снесся с советским послом в Риме П.М. Керженцевым, заменившим около года тому назад Н.И. Иорданского, угрожая, что он немедленно выедет из Италии, переедет жить во Францию, куда уже «посылает М.И. Закревскую для приискания и устройства жилья под Парижем или на юге страны». Горький не мог не понимать, что ехать во Францию для него значило бы попасть в самый центр русской политической эмиграции, где не только он не сможет писать свой роман, но даже жить ему будет трудно. Он презирал эмиграцию и ненавидел ее, и она платила ему тем же. Но он не мог оставить ее в покое, забыть о ней, он тщательно читал русские парижские газеты и журналы и прислушивался к слухам, а иногда даже глупым сплетням, идущим к нему окольными путями из Парижа. Все это, если бы он поселился во Франции, не дало бы ему ни минуты покоя.

Керженцев, в это время уже бывавший запросто в Сорренто и бывший с Горьким в дружеских отношениях, немедленно заявил протест лично Муссолини. Были принесены извинения, и весь инцидент назван недоразумением. Бумаги и рукописи были возвращены в большом порядке. Посол, получив для передачи Горькому личные извинения Муссолини, был уверен, что скоро Горький вместе с М.И. Закревской отправится на некоторое время в Россию. Но Горький, хотя и очень сильно расстроенный обыском, все же решил в конце концов остаться в Италии и только на время выехать из Сорренто.

Это учел герцог Серра ди Каприола, владелец «Иль Сорито»: он решил сделать капитальный ремонт в доме и предложил Горькому с семьей выехать на время в Позилиппо, на запад от Неаполя. На этом и порешили. Была снята вилла в элегантном итальянском городке, полном иностранных туристов. 20 ноября Мура перевезла Горького, Максима, Тимошу, Соловья и первую внучку Горького, Марфу, на виллу Галотти, где они оставались до мая следующего года. За эти месяцы Горький успел написать первые главы нового (четырехтомного) романа, который считал основным делом всей своей жизни, «Жизнь Клима Самгина». Роман посвящался М.И. Закревской. В эти же недели было официально принято решение вернуться в Россию, когда роман будет дописан. До того времени Горький решил из Италии не выезжать.

Он понимал, как и сама Мура, что окончание романа теперь было связано с их взаимным расставанием: у обоих никогда не было и тени сомнения в том, что она никогда не вернется вместе с ним на родину.

Но у нее самой были в это время крупные неприятности, связанные с обыском на «Иль Сорито». Ее очередная поездка в Эстонию была прервана ее арестом: в Бреннере, на границе Италии и Австрии, ее арестовали. Она была выведена под стражей из вагона поезда, вещи ее были перерыты; ее продержали несколько часов после личного обыска в здании станции. Когда ее отпустили, многие бумаги ей возвращены не были. Кроме Горького и домашних, она никому в Сорренто не сказала об этом. Горький был в ярости и немедленно протелефонировал Керженцеву в Рим, но на этот раз не было принесено извинений и не было дано объяснений. И посол оставил просьбу Горького без последствий.

В Москве в свое время ее считали тайным агентом Англии, в Эстонии — советской шпионкой, во Франции русские эмигранты одно время думали, что она работает на Германию, а в Англии, позже, что она — агент Москвы. Петерс, изменивший к ней свое отношение, писал в 1924 году о ней, как о германской шпионке, работавшей в ВЧК. Но что думало правительство Муссолини о ней — нам неизвестно. Однако повара Катальдо, служившего Горькому еще до войны на Капри, Муре пришлось рассчитать. Для Марфы выписали из Швейцарии няню, и была нанята кухарка, заменившая повара.

СДЕЛКА

В эти годы у Муры стало заметно меняться лицо: постепенно оно потеряло свое кошачье выражение. Озабоченное, серьезное, оно минутами становилось мрачным. Она тщательно следила за собой, словно старалась не расплескать то драгоценное, что когда-то в ней так любил Локкарт, что он в прошлом году вновь нашел в ней и о чем Горький, в 1921 году, писал после встречи с ней в Гельсингфорсе: ее интерес ко всему, ее внимание ко всем, ее способность все знать, все видеть и слышать и обо всем судить. Локкарт писал позже, что она давала ему в те годы (двадцатые) «огромную информацию», нужную ему в его работе в Восточной Европе и среди русской эмиграции. До 1928 года, когда он вернулся на постоянное жительство в Лондон и стал видным журналистом в газете лорда Бивербрука «Ивнинг Стандард», он был своей работой в банке тесно связан с Чехией, Венгрией и Балканскими государствами. Информаторов он искал всегда и всегда находил, до самой своей отставки в 1948 году, как до войны, так и во время войны, и после нее, независимо от того, служил он в банке, писал в газетах или принадлежал к оперативно-информационному отделу Форин Оффис. Отчасти благодаря Муре, отчасти самостоятельно он возобновил свои связи в тех центрах, где осели русские эмигранты, и она через Горького была его каналом в литературные, театральные и отчасти политические кулисы Советского Союза. Очень скоро его опять начали — и даже больше, чем прежде — считать одним из экспертов по русским делам, а кое-кто думал о нем, как о лучшем знатоке старой и новой России.

Будучи человеком способным, он мог послать в любой журнал увлекательную статью, основанную не только на прошлом личном опыте и своих воспоминаниях, но и на той систематической информации сегодняшнего дня, которая доходила до него; он писал не банально, не традиционно, но всегда живо, интересно, оригинально, он мог писать о любой новой фигуре, появившейся на кремлевском горизонте, и давать ценные подробности о свергаемом, впавшем в немилость вельможе; он мог припомнить анекдот к месту и расцветить его. В Прагу, в одну из этих зим, приехал Карахан с женой, балериной Семеновой, и Локкарт, зная вкусы Карахана, возил его ночью в лучшие рестораны, с цыганским хором, с румынским оркестром. В последний раз он видел Карахана в день своего выхода на свободу после месячного сидения в кремлевском флигеле. Теперь, под «Чарочку», они ели оленину в сметане, кутили до утра. Он умел и культивировать, и расширять свои знакомства, как бы чувствуя, что это ему пригодится в будущем, какую бы дорогу он ни выбрал: международный банк, Форин Оффис или журналистику.

И Мура, и регулярные встречи с ней как-то хорошо и удобно укладывались в этом будущем: она тоже любила расширять свои знакомства и легко это делала — от советских вельмож и писателей с мировыми именами до русского эмигрантского «дна» в Париже, от чиновников берлинского торгпредства до аристократических балтийских свойственников, старающихся не опуститься. Было ли между ними заключено некое условие уже в это время, состоялось ли оформление их деловых встреч, перемежавшихся с чисто приятельскими отношениями, такими удобными для него и такими необходимыми ей, и в то же время такими для нее неполными? Или условие было заключено значительно позже, когда, между 1930 и 1938 годами, она уже полностью была свободна исполнять его поручения, и контакты были налажены и там и здесь, пока к концу 1930-х годов эти контакты не распались, не по ее вине. Каждые три — четыре месяца они встречались в одной из столиц Центральной или Восточной Европы (иногда — в Загребе), где в каждой у них был свой любимый ресторан и знакомая гостиница и где знакомы были вокзалы и телеграф.

Они встречались во многих местах — и в Бухаресте, и в Таллине, и в Женеве, но не в Лондоне. Не в самом Лондоне, — по крайней мере, до начала 1930-х годов. Здесь Локкарт не мог себе позволить с ней быть или даже случайно встретиться с ней. Когда он приезжал в Лондон, все менялось для него, и ни настоящего, ни будущего (не говоря уже о прошлом) у него не было; была Томми и безнадежное безумство их незаконной любви, и возобновляющиеся в каждый его приезд колебания: да нужно ли ему возвращаться в Прагу? Делать банковскую карьеру? Не послать ли все к черту, не остаться ли здесь навсегда возле нее, любить ее, обожать ее прелесть и красоту, зная о невозможности соединиться с ней навсегда, и продолжать жизнь такой, какая она есть, так именно, как всегда этого хотел и будет хотеть все знающий, старый, страшный, больной и уродливый лорд Росслин? Католичество. Невозможность развода. Его собственная жена на грани нервного расстройства от жизни с ним, вернее — от не-жизни с ним.

Когда начала Мура бывать в Лондоне и как часто она там бывала? До 1928 года сколько людей могли ее видеть там? И зачем был ей нужен Лондон, если она встречалась с Локкартом в Европе? Она никогда ни одним словом не обмолвилась о своих поездках в Англию, когда жила в Сорренто, чтобы даже намеком не подать мысли о своих встречах с Уэллсом, о которых знал Локкарт, как знали о них их общие знакомые в тесном, узком кругу лондонского света, герметически закрытом. Она могла сказать при случае: да, я была в Загребе. Там у меня в прошлом году было свидание с чешским, нет, югославским агентом Алексея Максимовича. Или: да, я была в Вене. Прошлой зимой. Город показался мне ужасно красивым. У меня там была пересадка, и между поездами оказалось четыре часа. Я прошлась в центр, позавтракала в Кайзерхофе и на обратном пути зашла в собор, а в это время Пе-пе-крю поджидал меня на Ангальтском вокзале в Берлине, такое вышло недоразумение! Или что-нибудь такое же нелепое, звучащее в ее устах вполне естественно и даже весело, так что всем вдруг тоже хотелось побывать в этой красивой Вене и купить себе что-нибудь очень нужное. Но об Англии никогда не было сказано ни слова. Раз она сказала, что собирается заехать в Париж (сделать крюк, или «крючочек», как она выразилась) «посмотреть на эмигрантов», на то, как там живут ее сестры, та, что за Кочубеем, и та, что бросила своего француза и, как говорилось в старину, «когда-нибудь плохо кончит». Но на этом она умолкала и как-то рассеянно смотрела вокруг, и никто так и не успевал узнать, был ли ее зять Кочубей шофером такси в Париже или был баловнем судьбы и устроился конторщиком в страховом обществе?

1928 год был для Локкарта переломным: его случайные статьи в английской печати, в «Эдинбургском обозрении», в «Нью Стэйтсмен», в «Фортнайт» и других журналах, а потом и в газете лорда Бивербрука «Ивнинг Стандард» о финансах Восточной Европы, о России, о мировой политике, о Балканах, о Масарике имели успех у читателей, и его друзья говорили ему, что из него мог бы выйти влиятельный журналист. Его близкий друг, молодой Ян Масарик, сын президента, считал, что он теряет время, сидя в Европейском банке, а способный, многообещающий Гарольд Никольсон, сам только что приглашенный Бивербруком в «Ивнинг Стандард», не раз предлагал свести его с владельцем этой влиятельной лондонской газеты или даже просто поговорить с Бивербруком о постоянной работе Локкарта. Никольсон, сын английского посла в Петербурге в начале века, начинал в эти годы свою блестящую карьеру. Он говорил Локкарту, что у Бивербрука он мог бы встретить крупных политических деятелей, международных финансистов, знаменитых певцов, балерин и литераторов, дельцов и мудрецов. По словам Гарольда, лондонцы уже обратили внимание на его статьи, и многие спрашивают о нем. Локкарт всегда помнил, что если люди спрашивают о нем, значит они любопытствуют, что с ним сталось после его выпадения из дипломатического мира в 1918 году. Он знал, что им интересно знать, как двадцатидевятилетний дипломат, наперекор всем почтенным джентльменам и даже наперекор предостережениям сильных мира сего, дружил в большевистской Москве с чекистами, или даже, кажется, с чекистками, с Троцким и Чичериным, бандитами первой руки; как потом сел в тюрьму за свои легкомысленные проделки, после чего вернулся весьма уверенный в себе и докладывал Его Величеству, даровавшему ему аудиенцию, а затем был отстранен от дел за свои неуместные старания наладить дружеские отношения не то с Лениным, не то с Савинковым, не то с белыми генералами.

Теперь, после девяти лет кружения между Будапештом и Афинами, Веной и Стамбулом, он считал себя первым знатоком в славянских делах, и преданный ему Ян Масарик был совершенно с этой оценкой согласен. Впрочем, Яна в Праге не было: с 1925 года он жил в Лондоне в качестве чехословацкого посланника, и Локкарту не с кем было отвести душу. Он сознавал свое легкомыслие и нерешительность, с которыми родился, долги свои он исчислял в десять тысяч фунтов стерлингов, но он боялся потерять одно свое качество, которое его всегда выносило из беды: уверенность в себе, которого ему теперь иногда стало не хватать. С одной стороны, страстная любовь к замужней женщине, с другой — сломанная дипломатическая карьера, а теперь еще новое — намерение стать газетным сотрудником Бивербрука. Как далек он от того, чтобы остепениться! Но, может быть, правы люди — мужчины и женщины, — когда говорят, что именно в этом легкомыслии и заключено его исключительное, его обезоруживающее очарование?

Сначала банковская карьера как-то сама собой соединилась с частичной работой в британской легации в Праге, где ее начальник, Кларк (еще одна фигура, заменяющая ему отца, в последовательности фигур лорда Милнера, Бьюкенена и — увы! — Рейли), царил и относился к нему с большим добродушием, когда он слегка хвастался своими, впрочем, несомненно не совсем обычными, связями с чехами, отношениями, возникшими еще в 1918 году в Москве. Секретари легации уговаривали его написать книгу о Чехословакии, настолько он увлекательно рассказывал о встречах с Масариком-отцом в горах, в Топольчанах, куда он был вхож с первого дня своего приезда. Через год он уже всецело был поглощен банковскими делами, теперь от него зависело дать или не дать той или иной центральноевропейской стране кредиты в фунтах стерлингов, свести или не сводить английских дельцов Сити, приехавших полуофициально в Прагу, с чешскими банками, где всюду сидели люди, доверявшие ему. На короткое время (в 1925 году) он ушел из директоров Англо-Чехословацкого банка (так он тогда назывался) и принял пост директора секретного отдела в Англо-Австрийском банке, но скоро стал сочетать обе эти должности, ощущая старую тягу к засекреченной деятельности политической службы. «Жизнь была довольно приятная. Мои директора занимались вопросами экономического и политического развития в странах Центральной Европы, а я составлял для них ежедневные реляции, держа тесную связь с их представителями в Лондоне; Германии и Италии тоже вскоре удалось включиться в список стран, которые я обязан был контролировать», — писал он позже. Это последнее обстоятельство, между прочим, облегчало Муре свидания с ним в этих двух странах. Это было написано им в его книге воспоминаний с многозначительным названием: «Отступление от славы» (другой том, вышедший в 1947 году, был назван «Приходит расплата»).

В 1927 году он продолжал свой роман с «Женей», актрисой МХТ, которой он позже помог выйти на немецкую сцену. В Вене он встречался с П.Л. Барком, последним царским министром финансов, делавшим свою вторую карьеру в лондонских банках, а в Лондоне, во время своих наездов, он несколько раз завтракал с М.И. Терещенко, министром финансов Временного правительства, зарабатывавшим на биржевых операциях большие деньги.

Наезжая в Лондон, он по-прежнему наблюдал «веселую путаницу в наших отделах секретной службы» и был этим отделам близок, потому что у него «было широкое практическое понимание политических, географических и общеэкономических проблем государств Центральной Европы». В том же году, побывав в Загребе, который он любил, он съездил в Венецию, а потом в Мюнхен, где оказался в день рождения старого Гинденбурга (80 лет). Это навело его на мысль добиться интервью у низложенного кайзера Вильгельма II, живущего на покое в Голландии. Он должен был заручиться согласием «Ивнинг Стандард» такое интервью напечатать. Аудиенция была получена у Бивербрука на дому. На него произвели впечатление два концертных рояля в зале и подмостки, на которых еще не так давно танцевали Нижинский и Карсавина, Данилова и Мясин. Бивербрук заключил с ним договор и согласился на его поездку в Доорн. Интервью было получено, и с кайзером Локкарт не прерывал отношений до 1939 года. При свидании Бивербрук пошел на все его условия и говорил, что считает его первым знатоком России и славянских стран. Вечер этого дня он провел с Яном, в его квартире при чехословацком посольстве. Оба были рады встрече, и Локкарт вдруг почувствовал, что рад быть в Лондоне, и пропал старый страх: он больше не боится никого, ни отца, ни жены, ни, как когда-то, бабушки.

С женой они жили теперь на разных квартирах, и он выезжал в свет с Томми. Она ввела его в круги английского аристократического общества (через несколько лет Локкарт уже играл в гольф с Эдуардом VIII и бывал у миссис Симпсон). Его контракт с Бивербруком тешил его самолюбие, и его новая работа, сочетавшая обязанности «светского фельетониста» и «центрального» (или редакционного) комментатора, понемногу стала увлекать его.

Газета «Ивнинг Стандард» считалась, по сравнению с серьезной прессой, газетой бульварной. Тираж ее был огромен. «Дейли Экспресс» и «Санди Экспресс» также принадлежали Бивербруку. Популярная газета «делала в Англии погоду». Локкарта сразу взяли в оборот. Не успел он приехать от кайзера из Доорна, как Бивербрук сказал ему, что он ждет о него не только фельетонов и статей, но и книги, книги об его авантюрах в России, потому что ни для кого не секрет, что его пребывание там было цепью авантюр: как он там дружил с Троцким, как конспирировал с контрреволюцией и как сел в тюрьму. И кто была та особа, которая освободила его. Локкарт смутился: не она меня освободила, — сказал он, — я ее освободил. Благодаря дипломатическому иммунитету... Невозможно себе представить, чтобы Бивербрук, бывший в 1918 году министром информации в кабинете Ллойд-Джорджа, не знал, что Локкарт был послан в Россию Ленина как простой наблюдатель, и никакого статуса, дающего иммунитет, никогда не имел. Но Локкарт был готов на все, чтобы только не распалась когда-то созданная легенда. Он повернул разговор в другую сторону. Бивербрук оценил его щепетильность: он в лице Локкарта приобретал настоящего джентльмена.

Разговоры о кинофильме по книге его воспоминаний начались еще до того, как он приступил к работе над самой книгой. Обедая у Бивербрука с Самюэлом Голдвиным, голливудским королем кино, Локкарт, сидя с ним рядом, услышал его вопрос: «Когда будет закончена ваша книга?» — «Если мне дадут отпуск, прежде чем запрячь меня в газетную работу, то через два года», — ответил Локкарт. Да, сказал Бивербрук, он даст ему отпуск для написания книги. И вот Локкарт, счастливый, свободный, едет в 1929 году по всей Европе — свою поездку он называет «мой континентальный тур», — по примеру великих англичан прошлого. Он теперь свой человек у ростовщиков и покрывает с их помощью часть своего, еще пражского, долга. Он едет в Париж, в Германию, в Швейцарию. В дневнике он записывает: «Я хотел повидать сына в школе в Швейцарии. Мура возвращалась в Берлин после того, как долгие годы работала секретаршей и переводчицей у Горького в Сорренто. Женя тоже была там в Берлине, она хотела со мной посоветоваться по поводу одного кинематографического контракта»...*

В Берлине он задержался на неделю. Там Мура виделась с ним. Какую европейскую столицу назвала она ему как свое постоянное местожительство, мы не знаем. Но ее сын Павел в это время тоже учился в школе в Швейцарии (как она сказала Локкарту), и она ехала к нему. Они обедали в известном берлинском ресторане Ферстера. «Я спросил ее о Горьком. Он теперь окончательно решил бросить Запад и посвятить остаток жизни развитию и образованию новой России. Со времени его возвращения в объятия большевиков свыше трех миллионов экземпляров его сочинений проданы в одной только России. Русский народ молится на него, как на Бога». Но

---

* В это же самое время, в разгар романа Локкарта с леди Росслин, Гарольд Никольсон писал ему в дружеском письме: «Чтобы утвердить Вас в любви к Вам Макса (Бивербрука, который жаловался Никольсону, что Локкарт пьет и развратничает), я сказал ему, что вовсе нет, что Вы просто разрываетесь в своей дружбе с различными женщинами одновременно».

Локкарта, несмотря на его уважение к Горькому, беспокоило, что писатель, всю жизнь боровшийся с тиранией, в шестьдесят два года уверил себя, что тирания, насилие, уничтожение личной свободы оправданы, если ведут к высокой цели.

На следующий день он был в германском министерстве иностранных дел, был принят Штреземаном и Кюльманом, промышленником Сименсом. У него кружилась голова от политики, отношений с людьми самых различных уровней, романа с Женей, писем леди Росслин и открывающихся перед ним для карьеры новых дорог. В трезвые минуты он говорил себе: «Мне сорок один год. Я за двадцать лет переменил пять профессий». Но это не мешало его хорошему настроению, наоборот, ему казалось, что жить становится все интереснее.

Его книга «Мемуары британского агента» была сдана в печать, и он написал Муре об этом, считая, что она, своим отношением к нему и спасением его жизни, в котором сыграла такую роль, заслужила того, чтобы он показал ей, что он о ней пишет, и дала бы свое согласие это опубликовать. Он никак не мог ожидать ответа, который он от нее получил. В дневнике мы читаем:

«Сегодня утром был для меня удар — письмо от Муры, в котором она требует изменений в той части моей книги, которая касается ее. Она хочет сделать все более сухо и деловито. Она хочет, чтобы я ее называл "мадам Бенкендорф" с начала до конца. Она хуже, чем викторианская старая дева. А почему? Потому что я написал, что четырнадцать лет назад у нее были вьющиеся волосы, в то время, как они "всегда были прямые". Поэтому мое описание фальшиво, легкомысленно и т. д. и ясно, что весь эпизод ничего для меня не значил! Поэтому: вся любовная история — или ничего! Это будет трудно сделать. Тем не менее, придется в книге кое-что изменить. Она — единственная, кто имеет право требовать изменений».

Книга тем не менее вышла и имела в Англии и США огромный успех. Она принесла ему деньги и славу и была переведена на многие языки. Через два года в Англии вышел на экраны фильм «Британский агент», который остался в истории кино как один из лучших авантюрно-исторических фильмов, не только по своему содержанию — Россия, революция, заговор, тюрьма, любовные перипетии англичанина с русской, — но и потому, что самого Локкарта (Стивен Лок) играл большой английский актер, Лесли Ховард. Муру (Елену) играла Кей Френсис, красивая, черноволосая, большеглазая актриса, с нежным, мягким лицом и тонкой талией. Ставил фильм Майкл Кэртис, известный в то время режиссер. Пресса писала восторженно: «Сюжет, богато прошитый потрясающими драматическими моментами, прекрасно и живо использован на экране. Это — эпизод из книги Р. Брюса Локкарта. Лесли Ховард играет в мужественном и в то же время мелодраматическом стиле». Два момента фильма, по мнению критика нью-йоркской «Таймс», могли бы быть сделаны более тонко: во-первых, апогей личных романтических переживаний молодых любовников на фоне величайшей революции нашего времени может показаться зрителям не таким уж существенным, во-вторых, в конце, когда Кей Френсис смело объявляет Ховарду, что она прежде всего — женщина, и только потом — чекистка и шпионка. Наряду с Лениным в фильме были показаны и другие большевистские герои со странными фамилиями: Зубинов и Калинов (последняя очевидно была составлена из Калинина и Корнилова). Но в те времена Голливуд был известен своими несуразными русскими именами (а его влияние было очень сильно) — русские сюжеты были в большом ходу, и в каждом фильме появлялся кто-нибудь с немыслимой фамилией; был даже фильм, где две русские принцессы назывались Петрушка и Бабушка.

Локкарту было прислано приглашение на просмотр фильма, и он пошел, взяв с собой Муру. Оказалось, что просмотр назначен только для него, других приглашенных не было. Они оба сидели в центре небольшого зала, который был пуст и поэтому в первую минуту показался им огромным. В этой пустыне, в темноте, в молчании, она переживала прошлое, не смея дотронуться до его руки, вероятно, боясь, что если она это сделает, она навсегда потеряет его. Возможно, что он пожалел, что пригласил ее прийти с ним, он, вероятно, подозревал, что ей было тяжело, но радость и гордость, что хороший фильм был сделан по его хорошей книге, тешили его тщеславие. Когда все кончилось, она спрятала от него лицо, и они разошлись на улице в разные стороны.

Теперь, когда он начал новую карьеру и из банкира стал автором нашумевшей книги, успешным киноавтором и журналистом в большой газете, его любимым местом стал изысканный Карлтон-грилл, место не для всех, но для тех, кто был волею судьбы включен в число достойных (и их гостей), место более похожее на клуб, чем на ресторан. Там он ежедневно завтракал, днем заезжал в свой клуб, вечерами бывал в театрах и концертах, если не бывал в лондонском доме Бивербрука, где между выступлениями актеров, светским разговором и ужином хозяин дома обсуждал с избранными материал для ближайших номеров своих газет. Субботы и воскресенья проводил он в Сюррэй, в загородном дворце Бивербрука, куда уезжал в пятницу вечером и возвращался в понедельник утром.

Локкарт в газете был и фельетонистом, и автором серьезных статей на политические, политико-философские и прежде всего — актуальные темы иностранной политики. Они отличались той же живостью, что и его разговор. Он тогда не мог предвидеть, что останется в газете до 1938 года (когда его вернут на военно-политическую работу), и с увлечением учился журнализму, выказывая при этом свою обычную способность быстро схватывать и усваивать нужное и отбрасывать ненужное. Кое-кто, кто в свое время благословил его на дипломатическое поприще, считал, что он растрачивает свои таланты на страницах желтой прессы, и есть одно свидетельство (от июня 1931 года), как Мура относилась к его газетной работе. Она сказала ему: «Возьмите себя в руки. Вы достойны лучшего, чем играть роль лакея Макса [Бивербрука]». Она не могла простить ему его непримиримой ненависти к советскому режиму, которую она рассматривала как ненависть к России. Эти два понятия постепенно стали сливаться для нее в одно. Она не была исключением: известный, хоть и не слишком большой процент эмигрантов, так же, как она, постепенно приходил — через запутанную диалектическую сеть колебаний, оценок и переоценок — к убеждению, что любить родину (или, как тогда начали писать, «дорогую Родину») значит принимать все, что в ней есть, кто бы ею ни управлял. Большинство эмиграции по-прежнему держалось того мнения, что «узурпаторы в Кремле» мучают русский народ, который хочет демократии, и только ничтожная часть ее считала, что если случилось то, что случилось, значит были для этого причины, глубоко лежащие как в историческом прошлом страны, так и в природе русского человека.

На слово «лакей» Локкарт не обиделся. Она была нужна ему, через нее он сохранял связи с русскими кругами, с русской действительностью. Он постепенно делался правой рукой Бивербрука, который ему оказывал полное доверие. Локкарт — ни тори, ни либерал, скорее — консерватор, но без феодальной окраски, общаясь с аристократами Лондона, всегда находил там свое место среди друзей. Он ненавидел и презирал мещанство, он был далек от преклонения перед традиционным монархизмом, смотря на династию, как на одно из необходимых Англии государственных учреждений. Он высоко ценил перемены в России, хотя уже в это время знал об идущих и усиливающихся репрессиях, в нем оставалось уважение к Ленину, как к значительной фигуре нашего времени, и он причислял его к пророкам своей юности, куда между прочим входили и Вальтер Скотт, и Наполеон.

Весь день — разговоры, пища для фельетониста, встречи с людьми, важными и не очень важными, завтраки с ними, новости, идущие из парламента, палаты лордов, министерств, литературных кругов и светских; он слушает всех, от премьер-министра до представителей богемы; сегодня это мировой известности пианист, завтра — американский король стали, послезавтра — советский посол Майский, эмигрант Керенский, за ним — старый знакомый Освальд Мосли (в то время еще не национал-социалист), а на следующий день — Беатриса и Сидней Уэбб, и Рандольф Черчилль, одно время — помощник Локкарта в его ежедневном газетном «Лондонском дневнике».

Его фельетоны имели большой успех, Бивербрук даже хотел просить его перейти в другую его газету, «Дейли Экспресс», но Локкарт не соглашался: там было бы больше денег и больше славы, но... надолго ли его там могло хватить? И он отказывается и остается в «Ивнинг Стандард», где теперь его «светский фельетон» как-то незаметно начинает сливаться в одно с политическим, потому что все «светские» знакомые и видные лица в лондонском свете в то же время крупные имена в политике — Уинстон и Невилл, и Остин, и Рамзи, и Ван (Ванситтарт) и Том (Мосли). Он уже не только спец по России и Центральной Европе, он спец по германской политике, он лично знает всех на верхах Веймарской республики. С ними всеми он ест и пьет, и это начинает разрушать его здоровье. Запись в дневнике: «Пьян, болен, в долгах, в трех ночных кабаках за одну ночь... Нет силы воли бросить пить. Развратник и лгун».

Вечерний смокинг каждый вечер, лорд Ротермир, лорд Нортклиф, Сомерсет Моэм, и первый секретарь советского посольства, и какой-то немецкий принц — все ему нужны, он работает на свою газету по двенадцать часов в сутки. По воскресеньям он гость в родовых поместьях своих друзей, и в загородных дворцах старой и новой буржуазии, промышленников, газетных воротил, международных дельцов. Его называют фактотумом Бивербрука, он нарасхват. И все идет на пользу его фельетонам: сплетни об Альфонсе XIII, новая книга Уэллса, где он собирается наконец сказать, что, по его мнению, надо делать, чтобы спасти цивилизацию, и назначение Керзона на новую должность, и званый вечер у леди Кунард.

Все идет ему на пользу. И встречи с Мурой необходимы ему. У нее большой круг знакомств — на самых различных уровнях лондонского (или даже международного) общества. Он определяет ее окружение: «она — среди иностранцев, умных и незаметных» (между ними — и Р., и А.Г. Соломон, помогавшие ей когда-то в Ревеле). Он никогда не говорит ей о британской политике или об Англии, только о Центральной Европе, о Восточной Европе, о Прибалтике и России. Она все еще ездит в Прибалтику, по одним им обоим ведомым делам. Она рассказывает ему анекдоты о пребывании в Советском Союзе Андре Жида, о визите Ал. Н. Толстого в Лондон. Несмотря на ее холод после прочтения его мемуаров и особенно — после фильма, они продолжают встречаться, они связаны теперь деловыми узами. Он записывает:

«Завтракал с Мурой в Савое. Она едет в Геную сегодня и потом в Берлин. Говорит о новой книге Арнольда Беннетта. Уэллс согласен с Максом, что это — дрянь. Мура говорит, что Дороти Честон надоела Беннетту и он потерял всякое вдохновение после того, как она запретила ему носить рубашки с незабудками. Бедный Горький зарабатывает не более 300 фунтов стерлингов в год, не может вывести деньги из России, где его книги продаются по 2.700.000 экземпляров в год. Он живет чувством, не умом, и не умеет относиться критически...»

(Октябрь 1930)

«Письмо от Муры... Она пишет мило и весело. Она женщина широкого ума и широкого сердца».

(Январь 1931)

«Днем Мура в "Веллингтоне". Сидели с ней до 8.30, пили херес. Потом пошли в венгерский ресторан, где сидели до 2-х ночи. Я чувствовал себя больным после такого питья. Она — как всегда, ей нипочем. Весь вечер, естественно, проговорили о России. Мура думает, мы все ошибаемся насчет русских. Она думает, как Уэллс, что капиталистическая финансовая система сломалась и кончилась и что России удастся ее пятилетний план — может быть, не в пять лет, но в том смысле, что она будет прогрессировать и сделается индустриальной страной, как США. Она видела Горького несколько недель тому назад. Он теперь абсолютный большевик, вернулся к своему классу, верит Сталину и оправдывает террор, от которого раньше содрогался. Он и Мура оба боятся иностранной интервенции. Мура уверяет меня, что недавние процессы в Москве [над вредителями] были всамделишными, не были выдуманы правительством».

(Март 1931)

«Завтракал с Мурой. Она показала мне письмо Горького. Он просит ее прислать ему английские книги по истории английской карикатуры. Он очень любит животных... В Петрограде во время голода у него был датский дог; однажды он ушел из дому и не вернулся. Его съели голодающие Петрограда».

(Январь 1932)

«Завтракали с Мурой в ресторане "Эйфелева башня"».
(Июнь 1932)

«Пошел с Мурой на час на матч Англия — Индия».
(Июнь 1932)

«Завтракал с Мурой, которая вернулась из Германии. Горький был очень болен в Берлине — опять осложнение с легкими. Лечил его профессор Краус. Давали кислород. Возраст — 64. Не позволили ему поехать в Голландию на антимилитаристский конгресс. Большевистская профсоюзная делегация хотела, чтобы он поехал в Париж. Мура протестовала (из-за его нездоровья)».

(Сентябрь 1932)

«Завтракал с Мурой. Уэллс вернулся в Англию из Грасса на месяц, повидать друзей. Он пригласил Муру в пятницу на пьесу Шоу "Плохо, но правда" ("Too true to be good"). Ему будет 66 лет в четверг, 22-го. Вокруг него — только женщины, мужчин-друзей у него нет. Молодые ему неинтересны, и он не старается, как Горький, поощрять их. У него два законных сына, которых он любит, но он не позволяет им вмешиваться в свою жизнь. Двум другим сыновьям, от Ребекки Уэст и Амбер Ривз, он щедро дает все, что им надо*. Антони Уэста он любил. Потом... Уэллс как-то исчез. Он очень умеет как-то вдруг исчезать, испаряться и никогда уже не возвращаться к людям».

(Сентябрь 1932)

«Завтракал с Мурой в Беркли-грилле и пил кофе с Г.Дж. Уэллсом, который тут же завтракал с какой-то весьма прельстительной молодой американкой. В 66 лет Уэллс выглядит чудно как молодо. У него кожа на лице – на двадцать лет моложе. Он пишет роман о мире, каким он будет через 100 лет... Мура резко ссорится с ним из-за России и международной политики».

(Октябрь 1932)

«Мой завтрак с Уэллсом был довольно скучен. Я опоздал на четверть часа. Томми и Гарри [леди и лорд Росслин] пришли в ресторан, чтобы посмотреть на Муру. Другие мои гости были: Бернсторф [немец, анти-наци, позже казненный Гитлером] и Рандольф [Черчилль]. Уэллс придирался ко всем, потому что Мура говорила

---

* Локкарт ошибся: от Амбер Ривз у Уэллса была дочь.

с Бернсторфом и хотела видимо владеть разговором...
Мура выехала в Париж. Уэллс поехал ее провожать...»

(Октябрь 1932)

«Видел Муру в 6.30. Она говорит, что Гарольд [Никольсон] завидует моему успеху. Они едут с Уэллсом в Париж, а затем — в Сорренто к Горькому... Она показала мне открытку, на ней Эйч-Джи написал мелким аккуратным почерком: "Дорогая Мура! Нежная Мура!" Он посылает ей много денег. Делает подарки».

(Ноябрь 1932)

«Завтракал с Мурой в "Перрокэ". Она едет с Уэллсом в Зальцбург в июне. Она только что вернулась из Берлина... Мурины истории всегда забавны».

(Май 1933)

«Мура вернулась».

(Июнь 1933)

«Завтракал с Мурой... Мура говорит мне, что в этом году Горький не приедет в Италию, но поедет в Крым... Горький сказал Муре, что при открытии Беломорского канала бывший министр путей сообщения Временного правительства Некрасов рыдал от радости, глядя на это достижение, которое было осуществлено советской властью в России! Он работает на постройке канала».

(Сентябрь 1933)

«Завтракал с Мурой. Она сильно нападала на меня за то, что я не рву с Бивербруком, и за мою слабость и трусость. Говорит, что просто позор, что я проституирую мой талант. Люди не напрасно говорят, что я поверхностен и беспринципен, — я действительно и поверхностен, и беспринципен. Это все правда. Que de souvenirs! Que de regrets!*»

(Июнь 1935)

---

* Сколько воспоминаний! Сколько сожалений!

Само собой разумеется, что Уэллс никогда не ездил в Сорренто к Горькому: ни один, ни с Мурой, но ей нравилось создавать легенду о близости Уэллса и Горького: она рассказывала об их долгих беседах еще в 1906 году в Америке, и потом опять, при встречах в Лондоне. Это была неправда: в США Горький и Уэллс виделись среди других гостей один раз на приеме у Уильтшайра, а в Лондоне в 1907 году — только мельком, поговорив несколько минут. Мура позже опубликовала, с несколько кокетливым предисловием, пять писем Уэллса к Горькому — почему только пять, осталось необъясненным. Но она также любила подчеркивать легенду о дружбе Уэллса с Локкартом, — они изредка встречались в Карлтон-грилле, и несколько чаще в годы второй войны, пока Карлтон-грилл все еще существовал: он позже был разрушен во время бомбежки.

В том, что Мура ездила в Лондон с середины 1920-х годов, не может быть сомнений. Но когда она впервые поехала туда (уже не для встреч с Берингом), точно сказать невозможно. Это могло быть в конце 1925 года: она отсутствовала в доме Горького в сентябре (ее не было там в день обыска на вилле) и в декабре. Это могло случиться и в 1926 году. Из рассеянных в некоторых биографиях Уэллса сведений явствует одно: к 1927 году знакомство было возобновлено, началась нерегулярная переписка, и Мура опять начала играть роль в жизни Уэллса.

В 1927 году Мура дала ему знать из Лондона в Эссекс, где у него был дом, в котором жила его больная жена Джейн, что она приедет ее навестить (они были светски знакомы) — приедет в дом, где он прожил большую часть своей жизни, где выросли его сыновья и где он был в свое время так счастлив. Джейн была его второй женой: с первой, Изабеллой, он разошелся еще в 1894 году, и Джейн всю жизнь мучилась, что разрушила его семейную жизнь и построила свое счастье на несчастье Изабеллы. В свое время Джейн взяла в дом больную Изабеллу, и вторая жена Уэллса выхаживала первую. Чувствуя свою вину, Джейн считала себя не вправе роптать на измены Уэллса, и давно примирилась с ними. Она носила темные платья, у нее был тихий голос, и она в обществе всегда старалась быть незаметной, но принимала и кормила обедами иногда до сорока человек, известных всему Лондону людей, влиятельных и знаменитых, и их блестящих, шумных, холодных жен.

В середине 1920-х годов, разорвав с Ребеккой Уэст, Эйч-Джи сошелся с женщиной, которая постепенно стала его внутренним и внешним врагом. Между тем, любя больше всех мест на свете Французскую Ривьеру, он начал строить (по своим рисункам и планам) дом в Грассе, в холмах, в двадцати километрах от побережья, в чудной местности, с широким видом на даль, поросшую эвкалиптами, магнолиями и мимозами, сквозь которые было видно Средиземное море. Вид был на старый и новый Канн, на далекий и узкий мыс Антиба, из-за которого летними вечерами, в полнолуние, всходил краснозолотой огромный месяц.

Уэллс обожал этот дом с самого первого дня, когда заложил первый камень, и до того момента, когда ему пришлось оставить его. Всю жизнь он мечтал о таком доме, в райском климате, в центре средиземноморского побережья. Все должно было быть удобным и красивым: удобным ему для писания его книг о перестройке мира, воспитании человечества, о — если потребуется — насильственном его приобщении к прогрессу и красивым для того, чтобы каждое утро радоваться ему и восторгаться им и приглашать гостей — именитых, знаменитых, влиятельных и умных мужчин и родовитых, элегантных и умных женщин, которые бы восторгались им тоже. И когда дом был готов, он почувствовал, что та, с которой он собирался жить всю жизнь (ему было шестьдесят лет, ей было тридцать восемь), оказалась женщиной ревнивой, циничной, болтливой, требовательной, тщеславной, подавляющей его своими капризами.

Она была наполовину голландка, наполовину итальянка, и всюду в послевоенной Европе чувствовала себя дома, и нигде не могла, да и не хотела, ужиться. Женщины ее поколения, кочевавшие в те годы по миру с большими денежными возможностями, с огромной долей дерзости, если и не обладали молодостью и красотой, то несомненно обладали вкусом в одежде, умением держать себя с окружающими, были в меру начитаны, а главное — совершенно свободны: свободны от мужей, детей, привычек и взглядов прошлого времени; они пришли на смену тем женщинам-птицам или женщинам-львицам, которые в прошлом поколении всегда носили на себе печать жертвы мужчин, всегда — за редкими исключениями — проигрывая свою игру и как-то жалко заканчивая свою жизнь то под колесами поезда, то приняв яд, то спиваясь и нищенствуя в какой-нибудь европейской богадельне, где им не вставляли зубов и не красили волос и где какой-нибудь новый остроглазый Золя мгновенно догадывался, что именно с ними произошло.

Одетт Кеун пришла в 1920-е годы владеть миром, взять мир приступом, кусать и царапать всех, кто ей в этом мог помешать; она вела себя так, как вели себя многие женщины ее поколения, освобожденные раз и навсегда от викторианской морали и научившиеся по-новому разговаривать с себе подобными: писать книги? Она может. Она уже издала одну — описание своего путешествия в Советскую Россию (она писала по-французски, книга называлась «Под Лениным», и Уэллс написал о ней лестную рецензию — это было поводом к знакомству). Рисовать пейзажи? Она считала, что прекрасно это делает. Никто не понимал музыку, как она, и о балете и международной политике она имела (по ее пониманию) самые блестящие и неожиданные суждения.

Уэллс, переехав в свой новый дом, на который приезжали любоваться знакомые и незнакомые, очень скоро понял, что две задачи ему будет трудно и, может быть, даже невозможно разрешить: во-первых, как продолжать жить с Одетт и, во-вторых, как с ней расстаться. Она не только не позволяла ему отлучаться из дома больше, чем на несколько часов, но она была из той породы, которая, если дело дойдет до кризиса, обратится к сыщику, и устроит за ним слежку, и доведет дело до газет, если не до суда, в конец разорит его и — увы! — опозорит.

Злясь на самого себя, он тем не менее начал борьбу и время от времени выезжал по своим литературным и общественным делам в Лондон, не говоря уже о делах семейных и свидании с сыновьями, с которыми, всеми тремя, он был всегда в самых лучших отношениях. Там, в Лондоне, он был членом нескольких клубов; у него всегда по меньшей мере одна книга находилась в печати; он встречался с мировыми знаменитостями, какой был сам, — обедал с Черчиллем (и польщен был Черчилль, не Уэллс), завтракал с Бивербруком и Ротермиром, державшими в руках лондонскую популярную прессу, кружился среди поклонников и поклонниц, каждое его слово встречавших с восторгом. Его рвали на части — приглашали в ложу Ковент Гардена, на прием к леди Колефакс. В его лондонском доме, все еще хранящем дух его прошлой свободной жизни, было тихо и уютно, и тысячи книг стояли на полках, и телефон звонил — не прямо к нему, но к секретарю, который ограждал его от ненужных ему посетителей, друзей, читателей, почитателей, влюбленных женщин, от неуважительных и неуважаемых критиков и назойливых собратьев по перу.

То, что он не считал ночь с Мурой пустяком, о котором можно легко забыть, доказано тем фактом, что он, вернувшись тогда из России, без обиняков сказал Ребекке, что он «спал с секретаршей Горького». Уэллс не любил изысканных выражений и называл излишнюю деликатность лицемерием. Ребекка, хотя и считала себя передовой женщиной и взяла свой псевдоним, как известно, из «Росмерсхольма» Ибсена, долго плакала. Но прошло пять лет, и он сказал о том же Одетт Кеун. Одетт пришла в неистовство, запретила ему ездить и в Париж, и в Лондон, и грозила разбить какой-то очень красивый и дорогой предмет, который стоял у него на камине. Теперь она каждый раз, как он выезжал, писала ему ежедневно о том, что ей совершенно нечего делать в доме на Ривьере и что она покончит с собой, если он сейчас же не вернется. Но он не возвращался, и к концу 1920-х годов, как сообщают его биографы, от нерегулярной переписки с Мурой он перешел к регулярным встречам с ней.

Джейн знала обо всем, у него была привычка выбалтывать ей все: она знала про его роман с Амбер, у которой от него была дочь, знала о десятилетней связи его с Ребеккой, и о связи с графиней Елизаветой фон Арним, с которой он все еще продолжал вести дружбу. И конечно – про Одетт Кеун, и про его дом на Ривьере. И когда Мура приехала к завтраку, она знала и про «горьковскую секретаршу», но она была уже настолько тяжело больна, что ее это не беспокоило. Мура пробыла в Эссексе до вечера и увидела, как убит Уэллс приговором докторов: Джейн умерла в том же году, не дожив до зимы. Но Мура знала, что главное препятствие не было устранено, и он сам не делал секрета из того факта, что во Франции оставалась его любовница и он не был свободен: оба знали, что Одетт была женщиной, которая не собиралась легко его уступить.

Уэллс теперь сознавал, что жизнь Муры с Горьким идет к концу, что Горький решил поехать в Россию будущей весной (1928 год)*, попробовать пожить там, посмотреть на достижения и превращения и выяснить, хватит ли у него здоровья, чтобы жить там постоянно, если не в Москве, так в Крыму. Гонорары Госиздата становилось получать все труднее в связи с новыми запретами на вывоз денег из Советского Союза. По рассказам Муры Локкарт знал, что все эти годы она вела коррес-

---

* Превосходная биография Уэллса, написанная Норманом и Джанн Маккензи (Нью-Йорк, 1973), содержит в себе ошибочные даты поездок Горького в Советский Союз. В первый раз после 1921 года он поехал туда не в 1927 году, а весной 1928 года, затем были поездки в 1929, 1931 и 1932 годах и окончательный отъезд туда в 1933 году. В 1930 году Горький в Россию не ездил из-за болезни и провел весь год в Сорренто.

понденцию Горького на трех языках (по-русски он всегда писал сам и всегда от руки). Она говорила, что он поступает правильно и что она всегда знала, что это случится, и была к этому готова. Но что Горький на это решится не немедленно, она тоже знала; могло пройти несколько лет (и состояться несколько поездок в Россию), прежде чем он сделает окончательный шаг.

Затем Уэллс стал появляться на лондонском горизонте все реже: у него было слишком много обязательств, намерений, планов, обещаний, данных направо и налево, публичных выступлений, и давняя привычка выпускать по одной книге в год, или во всяком случае — стараться это делать. Романы его чередовались в эти годы с книгами политическими, многие называли их философскими: как переделать мир, как всем стать счастливыми, как вести человечество к прогрессу. И эта новая его стадия, окончательно укрепившаяся в конце 1920-х годов, с ее проклятыми вопросами, которые надо было разрешать, но разрешения которым не было, вела к еще более проклятым: а что, если человечество не захочет идти к прогрессу, нужно ли будет (и можно ли?) бить его палкой по голове, чтобы оно шло, куда требуется?

Параллельно с этим росла его особая болезненная реакция на критику. «Никто не смеет меня судить! Я все знаю, я знаю, что *мне и вам всем* нужно, а вы пытаетесь не слушать меня». Он ругал королевский дом, католическую церковь, а когда никто на это не обращал внимания и всерьез его не принимал, он впадал в ярость. Стараясь примирить идею полной свободы и демократии с неким «орденом самураев», к которому он сам будет принадлежать, он говорил, что приниматься туда будут только достойные, а судить о том, кто достоин, будет он же. Прижив несколько незаконных детей, он говорил о женском равноправии и о свободе пола.

Он приходил в свой клуб. Он проповедовал. Задирал людей, и тех, с кем был знаком сорок лет, и тех, с кем только что познакомился. Он отлично знал, что все его современники, от Генри Джеймса (с которым он поссорился в 1915 году, накануне его смерти) до нынешней молодежи, которая свергает с пьедесталов богов его поколения (включая и его самого), считали и считают его не художником, а журналистом, писателем без поэзии, без стиля, без языка, без чувства прекрасного, и теперь высоким своим голосом, держа сигару в протянутой руке и выпятив круглый живот, он кричал: «Да, я журналист и горжусь этим! Я пишу простым языком для простых людей! И меня понимают!»

В эти годы начались первые признаки падения его таланта, не как полемиста, учителя и пророка демократической идеи и будущего устройства мира, но как автора занимательных романов, принесших ему мировую славу, и параллельно с этим начались в нем сомнения, не ошибается ли он, когда так страстно верит в эту новую Лигу Наций, которая разоружит мир, устроит всюду демократию, даст мировой реакции рассеяться, как дым, разрушит вконец империализм и милитаризм, так что все агрессии, индивидуальные и массовые, исчезнут на тысячу лет?

Сперва — приветствия Мирной конференции, потом — проклятия по ее адресу. Сначала — страстная вера в Лигу Наций, как в панацею против всякого зла, потом разочарование в ней. Его афоризм «Для нового мирового строя нужно новое образование» дал ему мысль о написании книги по биологии, и другой, по экономике, и третьей — о естественных науках. Он считает, что его задача — подготовить разум человека к новой системе образования (поглощения знаний) и к созданию мирового правительства. Ему шутя говорят — между сигарой и портвейном, — что половина его учеников будет состоять из полуграмотных. Он отвечает, что *он сам* начнет с того, что обучит их грамоте.

Это его состояние постоянного раздражения и на людей, и на самого себя могло только усилиться от переездов из Лондона в Грасс и из Грасса в Лондон. В 1930 году в октябре (когда Горький был в Сорренто) Мура опять была в Лондоне. За год до этого она перевезла из Эстонии в Лондон своих детей и Мисси, она решила закрепиться в Англии навсегда, когда после первой поездки в Россию в 1928 году Горький вернулся и впервые заговорил о том, чтобы уехать туда на постоянное жительство. Мисси и дети были окончательно водворены на место, и она теперь сама решила поселиться в Лондоне (но не с ними), когда закончится эпоха виллы «Иль Сорито». В эти годы поездок Горького в Россию (1928—1933) денежных забот у нее не было: кроме постоянного, хоть и не большого заработка у Локкарта, необходимо помнить, что после «первого» собрания сочинений («Книга»-Госиздат) в 1923—1924 годах, вышедшего тиражом в 25—30 тысяч экземпляров, в 1924—1927 годах начало выходить «второе» собрание сочинений Горького в Госиздате под редакцией Луначарского и Груздева (в двадцати двух томах), а затем и «третье» (1928—1930, двадцать три тома), некоторые тома которого издавались уже тиражом в 110 тысяч экземпляров. Несмотря на задержки и даже запреты в 1920-х годах перевода денег за границу, после поездки в 1928 году и торжественного обещания Горького вернуться на родину эти запреты были сняты, и задержки стали реже. Кроме того, в «Красной нови» с 1927 года начала печататься «Жизнь Клима Самгина», а «Дело Артамоновых» и многие другие вещи вышли за это время отдельными многотиражными изданиями. Таким образом, Госиздат в каком-то смысле оказался-таки гранитной скалой, а вовсе не соломинкой.

С 1931 года Мура начинает фигурировать то тут, то там как «спутница» и «друг» Уэллса. Переписка их, когда они разлучаются, становится все более регулярной, а отношения между Эйч-Джи и Одетт вырождаются настолько, что он вдруг понимает, что минута разрыва с ней (а значит, и с домом, который ему так дорог) может настать в любой момент. Весной 1933 года все зависит от него одного. Он назначает Муре свидание в Дубровнике, где должен состояться очередной конгресс ПЕН-клуба. На этом конгрессе они неразлучны, а после его закрытия они вместе проводят две счастливых недели в Австрии; но 14 мая, ко дню последнего и окончательного отъезда Горького в Россию, она оставляет Уэллса и успевает приехать в Стамбул, проститься с Горьким — он сам, Максим, Тимоша, Ракицкий и два советских писателя — Маршак и Никулин — на пароходе плывут из Неаполя в Одессу.

Этой весной 1933 года Уэллс наконец окончательно ушел из своего дома на юге Франции. От снял квартиру в Лондоне и переехал туда на постоянное жительство. Одетт, однако, не оставила его в покое — это было бы противно всем ее привычкам: в 1934 году она поместила в американском журнале «Тайм энд Тайд» нечто вроде воспоминаний о жизни с ним, а вернее — характеристику его, этого великого человека, впадавшего в прострацию от каждой своей неудачи (а их было много), пока что-нибудь новое не рассеивало его, и который решил позабавиться с ней, а потом ее бросил. Написан очерк был зло и болтливо, и Уэллсу он доставил очень неприятные недели хотя бы потому, что ее характеристика развязала языки не только его врагам, но и друзьям. Сомерсет Моэм, один из самых старых друзей, знавший его с молодости, открыто стал говорить, что «как это ни странно, у нашего бонвивана, оказывается, бывают припадки бешенства».* Одетт писала об Уэллсе, как о «парвеню», как о человеке, воображающем себя богом Саваофом, которому все позволено, но на самом деле он только забавляется людьми, играет с ними, чтобы рассеять свою скуку. Написав тридцать книг о тридцати возможностях искупить грехи мира, он сначала придумывал себе идолов, потом их разрушал и как дитя бил посуду вокруг себя. Она считала, что он опаснее для друзей, чем для врагов, что он груб, вульгарен и мелок, но воображает себя титаном. Его автобиография напи-

---

* Приблизительно в это же время Моэм однажды спросил Муру, когда был с ней вдвоем: как она может любить этого совершенно изношенного, толстопузого писателя? И Мура ответила ему: «Он пахнет медом». (Тед Морган. «Моэм». Биография. Стр. 382).

сана для самооправдания, и он выставляет себя в ней «мыслителем».

Уэллс не мог удержаться, чтобы не отомстить, и через четыре года ответил Одетт романом «По поводу Долорес», где язвительно, талантливо и очень жестоко расправился со своей прежней любовницей. «Когда-то возможно было товарищеское отношение [двух любовников], — писал он, раздраженный "современной женщиной", — можно было смеяться вместе, свободно высказывать все, что на уме, получать и давать дружескую помощь. Теперь этого нет: с женщиной живешь, как с врагом, как с доносчиком». Он изображает себя «открытым» и «счастливым» человеком, жизнь, по его мнению, «априори обязана быть счастливой, счастье — норма»; в любви все должно быть «весело, забавно, немножко смешно». Но люди (женщины?) все портят, ломают, всему мешают за последние сто лет. Уэллс не выносит «новых женщин». Бывший социалист и фабианец, он оплакивает прежнюю «красоту жизни — особняки, лакеев, сады», проклинает эмансипацию нового поколения: «Мужчина и женщина перестали понимать друг друга в новом мире, в котором мы живем, любовники обречены на мучительный и хитроумный конфликт двух индивидуумов». Герой романа в конце концов убивает свою несносную подругу и говорит себе: «Я чувствую сегодня, что я воскресаю в состоянии полного удовлетворения и самим собой, и всей вселенной». В самом конце книги о Долорес появляется несущая автору-герою покой и свободу женщина, в которой нетрудно узнать Муру.

Несмотря на то что он говорил, когда в 1934 году писал автобиографию, что никогда ничего интимного о себе не напишет, он еще десять лет тому назад в своем не столько слабом, сколько бледном романе «Тайные углы сердца», сказал о себе очень много. «Тайные углы (или "места", или "закоулки") сердца» — это тоже история двух любовников. Она — молодая, он — пожилой, он — англичанин, она — американка. Он ведет читателя в закоулки сердца, открывает ему их тайны. Женщина в юности была для него богиня, красивая и властная, но одновременно и союзница, и помощница, и опора. Он говорит, что ищет в женщине отдыха и удовлетворения, покоя и дружбы. «Женщина *делает жизнь* для меня [создает, творит]. Все, что она делает, становится стоящим, все, что есть в моем мире радостного и прекрасного, дано мне женщиной. Все, что возобновляет энергию в человеке и оправдывает его усилия, — идет от женщины. Самое главное в жизни — работа, но без женщины работа только *логическая необходимость и полная безрадостность. Страсти недостаточно. Нужна дружба, абсолютное доверие. Если это есть — все дозволено».*

«Закоулки сердца» и «Долорес» не единственные романы, где Уэллс выразил себя в личном и любовном аспекте. В «Клиссольде» и в «Великолепном исследовании» он пытается дать все ту же философию любви, основанную на опыте с Ребеккой, а в «Братьях» уже звучат ноты любви к Муре. Но в эти первые годы своей свободы он главным образом был занят мучительной для него и все более отпугивающей читателя публицистикой, в которой впервые появились саркастические и истерические настроения. Он подходил к ним близко уже в 1928 году, когда пытался дать схему мировой революции (подзаголовок одной его книги), и в «Легальном заговоре», где люди, готовые защищать будущее цивилизованного мира, должны были войти в открытое, но в то же время и тайное общество избранных и бороться за свет против тьмы, за атеизм против суеверий, за радикализм против реакции; в брошюре 1932 года «После демократии» он требовал немедленно решить вопрос, что делать после того, как мир поймет и оценит его идеи, и последует за ними, и осуществит его идеал. А еще через год, в «Облике грядущего», он вернулся к своей старой идее утопического романа («Современная утопия» была им написана в 1905 году), где народами правят пуританские тираны.

По роману «Облик грядущего» год спустя в Голливуде был сделан многомиллионный фильм, в котором космонавты, инопланетные жители и межпланетные сообщения играли полуфантастическую, полуутопическую роль. Неудивительно поэтому, что в эти годы он стал принимать активное участие в создаваемых им самим прогрессивных федерациях, обществах и группах, где проповедовал идеи «самураев», «Нового Иерусалима» и «обновленных республиканцев». Он терял к ним интерес так же быстро, как создавал их.

Это были годы всевозможных радикальных конгрессов в Амстердаме, Париже и других столицах Европы, куда он посылал приветственные телеграммы, протестуя в печати против фашизма, нацизма, вооружений и бездействия Лиги Наций. Он оказался председателем ПЕН-клуба и там тоже старался влиять на писателей, поэтов и критиков, ежеминутно повышая свой и без того высокий голос, стараясь убедить их в пользе прогресса и в ничтожестве эстетики и всяческого искусства и сердясь на слушателей и собеседников, большинство которых относились к этим вопросам равнодушно.

В таких настроениях он в 1934 году решил поехать в США, переговорить с Рузвельтом, и в Советский Союз — повидать Сталина. Белый дом произвел на него сильное впечатление «мозговым трестом», который он там встретил. Со Сталиным разговора не вышло, как и с Лениным четырнадцать лет тому назад. По заранее обдуманному плану он сначала решил прочесть Сталину лекцию о состоянии мира. Но Сталин слушал его (через переводчика) плохо и явно скучал. Когда Уэллс спросил, что Сталин хочет поручить ему передать Рузвельту, Сталину сказать было нечего. Уэллс хотел быть «почтальоном при почте амура двух гигантов», но из этого ничего не вышло.

Однако самое большое разочарование ждало его при встрече с Горьким, приехавшим окончательно в Россию год тому назад. Горький, по словам Уэллса, оказался «сталинистом, защищающим все, что делает Сталин». Как председатель международного ПЕН-клуба Уэллс заговорил о «всемирном братстве писателей и людей науки», но Горький ответил, что за этой идеей кроется намерение Уэллса «помочь белоэмигрантам вернуться на родину и начать здесь антисоветскую пропаганду».

Восхищение Уэллсом начало пропадать у Горького еще в начале 1920-х годов, когда в одном из своих писем Крючкову он писал: «Не посылайте мне книг Уэллса, надоел. Он пишет все хуже». Горький, писал Уэллс впоследствии, «свирепо уверен в правоте своего советского патриотизма и даже отвергает — среди других свобод и прав человека — контроль над рождаемостью, право женщин не иметь детей!»

Мура ждала Уэллса в Эстонии. Год назад была их первая общая летняя поездка в Дубровник, где они вместе были на конгрессе ПЕН-клуба, а потом провели две недели в Австрии. Теперь она ждала его в Эстонии, она хотела ему показать эту страну, где слишком многое было связано с ее собственной судьбой. Он приехал из Москвы раздраженный, злой, разочарованный, говоря, что русские его предали. Как он позже писал: «На берегу прелестного маленького озера, в дружеском доме, я закончил свою автобиографию». Это были счастливые дни.

Стояло лето. В полном уединении прошло две недели, без людей, без писем, без телефонов и даже без газет. Они вернулись в Лондон вместе, она поселилась в двух шагах от него. Она сказала ему, что останется с ним столько, сколько он захочет, но замуж за него не выйдет никогда.

Беатриса и Сидней Уэбб, старые его друзья, социалисты, знавшие его с молодости, и другие, начиная с сыновей Уэллса и их жен и кончая Бернардом Шоу, бывавшие в его доме во Франции, знавшие про разрыв с Одетт, были поражены. Но разговоры, долго не утихавшие, все сводились к одному — это не прочно. Беатриса писала в своем дневнике: «Шоу сказал мне, что Эйч-Джи озабочен и болен: он попал под очарование "Муры". "Да, она останется со мной, будет есть со мной, спать со мной, — хныкал он, больной от любви, — но она не хочет выходить за меня замуж!" Эйч-Джи, понимая, что приближается старость, хочет купить страховку на дожитие, женившись. "Мура", помня все его прошлые авантюры, отказывается расстаться со своей независимостью и со своим титулом. Нечему удивляться!»

Между тем, кое-какие настроения Уэллса в эти последние годы его жизни совпадали с настроениями Горького. Горький доводил до гротеска то, что Уэллс проповедовал в умеренной форме: как Уэллс носился с планом всемирной энциклопедии, где раз и навсегда будет объяснено грамотным, полуграмотным и неграмотным, что такое мир, и человек, и демократия, и цивилизация, и братство народов, так и Горький был теперь занят мыслью, жившей в нем с 1905 года, о «культуре для всех». Он считал, что осуществить это возможно путем, во-первых, энциклопедии, затем — написанными лучшими писателями современности простым языком биографиями великих людей прошлого, затем — переизданием величайших классиков всех народов, заново переписанных специальным штатом талантливых переводчиков, для всеобщего понимания. Он сам выберет переводчиков и авторов; переводчики засядут переписывать и переводить Гомера, Шекспира, Данте, Гете и Пушкина на все существующие языки... В 1933 году, когда он поселился в Москве, он стал замечать, что советские писатели с именами постепенно начинают избегать его. Он не связывал этого обстоятельства со своим проектом, который должен был стать обязательной нагрузкой для всех без исключения людей, умеющих держать перо в руках. Но те, которые были обеспокоены, что их могут насильно запрячь в работу, которая вначале еще не казалась им больным безумством Горького, а только его преходящим капризом, старались не попадаться ему на глаза. Замятин мягко писал (в 1924 году) о Горьком 1919 года, когда обсуждались первые шаги «Всемирной литературы»: «Трудно было починить водопровод, построить дом, но очень легко Вавилонскую башню: "Издадим Пантеон литературы российской, от Фонвизина до на-

ших дней. Сто томов!" Мы, может быть, чуть-чуть улыбаясь, верили, или хотели верить... Образовалась секция
исторических картин: показать всю мировую историю,
не больше, не меньше. Придумал это Горький».

Еще в 1928—1929 годах он стал редактором или членом редколлегий десятка периодических изданий, целыми днями и ночами правя чужие рукописи, присланные
ему из провинции, с заводов и из совхозов, расставляя
запятые, исправляя русский язык, а затем писал авторам
длинные письма, где объяснял, почему автору следует
учиться и почему ему следует продумать то или иное свое
произведение. После этого он отсылал это сочинение
в один из подопечных ему журналов, где оно либо пе-
чаталось, либо шло в корзину за отсутствием места.

Одно легкое Горького давно уже не действовало, в другом шел разрушительный процесс. Каждые два года, а то
и чаще, начиналось кровохарканье, все чаще и чаще бывал жар, его мучил непрестанный кашель. Но он, живя
в Москве или в Горках, или зимой в Крыму, продолжал
сидеть за столом, с карандашом в руке, так что последний (четвертый) том «Жизни Клима Самгина» так и остался недописанным. Цель этого романа была «глобаль-
ная»: в 1926 году, когда Горький приступил к нему, он
писал А.К. Воронскому, тогда еще редактору «Красной
нови», позже репрессированному: «Я должен изобразить
все классы. Не хочется пропустить ничего».

Задачи перед ним стояли неисчислимые: еще в 1917 году он считал первым своим долгом «объяснить деревен-
ским бабам [путем лекций, брошюр и т. д.], что такое
женское равноправие». Профессора Пригожина и академика Марра он в 1934 году привлек к разработке «Истории женщины» (многотомное издание). Профессор
Пригожий раскритиковал план, составленный Горьким:
многотомное издание, от доклассового общества до советской эпохи. Из издания ничего не вышло. Другим
«историям» повезло больше; девять из них были обсуж-
дены и приняты: история кабаков, история голода и не-

урожаев, история болезней и эпидемий, история монастырей, полиции, земледелия, революционного движения, история русского солдата и загубленных талантов. После этого он обратился к поэзии: «Нам нужны сотни поэтов, способных зажигать страсть и волю к подвигу», — писал он. В результате ряды поэтов вокруг него поредели. Он повернулся к этнографам: «Литераторам необходимо участвовать в проверке и организации работы краеведов». Ал. Н. Толстой стал реже наезжать из Ленинграда в Москву, К. Федин уехал лечиться в Швейцарию. Горький хочет обязать Л. Никулина написать фактическую историю европейской культуры, т. е. историю быта племен и народов от Илиады и Гесиода до наших дней... «Сюда включаются, конечно, и малоазиатцы, арабы, норманны, германцы и Аттила». И Никулин переживает тяжелые недели, пока ему не удается исчезнуть на время из поля зрения Горького.

Некто Зазубрин жалуется в письме к Горькому, что не может добиться материалов для журнала «Колхозник» от известных писателей. Они говорят: «На кой черт мне ваш "Колхозник"?» Ему удалось недавно созвать и «проработать» несколько человек, «среди них был Д.П. Мирский. Мирский в конце заседания сказал: "Я так не умею. Я могу писать только об авторе и его произведении. Мне у вас нечего делать. Я отказываюсь"».

В 1932 году Горький приходит к заключению, что «художественная литература — ценнейший иллюстрационный материал истории и ее документация» и что «литературоведов надо обязать отчетами об их поездках по провинции». Восхищенный книгой Халдэна (рекомендованной Мурой)*, он требует, чтобы С. Маршак обработал ее для журнала «Колхозник», т. е. перевел бы ее «очень простым языком». Он правит теперь уже не только рукописи, но и книги, упрощая их, — «пригодится для будущего». Между тем он путает Жана Жироду с Жаном

---

* Джон Б.С. Халдэн, автор «Биологии животных», «Науки и этики» и других книг.

Жионо, и нет больше Муры, чтобы объяснить ему разницу. Из воспоминаний Ек. Павловны Пешковой мы теперь знаем, что уже в 1896 году «он плакал, читая мужикам "В овраге" [Чехова]»; он плакал, когда Маяковский читал ему свои стихи; теперь, старея и болея, он плачет беспрестанно, но не тогда, когда его ругают в печати: тогда он злится. Впрочем, всякая отрицательная критика очень скоро прекращается навсегда. Когда в «Красной нови» о нем отзываются пренебрежительно, он уходит из сотрудников и пишет Воронскому: «Официальный орган шельмует мое имя!» Когда Шкловский пишет свою книгу «Удачи и поражения Максима Горького», он издает ее в Тифлисе, в издательстве «Закавказская книга», — Госиздат в Москве ее не берет. Шкловский писал в ней, что «проза Горького похожа на мороженое мясо, которое можно кусками печатать сразу во всех журналах и газетах». Луначарский в 1926 году бранил «Дело Артамоновых», но уже в 1930 году решил изменить свое мнение о романе и похвалить его. Н. Чужак, футурист и сотрудник «Нового Лефа», пишет, что «учиться у Горького нечему. Он обучает жизни задним числом, что свидетельствует о его оскудении». Как следствие этого, 25 декабря 1929 года ЦИК в конце концов декретом раз и навсегда запрещает неуважительную критику Горького.

В письмах к Крючкову, позже растрелянному, попадаются иногда фразы, которые могут навести на сомнение: был ли Горький в последние годы своей жизни в здравом уме? Не был ли застарелый легочный туберкулез причиной некоторых перерождений его мозга? «Возможно, — писал он в связи с проектом переводов мировой литературы, — что некоторые книги нужно будет заново переписать или даже дописать, некоторые же сократить», и в ответ на предложение Крючкова перевести на английский очерки о советском соцсоревновании (это было на заре стахановщины, которая началась в 1935 году) Горький пишет: «Выбрать десять — двенадцать очерков. Марии Игнатьевне [Будберг] надо будет поручить довести это дело до конца» (оно кончилось ничем). О том же Горький писал самому Сталину, его две статьи об этом были помещены в «Известиях». Сама Мура об этом, видимо, ничего не знала, она в это время была в Лондоне.

Но были у него и радости: журнал «За рубежом» (Горький был его редактором) «достигает своей цели, — писал он тому же Крючкову, — осведомляет о фактах и процессах угасания буржуазной культуры». Он по-прежнему ежедневно читает зарубежные эмигрантские газеты, делает из них вырезки и рассылает писателям, требуя, чтобы они их использовали, — там главным образом говорится о падении европейских нравов и падении искусств. К пятнадцатилетию Октябрьской революции он хочет создать коллектив авторов для политического обозрения и сердится на тех из них, которые пренебрегают этим жанром: «Нам нужны биографии всех великих людей», — пишет он и требует «собрать где-нибудь в подвалах» материалы для будущих молодых поколений писателей. Идея коллективных писаний на время заменяет для него все другие; он раздает сюжеты, на которые несколько писателей должны писать романы: серия книг о дружбе, о революционерах 1860-х годов («это закажите Ал. Н. Толстому и Н. Тихонову»). «Говорите прямо, — писал он молодым, — без аллегорий и символов... Тащите, кого можно, в партию». Но это приводило только к потере старых друзей, к отчуждению людей, ему близких с 1917 года: Всеволода Иванова, Булгакова, Сергеева-Ценского, Шишкова, Афиногенова. Их имена исчезают со страниц «Летописи жизни и творчества М. Горького», где в не слишком строгом порядке и с большими пробелами собраны хронологические данные встреч и переписки Горького.

Некоторые из названных выше пытались пробиться к нему с мучающими их вопросами: Чапыгин пишет ему о тяжелой судьбе Клюева, и на этом переписка с ним обрывается. Вс. Иванов жалуется на ненормальные отношения между авторами и редакторами — Горький на

это письмо не отвечает. Он сам еще в 1931 году однажды заметил: «В Москве все собрания веселые, только собрания писателей грустные», но это не останавливает
его, и почти накануне смерти он твердит о создании
краткосрочных курсов для начинающих писателей.

Его требования к кино и искусству ничем не отличаются в эти годы от требований к литературе. От кино
должна идти польза, оно должно учить. Живопись главным образом обязана иллюстрировать историю с 1917 года. Своему любимому художнику Корину он дает тему:
«Уходящая Россия» — на картине должны быть изобра-
жены «все классы и все профессии».

Возвращаясь к литературе, как к рычагу социализма,
он говорит, что поэтам надо бороться с богемой и развивать жанр хоровой песни для новых колхозов: «Я наста-
иваю на сюжетности стихов и на их конкретном историческом содержании». Он давно переменил свое отношение к крестьянству, отношение, которое ему мешало
принять большевизм в первые годы революции. Теперь
он обещает литераторам новый журнал — «Колхозная де-
ревня». На собрании у себя в квартире, в присутствии
шестидесяти человек, он заказывает Твардовскому поэму,
и Твардовский пишет «Страну Муравию» и говорит, что
Горький научил его писать стихи. Вместе с тем Горький
переоценивает старые книги, которые когда-то любил,
он говорит, что «Робинзон Крузо» книга империалисти-
ческая и что из «Мертвого дома» Достоевского надо печатать только куски, разъясняя их.

Из западных современников в последний год остается для него только Ромен Роллан, даже Эптон Синклер
и Бернард Шоу отпадают. Стефана Цвейга Горький ру-
гает: «Он ничего не знает о России». Д.Г. Лоуренс «на
службе у декаданса», и он ищет, кто бы мог среди советских писателей написать «роман против фрейдизма».

Он приходит к заключению, что необходимо подби-
рать рассказы на одну тему и «говорить о пяти или семи авторах, как об одном», потому что критики должны
учить, а не хвалить и ругать, и согласовывать критику со

всеми другими, а то у нас «все идет вразброд, и одни ругают Чехова, а другие хвалят». Одновременно его заботит вопрос: писать или не писать в журнале «Колхозник» о заболеваниях колхозников чесоткой? Для «Библиотеки колхозника», где каждая книга рассчитана на 8.880 печатных знаков, он дает следующий совет: «Берется рассказ, отбрасывается ненужное. Соединяется с двумя-тремя другими рассказами. Перефразируется, комментируется. Чистится язык, на котором писатели-дворяне состязались в любви к народу».

Но все это нечасто приводило к результатам и немногое осуществлялось из того, что он советовал. Мура, которая теперь была с ним в переписке, должна была рекомендовать английские и американские книги для переводов. Кое-что из них переводили, но издавали очень немногое. Среди рекомендованных ею авторов, кроме Халдэна, находим трех: один, некто Питер Мартин Лампель (немец), пишущий о детских бунтах в воспитательных домах; другой — Лоуренс, только не Д.Г., а Г.А., автор книги «Гай Ливингстон»; третий — Джозеф Сторер Клаустон, о нем нет сведений, и о чем он писал — неизвестно. Она также, по просьбе Горького, рекомендовала непосредственно Госиздату для перевода «Письма Сакко и Ванцетти», которые и были изданы.

Горький, узнав, что в США пользуются рифмованной рекламой, захотел ввести этот способ для книг Госиздата, «которые мало покупают», но этот проект не нашел отклика.

Одновременно с «Колхозником» Горький редактировал «Наши достижения», «СССР на стройке», «Литературную учебу», «За рубежом» и еще несколько более мелких журналов. Параллельно с этим росло его негодование на современную западную литературу: считая, что «нашим молодым надо давать стариков», он заказывал новые переводы Джерома К. Джерома, Джека Лондона и Брет-Гарта («он смягчает нравы»), но в то же время его раздражало, когда «молодые читают с бóльшим удовольствием эти переводы, чем своих». Роман «Боги жаждут» А. Франса он считал полезным, но потребовал изменить его название; роман Пьера Лоти «Исландские рыбаки» шел в каталоге под рубрикой «колониальная политика», а пьеса Гауптмана «Ткачи» была признана полезной для использования ее в «Истории фабрик и заводов».

И наконец настал момент отчетливого безумия, почти накануне смерти, проявившегося в идее мобилизации ста писателей для особо ответственного дела: «им будут даны сто тем, и мировые книги [на эти темы] ими будут переписаны наново, а иногда две-три соединены в одну». Это будет сделано для того, «чтобы мировой пролетариат читал [их] и учился по ним делать мировую революцию». «Для средних веков, — писал Горький, — можно взять, например, "Айвенго" Вальтера Скотта и очерки Стасюлевича; таким образом должна быть постепенно переписана вся мировая литература, история, история церкви, философия: Гиббон и Гольдони, Епископ Ириней и Корнель, профессор Алфионов и Юлиан Отступник, Гесиод и Иван Вольнов, Лукреций Карр и Золя, Гильгамеш и Гайавата, Свифт и Плутарх. И вся серия должна будет кончаться устными легендами о Ленине». Это будет особенно полезно «красноармейцам и краснофлотцам».

Между первой поездкой Горького в Москву и окончательным его переездом Мура мало жила в Сорренто, а если и приезжала, то главным образом зимой. Она теперь жила в Лондоне, но бывала в постоянных разъездах, и в письмах Горького Ладыжникову и другим встречаются, как это бывало и прежде, краткие сообщения о ней: «М.И. уехала в Эстонию», или «М.И. уехала в Лондон». Несколько раз в его письмах встречается фраза: «Мне пишут из Лондона». Обычно за этим следует сообщение либо о какой-нибудь глупости, которую кто-то сказал или сделал (когда-то ему лично знакомый русский эмигрант), либо о разложении Европы. Она старалась веселить его. Но Мура не только сообщала ему сплетни и слухи, она вела, или собиралась вести, его литературные дела с иностранными издательствами. Кое-что ей удавалось, но мало, многое переводилось теперь на европейские языки в самой Москве. На кино для Горького надежды не было, несмотря на то что Мура, благодаря Уэллсу, теперь начала работать у знаменитого режиссера Александра Корды и у знакомого Локкарту Артура Ранка. Корда в это время как раз начал работу над фильмом по книге Уэллса «Облик грядущего».

Русские сюжеты в кино были в большой моде, и Мура, постепенно перезнакомившись с людьми из круга Корды и Ранка, начала давать им советы по русским вопросам. Ей отчасти помог служащий у Корды некий Саша Гальферсон, который послушно ходил за ней, стараясь быть ей полезным. Она водила его туда, куда он не мог попасть, а он знакомил ее с теми, с кем она не была знакома. Он был без ума от нее, и через него она получила постоянную работу сотрудника или советника Корды, который именно в это время был занят такими фильмами, как «Конец царя», «Товарищ» и «Тайны Зимнего дворца». Как литературный агент Горького, она старалась с устройства книг Горького перейти на устройство его пьес и нашла себе союзника, театрального агента Б.Н. Рубинштейна. Пьеса «Сомов и другие», шедшая в России в этот год с большим успехом, была запродана Рубинштейном, но в последний момент дело сорвалось, и Мура телеграммой прервала переговоры с театром, сообщив, что Горький «хочет пьесу переписать», а заодно прислать и новую, которую недавно закончил, «Егор Булычев и другие». Успеха, однако, и со второй пьесой не было, но эта профессия — литературного и театрального агента, а также сотрудницы Корды — давала ей возможность встречать людей, быть на виду, иметь большой круг знакомых; она была обязана этим не только себе самой и Уэллсу, имя которого давало ей доступ в любую кинофирму и любое издательство, но и Локкарту, который постепенно стал ее знакомить с политическими деятелями, журналистами, дипломатами. Баронесса и в прошлом — дважды графиня, это облегчало ей вход в дома старых, и не слишком старых, знаменитостей, светских дам, хозяек салонов, лордов и леди лондонских особняков и международной знати. Встречала она людей и из эмигрантских кругов «высшего света» (в Лондоне эти круги были замкнуты, в Париже они были куда более демократичны), и среди них — трех сестер Бененсон из Петербурга: старшая, Флора Соломон, в эти годы приятельница А.Ф. Керенского, ее сестра графиня Фира Ильинская, жена польского посла в Лондоне, и третья — художница Маня Харари, через двадцать пять лет ставшая переводчицей на английский язык «Доктора Живаго». У них она встречала интересных людей; самого Керенского Мура встретила раза два. С Керенским Локкарт по-прежнему иногда завтракал в Карлтон-грилле, куда однажды он пригласил его вместе с Ллойд-Джорджем. Локкарт был переводчиком при их разговоре, и это же он проделал в другой раз, когда привел Керенского завтракать с сэром Джорджем Бьюкененом, бывшим английским послом в Петербурге, оказавшим в 1917 году большую поддержку Временному правительству и лично Керенскому.

В дневнике Локкарта от 17 июня 1931 года находим любопытное описание одного из таких завтраков:

«Завтракали с Керенским в Карлтон-грилле. Макс [Бивербрук] появился неожиданно и выказал к Керенскому интерес. Керенский — ему 49 лет — выглядит отлично. Ему вырезали туберкулезную почку еще до революции, и он с тех пор никогда ничем не болел. У него два сына, оба в Англии и оба инженеры. Один из них строит новый мост через Темзу, другой работает в фирме, которая строит дороги вокруг Рэгби. Керенский, Ленин и Протопопов [царский министр] — все трое родились в Симбирске. Отец Керенского был инспектором училищ и состоял одно время чем-то вроде опекуна Ленина. Его предки были священники. Керенский не был знаком ни с Лениным, ни с Троцким, и только видел их раз или два издали. Макс спросил Керенского, почему он не расстрелял Троцкого в 1917 году? Керенский ответил, что Троцкий не участвовал в июльском восстании. Он также спросил его, правда ли, что Керенский был лучшим оратором в России. Керенский сказал, что он не может на это ответить, но что в 1917 году не было митинга, каким бы он ни был большевистским и враждебным ему, который бы он не мог повернуть в свою сторону... Какова была причина его падения? Керенский ответил, что немцы заставили большевиков начать восстание, потому что Австрия, Болгария и Турция были накануне сепаратного мира с Россией. Австрия решила просить сепаратного мира за две недели до [Октябрьской] революции.

Макс: Смогли бы вы одолеть большевиков, если бы заключили сами сепаратный мир?

Кер.: Мы были бы сейчас в Москве.

Макс: Почему же вы этого не сделали?

Кер.: Мы были слишком наивны.»

Керенский после Октябрьской революции ушел в подполье почти на восемь месяцев и сначала бежал в Псковскую губернию, в деревню. Несмотря на то что за его голову была обещана крупная награда, его никто не выдал. В прошлом году он был в Оксфорде с лекциями и нападал на большевиков. Они, конечно, пожаловались. В следующий раз, когда Керенский пошел в наш паспортный отдел в Париже, ему в визе было отказано: ему обещали ее дать, если он согласится в Англии не говорить о России. Макдональд и Гендерсон, уверяя людей, что Англия – цитадель свободы, дошли до странного положения вещей, когда потребовали, чтобы Керенский, в ответ на вопрос: какое ваше мнение о России, отвечал: «У меня есть мнение, но британское рабочее правительство мне его не позволяет высказывать».

Через два года Локкарт записал другую встречу:

«Завтракал с Керенским в Веллингтоне. Обсуждали различные секретные предложения мира, делавшиеся во время войны. Керенский убежден, что если бы Германия заранее не знала положения и не обделала дело с большевиками, Россия в 1917 году заключила бы мир с Болгарией и Турцией, и Керенский сейчас был бы у власти. Керенский клянется, что переговоры были на волосок от успеха. Он также сказал, что все разговоры о его резкости по отношению к царю – ложь. Он сказал, что царица говорила ему: "Как жаль, что мы раньше не знали таких людей, как вы!"»

И еще через два года:

«В Дорчестер, к семи, на свидание с госпожей Соломон. Керенский совсем пропадает, разорен до тла. Деньги, какие были, пришли к концу, газету его пришлось закрыть. Госпожа Соломон спрашивает меня: не могу ли я ему достать работу журналистскую, не столько для денег (у него есть друзья, которые не позволят ему голодать), сколько для того, чтобы вернуть ему собственное достоинство. Восемнадцать лет тому назад он мог бы иметь первую страницу любой газеты в мире. Сегодня ему цена – грош. Sic transit».

В последние годы Сорренто Мура бывала там только гостьей. В 1927 году контракт с Госиздатом был возобновлен, и хотя он платил довольно туго и Горькому приходилось взывать к Крючкову и Ладыжникову, чтобы они нажимали где надо, тем не менее страх за будущее если и не совсем прекратился, то во всяком случае притупился. В «Красной нови» печаталась «Жизнь Клима Самгина», и Горький начал свои поездки в Россию. Он теперь был так худ, что горбился, ноги его едва держали, он уставал от малейшего усилия, плохо и мало спал. Эти путешествия туда и обратно очень утомляли его, и он каждый раз останавливался в советском посольстве в Риме, где послом был некто Курский, чтобы пе-

редохнуть и прийти в себя, и, конечно, в Берлине, в Паласт-отеле (на Потсдамер Платц), где М.Ф. Андреева
и Крючков оберегали его от репортеров. В 1930 году он
был настолько слаб, что ему пришлось остаться в Сорренто. Это был год, когда Андреева и Крючков наконец
были переведены из Берлина в Москву: она со своей высокой должности уполномоченного Внешторга по кино-
промышленности, он — с должности заведующего «Международной книгой». В Москве они пошли различными
дорогами: она стала заведовать Кустэкспортом, а потом сделалась директором Дома ученых (в следующий
раз она выехала за границу в середине 1930-х годов «чистить членов компартии, советских руководителей за границей»). Он стал официально секретарем Горького и женился на секретарше редакции журнала «Колхозник».

В следующем, 1931-м году Горький снова поехал
в Россию. Максим, Тимоша, две их дочери и Ракицкий
сопровождали его. В Москве, на улице Качалова, как
и в Горках, под Москвой, теперь бывали у него Сталин, Жданов, Киров, Авербах, Киршон, Ворошилов,
Буденный, генеральный секретарь Союза писателей
Щербаков (связанный с НКВД), А.Н. Толстой, Фаде-
ев, Кольцов, Михоэлс, Бабель, Форш, А.Н. Тихонов,
Шостакович, начальник ОГПУ Ягода, Д.П. Святополк-
Мирский. Из этих восемнадцати названных девять человек позже умерли насильственной и девять естественной смертью.

В 1932 году, летом, был назначен Международный антивоенный конгресс. Идея его принадлежала Анри Барбюсу. Первым его шагом было письмо-протест, подписанное 30 июля Горьким и многочисленными советскими писателями-попутчиками, против надвигающейся
империалистической войны, направленной против Советского Союза. Воззвание называлось «К писателям
всего мира, друзьям СССР» и было разослано в газеты
Европы и Америки.

Барбюс энергично занялся устройством конгресса. После того как Париж, Брюссель и Страсбург отказались

предоставить ему место, и Швейцария к ним присоединилась, Голландия согласилась принять его. В мае 1932 года Горький подписал воззвание созданного Барбюсом международного комитета по организации конгресса и, несмотря на болезненное состояние, обещал быть в Амстердаме в день открытия, назначенного на 27 августа.

Полубольной, он выезжает вместе со Шверником* в Берлин 24 августа, в то время, как Ромен Роллан телеграфирует ему из Швейцарии, что доктора запретили ему всякие публичные выступления и поэтому на Конгрессе он быть не может. Приехав в Берлин, Горький телеграфирует Барбюсу, что Голландия не дает визы части советской делегации, и просит Барбюса принять соответственные меры.

Он сам остается в Берлине в знак протеста против решения голландского правительства и вместе со всей делегацией живет несколько дней все в том же Паласт-отеле, ожидая, как повернутся события. Здоровье его, видимо, благодаря этим неприятностям, делается все хуже, температура поднимается, и доктор запрещает ему вставать с кровати. Он вызывает Муру из Лондона, и она приезжает к нему и остается несколько дней, проводя у его постели дни и ночи. 26 августа, по инициативе В. Мюнценберга, решено срочно перенести Конгресс из Амстердама в Париж для участия в нем советской делегации, но французское правительство, как и голландское, разрешения на въезд не дает — ни советской делегации в целом, ни отдельным ее участникам. 26 августа Горький телеграфирует Эррио, тогда главе французского правительства, прося его о срочных визах. 27-го открывается Конгресс в Амстердаме, на котором оглашается декларация Роллана, присланная им из Швейцарии, «Война войне», и в состав президиума избираются — в их отсутствии — Горький и Швер-

---

* Н.М. Шверник был главой советской делегации на Конгрессе. Он был первым секретарем ВЦСПС в 1930—1944 годах, позже — первым заместителем председателя Президиума Верховного Совета.

ник. Горький отвечает на это приветственной телеграммой и узнает, что в СССР идут на заводах, в Академии наук и других коллективах трудящихся митинги, на которых бичуется голландское правительство. 29-го Конгресс закрывается, и избирается постоянный международный антивоенный комитет, куда приглашается и Горький.

Хотя 30 августа французская коммунистическая газета «Юманитэ» и сообщила, что визы Горькому и советской делегации для приезда во Францию непременно будут предоставлены, чтобы советским делегатам присутствовать хотя бы на митинге, который устраивается в Париже французской делегацией для дачи отчета об Амстердамском конгрессе, Горький не выехал в Париж: советские источники объясняют это тем, что французская виза, по распоряжению Эррио, была послана Горькому и Швернику, и Горький опять счел себя не вправе воспользоваться ею и бросить советскую делегацию в Берлине. Но источники со стороны Муры говорят, что это она не пустила его в Париж и с помощью докторов удержала его в постели в Берлине: он был слишком болен и слаб, чтобы ехать на митинг и, главное, — выступать там, что было бы неизбежно. Речь, посланная Горьким телеграфом в Париж, в ее переводе, была прочитана на митинге, после чего президиумом митинга было послано ему приветствие, и он в тот же день, 2 сентября, выехал из Берлина в Москву, куда доехал 4-го совершенно больной. Утром следующего дня он был перевезен в Горки, а 7-го числа в «Правде» и «Известиях» была помещена его «Речь, которая не была произнесена», оглашенная на митинге в Париже в Мурином переводе.

Он вернулся в Сорренто в последний раз в конце октября 1932 года. Последний месяц в Москве был весь посвящен его юбилею: сорок лет литературной деятельности. МХТ теперь носил его имя, и Нижний Новгород, и сотни заводов и фабрик, школ и академических институтов, и тысячи улиц в городах и поселках были переименованы в его честь. Мура приехала к нему в Сорренто и прожила там до Рождества. Две внучки, сын, невестка и неизменный Ракицкий были тут же. В начале весны начались сборы, чтобы ехать в Россию на постоянное жительство; «Иль Сорито», где восемь с половиной лет прожила семья, решено было оставить навсегда. Мура вернулась сюда в последний раз в марте. Несмотря на то что на вилле до последнего дня жили гости, был один вопрос, который требовал разрешения и который беспокоил Горького уже с 1926 года, его необходимо было разрешить на теснейшем семейном совете т. е. между самим Горьким, Максимом, Тимошей, Ракицким и Мурой. Это был вопрос об архивах Горького.

Часть бумаг еще в 1926—1927 годах была благополучно отправлена в Москву. Горький хотел, чтобы его архивы лежали в Пушкинском доме; 13 января 1926 года он спрашивал Валентину Ходасевич в письме: «Спросите М. Беляева [сотрудника Пушкинского дома, друга Дидерихсов и брата известного драматурга, Юрия Беляева, автора “Псиши”], кому я должен писать о передаче архива моего Дому Пушкина?» Но оставалась другая, меньшая часть бумаг, которую Горький отсылать в СССР не собирался.

Около тысячи книг его библиотеки, собранных им в Италии с 1924 года (большинство было постепенно прислано ему из России), и большая часть писем и рукописей, которые хранились в ящиках, ушли, как было сказано, через Берлин в Москву. Там их разбирали сотрудники Института имени Горького, чтобы решить, что оставить в институте, что передать в дом на улице Качалова и что перевезти в загородный дом в Горках. Но в Сорренто оставался еще ящик, с которым неизвестно что было делать и в котором хранились письма и бумаги, которые отправлены в Россию быть не могли: они должны были оставаться на хранение в Европе. Только малая часть этих бумаг была в свое время доставлена в Италию из сейфа Дрезденского банка, огромная часть их была собрана уже в Сорренто.

Бумаги были четырех родов: во-первых, это были письма эмигрантов (главным образом, писателей), с которыми Горький переписывался в эти годы, большинство писем было раннего периода, до 1926—1927 годов, когда Горький резко повернул в сторону Москвы. Тут были письма В.Ф. Ходасевича, М.Л. Слонима, Вяч. Иванова, Д.П. Мирского (пока он не уехал в Россию), Ф.И. Шаляпина, одно письмо Белого (от 8 апреля 1924 года) и одно — Ремизова (в эпоху издания «Беседы»); письма эмигрантов менее известных и внеполитических, которые обращались к нему с различными просьбами, письма колеблющихся молодых русских за границей и иностранцев с вопросами: ехать ли в Россию, как относиться к тому, что там сейчас происходит, как он сам смотрит на все. Сюда же можно включить письма первых невозвращенцев или диссидентов, которые бежали через финскую, персидскую, польскую, румынскую и дальневосточную границы, которые хотели сообщить Горькому последние новости с родины и раскрыть ему глаза.

Во-вторых, в ящике находились письма приезжих из СССР писателей и ученых, актеров и художников, выехавших на время в отпуск или командировку и возвращавшихся обратно, которые пользовались пребыванием в Европе, чтобы пожаловаться на порядки, а вернее, на беспорядки на родине, на властей, а иногда даже на Сталина. Среди них были письма Бабеля, Федина, Кольцова, Ольги Форш, Станиславского и Немировича, Мейерхольда и Райх (гостивших одно лето в Сорренто), а также людей, неизвестных никому, кроме самого Горького, его старых знакомых и случайных людей, оказавшихся временно вне России и доводящих до сведения сидящего в Сорренто писателя о том, что творится в стране.

В-третьих, были письма людей с политическим прошлым, продолжавших, несмотря на его поворот к Кремлю и его триумфальные поездки по России, спорить с ним: некоторые меньшевики, как Галина Суханова, Валентинов-Вольский, Николаевский, некоторые правые социалисты, среди них Ек. Дм. Кускова, старая журналистка, живущая в Праге, подруга юности Ек. Павл. Пешковой, которая, несмотря на то что всецело принадлежала эмиграции, хотела до конца жизни найти хоть какую-нибудь возможность примирения с режимом, который ее, вместе с другими, изгнал в 1922 году из России; или журналист М.А. Осоргин, пытавшийся уверить и себя, и всех, что, несмотря на сотрудничество в эмигрантской прессе и «волчий паспорт», он не эмигрант и готов вернуться в любой момент, если только ему это позволят; или А. Пешехонов, который из Праги передвинулся в Ригу, а оттуда в конце концов ушел на родину.

И в-четвертых, наконец, были письма Пятакова, Рыкова, Красина (а может быть, и Троцкого, но этого установить не удалось), приезжавших в Берлин, в Париж, в Анкару, в Стокгольм и другие столицы мира, вырвавшись из круга, в который их замыкала постепенно сталинская консолидация власти; они писали Горькому, зная его лично, требуя от него подать свой голос против тирании и попрания ленинских принципов; среди этих людей с известными именами находилось немало посланников и послов, аккредитованных при европейских правительствах, не говоря уже о советских полпредах в Италии, лично ему знакомых. Немало было крупных служащих, командированных за границу, как Сокольников и Серебряков. Что было делать со всей этой крамольной корреспонденцией, среди которой находились листки заметок самого Горького о встречах с этими людьми или его наброски ответов им? Максим считал, что всю эту контру надо сжечь тут же, вот в этом камине, в кабинете Горького (с видом на Везувий), или еще лучше — на площадке перед домом, запустив при этом фейерверк под какой-нибудь итальянский праздник. Но остальные, включая и самого Горького, были против этого. Они считали, что бумаги надо сохранить. Но у кого их оставить? Кому доверить? Об этом шел спор.

Мура не принимала в этом споре никакого участия. Она знала, что есть два человека и только два, которым Горький мог оставить этот ящик, и, будучи одним из них, она считала, что ее дело молчать. «Я, — сказала она, — лицо интересное [т. е. заинтересованное] и буду сидеть и молчать».

В первый вечер никакого решения принято не было. Но на следующий день стало ясно, что второй кандидат в хранители архива не годится. Это был приемный сын Горького Зиновий Пешков, безрукий герой первой войны, генерал французской службы, тот, кто немедленно после приезда Горького из Петрограда в 1921 году приехал к нему в Санкт-Блазиен, а в 1925 году гостил месяц в Сорренто. Он считался членом семьи Пешковых.

Два фактора были против него: то, что он был теперь в сущности французом, и то, что он не имел постоянного адреса. На самом деле адрес у него был, у него была квартира в Париже, но он по долгу службы то жил в Африке, то ездил по всему свету (он кончил свою службу в Японии на военно-дипломатическом посту в 1966 году). По слухам, у него в каждой европейской столице была обожающая его подруга, испанская графиня, французская принцесса, итальянская герцогиня, которая мечтала выйти за него замуж. Все это было немножко смешно, и Максим посмеивался, и Горький тоже (хотя и верил каждому слову Зиновия), но Ракицкий был категорически против того, чтобы такие серьезные бумаги хранились у человека, который сегодня не знает, где будет завтра. Горький был, в сущности, на стороне Ракицкого, и Максим в конце концов согласился с тем, что Титка заберет ящик. «Ящика я не возьму, — сказала она, — дайте мне чемодан». И на этом тоже все согласились.

Несмотря на кашель и слабость, Горький помогал упаковывать книги. Все работали. Даже Элена и Матильда, дочери герцога Серра-ди-Каприола. Они, меньше чем через год после отъезда Горького, встретили П.П. Муратова в Италии, куда он изредка наезжал, когда в те годы жил в Париже. Они знали его еще с 1924—1925 годов, когда он был гостем Горького, жил в Минерве, дружил со всеми вместе и с каждым в отдельности. Они рассказали ему, как за два месяца до окончательного отъезда были отправлены книги в Москву, как девочки-внучки и их швейцарская гувернантка уехали первыми и только потом, когда уже началось итальянское лето, на четырех извозчиках и двух автомобилях Горький, Максим с женой и Соловей, 8 мая 1933 года, простились с прислугой и собаками и уехали в Неаполь, вместе с гостившими у них с середины апреля С. Маршаком и Л. Никулиным. В Неаполе Горький с домочадцами — их всех оказалось человек восемь — сел на теплоход «Жан Жорес» и через Стамбул уплыл в Одессу.

Мура с чемоданом, содержавшим архив Горького, выехала из Сорренто в Лондон еще в апреле. 15 мая она Восточным экспрессом приехала в Стамбул и встретила в порту «Жана Жореса»; 16-го она осматривала вместе со всеми Айю-Софию и 16-го вечером простилась с Горьким на берегах Босфора. Это была та самая весна, когда, после конгресса ПЕН-клуба в Дубровнике, где она была с Уэллсом, они вместе поехали в Австрию, та весна, когда он стал наконец свободен и когда решилось ее будущее.

Но и для Горького в ту весну начался новый период его жизни, русский период и последний: усиление его старых болезней и возникновение новых, и всероссийская слава, и дружба Сталина, и мировые планы переписать литературу начиная с Гомера, и наконец — смерть Максима, убийство Кирова и его собственный конец.

Но смерть Максима не помешала двум членам его семьи в следующем году оказаться снова в Европе: Максим умер, проболев всего несколько дней, и до Парижа дошли слухи, что его, пьяного, оставили в сырую майскую ночь одного на скамейке московского бульвара, словно кому-то, кто был среди выпивших в тот вечер, была нужна его смерть, кто, может быть, умышленно довел его до воспаления легких. Мало кто этому верил. Максим был молод, спортивен, здоров, и те, кто его лично хорошо знал, старались не гадать о его конце на основании сплетен, но ждали случая узнать правду из первых рук. В те годы мало возможностей было осуществить это: с приезжающими контакта не было, письма доходили редко, преимущественно открытки, прочтенные вдоль и поперек цензором. А если кто и ездил в Москву, то тот с теми кругами, в которых мы жили, не общался. Изредка доходило: «Эренбург приехал из Москвы и сказал...» или «Бабель сейчас в Бельгии и говорит...» Но однажды — это было ранним летом 1935 года — в русских газетах появилось сообщение, что Ек. П. Пешкова и Над. Алекс. Пешкова (т. е. Тимоша) с группой советских художников приехали в Лондон и собираются оттуда приехать в Париж. Зная, что Екатерина Павловна, наверное, увидится с двумя своими старыми приятельницами, я решила узнать, где она остановится.

Одна была Екатерина Дмитриевна Кускова, уже упоминавшаяся, но она жила в Праге и не могла мне помочь*. Другая была Лидия Осиповна Дан, сама член партии меньшевиков, сестра Ю.О. Мартова. Я позвонила ей и сказала, что хотела бы встретиться с Тимошей. Она

---

* На мое письмо она ответила мне длинным письмом, которое я частью процитирую здесь: «До осени этого года не было случая, чтобы Ек. Павл. не предупредила нас, что она тут, за границей. Год от года мы с мужем, хорошо ее знающие, стали замечать, что в ее настроении есть что-то ненормальное. Осенью она написала мне письмо, в котором сообщала, что "депрессия душевная" не прошла от пребывания за границей. Это мы и сами увидели, она перепутала все дела, с которыми сама же к нам и обратилась. В декабре к нам в Прагу приезжала наша с Е.П. общая приятельница..., которая подтвердила, что после смерти Максима Е.П. не в себе... "Депрессию" вызвало еще и исключительно подлое поведение Мак. Горького во время похорон Максима...» (Прага, Хребенка, 1258. 27 мая 1935).

знала положение вещей в доме Горького и посоветовала мне сначала пойти к Ек. Павловне, которая должна была приехать первой, и попросить у нее разрешения увидеться с ее невесткой. Таковы были, очевидно, распоряжения. Как мне ни странно было, что две взрослые женщины могли встретиться только с позволения третьей, я решила послушаться совета Л.О. Дан.

Есть в Париже, в семнадцатом округе, в тихом его углу, небольшая, тихая, прелестная площадь Сент-Фердинанд, и на ней гостиница того же имени. Квартал этот был тогда хоть и элегантен, но скромен и благороден, там бывало пустынно, и не было ни рожков автомобилей, ни кричащих вывесок. Я пришла в тихий и тоже как будто пустынный отель и поднялась на второй этаж. Екатерина Павловна открыла мне дверь. У нее — я увидела — были гости, две молодые женщины, одна была жена В.Л. Андреева (мать будущей Ольги Карлейль), другая — ее сестра. Екатерина Павловна не впустила меня, она сказала мне: «Подождите внизу». И я увидела, как она постарела: смерть Максима тяжело надломила эту твердую, сильную женщину.

Она позвала меня минут через двадцать. Она была одна, и я заметила, что ей очень хочется, чтобы я скорей ушла. Она дала мне позволение видеть Тимошу — Тимоша была еще в Лондоне, вместе со всей их группой: художник Корин — Екатерина Павловна сказала про него: «великий артист, он едет в Париж, чтобы закончить свою копию "Джоконды", — его брат, художница Уварова... Фамилии остальных я не запомнила. Тимоша ехала с этой группой, чтобы «объяснять им искусство, конечно, только реалистическое», — добавила Екатерина Павловна. Мы поговорили минут пять, и я ушла. Она на листке бумаги записала: вторник, четыре часа. Это был час, когда она мне позволила прийти.

Со времени последнего письма Тимоши прошло десять лет. В 1925 году Тимоша писала мне:

«Как Вам известно из газет, у Мар. Игн. был обыск, произведенный благодаря недоразумению.

Дука был болен (переутомление от работы), теперь ему лучше, хотя нервы еще не совсем в порядке.

Дочь моя Марфа, которой уже 3 месяца, растет и толстеет, ни на кого из окружающих не похожа.

Погода у нас все время была хорошая, но вот уже три дня проливной дождь, хотя и очень тепло, в комнатах 22 г р. без топки.

Был у нас Добровейн, мы устраивали джаз-банд, и только здесь мы оценили Вас как дирижера. Добровейн оказался не на высоте. Зимой, вероятно, будем по Вас скучать.

Напишите, что у Вас нового, как живете? Не забывайте нас.

Крепко целую. Тимоша».

И я пошла. И Тимоша, все такая же молодая и привлекательная, в голубом шелковом платье с белыми маргаритками, приняла меня у себя в номере, на третьем этаже. Я просидела у нее около часа. Она не выказала ни радости, ни смущения, она была холодна, как лед, вежлива и внимательна и задавала те вопросы, которые каждый на ее месте задал бы при таких обстоятельствах; но она не спросила о Ходасевиче, а я не спросила о Горьком. Но я спросила о Максиме, о его болезни и смерти и последних днях. И она, глядя в сторону, сказала: «Да вы, вероятно, все уже знаете из газет». Прошло с его смерти немногим более года, но она говорила так, словно прошло лет пять. Она за все время ни разу не улыбнулась, не улыбнулась и я. И только когда она спросила: «А вы не хотите вернуться на родину? Я могу вам это устроить», я почувствовала, что мне пора уходить. В последние минуты спасение пришло от поворота разговора в сторону Валентины, которая теперь жила в Москве, и в сторону Муры, с которой Тимоша провела неделю в Лондоне и которая «помогла купить мне платья, — сказала Тимоша. — Теперь у меня все новое». Мне кажется, что в это время Екатерины Павловны уже не было в Париже, и что она уехала в Прагу, чтобы съехаться с Тимошей в Берлине.

Когда я вышла на площадь Сент-Фердинанд, я поняла, что сделала ошибку, и я пожалела, что это сделала. Прошло две недели, и из Праги от Кусковой пришло известие, что Екатерина Павловна была у нее и сказала ей, что ездила в Лондон с целью повидать Муру и уговорить ее отдать архив Горького, доверенный ей два года тому назад, для увоза в Россию. Но Мура отказала ей в этом. И Екатерина Павловна была сердита на нее.

Мы не умели в те годы делать некоторые выводы из известных нам фактов, которые сейчас, в свете происшедшего, кажутся очевидными. Летом 1935 года Мура отказалась отдать архив Горького для увоза его в Москву, а весной 1936 года в Норвегии была сделана попытка выкрасть бумаги Троцкого из дома, где он тогда жил. А вскоре после этого на Муру было оказано давление кем-то, кто приехал из Советского Союза в Лондон с поручением и с письмом к ней Горького: перед смертью он хочет проститься с ней, Сталин дает ей вагон на границе, она будет доставлена в Москву и в том же вагоне доставлена обратно, в Негорелое. Она должна привезти в Москву его архивы, которые ей были доверены в апреле 1933 года, иначе он никогда больше не увидит ее. Человек, который передаст ей это письмо, будет сопровождать ее из Лондона до Москвы и затем — из Москвы в Лондон.

На этот раз она сказала об этом Локкарту, и Локкарт был единственный человек, который немедленно сделал вывод из этого факта. Он прямо ответил ей, что если она бумаг не отдаст, их у нее возьмут силой — с помощью бомбы, или отмычки, или револьвера.

С весны этого последнего года своей жизни Горький болел, и болел серьезно, серьезнее, чем все последние годы. Он жил в Крыму, в Тессели, и даже летом считалось теперь опасным везти его в Москву. Между тем, в июне 1935 года в Европе затевался новый конгресс, на этот раз не «антивоенный», а «в защиту культуры». Он был назначен на 21 июня, в Париже, и на приезд Горького рассчитывали все (он был избран в президиум), т. е. и Мальро, и Жид — это было за год до его разочарования в Советском Союзе, — и Арагон, и Барбюс, и живший в это время в Париже Эренбург.

Первым из русских приехал А.Н. Толстой. Ожидались со дня на день Бабель, Пастернак, Луппол (будущий муж Тимоши) и другие. Михаил Кольцов, позже ликвидированный, был в эти годы корреспондентом «Правды» в Париже и принимал близкое участие в организации конгресса. Он встречал и расселял приезжих из Советского Союза. Постепенно появились Вс. Иванов, Н.С. Тихонов, Тычина, Панферов, Корнейчук, Киршон, Щербаков. Ни в одном письме, ни в одном документе мы не находим ни малейшего намека на то, что Горький, хотя бы один день, колебался: ехать ему или не ехать. С первого дня он знал, что ехать он не может. Не только доктора и близкие противились этому, но он сам наконец понял, что то, что случилось с ним в Берлине в 1932 году, теперь может повториться с удвоенной силой. Три дня и три ночи в поезде, волнение, напряжение при встречах с людьми, публичное выступление в зале Мютюалитэ были ему уже не под силу. 18 апреля он уехал из Москвы в Крым, где обычно жил, когда чувствовал, что не может больше выносить московских темпов и едва держится на ногах от слабости. Но чтобы заранее не беспокоить участников конгресса и в Советском Союзе, и во Франции, он делал все необходимое, чтобы все выглядело так, как если бы он готовился к отъезду: он написал Роллану, который наконец решил собраться в Россию, «в страну своих давних надежд», что ждет его в июле в Москву (как Роллана ни звали на конгресс, он не поехал, он как всегда был озабочен своим здоровьем, а кроме того, он признавался, что «очень боится в Париже фашистов»). Горький согласился возглавить депутацию советских литераторов, приглашенных на конгресс, и пишет свой доклад о защите культуры, который обещает прочесть в день открытия. Он даже получает заграничный паспорт и пишет в письме к Федину (4 июня): «Надо к парижанкам ехать на старости лет». Но он не выезжает из Тессели, несмотря на то что вечерняя парижская газета «Л'Энтрансижан» 19-го сообщает, что Горький уже приехал в Париж. Он не двигается из Крыма и приезжает в Москву только 24-го числа, к приезду Роллана и его жены, урожденной Кудашевой, бывшей секретарши П.С. Когана, с тем, чтобы немедленно слечь с бронхитом.

А в это время в Париже происходили события: в день открытия конгресса, 21 июня, покончил с собой талантливый молодой французский писатель Рене Кревель, видимо, пришедший к своему отчаянному решению на политической почве: он оставил предсмертную записку с политическим объяснением своего поступка, которую организаторы конгресса не позволили огласить, будучи в состоянии, близком к панике.

Дни стояли необычайно для Парижа жаркие, и — что тогда было редкостью — мужчинам пришлось снять пиджаки и сидеть в рубашках, из тысячи людей только двое остались верны традиции – Генрих Манн и Э.М. Форстер оставались в пиджаках. В этой жаре (термометр поднимался в дневные часы до 40 градусов) в течение пяти дней было семь дискуссий. На второй день произошел инцидент во время выступления Андре Бретона; он задал несколько вопросов: о сталинизме, о Сталине, о системе управления в Советском Союзе, а также о Викторе Серже, троцкисте, французском писателе, чудом вырвавшемся из Советского Союза совсем недавно. Но вопросы бывшего коммуниста, ушедшего из партии, первого поэта среди дадаистов, основателя сюрреализма, остались без ответов. Арагон и Эренбург не дали слова ораторам по этим вопросам и прекратили выкрики с мест. Мальро пытался дать слово друзьям Сержа, но ему не дали этого сделать. Кольцов заявил, что Серж был замешан в убийстве Кирова. В зале раздался свист.

Наступил третий день конгресса, и отсутствие Бабеля и Пастернака начало смущать президиум. Эренбург терял голову. Жид и Мальро отправились в советское посольство на улицу Гренелль просить, чтобы из России прислали на конгресс «более значительных и ценных» авторов. Эренбург послал в Союз писателей в Москву отчаянную телеграмму. Наконец, Сталин самолично разрешил Бабелю и Пастернаку выехать. Оба поспели только к последнему дню. Пастернак приехал без вещей, Мальро дал ему свой костюм. В нем Пастернак вышел на эстраду. Он сказал несколько фраз о том, что надо всем жить в деревне, а не в городах, в деревне можно собирать цветы и не думать о политике, и еще о том, что, чем большее число людей счастливы в стране, тем лучше. После этого он прочел одно стихотворение. Бабель вышел на эстраду после него (он прекрасно говорил по-французски) и рассказал несколько анекдотов. 29 июня конгресс закрылся.

Михаил Кольцов, позже погибший в чистках, писал о конгрессе в «Правде». Эренбург – в «Известиях». В зале Мютюалитэ с 21 по 25 июня сидела советская делегация. А.Н. Толстой председательствовал на последнем заседании, докладчиками были Луппол, прочитавший свой доклад, предварительно исправленный и затем одобренный Горьким, к которому Луппол ездил для этого в Тессели, Вс. Иванов, Панферов, Н. Тихонов и сам Эренбург. 24 июня в «Правде» и 26 июня в «Известиях» было напечатано приветствие, которое Горький послал в Париж, начинавшееся словами: «Глубоко опечален, что состояние здоровья помешало мне...» А 25-го конгресс послал Горькому ответное приветствие в Москву.

Кольцов и Эренбург, давая подробное описание конгресса в своих газетах, знали больше, чем писали, и больше, чем те, кто сидел в зале. Атмосфера была неспокойная. Несмотря на роскошный прием, данный для русской делегации и французских гостей советским посольством после закрытия конгресса, раздавались недоуменные голоса, что не все было сказано, что должно было быть сказано с эстрады. Что в сущности ни одному троцкисту не дали слова, что речи Панферова и Луппола были чистейшей пропагандой советского режима и не имели отношения к защите культуры. На последнем заседании всех примирил А.Н. Толстой: он очаровал аудиторию своим чистейшим парижским произношением.

Локкарт виделся с А.Н. Толстым в Лондоне, на его пути в Россию. Был, конечно, завтрак в неизменном Карлтон-грилле, и Локкарт рассказывает в своем дневнике, как Толстой обратился к нему с просьбой — дать его крестнице проездную визу через Англию, из Парижа в Ленинград. Он увозил крестницу с собой на теплоходе из эмигрантского болота в счастливую страну Советов. В Париже девочка (ей было тогда лет восемнадцать) погибает, она — коммунистка и хочет вернуться на родину, откуда ее вывезли ребенком. Ее мать теперь православная монахиня, а отец, давно разошедшийся с ее матерью, известный реакционер Кузьмин-Караваев, перешел в католичество и делает карьеру в Ватикане. «Давайте поможем дочери монахини и кардинала, — сказал Толстой, смеясь. — В Париже она не знает, что с собой делать, и хочет домой». Локкарт, разумеется, тотчас же обещал Толстому сделать все, что нужно. Это была Гаяна, дочь Е. Скобцовой (матери Марии) от первого брака. Через год она умерла от неудачного аборта.

Горький вернулся в Тессели после визита Роллана 25 сентября и оставался там на этот раз очень долго: до 26 мая следующего (1936) года, когда был перевезен в Москву настолько больным, что врач и медсестра, которые жили при нем в доме в Тессели, боялись за него и считали, что в Москве, в Кремлевской больнице, за ним будет лучше уход. 1 июня его положение было признано очень серьезным, а 18-го наступила смерть от паралича сердца. В ночь на 20-е состоялась кремация, и вечером урна с его прахом была замурована в Кремлевской стене.

Валентина Ходасевич в своих воспоминаниях жалуется, что Крючков не пустил ее в Горки, где лежал Горький и куда она пыталась съездить. Вооруженная стража была приставлена к воротам дома, и Луи Арагона, и его жену, Эльзу Триоле, приехавших из Парижа, а также бывшего с ними М. Кольцова не впустили даже в парк. Они просидели в автомобиле несколько часов и видели, как из ворот выехала машина, увозившая докторов, — это было утро смерти Горького. Арагон писал об этом в 1965 году в книге, до сих пор не переведенной на русский язык:

«Зряшная суетливость из-за пустяков, раздражение, должно быть, неверно понятое распоряжение... 18 июня, перед усадьбой... Автомобиль. Водитель, в свою очередь, спорит со стражей, цепь на воротах опускается. Это доктор. Может быть, после его визита мы будем иметь право? Михаил ходит от стражи к нам и обратно. Еще проходит час. Когда автомобиль выезжает, Михаилу удается приблизиться к нему. Доктор его знает. Они переговариваются... Если бы я тогда знал, что этот доктор, как о нем потом сказали и говорили двадцать лет, приложил свою руку к преступлению... что это был убийца!.. Горький умер. Нам оставалось повернуть обратно. У Михаила были крупные слезы на глазах... Тогда еще никто не знал, не думал, что эта смерть после долгой болезни была убийством...

Я не хотел идти на похороны, ужас как было жарко, длинный путь на кладбище, пешком, усталость... Михаил пришел в гостиницу, умолял, настаивал... "Горький так хотел вас видеть!" Обещал, что мы будем шагать сейчас же вслед за правительством... Горький так бы этого хотел... Наконец, мы уступили. Сначала мы шли вместе, потом Михаила отозвали, и мы шли с Луппполом. Он был на конгрессе в Париже в 1935 году, на том самом конгрессе, где мы все так удивились, что Горький не приехал... После выноса тела из Колонного зала мы толкались на площади, затем всех поставили в ряды...»

Так, в старой манере «кинорассказа», с взволнованными многоточиями, броскими фразами и жеманным тоном социалистический реалист Арагон писал об убийце-враче, а, кстати, потом и о расстрелянных генералах — Путне, Уборевиче, Якире, Корке, Эйдемане, Примакове и Тухачевском. Кольцов говорил Арагону, что все они были предателями, и знаменитый поэт и член французской компартии этому верил. Как еще далек был Арагон от своего протеста против занятия Праги советскими войсками в 1968 году! Как далек от признания, сделанного им в 1972 году: «Моя жизнь подобна страшной игре, которую я полностью проиграл. Мою собственную жизнь я искалечил, исковеркал безвозвратно...» И как далека была Триоле, которая перед смертью в своей книге (1969 год) сказала об их общем прошлом: «У меня муж — коммунист. Коммунист по моей вине. Я — орудие советских властей. Я люблю носить драгоценности, я светская дама и я грязнуха».

Но напрасно Арагон вызывал в себе отвращение к врачам-убийцам, это были всего лишь профессор Сперанский и доктор Кончаловский. Они благополучно продолжали практиковать в Москве многие годы после смерти Горького. Сперанский тогда же, 20 июня, напечатал в «Правде» историю болезни Горького, где писал, что «двенадцать ночей [последних] ему пришлось быть при Горьком неотлучно». Так что убийства докторами, видимо, никакого и не было, потому что в многочисленных описаниях последних двух недель Горького за последние сорок лет никогда не упоминалось ни имени профессора Плетнева, ни имени доктора Левина (этот последний, между прочим, подолгу гостил в Сорренто и был личным другом как Горького, так и других московских литераторов), ни об их преступлении. А о том, что Горький умер насильственной смертью, упомянуто только во втором издании Большой Советской Энциклопедии*, в третьем даже не сказано, что он умер, а только что «похоронен». Кровохарканье, ослабление сердечной деятельности, а также двухстороннее воспаление легких кажутся, в свете прежних заболеваний Горького и застарелого туберкулеза, естественными причинами смерти — если не предположить, что Сталин ускорил ее.

Слухи ходили, но уже позже, в начале 1950-х годов, что Мура ездила в Москву в июне 1936 года, когда Горький был в безнадежном состоянии и хотел ее видеть в последний раз. Мог ли он, действительно, настоять на том, чтобы ей дали визу в Москву или — самое главное — чтобы ей дали разрешение вернуться в Лондон? И какие были ли гарантии? И могла ли она рискнуть поехать?

Б.И. Николаевский, уже упоминавшийся в связи с сааровскими пельменями, автор «Письма старого большевика», напечатанного в 1936 году в «Социалистическом Вестнике», и позже, в 1965 году, книги статей «Власть и советская элита», сыгравших крупную роль в понимании европейскими и американскими «советологами» закулисной стороны власти в Кремле и смысла московских процессов, дал повод Джорджу Кеннану сказать, что эти его работы — «наиболее авторитетные и серьезные исторические документы о закулисной стороне чисток». Известный американский журналист Луи Фишер признавался, что «все мы, знатоки советской политики, сидим у его ног», а профессор Роберт Таккер, автор

---

* «18 июня 1936 не стало Горького. Его убили враги народа из правотроцкистской организации, агенты империалистов, против которых он мужественно боролся. Несколько ранее, в 1934, ими же был умерщвлен М.А. Пешков, сын Г. В дни болезни Г. читал опубликованный на страницах “Правды” проект новой сталинской конституции, которая отразила итоги борьбы и побед советского народа. Глубоко взволнованный, Г. по прочтении сказал: “В нашей стране даже камни поют”». Большая Советская Энциклопедия, 2-е изд. Том 12. М., 1952. Стр. 259.

биографии Сталина, называл Николаевского «ментором многих ученых-специалистов по советской политике нашего поколения». Борис Иванович был историком, членом партии РСДРП меньшевиков, собирателем редких исторических книг и документов. Одно время он заведовал архивами Троцкого в Славянской библиотеке в Париже (на улице Мишле) и имел связи как с международной социал-демократией, так и с приезжающими из СССР крупными большевиками. У него были ответы на многие вопросы, и однажды в Вермонте, в 1959 году, когда он, М.М. Карпович и я гостили у общих друзей, я спросила его о деле, которое мне казалось загадочным: в 1958 году в издательстве Академии наук СССР начали выходить книги, посвященные жизни и творчеству Горького. В них время от времени попадаются отрывки из писем Ходасевича и других документов, которые в свое время были отправлены в Лондон. Под ними стоит примечание, что оригиналы их находятся в горьковском архиве в Москве. Как могли попасть эти документы в Москву (в Институт мировой литературы), когда они были оставлены Горьким М.И. Будберг и хранились у нее? О том, что они были оставлены Муре, я знала от П.П. Муратова. Николаевский ответил, что Мура отвезла их в Москву в июне 1936 года, когда Горький просил Сталина разрешить ей приехать проститься с ним. Условие Сталина было — привезти архив. При этом условии он гарантировал Муре выезд из Советского Союза. Помню реакцию Карповича: он пришел в ужас от сообщения Николаевского и долго не мог успокоиться.

Прошло шесть лет, и однажды, в 1965 году, говоря с Луи Фишером (моим соседом по Принстону), который всегда был жаден до новых сведений о советской России, я передала ему мой разговор с Николаевским. Фишер спросил, есть ли у меня письменное доказательство этого разговора? У меня его, разумеется, не было. Он попросил у меня разрешения написать Николаевскому и спросить его об этом. Фишер, кстати, сказал, что в одном из своих последних писем Николаевский Б.И. спрашивал его, знает ли тот что-либо об архивах Горького? И показал мне это письмо. Там был вопрос:

«Менло Парк, Калифорния
14 декабря 1965 г.
...Знаете ли Вы что-либо относительно привоза в Россию в апреле 1936 г. архива Горького? Знаете ли, что этот привоз оказал большое влияние на планы Сталина?»

После моего ответа, что у меня нет письменного свидетельства Николаевского о поездке Муры в Москву (в апреле или июне 1936 года), Фишер написал Николаевскому. Его письмо печатается здесь по копии, письма Николаевского — по оригиналу. Документы находятся в архиве Фишера, в Принстоне. Фишер писал по-английски, Николаевский — по-русски:

«[Принстон] 11 января 1966 г.
Ваше упоминание о том, что бумаги Горького были отвезены в апреле 1936 г. в СССР, имеет огромное значение. Возможно ли, что в этих материалах находилось что-либо порочащее — в глазах Сталина — советских вождей, свидетельствующее об их предательстве по отношению к нему, что корреспонденты Горького могли ему жаловаться на Сталина в письмах? Кто повез архив Горького в Москву? И для какой надобности?»

Борис Иванович не замедлил ответом:

«Менло Парк, Калифорния
18 января 1966 г.
История бумаг Горького длинная. Там были записи Горького о разговорах с приезжавшими к нему советскими писателями и деятелями. Оставил их Горький на хранение у своей последней жены (Мар. Игн. Будберг), урожденной Бенкендорф, дочери последнего царского посла в Англии. Она была в 17—18 гг. возлюбленной известного Брюса Локкарта ("Маша" в воспоминаниях послед-

него), о ней много имеется в воспоминаниях Петерса. Горький поставил условием никому бумаги не выдавать — и, даже если он потребует посылки их ему в Москву, отказаться. Сталин в 1935 г., когда Горький заступился за Каменева, отказал в выезде Горькому за границу на съезд писателей в Париже, потребовал выдачи ему архива. За границу приезжала Пешкова с полномочиями от Горького, тогда Будберг передать бумаги отказалась (это я знаю от Кусковой, которая тогда виделась и говорила с Пешковой). Перемена позиции Будберг, по сведениям, объяснялась влиянием Локкарта, который тогда вел особую политику в отношении Москвы. В Москву Будберг приехала в апреле 36 г., на границе ее ждал особый вагон, с вокзала она поехала прямо в санаторию, где тогда находился Горький, и там встретилась со Сталиным и Ворошиловым... Есть еще ряд подробностей — интересных, но передавать их долго»*.

На следующий год Фишер летом уехал в Европу и собирался быть в Лондоне. Он был знаком с Мурой через Локкарта, видел ее несколько раз с Уэллсом, и я попросила его позвонить ей по телефону, может быть, пригласить ее в ресторан обедать и спросить ее, между прочим, была ли она в России между 1921 годом и ее поездкой туда в 1958 году, когда она, как известно, поехала туда по приглашению Е.П. Пешковой, написавшей ей о своем желании возобновить с ней дружеские отношения.

Вопрос мой состоял из двух частей: я хотела знать, была ли она в России в 1936 году и видела ли она Горького перед смертью.

---

* Николаевский, как всегда, прекрасно помнил факты, но детали за тридцать лет не удержались в его памяти: мы знаем, что она не была родственницей посла Бенкендорфа, что ее звали Мура, а не Маша, что у Петерса в его рассказе о «заговоре Локкарта» («Пролетарская революция» 1924 года) о Муре говорится в одном абзаце, — он приведен мною в части III этой книги, в примечании к стр. 202. И, как мы увидим, она приезжала в Москву не в апреле, а в июне.

О том, чтобы пригласить ее в ресторан, речи не было: она уже давно никуда не выходит по вечерам; ей семьдесят пять лет, и она, особенно в первую половину дня, не показывается на люди. Фишеру пришлось идти к ней на дом, «на чашку чая». Она жила в квартире, заставленной всевозможными сувенирами и безделушками, завешенной иконами и фотографиями; она была очень толста и с трудом передвигалась, но ему легко удалось навести ее на разговор о России. На первый вопрос она категорически ответила «нет»: она с 1921 года до 1958-го в Россию не ездила. На второй вопрос, видела ли она Горького перед смертью, она ответила утвердительно: да, она ездила в Берлин, чтобы повидать его, когда он, за год до смерти, в 1935 году, приехал на конгресс в Париже, остановился в Берлине, заболел, и доктора его дальше не пустили. Она сама настояла на том, чтобы он никуда не ездил и чтобы вернулся в Москву как можно скорее. Она тогда приезжала из Лондона и пробыла с ним четыре дня.

— Но это было в 1932 году, на другом конгрессе, — сказала я.

— Она говорила довольно убедительно и с подробностями. Она сказала, что это было в 1935 году, — ответил Фишер.

Тогда я показала Фишеру копии номеров «Правды» и «Известий» от июня 1935 года с приветствием Горького: «Глубоко опечален, что состояние моего здоровья помешало мне...» И помету: «Тессели».

Было ясно, что из России Горький не выезжал после 1933 года, что отмечено и в книге Л. Быковцевой «Горький в Москве». В июне 1936 года Мура приезжала в Москву на короткий срок, около недели, о чем можно прочесть в воспоминаниях Льва Никулина. Она ответила на вопрос путаницей, справедливо рассчитывая, что Фишер не помнит дат всех конгрессов 1930-х годов, где укреплялась дружба между западным миром (его «прогрессивной» частью) и Советским Союзом, — ежегодно их было два-три. Быковцева в своей книге писала (стр. 12): «После 1933 г. писатель за границу не ездил и зимние месяцы проводил в Крыму». Никулин в журнале «Москва», 1966 год, № 2 с фальшивым пафосом декламировал: «Когда нас спрашивают, кому посвящена "Жизнь Клима Самгина", кто такая Мария Игнатьевна Закревская, мы думаем о том, что портрет ее до его последних дней стоял на столе у Горького. Она прилетела из далекой страны и была при нем в последние часы его жизни» (т. е. в июне).

Необходимо отметить, что в те времена еще не было регулярного воздушного сообщения и пассажирских самолетов между Лондоном и Москвой и «прилетела» — только изящная метафора для «приехала поездом» лауреата Ленинской премии. Его мемуары называются «Незабываемое, недосказанное» — это второе прилагательное необыкновенно точно передает то, что мы обречены читать на его страницах. Но недосказанное Никулиным досказала Большая Советская Энциклопедия: там, в числе городов Европы, где в свое время лежали архивы Горького, теперь водворенные в Советский Союз, назван и Лондон.

Она скрывала свою поездку до последнего дня своей жизни, и в интервью, данном журналу дамских мод в 1970 году, опять повторила версию, которую дала Фишеру. Раскрытие тайны московской поездки могло привести к раскрытию тайны увоза архивов и возвращения их Горькому. Впрочем, фактически — передачи их Сталину, который, как подозревал Николаевский, отобрал их у нее. Сталин, конечно, мог обойтись и без них, когда готовились московские процессы, но кое в чем они, вероятно, помогли ему. А Локкарт по-своему был прав, когда дал ей уехать; Муре было бы слишком опасно хранить соррентинский чемодан в своей квартире: к ней могли вломиться ночью, как в случае с Кривицким, или могли проникнуть днем, как в случае с Керенским, или постепенно втереться к ней в доверие, как было с Троцким, или выследить, когда ее нет дома, и подобрать к дверям ключ. В 1935 году она не согласилась на уговоры Е.П. Пешковой, когда та была у нее в Лондоне и убеждала Муру расстаться с архивом, но согласилась через год расстаться с ним. Мог ли таиться за этим страх взлома и кражи бумаг или страх шантажа со стороны начальника политической службы Ягоды? И если был страх шантажа, то на чем он мог быть основан? Мог Петерс оговорить ее, спасая свою голову? Он в 1936 году был еще на свободе, но уже в немилости. Мог он помочь в давлении на нее, угрожая ей открыть свое с ней знакомство, может быть, начавшееся еще до ее знакомства с Локкартом, когда она дружила с Хиллом, Кроми и другими — в Петрограде в январе — феврале 1918 года? И мог он, спасая себя и смешивая ложь с правдой, дать ей знать, что он оговорит ее и «разоблачит», что она была им подослана к служащим английской политической службы, если она не сделает того, что от нее требуют? И помогло ли это Петерсу прожить еще два относительно спокойных года до того, как он был расстрелян, как и сам Ягода?

Или объяснение ее поступка лежит совершенно в другой стороне: возможно, что в 1935 году Е.П. Пешкова действовала без согласия Горького, самостоятельно, а теперь Горький сам потребовал от Муры то, что было ей доверено, давая ей мотивировку, которая должна была сломить ее старое обещание не возвращать бумаг, даже если он сам будет их требовать. И мотивировка эта была: необходимость иметь под рукой бумаги, которые могли бы ему, Горькому, помочь в уличении старых врагов в преступлениях, совершенных ими в свое время, или — наоборот — чтобы выгородить кого-то близкого ему и, может быть, спасти от каторги и казни? Все возможно. Одно несомненно: Мура повезла архивы в Москву, и они были отняты у нее, и Горький не увидел их. Впрочем, если это было в июне (а не в апреле), то он был в таком состоянии, когда она приехала, что вряд ли они могли послужить ему и, возможно, что он даже не спросил ее о них*.

Это последнее предположение (о спасении близкого ему человека), если его на минуту принять, ведет к подозрению, что Горький, действительно, как свидетельствуют некоторые мемуаристы, увидел в последний год своей жизни весь скрытый ужас сталинского террора, и не только увидел его, но и решил с ним бороться и искал для этого, где мог, орудия борьбы. Тогда придется вспомнить некоторые показания более позднего времени о том, что Горькому было «нечем дышать» и он «стремился в Италию», о чем Крючков (о двойственной роли которого будет сказано позже, в связи с его расстрелом) не мог не знать и, может быть, — спасая себя — донес Сталину. И тем не менее остается в силе гипотеза о естественной смерти Горького, к которой его подготовила его многолетняя — с молодости — болезнь. В такой стране, как Россия, Крючков мог быть расстрелян не за убийство Горького, в котором он признался, хотя и не совершал его, а за донос на Горького, после которого его следовало убрать как свидетеля настроений Горького; или наоборот — за то, что он *не* донес кому надо об этих настроениях и тем подверг Сталина опасности быть Горьким разоблаченным. Он мог быть также расстрелян, как чекист и помощник Ягоды в его темных делах и как верный и многолетний доверенный человек Горького. Он также мог оказаться помощником Ягоды в убийстве Горького, как мог оказаться исполнителем воли Сталина. Одно несомненно: если Горький умер насильственной смертью, то достаточно было легчайшего толчка, чтобы дело было успешно завершено —

* Вместе с архивом она передала, видимо, также и свои «записки» — мы не можем угадать, что они собой представляли: было ли в них две страницы или двадцать, и в какое время они были написаны. Они упоминаются только один раз в Полн. собр. соч. Горького, том 18. Москва, 1973, стр. 546. Она позже, в 1938 году, без всякой видимой причины, переслала в Москву несколько разрозненных писем Горького к Уэллсу.

с лета 1935 года болезни держали его в абсолютной близости от смерти.

Сталин замыслил завладеть в один год (1936-й) тремя нужными ему архивами, находящимися в Европе, и в один год достал их все три: первый был получен путем поджога, это был архив Троцкого в Париже; вторым был архив Горького, его Сталин получил путем сделки с умирающим Горьким. Наконец, третий был взят путем взлома из скромной квартиры Керенского в Пасси (на рю Де-з-О) — об этом взломе никогда, насколько я знаю, ничего не было известно даже французской полиции, о нем не было ни строчки ни в русской, ни во французской печати. О нем не только никому ничего не было сказано, но он даже не был доведен до сведения французских друзей Керенского: таково было желание пострадавшего. Мне известно это со слов самого Керенского.

Вдова Троцкого Н.И. Седова незадолго до своей смерти подробно рассказала, как был взят архив Троцкого (в книге Виктора Сержа, англ. изд., 1975 год). Всего было четыре налета: один в конце 1932 года, на Принкипо, когда по неизвестной причине вспыхнул пожар в помещении библиотеки Троцкого; книги сгорели, но бумаги удалось спасти*. Другой — в 1933 году, в Сен-Пале (около Руаяна), где они тогда жили. Третий — весной 1936 года, в Норвегии, когда была сделана попытка войти в дом приютившего их Кнудсена, и четвертый — в августе 1936 года, в Париже. Эти четыре налета на архивы Троцкого, организованные Сталиным, стоят в зловещей симметрии с убийствами четырех детей Троцкого, прямыми или косвенными: Нина умерла от туберкулеза на почве истощения, Зина покончила с собой, Сергей был застрелен в Сибири, видимо, в концлагере, и Лев был отравлен в парижском госпитале после того, как был там

---

* Жан Хейенрот, автор книги «С Троцким в изгнании» (Гарвардский университет, 1978) считает, что Нат. Ив. ошибается и что пожар случился в марте 1932 года.

оперирован. Один из последних российских европейцев потерял все, прежде чем ему раскроили череп чугунным ломом в 1940 году в Койоакане. Вот что пишет Н.И. Седова о налете в Париже в 1936 году:

«Часть бумаг Л.Д. хранилась в Институте социальной истории на улице Мишле, 7, в Париже, где бумаги были доверены русскому социал-демократу, историку Борису Ивановичу Николаевскому. Однажды ночью профессиональные громилы подъехали к дому, ворвались через черный ход с горящими факелами в руках и выкрали личные бумаги Троцкого, но второпях не тронули кучу исторических документов, которые могли представлять гораздо большую политическую ценность... Кража носила все следы рук ОГПУ, которое очевидно намеревалось воспользоваться бумагами Троцкого для изготовления более правдоподобной сети свежих ложных обвинений [для московских процессов]».

В помещении этом хранились, между прочим, не только личные архивы Троцкого, но и архивы Парижского отдела Амстердамского интернационального института социальной истории. Борис Иванович объяснял взлом и кражу сорока пакетов бумаг тем, что Сталину необходим был материал для предполагаемого процесса Рыкова — Бухарина (т. е. процесса Ягоды — Крючкова) и ему необходимо было найти следы связей Бухарина за границей, когда он там был в 1935 году.

ЖИТЬ, ЧТОБЫ ВЫЖИТЬ

Винным ягодам я предпочитаю
долголетие
«Антоний и Клеопатра», I, 2, 34

О на стояла наверху широкой лестницы Савой-отеля, рядом с Уэллсом, и принимала входивших гостей. Каждому она говорила что-нибудь любезное и улыбалась, за себя и за него, потому что настроение его за последнее время было скорее сердитое и мрачное, и в улыбке пухлого лица появилось что-то саркастическое: мир явно не слушал его и шел совсем в другую сторону, а не в ту, в которую он его звал. Прием был торжественный, и устроил его ПЕН-клуб в честь Уэллса — его семидесятилетний юбилей, и так как за последнее время он — для всех явно — стал писать хуже и в литературных кругах, и в широкой публике стал терять престиж, которым пользовался еще десять лет тому назад (не говоря уже о более раннем периоде), его друзья, преимущественно люди его поколения (молодых он теперь любил все меньше), устроили этот прием, чтобы поднять ему настроение: в эти годы он был председателем ПЕН-клуба, Мура в этот день принимала гостей как хозяйка*.

---

* Голсуорси умер в 1933 году, и Уэллс был выбран председателем.

Горели люстры в высоком зале, сверкала позолота мебели. Месяц тому назад Мура была в Москве, а сейчас она, тактично, как всегда, приводя всех в восхищение своим искусством быть и не быть, была в центре всеобщего внимания. За кулисами шел поспешный, тревожный разговор, куда ее посадить: неужели рядом с юбиляром? С другой стороны — говорили другие, и все шепотом, — она столько сделала для этого международного клуба, начиная с той минуты, как появилась на конгрессе в Дубровнике и очаровала всех. Она тогда хлопотала, чтобы советские писатели были привлечены в клуб, привлечены единогласно: это было бы триумфом всей мировой литературы. Теперь отсадить ее подальше и не за центральный стол казалось неудобным. Из привлечения советских писателей ничего не вышло, но не вышло и у самого Уэллса, когда он еще в 1934 году говорил об этом в Москве, при встрече со Сталиным. Это тогда была одна из целей его поездки, поскольку он после Голсуорси был избран председателем этого общества.

Сталин тогда слушал подозрительно, предполагая, что этот ПЕН-клуб есть одно из тех учреждений Запада, которые хотят переманить к себе советских людей и постепенно развратить их своими идейками, расстроить единство Советского Союза. Не вышло у Уэллса тогда ничего и из разговора с Горьким, в его дворце под Москвой, где собрались писатели, молодые и старые, и приехал даже старый его друг Литвинов с женой и другие члены правительства. Все единодушно ответили Уэллсу, что русская литература должна находиться под политическим контролем, что иначе невозможно, и Уэллс почувствовал, что и хозяин, и гости ищут за его словами какую-то империалистическую интригу: «Я был тем капиталистическим пауком, который плетет свою сеть. Мне не понравилось, — писал Уэллс позже, — что Горький теперь стал против свободы. Это меня ранило. Он становился на сторону тех, кто в 1906 году изгонял его из Нью-Йорка».

А в Дубровнике в 1933 году представители Германии, нацисты, говорили совершенно то же самое: «Мы не так сильны, чтобы иметь право разрешать у себя в стране еретические мысли, шутить, играть в игру, спорить с еретиками; вам, англосаксам, хорошо, вы живете в установившейся веками действительности, вам ничего не страшно».

Но из зала Савой-отеля Мура, улыбаясь и говоря всем одно приятное, незаметно сама пошла в огромный соседний зал, где были накрыты столы, взяла с прибора свою именную карточку и незаметно положила ее на скромное место, подальше от Уэббов и Шоу, Пристли, Артура Рубинштейна и Дианы Купер, и всех тех, кто окружал в тот вечер Уэллса.

Речи начались, когда подали шампанское. Уэллс отвечал на них длинной, растроганной благодарственной речью; он сиял от комплиментов и признаний, аплодисментов и улыбок. Ему казалось, что вернулось то время, когда ему платили шестьсот фунтов за лекцию и триста тридцать за статью и зарабатывал он в год пятьдесят тысяч. Но в его речи прозвучали тайные ноты жалости к себе: он признался, что понимает, что жизнь идет к концу и для него скоро настанет время «собрать свои игрушки и отправиться в постельку баиньки, как велит няня, ему, маленькому Бертику. Праздник кончается».

Он говорил о своих планах будущей энциклопедии, над которой он собирается теперь работать и которая даст людям возможность избежать кровавой катастрофы революций и войн, выведя их на путь самообразования, сделав для них жизнь прекрасной; о том, что для нового мирового строя нужно создать совершенно новую систему образования, и через нее создать новый образ мышления и новую волю, а это значит — изменить человека. И он к этому готов. Он говорил о новом фильме, который Корда хочет сделать по его книге, о романах, которые он готовится написать. Он был в тот вечер самим собой, он был тем, кем был уже пятьдесят лет — глубоким пессимистом в душе и полным надежд и веры в прогресс на словах.

Но пессимизм теперь иногда выходил наружу бесстыдно и неудержимо, в припадках раздражения, злобы, негодования. Чарльз Перси Сноу, поклонник Сталина, выбранный почетным доктором университета Ростована-Дону, а тогда молодой романист, в будущем подошедший ближе всех современных английских писателей к социалистическому реализму, пишет в своих воспоминаниях о Уэллсе, как он, Сноу, пришел к нему, ждал больше получаса в приемной, а когда знаменитый писатель наконец вышел, он прямо подошел к окну и стал молча смотреть на идущий дождь, игнорируя гостя. Прошло довольно много времени.

— Вы женаты? — спросил Уэллс, все глядя в окно.

Сноу сказал, что не женат. Уэллс был угрюм и мрачен. Почему у него нет жены, которая бы смотрела за ним? «Почему, — спросил он Сноу, — ни у меня, ни у вас нет жены, которая бы смотрела за нами? Почему мы несчастнее всех других людей на свете?»

А в 1938 году, в Кембридже, они встретились опять, и был другой разговор — после длительного молчания, от которого наконец Сноу стало не по себе, Уэллс, внимательно рассматривая комнатные растения, стоявшие вокруг в кадках, спросил:

— Сноу, вы когда-нибудь думали о самоубийстве?

Сноу сказал:

— Да, Эйч-Джи, думал.

— Я тоже. Но только после того, как мне исполнилось семьдесят лет.

Все эти годы он не мог убедить Муру выйти за него замуж. Но был один день, когда она уговорила его разыграть друзей, которые в угоду ему, а может быть, и бескорыстно, уговаривали ее выйти наконец за него замуж. Мура разослала около тридцати приглашений на свадебный банкет, и гости явились. Об этом веселом дне пишет в своих мемуарах английская писательница Энид

Багнольд, которая перед этим банкетом уступила им на время свой дом для «медового месяца»:

«Когда он влюбился в Муру, он мне объяснил, в ее присутствии, величие любви человека в летах:

— Когда вы стары, — сказал он, сделав свое открытие несколько поздно, — вы выглядите дураком, если влюбляетесь в молодую женщину. — Мура подмигнула мне, и я удержалась, чтобы не сказать ему: вы могли бы сделать это открытие несколько раньше [намек на Ребекку и Одетт].

Когда мы пришли по его приглашению на свадебный обед в один из ресторанов Сохо, там был накрыт длинный стол, за который мы все уселись. Я подошла к Муре, чтобы поздравить ее. Она спокойно улыбнулась: "Я не выйду за него. Он только думает, что я соглашусь. Я не такая дура. Пусть Марджери продолжает вести его хозяйство"».

Они появились под руку, когда все были в сборе. Поздравления, шампанское, веселье. Но в середине обеда Мура вдруг попросила слова и встала.

«Все это была только шутка, — сказала она, — мы разыграли вас. Мы не венчались сегодня и не собираемся венчаться в будущем».

Такие шутки отвлекали его от постоянного чувства ужаса перед будущим — своим собственным: болезни, одиночество, смерть, и общим: надвигающаяся война, новые орудия разрушения и истребления, победа мирового фашизма. И особенно — шутки на серьезные темы. Была в лондонском Тавернклубе книга, где расписывались посетители, и Локкарт там однажды увидел запись, сделанную Джеком Лондоном в начале нашего столетия: «Ваш — вплоть до идущей на нас революции — Джек Лондон!» И приписку к этой записи Уэллса, сделанную значительно позже: «Никаковской тебе революции не будет!»

Этими шутками он несомненно отвлекал себя от тех угрюмых мыслей, которые не давали ему покоя ни во время первой войны, ни в 1920-х годах, когда Сталин встал у власти, ни в 1930-х годах, когда вышел на сцену Гитлер. Но в последнее время шутки уже не помогали ему, и все чаще находили на него припадки ярости, когда он говорил или, вернее, выкрикивал своим тонким, визгливым голосом злые, несправедливые, а иногда и просто детски нелепые вещи, как, например, когда Томас Харди и Голсуорси были награждены английским королем орденом Заслуги. Уэллс и присутствовавший при рассказе об этом Сомерсет Моэм были обойдены. «У меня достаточно гордости, чтобы не принять ордена, которым были награждены Харди и Голсуорси», — кричал в ярости Уэллс.

Эти припадки бешенства разрушали его прежнюю репутацию блестящего говоруна, когда его сравнивали с Уайльдом, Шоу и Честертоном. Люди теперь не всегда охотно подсаживались к нему в клубах, и он все чаще начинал чувствовать холод вокруг себя и обвинял в этом не себя, а клубы, в которые люди, видимо, переставали ходить, как когда-то. Он ругал с прежним запалом и королевский дом, и католическую церковь, но люди все меньше обращали на эти выпады внимание, что приводило его в еще большее раздражение. Он задирал людей, когда чувствовал, что они все дальше уходят от него.

Локкарт, записавший сцену с орденом Заслуги, добавляет от себя, как обычно, искренне и спокойно, без осуждения Уэллса, но и без восхищения им, следующие строки:

«Бедный Эйч-Джи! 1930-е годы были к нему жестоки. Он предвидел нацистскую опасность, которую многие тогда не видели. Он стал пророком и памфлетистом, и его книги в этом новом стиле не раскупались, как раскупались его романы, написанные в молодости и в последующие годы. Он вообще был во многих отношениях настоящим провидцем, но у него было особое умение гладить своих лучших друзей против шерсти».

Локкарт в эти годы шел совершенно другим путем: из доброго малого, немного авантюриста, немного эгоиста, из транжиры и человека, до сорока лет говорившего, что он не успел ни найти себя, ни узнать, он к этому времени стал одним из столпов газеты Бивербрука, личным другом Эдуарда VIII; к его голосу прислушивались как в Англии, так и за границей; он знал теперь всех, кого надо было знать, и нередко, думая о приближающейся войне, он видел свое в ней будущее и роль, которую он сыграет в надвигающемся конфликте.

Журналистом он был блестящим: Восточная Европа, Балканы были ему знакомы вдоль и поперек. Он ездил туда часто, посылал туда Муру, имел сеть информаторов, работавших для него. В Лондоне он был завсегдатаем клубов, где бывали старые его друзья, когда-то, как Уолпол и Моэм, работавшие в секретной службе Форин Оффис, а теперь — известные писатели. Он бывал у миссис Симпсон, у Чемберлена, у Бенеша и даже стал домашним гостем кайзера Вильгельма II, к которому он не раз ездил в Доорн. Через Бенджи Брюса и Карсавину он был вхож в театральные круги; через своих прежних сослуживцев, продолжавших делать дипломатическую карьеру, он чувствовал себя своим человеком на верхах Форин Оффис и общался с членами правительства; через леди Росслин он бывал в аристократических домах Лондона. Первая книга принесла ему славу в Европе и Америке, кинофильм по ней несколько лет не сходил с экранов западного мира; он дружил с магнатами кино, был в добрых отношениях с Ранком и Кордой и водился с властителями газетного мира: лордом Бивербруком, лордом Ротермиром и другими.

Свою вторую книгу он назвал «Отступление от славы», в ней он писал, как после всех его неудач в России его едва не изгнали из общества порядочных людей, как сломали его карьеру и как он удил рыбу в Шотландии, стране своих предков. Третью книгу он назвал «Приходит расплата», в ней рассказано о его возвращении к жизни, к которой он, в сущности, готовился с молодых лет.

Игра в гольф с герцогом Виндзорским, знакомство с испанским королем Альфонсом XIII, встречи в доме Бивербрука с Черчиллем, беседы в клубе с Честертоном, и Уэллсом, и Моэмом, и еще двумя десятками мировых знаменитостей — все это было теперь обыденной жизнью Локкарта, крупного журналиста, фельетониста, а иногда и автора передовиц на острые и серьезные темы мировой политики этих лет. В 1930-х годах многие вокруг него, еще недавно считавшиеся авторитетами, стали, в перспективе войны, казаться менее интересными, менее значительными и прозорливыми, чем были. Его сверстники не все выдержали испытание временем, но он имел возможность выбирать среди них лучших. Дружбы создавались, и дружбы распадались. Уход Освальда Мосли из партии тори в английскую фашистскую партию, поддерживающую Гитлера, не был для него неожиданностью, но тем не менее был ударом. Он, как и Гарольд Никольсон, с которым Локкарт за эти годы еще больше сблизился и который писал в «Ивнинг Стандард» редакционные статьи по иностранной политике, были друзьями Мосли, и им обоим его шаг казался безумным: этот шаг впоследствии должен был привести Мосли к остракизму и даже тюремному заключению, что и случилось, когда началась война. Он виделся часто и подолгу с Бенешем, ездил время от времени в Прагу, где генерал Пика делал ему секретные доклады о состоянии советской армии. Яна Масарика, который сперва тринадцать лет был чехословацким посланником в Лондоне, а когда началась война — министром иностранных дел временного чехословацкого правительства в изгнании, он давно уже считал своим ближайшим другом, и другом был немецкий антинацист, граф фон Бернсторф, позже поехавший в Германию и там убитый гитлеровцами; он встречался с советским послом Майским, с приезжающими советскими литераторами, киноработниками, членами правительства, кое с какими эмигрантами из России (например, с бывшим министром иностранных дел Временного правительства Терещенко) и с широко образованными, всегда готовыми к живой, интересной беседе беглецами из гитлеровской Германии.

Он знал о России очень многое, но был осторожен в своих статьях о стране и ее режиме и сдержан в разговоре. Об убийстве Кирова он услышал через два часа после события и знал, как он пишет в своем дневнике (декабрь 1934 года), «действительную его историю».

«Это был, — пишет Локкарт, — внутренний заговор, созданный ОГПУ, которое было недовольно тем, что власть постепенно ускользает из его рук, и где люди считали, что Киров дурно влияет на Сталина, прижимая их». Когда убили Кирова, не только через час, по телефонному распоряжению, вокруг дома Горького в Тессели (где он тогда жил) была поставлена стража (Горький думал тогда, что стража была прислана охранять его, а ей было поручено держать его под домашним арестом), но, как теперь стало известно, сам начальник ОГПУ Ягода, в то время близкий человек невестки Горького, жены его сына, был по распоряжению Сталина задержан на несколько часов. Сталин тогда боялся, что арест Ягоды и его немедленная казнь могут нанести ущерб Советскому Союзу как внутри страны, так и за границей. Локкарт не сомневался в том, что Николаев, который убил Кирова, был человеком, нанятым на это дело Ягодой, который действовал по приказанию Сталина. Эти сведения Локкарт получил из первых рук — Муре об этом сказала Екатерина Павловна Пешкова, на свидание с которой Мура выехала после убийства Кирова в Вену, со специальной целью повидать первую жену Горького и узнать у нее, что случилось. Пешкова, несмотря на то что вилла «Иль Сорито» в это время была оставлена, продолжала приезжать за границу ежегодно, до самой смерти Горького, бывала в Праге, Вене, Италии и Париже. Локкарт после Муриного отчета писал в своем дневнике: «Хоть [английские] газеты и полны делом Кирова, я никак не могу напечатать эти сведения в моей газете». Он даже не мог напечатать, что за убийство Кирова были расстреляны, кроме Николаева, его четырнадцать ближайших сотрудников и друзей и что были арестованы около трех тысяч членов компартии, а в чистке Ленинграда депортированы сто тысяч человек — это могло вызвать осложнение отношений Лондона с Москвой.

«Моя газета» была, конечно, «Ивнинг Стандард», но Бивербрук имел еще две другие газеты, и он одно время предлагал Локкарту работать и в «Дейли Экспресс», и в «Санди Экспресс». Отношения между редактором-издателем и его сотрудником напоминали отношения, которые были у Локкарта с другими, покровительствовавшими ему старшими по возрасту и положению людьми, как, например, в свое время лорд Милнер или сэр Джордж Бьюкенен. Теперь они создавались как бы сами собой, он меньше искал их и еще меньше культивировал, но признавал всю их необходимость, зная, что его высоко ценят в газете и хозяин ее, и сотрудники. Кое-кто даже намекал ему, что Никольсон ревнует Бивербрука к нему, хотя и свел его сам когда-то с Бивербруком. Этому он не верил, и отношения с Никольсоном, как, впрочем, со всеми у Локкарта в газете, сверху донизу, оставались безоблачными.

В эти годы в Англию время от времени приезжали с визитами германские принцы, сыновья и внуки кайзера, с целью разъяснить внедипломатическим, внеофициальным путем английскому правительству роль Гитлера; некоторые приезжали и предупреждали о близкой войне и вооружении Германии и о том страшном будущем, которое несомненно ожидает Германию — потому что сомнений нет, она будет побеждена. Это были так называемые пораженцы, или дефетисты. Другие приезжали предупредить Англию, что Гитлер завоюет весь мир, и тогда все погибнет, и торопили Англию с вооружением, и просили подумать о себе и о них. Третьи приезжали главным образом, чтобы повернуть, если только возможно, Англию в сторону Германии, говорили, что не верят в Италию, что у Германии и Англии — одни цели, и они должны держаться друг друга. Эти последние общались главным образом с Освальдом Мосли и его «нацистской партией». Но Локкарту, как журналисту, приходилось интервьюировать и тех, и других без разбора и, как связанному уже и теперь (неофициально пока) с информационным отделом Форин Оффис, состоять при них и их женах, водить их в театры и рестораны.

Чем ближе подходила вторая война, тем чаще он выезжал в Чехословакию, в Австрию, в Венгрию и возвращался в Лондон, чтобы только частично использовать свою информацию в «Ивнинг Стандард», — основные сведения передавались им в Форин Оффис, где он справедливо считался одним из первых знатоков, а может быть, и первым знатоком этих стран. Прекрасное знание чешского языка (как, впрочем, и французского, немецкого и русского) облегчало ему отношения с теми, кто информировал его и с кем он поддерживал не сухие деловые, но теплые и дружеские отношения; об этих людях он заботился и тогда, когда они на него работали, и позже, когда они оказались выкинутыми из своих стран и нашли благодаря ему приют и работу в Лондоне. Его энергию ценили настолько высоко, что в 1937 году он получил приглашение перейти на постоянную службу в Форин Оффис, иначе говоря — бросить газету и вернуться туда, откуда его выгнали в ноябре 1918 года, когда он вернулся из кремлевского заключения.

Восемь лет работы в «Ивнинг Стандард» в последнее время начали казаться ему вечностью. Когда он пришел в газету из Международного банка, он был никто. Сейчас он был известен каждому, кто был в центре политической, интеллектуальной и артистической жизни Англии. «Газетная кабала» должна когда-нибудь кончиться, думал он. И, действительно, теперь это зависело только от него одного. Он принял предложение, зная, что когда будет война, — в том, что она будет, он не сомневался, — он несомненно вовлечется в самые глубокие лабиринты оперативно-политического отдела, он, со своими знаниями и знакомствами, связями и нитями, из которых он с 1917 года выработал сеть от Москвы до Женевы и от Гельсингфорса до Белграда.

Он согласился вернуться на государственную службу, несмотря на искренние и теплые сожаления Бивербрука, и он сделал правильный шаг: его природные данные, его ум, его умение ладить с людьми высокопоставленными, и с самых ранних лет жившее в нем желание «послужить своей стране», которое когда-то было им понято вкривь и вкось и едва не погубило его, давали ему право в пятьдесят лет начать новую карьеру, четвертую, или, вернее, — пятую. Он организовал свою работу так, что Форин Оффис занял только часть его времени, другую отнимали поездки в Восточную Европу.

В последний раз перед войной он был в поездке в 1938 году: в марте он был в Берлине, два месяца провел на Балканах и в Праге, а в Вене оказался свидетелем того, как германские войска вошли в город во главе с Гитлером. Но теперь это имело для него несколько другую окраску: он из этого делал не передовые статьи, не фельетоны для патрона, он докладывал свою информацию тем, кто на самом верху государства вел страну к зловещему 1939 году. Если у тех, наверху стоящих, бывали иногда сомнения в том, что надвигается на Европу, и надежды, что случится что-то, что повернет историю в сторону от той дороги, по которой ведет ее Гитлер, то у Локкарта не было ни сомнений в катастрофе, ни надежд на возможность избежать ее. Возвращаясь из стран этой части Европы, он каждый раз знал, что в его словах люди будут искать, за что они могли бы зацепиться, только бы их надеждам не рухнуть окончательно, но он не мог не говорить им правды, которую видел и слышал и которая не попадала ни в газеты, ни в межправительственные отчеты. Но не только ее, эту информацию о неизбежном вооруженном столкновении, но и странные слухи, и переданные ему вполголоса факты, которым никто не мог найти объяснения, дикие рассказы о том, что делается в России, о недавно еще всесильных людях и военной элите страны, свергнутых с пьедестала, привозил он с собой. Подробности о процессах, готовящихся в Москве или уже идущих; факты о вызванных в Москву советских послах, бросивших свои посты и теперь дававших отчет о своей деятельности и исчезавших без следа; самоубийства одних и убийства других героев гражданской войны в Испании, которые думали укрыться в СССР, но получили вместо этого пулю в затылок.

Он был, между прочим, в Болгарии в 1938 году, за месяц до того, как его старый знакомый, советский полномочный представитель в Софии Ф.Ф. Раскольников, когда-то краса и гордость Балтфлота, автор книг о 1917 годе, вынужден был уехать из Софии, узнав, что Ежов и Берия лишили его советского гражданства за письмо Сталину о том, что он не может примириться с расправой над советскими маршалами, с казнью Тухачевского и многих других. Сталин вызвал Раскольникова личным письмом в Москву, и полпред выехал в тот же день (1 апреля), но не в Москву, куда его провожали подчиненные, а в Париж. Он уехал туда с женой и маленькой дочерью, решив скрыться, узнав из газет в Праге, что Москва уволила его с поста полпреда.

Раскольников в молодости был женат первым браком на известной коммунистке, журналистке и участнице гражданской войны Ларисе Рейснер. Она умерла от тифа в 1926 году. Герой-большевик первых лет революции, он восемнадцати лет от роду (с 1910 года) всей душой принадлежал партии, в 1914 году был мобилизован, а после Февральской революции стал товарищем председателя Кронштадтского Совета. После Октября его назначили замнаркомом флота. Он воевал с Колчаком, взял Казань, командовал сперва Каспийским, а потом Балтийским флотом и был дважды награжден орденом Красного Знамени.

В начале 1920-х годов он перешел на дипломатическую службу, был посланником в Афганистане, а затем был назначен членом редколлегии «Красной нови» и — позже — главой театральной цензуры. За эти годы он выпустил две книги воспоминаний о своей героической борьбе с Колчаком и Юденичем и написал пьесу из эпохи французской революции.

Трения со Сталиным начались в связи с расстрелом советских маршалов и московскими процессами. Ежов и Берия стали следить за ним, и по дороге в Париж Раскольников 5 апреля 1938 года решил не возвращаться в Москву. Он поселился сначала в отеле на Монмартре, а потом снял квартиру и больше года скрывался, столько же от советских агентов, боясь быть похищенным, сколько и от французских и русских репортеров.

10 сентября он поехал из Парижа в Женеву на свидание с Литвиновым, чтобы после пяти месяцев «выяснить свое положение». Литвинов ничем помочь ему не мог. 12 октября, по вызову советского посла в Париже, Сурица, Раскольников явился к нему на улицу Гренелль (приняв некоторые предосторожности). Суриц обвинил его в «самовольном пребывании за границей» — других обвинений не было. Он гарантировал Раскольникову, что ему ничего не угрожает, и советовал ехать в Москву.

18 октября Раскольников написал свое второе письмо Сталину, прося его распорядиться, чтобы советский представитель в Париже возобновил ему паспорт. На это он ответа не получил.

Наконец, 17 июля 1939 года он узнал (из краткой заметки в русской эмигрантской газете «Последние новости»), что его заочно судили и приговорили к «высшей мере наказания».

28 июля репортеру болгарской газеты «Утро» Р. Янкову удалось встретиться с Раскольниковым на Монмартре в районе Сакре-Кёр. На вопрос Янкова, как он приехал в Париж и когда решил стать «невозвращенцем», Раскольников ответил, что он выехал 1 апреля 1938 го-

да в Прагу и в Праге, на пути в Москву, купив газету, узнал, что он отрешен от должности и подлежит суду. Он решил в Россию не возвращаться, но считает себя лояльным советским гражданином. Он также сказал, что в последние дни в Софии он находился под домашним арестом.

В эти же месяцы в Париже, в театре Порт-сен-Мартэн, шла его пьеса «Робеспьер», под вымышленным именем, и никто в это время не знал, что Раскольников ее автор. Успеха пьеса не имела. Деньги у него, видимо, кончались, и он начал впадать в нервную депрессию. В июле он с семьей переехал на Ривьеру, а узнав о том, что в Москве ему вынесен приговор, 22 июля послал в редакцию «Последних новостей» письмо под названием «Как меня сделали врагом народа». Письмо это было напечатано в номере газеты от 26 июля. В нем он говорил, что его вот уже больше года как заманивают в Москву, как заманивали до этого Л.М. Карахана, предлагая ему должность в Вашингтоне, и Антонова-Овсеенко (из Испании), обещая ему должность наркомюста. Оба были расстреляны.

«Я предпочитаю жить на хлебе и воде на свободе, — писал Раскольников, — чем безвинно томиться и погибнуть в тюрьме, не имея возможности оправдаться... Это постановление [приговор ему] лишний раз бросает свет на сталинскую юстицию, на инсценировку пресловутых процессов, наглядно показывая, как фабрикуются бесчисленные "враги народа" и какие основания достаточны Верховному суду, чтобы приговорить к высшей мере наказания».

В эти недели его депрессия приняла такие формы, что Раскольникову пришлось лечь в больницу в Ницце, и он в конце августа (на следующий день после того, как был подписан пакт Молотова — Риббентропа) пытался перерезать себе вены. Его спасли. 12 сентября, через десять дней после начала Второй мировой войны, он, воспользовавшись тем, что лежал в палате один и на пятом этаже, выбросился в окно. Смерть была мгновенной. Его жена и дочь в тот же день исчезли неизвестно куда, официальная советская версия была и осталась до сих пор, что он умер от инфаркта.

Но перед тем, как покончить с собой, Раскольников 17 августа написал свое третье письмо Сталину. Здесь оно печатается в наиболее существенных выдержках:*

«Сталин, вы объявили меня "вне закона". Этим актом вы уравняли меня в правах — точнее в бесправии — со всеми советскими гражданами, которые под вашим владычеством живут вне закона.

Со своей стороны отвечаю полной взаимностью: возвращаю вам входной билет в построенное вами царство "социализма" и порываю с вашим режимом.

Ваш "социализм", при торжестве которого его строителям нашлось место лишь за тюремной решеткой, так же далек от истинного социализма, как произвол вашей личной диктатуры не имеет ничего общего с диктатурой пролетариата. Но в вашем понимании всякий политический маневр — синоним надувательства и обмана. Вы культивируете политику без этики, власть без честности, социализм без любви к человеку.

Что сделали вы с конституцией, Сталин?

Испугавшись свободы выборов, как "прыжка в неизвестность", угрожавшего вашей личной власти, вы растоптали конституцию, как клочок бумаги, выборы превратили в жалкий фарс голосования за одну единственную кандидатуру, а сессии Верховного Совета наполнили акафистами и овациями в честь самого себя. В промежутках между сессиями вы бесшумно уничтожаете "зафинтивших" депутатов, насмехаясь над их неприкосновенностью и напоминая, что хозяин земли советской не Верховный Совет, а вы.

---

* Это письмо было в свое время помещено целиком в журнале Л.Ф. Керенского «Новая Россия», № 71, 1 октября 1939 года и, насколько удалось установить, было перепечатано один раз («Материалы Самиздата», 1972).

Вы сделали все, чтобы дискредитировать советскую демократию, как дискредитировали социализм. Вместо того, чтобы идти по линии намеченного конституцией поворота, вы подавляете растущее недовольство насилием и террором. Постепенно заменив диктатуру пролетариата режимом вашей личной диктатуры, вы открыли новый этап, который войдет в историю нашей революции под именем "эпохи террора".

Вы прикрываетесь лозунгом борьбы с "троцкистско-бухаринскими шпионами". Но власть в ваших руках не со вчерашнего дня. Никто не мог "пробраться" на ответственный пост без вашего разрешения.

— Кто насажал так называемых "врагов народа" на самые ответственные посты государства, партии, армии и дипломатии?

— Иосиф Сталин.

— Кто внедрил так называемых "вредителей" во все поры партийного и советского аппарата?

— Иосиф Сталин.

С помощью грязных подлогов вы инсценировали судебные процессы, превосходящие вздорностью обвинений знакомые вам по семинарским учебникам средневековые процессы ведьм.

Вы сами знаете, что Пятаков не летал в Осло, Максим Горький умер естественной смертью и Троцкий не сбрасывал поезда под откос.

Как вам известно, я никогда не был троцкистом. Напротив, я идейно боролся со всеми оппозициями в печати и на широких собраниях. И сейчас я не согласен с политической позицией Троцкого, с его программой и тактикой. Принципиально расходясь с Троцким, я считаю его честным революционером. Я не верю и никогда не поверю в его "сговор" с Гитлером или Гессом.

Вы оболгали, обесчестили и расстреляли многолетних соратников Ленина: Каменева, Зиновьева, Бухарина, Рыкова и др., невинность которых вам была хорошо известна. Перед смертью вы заставили их каяться в преступлениях, которые они никогда не совершали и мазать себя грязью с ног до головы.

А где герои Октябрьской революции? Где Бубнов? Где Крыленко? Где Антонов-Овсеенко? Где Дыбенко?

Вы арестовали их, Сталин.

Где старая гвардия? Ее нет в живых.

Вы расстреляли ее, Сталин.

Вы торжественно провозгласили лозунг выдвижения новых кадров. Но сколько этих молодых выдвиженцев уже гниет в ваших казематах? Сколько из них вы расстреляли, Сталин?

С жестокостью садиста вы начисто вырезаете кадры, полезные и нужные стране: они кажутся вам опасными с точки зрения вашей личной диктатуры.

Накануне войны вы разрушаете Красную армию, любовь и гордость страны, оплот ее мощи.

Вы обезглавили Красную армию и флот. Вы убили самых талантливых полководцев, воспитанных на опыте мировой и гражданской войны, во главе с блестящим маршалом Тухачевским.

Вы истребили героев гражданской войны, которые преобразовали Красную армию по последнему слову военной техники и сделали ее непобедимой.

В момент величайшей военной опасности вы продолжаете истреблять руководителей армии, средний командный состав и младших командиров.

Где маршал Блюхер? Где маршал Егоров?

Вы арестовали их, Сталин.

Под нажимом советского народа вы лицемерно воскрешаете культ исторических русских героев Александра Невского и Дмитрия Донского, Суворова и Кутузова, надеясь, что в будущей войне они помогут вам больше, чем казненные маршалы и генералы.

Лицемерно провозглашая интеллигенцию "солью земли", вы лишили·минимума внутренней свободы труд писателя, ученого, живописца.

Вы зажали искусство в тиски, от которых оно задыхается, чахнет и вымирает. Неистовства запуганной вами цензуры и понятная робость редакторов, за все отвечающих своей головой, привели к окостенению и параличу советской литературы. Писатель не может печататься, драматург не может ставить пьесы на сцене театра, критик не может высказать свое личное мнение, не отмеченное казенным штампом.

Вслед за Гитлером вы воскресили средневековое сжигание книг.

Я видел своими глазами рассылаемые советским библиотекам огромные списки книг, подлежащих немедленному и безусловному уничтожению. Когда я был полпредом в Болгарии, то в 1937 г. в полученном мною списке обреченной огню запретной литературы я нашел мою книгу исторических воспоминаний "Кронштадт и Питер в 1917 г.". Против фамилии многих авторов значилось: "Уничтожить все книги, брошюры и портреты".

Вы лишили советских ученых — особенно в области гуманитарных наук — минимума свободы научной мысли, без которого творческая работа исследователя становится невозможной.

Самоуверенные невежды интригами, склоками и травлей не дают работать ученым в университетах, лабораториях и институтах.

Выдающихся русских ученых с мировым именем, академиков Ипатьева и Чичибабина, вы на весь мир провозгласили "невозвращенцами", наивно думая их обесславить, но опозорили только себя, доведя до сведения всей страны и мирового общественного мнения постыдный для вашего режима факт, что лучшие ученые бегут из вашего рая, оставляя вам ваши "благодеяния": квартиру, автомобиль и карточку на обеды в совнаркомовской столовой.

Зная, что при нашей бедности кадрами особенно ценен каждый культурный и опытный дипломат, вы заманили в Москву и уничтожили одного за другим почти всех советских полпредов. Вы разрушили до тла весь аппарат Народного Комиссариата Иностранных Дел.

"Отец народов", вы предали побежденных испанских революционеров, бросили их на произвол судьбы и предоставили заботу о них другим государствам. Великодушное спасение человеческих жизней не в ваших принципах. Горе побежденным! Они вам больше не нужны!

Еврейских рабочих, интеллигентов, ремесленников, бегущих от фашистского варварства, вы равнодушно предоставили гибели, захлопнув перед ними двери нашей страны, которая на своих огромных просторах может гостеприимно приютить многие тысячи эмигрантов.

Рано или поздно советский народ посадит вас на скамью подсудимых, как предателя социализма и революции, главного вредителя, подлинного врага народа, организатора голода и судебных подлогов.

Ф. Раскольников.
17 августа 1939 г.»

С конца 1920-х годов дезертирство крупных советских служащих за границей происходило либо в полной тайне (сын Ганецкого, бежавший из Рима в Нью-Йорк), либо так, что все газеты писали об этом на первой странице, как о сенсации (Беседовский в Париже). Почти одновременно с Раскольниковым из Афин скрылся советский поверенный в делах А. Бармин. Обычно газеты помещали фотографию улыбающегося советского представителя, отказавшегося вернуться с гнилого Запада на родину, и после того, как «невозвращенец» год или два жил под чужим именем где-нибудь в глуши, он обычно поселялся в каком-нибудь большом городе (в Нью-Йорке, Париже, Лондоне) и открывал там гараж или другое какое-нибудь коммерческое предприятие; прожив так много лет, он умирал, окруженный детьми, а иногда и внуками, а также всеобщим уважением. До этого, конечно, им бывала написана книга, разоблачавшая советский режим, которую он издавал в эмигрантском издательстве, предварительно напечатав ее фельетонами в эмигрантской газете. Само собой разумеется, что в Советском Союзе люди как первой, так и второй категории становились немедленно «антиперсонами», о них никогда больше не было сказано ни одного слова, и их имена были выкинуты из советской истории.

Но с Раскольниковым дело вышло по-другому. Он не был забыт советскими историками: в 1964 году в Москве о нем вышла книга некоего А.Р. Константинова, где воздается должное герою-моряку, комиссару Балтфлота. В книге, между прочим, рассказывается, как он попал в 1919 году в плен к англичанам, когда английский флот, несмотря на протесты Троцкого, крейсировал у входа в Финский залив. Англичане, пришедшие в Балтийское море как наблюдатели, а также для оказания помощи генералу Юденичу, поймали Раскольникова, доставили его в Англию, а затем, после допроса в Лондоне, освободили и вернули в Россию. В этой книге, вышедшей через одиннадцать лет после смерти Сталина, сообщается, что Раскольникову, давно умершему от инфаркта, возвращено теперь звание героя Октябрьской революции. О дипломатической карьере его сказано на четырех страницах (из 154) и о смерти его — три строки. Припадок якобы случился от волнений, связанных с «культом личности».

Раскольников покончил с собой, не оставив записки. Жена его появилась через неделю после смерти мужа в Париже. Это была невысокого роста блондинка, очень тихая, видимо, еще под впечатлением случившегося с ней. Я знала ее, я видела ее маленькую дочь, так же, как и многие другие друзья и знакомые И.И. Фондаминского-Бунакова, одного из четырех редакторов «Современных записок», толстого эмигрантского журнала, выходившего в Париже. Однажды утром Бунакову позвонили из Сюрте Женераль (центр парижской полиции) и попросили его приехать. Он был вызван не только в качестве переводчика (Раскольникова не говорила по-французски), но и в качестве возможного поручителя за нее: ее доставили из Ниццы, где она с дочерью укрылась в полицейском участке после самоубийства мужа, и теперь ей было выдано временное свидетельство для проживания в Париже. Бунаков немедленно не только подписал, что берет ее на поруки, но привез к себе на квартиру, и вместе с девочкой она прожила у него около года, после чего устроилась под Парижем в канцелярию одного из русских эмигрантских учреждений. Судьба ее мне неизвестна, но дочь ее жива, она француженка, научный работник Страсбургского университета и автор книги по экономической истории древней Греции и Рима.*

В 1937 году в Париже я встретилась с Мурой в последний раз. До этого, в 1932 году, была нечаянная встреча в одном пустынном кафе, вечером, около Военной школы. Я сидела одна на террасе за чашкой кофе. Она сперва не заметила меня и села через столик. Мы

---

* Есть одно свидетельство, проливающее свет на причину отношения И.И. Фондаминского-Бунакова к вдове советского дипломата, и особенно — к его маленькой дочери. В.М. Зензинов, товарищ по партии эсеров и близкий друг Бунакова и его жены, в некрологе Бунакова («Новый журнал», кн. 18) пишет: «После разгона Учредительного собрания большевиками Фондаминский, как многие другие, должен был перейти на нелегальное положение – сначала в Петербурге, затем – в Москве и, наконец, на Волге, в Костромской губернии, где он вынужден был скрываться и где лишь странная случайность спасла его от ареста и немедленной расправы: узнавший его Ф. Раскольников, большевистский комиссар по морским делам, явившийся с обыском на пароход, на котором ехал Фондаминский, проявил не то слабость, не то неожиданное мягкосердечие и, взглянув на него, прошел мимо». В том, что Раскольников узнал Бунакова, сомнений быть не может: во Временном правительстве Бунаков занимал пост комиссара Черноморского флота. Будущий «покоритель Казани», герой Гражданской войны (Юденич и Колчак) и советский дипломат был, как известно, комиссаром Балтфлота. Но является сомнение: был ли он той породы большевиков, из которой в 1920-х гг., по слову поэта, можно было делать гвозди? И невольно возникает вопрос: не сказал ли в свое время Раскольников своей жене, что, если с ним что-нибудь случится, она может обратиться за защитой к эмигранту Фондаминскому? Ведь прежде чем его вызвать в полицию, начальник Сюртэ Женераль несомненно спросил Раскольникову, не знает ли она кого-нибудь в Париже, кто бы мог за нее поручиться.

заговорили. Ей было тогда около сорока лет, она была худа и держалась очень прямо. Лицо было усталое, не усталое от проходящего дня, но усталое раз и навсегда, и я сразу почувствовала, что она мне нисколько не рада. И не рада не потому, что это именно я, а потому, что она пришла сюда, чтобы дождаться кого-то, и посторонние ей мешали. Поговорив всего минуту — а она все рассеянно смотрела по сторонам, я расплатилась и ушла, и она не удержала меня.

Но последняя встреча, пять лет спустя, была совсем иной: этот 1937 год был юбилейный год Пушкина, и в Париже была устроена выставка, где книги и портреты его и его современников, и рисунки костюмов для «Золотого петушка», «Царя Салтана», «Пиковой дамы» и «Евгения Онегина» были собраны из коллекции С.М. Лифаря, которому по наследству досталась коллекция С.П. Дягилева. Ходасевич в конце 1920-х годов, нуждаясь в деньгах, продал Дягилеву свою коллекцию первых изданий Пушкина, которую собирал с юности. Она была ему привезена из России в 1925 году, и тут она была вся, в старинных переплетах прошлого века.

Я пришла на выставку одна, но у входа столкнулась с А.Н. Бенуа, и мы с ним вошли вместе и начали с его рисунков, висевших в первой комнате. И как только мы вошли во вторую, я увидела Муру, стоявшую рядом с Добужинским. Народу кругом было немного. Все четверо мы поздоровались. Она сказала, что специально приехала на пушкинскую выставку из Лондона, что в Лондоне ПЕН-клуб, по ее совету, устраивает торжественное собрание, посвященное Пушкину, и она должна переговорить с Лифарем, нельзя ли часть экспонатов — Ваши рисунки, непременно, Александр Николаевич, и ваши, Мстислав Валерьянович, — сказала она с такой ласковой любезностью, что я сразу вспомнила ее такой, какой она была когда-то, — показать Лондону. Через несколько минут Бенуа и Добужинский отошли от нас, и мы остались одни; я сказала ей то, что почувствовала: «Как прежде. Вы такая же, как были прежде».

Она улыбнулась, показывая мне, как ей приятно то, что я ей говорю. И тогда я сказала: «Я все жду, когда вы напишете свои мемуары». Она удивленно посмотрела на меня, и в лице у нее показалось беспокойство. Склонив голову на бок и с минуту смотря мне в глаза, она тихо и как-то хитро, словно внутренне смеясь надо мной, сказала:

— У меня никогда не будет мемуаров. У меня есть только воспоминания. — После чего она протянула мне руку и, уже не улыбаясь, отошла так же естественно, как если бы не сказала мне ничего.

Но в Лондоне, устраивая торжественный обед, отмечающий пушкинский юбилей, она пережила неприятность, которая, строго говоря, никаких серьезных последствий не имела. Уэллс, прослышав, что левая часть членов ПЕН-клуба заигрывает с советским послом Майским и хочет, чтобы он возглавил пушкинское торжество, вознегодовал и написал секретарю клуба письмо:

«Мой дорогой Ульд,
Что это я слышу, будто ПЕН поднимает у себя красный флаг? Почему некий левый издатель — издатель! — собирается председательствовать в *моем* ПЕН-клубе? И почему вы выбрали Майского оратором на этом вечере, когда в стране есть настоящие русские писатели? Что это значит? Русские [советские] отказались войти в ПЕН-клуб в 1934 году, и с тех пор ничего не изменилось. Я не буду присутствовать на вечере, но я считаю, что вправе требовать полный отчет обо всех речах, которые будут там произнесены. Я должен это все обдумать. Сейчас я склонен — принимая во внимание все сделанное мною, чтобы удержать ПЕН-клуб от групповщины — уйти из клуба и сделать это как можно публичнее, порвать все связи и посоветоваться с вдовой Голсуорси насчет сумм, которыми располагает организация. Ни я, ни Голсуорси никогда не предполагали, что ПЕН будет служить рекламой для "левого книжного клуба"».

На это письмо он получил ответ:

«Мой дорогой Эйч-Джи,

Вот что я хочу Вам объяснить:

Мысль об обеде в день столетнего юбилея Пушкина была мне дана баронессой Будберг на вечеринке у Пристли. Это предложение было в традиции ПЕН, и я ответил, что сделаю, что могу, чтобы мысль эту осуществить. Она предложила мне, что найдет подходящего почетного гостя, и в течение нескольких недель она пыталась его найти, но не нашла. Известие, что Ал. Н. Толстой приедет в Лондон, казалось, все устроит, но он простудился и не приехал.

У нас праздновались юбилеи Ибсена и Гете, и на них были приглашены норвежский посланник и германский посол. Приглашая русского посла на пушкинский обед, мы только следовали нашей обычной традиции. Комитет предложил Голланца председателем не потому, что он издатель "левой" литературы, а потому что он член клуба и, может быть, что-нибудь знает о Пушкине. Обоим им, ему и Майскому, было сказано, чтобы они говорили только о нем, и они знают, что политику трогать не надо... Ада Голсуорси написала мне на прошлой неделе: "Желаю успеха будущему обеду клуба", а уж если кто-нибудь на свете знает, каково было бы мнение Голсуорси обо всем этом, то это конечно она»*.

Этот обмен письмами, кстати, произошел в то время, когда в России шли московские процессы, точнее — когда между вторым и третьим процессом чествовали Пушкина.

Третий процесс был тот, на котором разбирались дела об убийстве Максима Пешкова Крючковым и Ягодой и об убийстве Горького двумя известными московскими докторами при пособничестве тех же Крючкова и Яго-

---

* Оба письма напечатаны в книге Винсента Броме «H.G. Wells. A Biography». Вестпорт, Коннектикут, 1970. Стр. 211–213. Мы приносим наши извинения издательству: нам не удалось найти его адрес, и мы перепечатываем оба письма без предварительного разрешения.

ды. Он начался с дел Бухарина и Рыкова, и на нем присутствовали иностранные дипломаты и корреспонденты. Подсудимые, как было объявлено, все полностью признались в своих преступлениях, начиная с Бухарина, которого обвиняли в том, что он — японский шпион. (Троцкий, который в это время был уже в Койоакане, обвинялся в том, что был на службе у Гитлера.) Обвиняемые смирно отвечали на вопросы, а затем слушали речи прокурора и приговор. Только Крестинский, бывший девять лет замнаркоминделом, а затем торгпредом в Берлине, один раз сделал попытку протеста, но его быстро призвали к порядку. По запискам (неизданным) Н.В. Валентинова-Вольского можно узнать, что в 1929—1930 годах, когда Крестинский был торгпредом в Берлине, а Вольский работал в Парижском торгпредстве редактором «La vie economique des Soviets», они были в тесном контакте: Вольский через Крестинского регулярно посылал Рыкову платья, обувь и другие дамские вещи для его жены и дочери («Наталки»). Вещи из Парижа в Берлин шли обыкновенной почтовой посылкой, а из Берлина в Кремль Крестинский пересылал их дипломатическим путем. Из всех подсудимых один Ягода попросил милости суда: допросить его при закрытых дверях. На скамье прессы сидели иностранные журналисты, на почетных местах — послы и посланники. Прокурор Вышинский говорил много и долго о каждом подсудимом. В публике было мало посторонних, допускали с разбором.

На скамье подсудимых находились члены так называемого «антисоветского право-троцкистского блока». Их было девятнадцать человек: Бухарин, член Коминтерна, член ЦК и Политбюро, теоретик марксизма-ленинизма и близкий Ленину человек; Рыков — бывший премьер СССР; Ягода — бывший наркомвнудел; Крестинский — бывший торгпред; Розенгольц — бывший наркомторг; профессор медицины Плетнев; известный всей Москве доктор Левин; П.П. Крючков, доверенное лицо Горького с начала 1920-х годов, и еще одиннадцать человек.

Крючков родился в 1889 году. Перед первой войной он кончил юридический факультет Петербургского университета. Революция застала его помощником присяжного поверенного в Петербурге. Он был небольшого роста, плотный, коренастый, лысоватый блондин, близорукий, в пенсне, курносый и бледный. Он отличался необычайной волосатостью рук, на одной из которых, на безымянном пальце, постоянно носил кольцо с крупным александритом большой ценности, подаренное ему М.Ф. Андреевой*. Два противоположных о нем мнения сложились ко времени его ареста: одно лучше всего выражено в воспоминаниях И. Шкапы (позже арестованного и сосланного в Сибирь на двадцать с лишним лет и затем реабилитированного после смерти Сталина). Шкапа работал семь лет в журнале «Наши достижения» и других периодических изданиях, редактируемых Горьким. Он бывал у него дома по несколько раз в неделю, он знал хорошо и его самого, и его окружение. Крючкова он считает ангелом-хранителем Горького, его заботливым другом, который рационировал его папиросы, не позволял ему выходить в дурную погоду и вежливо выставлял его гостей, когда замечал, что Горький утомлен. Он был нянькой, а Горькому в последний год его жизни особенно необходима была нянька, и в этом качестве Крючков никогда не оставлял Горького одного, да и сам Горький не искал уединения с гостями; Крючков знал лучше его самого все его дела: где лежит нужная бумага, и было ли отвечено на такое-то письмо, и подходил к телефону.

Но русские эмигранты-меньшевики (Николаевский, Абрамович, Аронсон, Вольский), а также и Ходасевич, считали, что Крючков был приставлен ОГПУ к Горькому либо со дня первого его приезда в Россию в 1928 го-

---

* Это был тот самый камень, который А.Н. Тихонов привез Горькому с Урала, где работал инженером на приисках. Горький заказал ему александрит для кольца в подарок М.Ф. Андреевой, с которой у него тогда начинался роман.

ду, либо еще раньше, в самом начале пребывания Горького за границей, когда Крючков был «посредником в сношениях Горького с внутрироссийскими журналами и контролировал каждый его шаг, по-своему распоряжаясь его временем, присутствуя при всех его разговорах с посетителями». Ходасевич и меньшевики считали, что Крючков убил Максима, чтобы услужить Ягоде, — или помог его убить. На суде Крючков отказался от защитника и признал свою вину. Его дело, состоящее собственно из двух дел — убийства Максима и убийства Горького, — соединили в одно. Он признался в обоих преступлениях и в последнем своем слове сказал:

«Давая мне поручение убить Максима Пешкова, Ягода осведомил меня о предполагаемом государственном перевороте и о его, Ягоды, участии. Принимая это поручение, я стал участником контрреволюционной организации правых.

Мои личные интересы совпадали, переплетались с политической подкладкой этого преступления. Ссылаясь на Ягоду, я нисколько не хочу уменьшить степени своей виновности. В смерти Максима Пешкова я был лично заинтересован. Я полагал, что со смертью Максима я останусь единственно близким человеком Горькому, человеком, к которому впоследствии перейдет большое литературное наследство. [На каком основании он это полагал? При наличии невестки и двух внучек, какие мог он питать надежды? Кстати, по словам А.Д. Синявского, завещание Горьким было сделано в пользу младшей внучки, Дарьи, рожденной в 1927 году.] Я растрачивал большие деньги Горького, пользуясь его полным доверием. [Как Крючков растрачивал деньги, остается загадкой: его должность при Горьком отнимала у него часов двенадцать в день, включая сюда и праздники; он был в это время счастливо женат, жена его работала секретаршей в редакции "Колхозника", у них был маленький сын.] И вот это поставило меня в какую-то зависимость перед Ягодой. Я боялся, что он знает, что я трачу деньги и совершаю уголовное преступление. Ягода стал пользоваться мной, чтобы войти в дом к Горькому, стать ближе к Горькому. Я ему помогал во всем.

В 1933 г., кажется весной, Ягода ставил вопрос прямо об устранении, точнее сказать, об убийстве Максима Пешкова... Я спросил, что мне нужно делать. На это он мне ответил: "Устранить Максима"».

Крючкова спросили, что именно ответил Ягода на вопрос Крючкова, что надо давать Максиму, чтобы ускорить его смерть; Ягода сказал, что ему надо давать как можно больше алкоголя, а затем следовало простудить его. «Вы, — говорил Ягода, — оставьте его как-нибудь полежать в снегу». 2 мая 1934 года Крючков, по его словам, это и сделал (снега не было, но была холодная ночь). Когда выяснилось, что Максим заболел воспалением легких, проф. Сперанского не послушали, а послушали д-ров Левина, Плетнева и Виноградова (не привлеченного к суду), которые дали Максиму шампанского, затем слабительного и тем ускорили его смерть.

Таким образом выходило, что Крючков убил Максима из личных корыстных причин, чтобы получить наследство Горького, и, во-вторых — сделал это по наущению Ягоды, который был членом «правотроцкистского блока» и действовал по указаниям Троцкого, присланным ему из Мексики. Что касается еще более тяжелого преступления, убийства самого Горького, то Крючков признался полностью в нем, сказав, что «правотроцкистский блок» в лице одного из его участников, Ягоды, «использовал его, Крючкова, в своих контрреволюционных целях заговора против советского народа, против пролетарского государства». И все это случилось, потому что Крючков послушался Ягоды, который состоял на службе у «самодовольной скотины Троцкого».

«Я искренне раскаиваюсь, я переживаю чувство горячего стыда, — говорил Крючков, — особенно здесь, на суде, когда я узнал и понял всю контрреволюционную гнусность преступлений правотроцкистской банды, в которой я был наемным убийцей».

Признания Ягоды были более сдержанны. Он хотел с самого начала перенести свое преступление (убийство Максима) из плоскости политической в плоскость личную: он просил суд допросить его при закрытых дверях. Американский посол в Москве, Джозеф Эдвард Дэвис, уверовавший, что Бухарин был связан с Японией, а Троцкий — с Гитлером, на московских процессах сидел в первом ряду и позже опубликовал свой дневник.* Он приехал в Россию после отъезда Буллита, в 1937 году; Буллит, уехавший из России в 1936 году, был тогда временно замещен Лоем Гендерсоном. После полутора лет пребывания в Москве Дэвис опубликовал свою книгу, которая с большим успехом была перенесена на экран. Американский посол записал: «Ягода был влюблен в жену Максима Пешкова, это ни для кого не было секретом». Действительно, это было известно всем, и тем, кто окружал Горького в Москве, и тем, кто за рубежом продолжал следить за его жизнью в России. Между Тимошей и Ягодой роман начался между 1932 и 1934 гг., когда семья окончательно водворилась в Москве, и теперь, на суде, Ягода придумал сделать из политического убийства убийство по страсти. Его просьбу уважили и допросили его на следующее утро отдельно.** Но это не спасло его. Из девятнадцати человек по приговору суда восемнадцать было расстреляно. Профессору Плетневу,

---

* Он был не единственный, поверивший в «правотроцкистский заговор»; с ним вместе этому верили сотни американцев и европейцев, энтузиастов сталинской политики и действий НКВД, и среди них — любимый писатель советских читателей — Фейхтвангер.

** В официальном отчете о процессе, выпущенном Народным Комиссариатом Юстиции в том же 1938 году, сказано: «На закрытом заседании подсудимый Ягода Г.Г., дал показания, в которых он полностью признал организацию им умерщвления товарища М.А. Пешкова, сообщив при этом, что, наряду с заговорщицкими целями, он преследовал этим убийством и личные цели».

которому в это время было около шестидесяти пяти лет, дали двадцать пять лет концлагеря.

Интересно отметить, что сама идея о врачах, убивающих своих пациентов, в эти годы в России некоторым образом носилась в воздухе: еще в 1930 году, в марте — августе, в Харьковском суде слушалось дело «антисоветской организации буржуазных националистов на Украине»; организация эта была раскрыта и позже ликвидирована. В «Правде» давались подробные корреспонденции об этом деле и, в частности, — допросы обвиняемых. Горький, живший тогда в Сорренто, прочтя эти корреспонденции, писал А.Б. Халатову из Сорренто в Москву:

«В корреспонденции допроса обвиняемого Павлушкова сообщалось, что Павлушков и его сообщники [видимо, полностью признавшие свою вину и громко о ней заявлявшие на допросах] считали, что советские врачи должны бы были использовать свое положение при лечении членов компартии так, чтобы те не могли выздоравливать. "Мы, — сказал Павлушков, — высказывали пожелания, чтобы медики «помогали умирать» выдающимся пациентам-коммунистам, пользуясь своим положением, либо ядом, либо прививкой им бактерийных культур"».

Если в вопросе о смерти Горького могут быть сомнения, был ли он вообще отравлен и кем, в вопросе о смерти Максима не может быть сомнений в том, что он умер насильственной смертью. Он был не только молод, здоров, спортивен, мечтал побывать за полярным кругом и собирался поехать туда и принять участие в изыскательских работах, но и близость Ягоды к его жене дает зловещую окраску картине трех последних лет жизни Максима. Быть может, у самого Горького в последний год его жизни появились подозрения, что смерть Максима не была естественной смертью, и это обстоятельство помогло Горькому «прозреть» и увидеть политическую реальность, которая окружала его? Нельзя забывать также, что в руках Сталина находились привезенные из Лондона архивы Горького и там были им прочтены не только письма к Горькому с жалобами, по которым легко можно было догадаться, о чем сам Горький писал своим корреспондентам, но и его самого, Горького, заметки о том, что он читал, о чем думал, кое-какие наброски для себя самого и, может быть, даже некоторые размышления о литературной политике, внедряемой в России Ждановым и Щербаковым.

В своей книге «Семь лет с Горьким» Шкапа, между прочим, пишет: «Устал я очень [бормотал Горький, как бы про себя], — словно забором окружили, не перешагнуть». Шкапа молчал на это, зная, что в своих выездах за пределы Москва — Горки — Тессели Горький ограничен. Ссылаясь на его слабое здоровье, врачи не позволяли ему выбирать маршруты поездок.

«Вдруг я услышал: "Окружили... обложили... ни взад, ни вперед! Непривычно сие!"»

Возможно, что вынужденное молчание и связанная с ним депрессия больше, чем что-либо другое (яд, туберкулез, возраст и т. д.), привели Горького к смерти. Шкапа пишет, что он бормотал, когда думал, что его никто не слышит, о том, что его в сущности лишили свободы, что он сидит под домашним арестом, не может поехать куда хочет, видеть кого хочет, не может говорить и писать что хочет. Когда это случилось? На этот вопрос дает ответ Б.И. Николаевский в «Письме старого большевика».

Дружеские отношения Горького со Сталиным прекратились в 1935 году, после убийства Кирова (1 декабря 1934 года). Горький весь 1934 год старался, пользуясь своим высоким положением в стране и дружбой со Сталиным, смягчить Сталина, намекая ему при встречах, и даже в телефонных разговорах, что так как он, Сталин, теперь обладает неограниченной властью и весь мир признал его гением, то, может быть, он мог бы ослабить вожжи, которыми он правит страной? Особенно

Горький был удручен гонениями и травлей старых товарищей-большевиков, соратников Ленина, и среди них был Л.Б. Каменев, женатый на сестре Троцкого. Каменев после Октябрьской революции был председателем Московского совета, т. е. полновластным хозяином Москвы, каким был Зиновьев в Петрограде. Жена Каменева была долгие годы во вражде с Андреевой — они обе были вовлечены в дела театральные и «культурные», обе защищали «партийную линию в искусстве», но Андреева считала себя на своем месте, будучи актрисой, Каменева же была «никем», как жаловалась Андреева в письме к Ленину. Теперь же все эти дрязги были забыты, поколение старых большевиков стало сходить на нет, и Горький почувствовал к Каменеву расположение.

Быть может, под влиянием Горького Сталин чуть-чуть начал смягчать свое отношение к оппозиционерам: Бухарин был возвращен к работе как редактор «Известий», Каменев, три раза исключенный из партии и три раза каявшийся, был назначен главным редактором издательства «Академия» (теперь его имя исключено из истории издательства, редакторами называются только Горький и — иногда — А.Н. Тихонов. Каменев, с конца 1930-х годов, стал «антиперсоной», так же, как Зиновьев, Рыков, Бухарин и другие).

И вот однажды Горький устроил Каменеву свидание со Сталиным. Каменев «объяснился Сталину в любви» (пишет Николаевский) и дал честное слово, что прекратит оппозицию. После этого Сталин дал ему выступить на XVII съезде партии. Но в конечном счете это не привело ни к чему, вернее — это привело к разрыву между Сталиным и Горьким.

Каменев был другом Кирова. Сталин, по приказу которого Киров был убит ОГПУ, увидел в цепи Горький — Каменев — Киров или, может быть, Горький — Киров — Каменев гнездо врагов. И Горький, и Киров давно были согласны в одном: необходимо примирить наконец партию с «общественностью» — слово «интеллигенция» звучало тогда слишком старомодно, беспартийно и даже замысловато. И Сталин приказал, через Ежова, Д. Заславскому, ближайшему сотруднику «Правды», занимавшему в газете одно из первых мест, написать против Горького статью. Заславский это и сделал. Статья была грубо оскорбительна для человека, именем которого были названы улицы в каждом городе Советского Союза, и Горький потребовал заграничный паспорт. Ему ответили отказом. Сталин больше ему не звонил и к нему не приезжал; отношения были оборваны.

Крючков не мог не знать об этих настроениях Горького, о его желании выехать в Италию, о трениях со Сталиным. Если он был на службе в НКВД, т. е. у Ягоды, он не мог не донести своему начальству о том, что происходит. Если он не был сотрудником и сообщником Ягоды, то он, вероятно, все-таки донес, боясь за свою жизнь. Если он это сделал, то Ягода привлек его к сообщничеству, как ближайшего к Горькому человека. Так или иначе, добровольно или под угрозой, Крючков мог быть активно замешан в убийстве Горького. Трудно предположить, чтобы они оба, Крючков и Ягода, пошли на такое преступление, не имея на это санкции Сталина. Прощение, вероятно, было им обещано. Но через год Сталин решил для своего спокойствия убрать их обоих.*

Первый московский процесс состоялся в августе 1936 года, второй — в январе 1937 года и третий и последний — в марте 1938 года. Начальник НКВД Ягода, который играл крупную роль в первом процессе, выло-

---

* Возможно, что в деле Крючкова суд принял во внимание одно отягчающее обстоятельство, о котором на суде не было сказано ни слова, но о котором мог быть поставлен вопрос за кулисами судебных заседаний: т. к. Крючкову (как и всем остальным) ставились в вину их «сношения с врагами социалистического отечества», т. е. с европейцами и живущими в Европе их знакомыми и даже родственниками, не были ли Крючкову поставлены в вину его отношения с Парвусом в 1921—1924 годах? Эти отношения были не только денежные и деловые, но отчасти и дружеские.

вив врагов народа, в третьем оказался на скамье подсудимых. Только позже стало известно, что за три с лишним года до этого, в день убийства Кирова, он был арестован — и выпущен через несколько часов, т. е. уже в то время мог быть на подозрении, несмотря на свое положение. О поведении Ягоды ходили слухи еще при жизни Горького, что у него роман с женой Максима, что он убил Максима, что это он «простудил» его, что он был своим человеком у Горького в доме. Да, это все оказалось правдой: и то, что он ездил с Горьким и Тимошей по Волге, и то, что пьянствовал с Максимом, когда тому было запрещено пить (у него с ранних лет была тяга к алкоголю, и он подавлял ее, но с годами ему все труднее было это делать). И когда на третьем процессе Ягоду допрашивали, он, не имея никакой надежды спасти свою шкуру, попросил суд назначить заседание для его допроса при закрытых дверях «по личным причинам». Там он объяснил, почему именно он решил убить Максима, стараясь переключить это убийство с политической почвы на почву убийства по страсти. Это, кажется, в истории московских процессов единственный случай, когда подсудимым было сделано признание того, что действительно было, а не, как в огромном большинстве случаев, признание того, чего никогда не было.

Когда прокурор говорит, что Троцкий через Бухарина и Рыкова поручил убить Горького (в угоду Гитлеру?), когда Крючков кается, что он хотел стать «наследником крупных денег Горького», при наличии законного завещания и семьи, то кажется, что за этим вообще нет никакой реальности, а только чей-то параноический бред. Но паранойя процессом не кончается: проходят годы, и Госиздат выпускает «Летопись жизни и творчества Горького», где в указателе вовсе нет имени Крючкова, но на каждой десятой странице третьего и четвертого тома мы находим это имя — помощника, советника, секретаря и друга Горького. Паранойя продолжается, когда в энциклопедиях мы читаем пять страниц под именем «Горький», где в конце нас информируют, что такого-то числа Горький, приехав в Москву, заболел, и такого-то числа состоялись его похороны; или когда в книге «Горький в Москве» говорится о его болезни подробнее и о том, как профессор Сперанский, который всегда лечил его и его семью, ничем уже не мог помочь больному, а фамилий Плетнева и Левина вовсе нет.

Валентина Ходасевич, близкий друг семьи, не была допущена Крючковым к нему в дни его последней болезни. Она пишет не без раздражения об этом сорок лет спустя:

«Он был секретарем, управделом. Он распределял дела и людей, процеживал их через ему одному известное сито. Часто отцеживались люди приятные и интересные Алексею Максимовичу, а в пояснение говорилась одна и та же колдовская, непроницаемая, сакраментальная фраза: "Так нужно"».

Крючков не дал Валентине машины, чтобы приехать и навестить писателя в Горках. И ей тогда все это показалось «очень странным».

Есть версия, что Сталин отравил его конфетами с ядом, что Крючков был исполнителем этого убийства, что Сталину Горький мешал ликвидировать «ленинскую старую гвардию» и «оппозицию», и смерть его развязала Сталину руки для московских процессов. Но об этом есть несколько противоположных косвенных свидетельств и ни одного прямого. Возможно, что в одном из этих косвенных свидетельств скрыта правда, но мы не можем гадать о ней. После 1945 года упоминания в печати об убийстве Горького стали очень редки, а после 1953 года прекратились вовсе.

Есть слова Екатерины Павловны Пешковой известному американскому журналисту Исааку Дон Левину, сказанные ему в бытность его в Москве в 1964 году. Он пришел к ней в гости, как к старой знакомой. На вопрос о смерти Горького она ответила:

«Не спрашивайте меня об этом! Я трое суток заснуть не смогу, если буду с вами говорить об этом».

Признание ценное, но недостаточно ценное, чтобы разъяснить тайну. Оно ничего по существу не говорит нам, только то, что сильная и жесткая Екатерина Павловна превратилась в нервическую старуху: у нее был случай дать прямое свидетельство, она его упустила. Тогда же на вопрос о смерти Максима она ответила, что он умер от воспаления легких.

Одно из многих свидетельств, что Горький был отравлен Сталиным, и, пожалуй, самое убедительное, хотя и косвенное, принадлежит Б. Герланд и напечатано в № 6 «Социалистического вестника» 1954 года. Б. Герланд была заключенной в ГУЛАГе, на Воркуте, и работала в лазарете лагеря вместе с профессором Плетневым, также сосланным. Он был приговорен к расстрелу за убийство Горького, но ему заменили смертную казнь двадцатью пятью годами лагеря, срок позже сокращенный на десять лет. Она записала его рассказ:

«Мы лечили Горького от болезни сердца, но он страдал не столько физически, сколько морально: он не переставал терзать себя самоупреками. Ему в Советском Союзе уже нечем было дышать, он страстно стремился назад в Италию. На самом деле Горький старался убежать от самого себя, — сказал Дмитрий Дмитриевич, — сил для большого протеста у него уже не было. Но недоверчивый деспот в Кремле больше всего боялся открытого выступления знаменитого писателя против его режима. И, как всегда, он в нужный ему момент придумал наиболее действенное средство. На этот раз этим средством явилась бонбоньерка, да, красная, светло-розовая бонбоньерка, убранная яркой шелковой лентой. Одним словом — красота, а не бонбоньерка. Я и сейчас ее еще хорошо помню. Она стояла на ночном столике у кровати Горького, который любил угощать своих посетителей. На этот раз он щедро одарил конфетами двух санитаров, которые при нем работали, и сам он съел несколько конфет. Через час у всех троих начались мучительные желудочные боли; еще через час наступила смерть. Было немедленно произведено вскрытие. Результат? Он соответствовал нашим самым худшим опасениям. Все трое умерли от яда».

«Врачей, — пишет Герланд со слов Плетнева, — бросили в тюрьму по обвинению в отравлении Горького по поручению фашистов и капиталистических монополий». Но почему из восьми врачей, лечивших Горького и подписавших медицинское заключение о его смерти, судили, пытали и приговорили только двух? Это остается необъясненным.

Как это часто бывает в косвенных показаниях, здесь чувствуется, что Герланд не могла всего этого выдумать — у нее не было никакого интереса лгать, она вышла из лагеря в 1953 году. Плетнев умер за несколько лет до этого, все еще на Воркуте. Ему было больше восьмидесяти лет. Но и у него не было никаких причин придумывать историю бонбоньерки. Как она могла попасть в комнату больного? И как случилось, что никто из окружающих — внучки, друзья, навещающие Горького, профессор Сперанский, находившийся «при Горьком двенадцать дней и ночей неотлучно», члены семьи — не попробовал сталинских конфет? Ответов на эти вопросы найти невозможно.

Есть и другой вопрос, связанный со статьей Герланд. Кто открыл Горькому глаза на то, что действительно творится в стране? Герланд, со слов Плетнева, пишет, что Горький, страдая морально, «не переставал терзать себя самоупреками» и «страстно стремился назад в Италию». В Советском Союзе в то время любое коллективное действие в этом направлении было бы невозможно: непременно нашелся бы кто-нибудь, кто выдал бы весь коллектив. Кто был тот, кто помог Горькому увидеть истину и низвел его с восторженного, почти экстатического состояния эйфории, которое нашло на него весной 1928 года, в реальность окаменевшей идеологии, ведущей в зловещую практику, и заставил его увидеть результаты пятнадцатилетнего материального разорения страны, духовного ее разрушения на сто или больше лет и гибели всего того, что он сам когда-то любил и уважал? Может быть, это был кто-нибудь из приезжавших к нему старых друзей молодости? Или это был писатель, на которого давили и который потом погиб в лагере и теперь «реабилитирован»? Или, может быть, это был Киров? Этого мы не знаем. Во всяком случае, это не мог быть ни приезжий иностранец, ни старый враг режима меньшевик, ни член его собственной семьи. И это не был анонимный или неизвестный ему корреспондент из медвежьего угла России. Известно, что Горький получал все эти годы более ста писем в день, и среди них очень многие были написаны с целью открыть ему глаза, — они не производили на него ни в 1928 году, ни в 1936 году никакого впечатления, они только раздражали его.

Другое свидетельство, пожалуй, не менее убедительное, чем запись Б. Герланд, — рассказ долголетней секретарши профессора Плетнева, г-жи М-с. Она записала его еще на Крайнем Севере, куда была сослана одновременно с Плетневым. Запись эта попала в Лондон и была мне показана. В ней г-жа М-с говорит, во-первых, об убийстве Сталиным своей жены, Аллилуевой, и, во-вторых, о смерти Горького. По ее словам, он был задушен в день, когда доктора признали его состояние безнадежным.

Но что говорили обо всем этом в России? В 1930-е годы не говорили ничего, потому что за разговор могли дать десять, а то и больше лет лагеря, но в 1960-х и 1970-х годах, когда в западном мире появились «диссиденты», или «диссентеры» или «новые эмигранты», что могли они рассказать об этом? Большинство родилось в 1930-х годах, и, как можно было ожидать, их родители не объяснили им 1930-е годы. Двое из опрошенных мною (в отдельности) дали следующий более или менее одинаковый ответ:

— Как умер Горький? Да разве это интересно? Я не интересуюсь чекистами и людьми, жившими — три поколения! — среди чекистов. Его первая жена работала в ВЧК у Дзержинского, его последняя, так мы слышали когда-то, была на службе у Петерса; его сын начал свою карьеру у Дзержинского; жена сына имела любовника, начальника НКВД, а внучка вышла замуж за сына Берии. Кстати, вторая внучка была не внучка его, а дочь, она родилась не от Максима, а от самого Горького. Доказательство: завещание, которое было сделано Горьким в ее пользу [но которого никто никогда не видел]. Совесть его заела, и он принял яд...

Я привожу это показание, идентичное, двух различных диссидентов, имеющих ближайшее отношение к литературе и печатающихся в западном мире с начала 1970-х годов, не для того, чтобы передавать слухи, но для того, чтобы иметь случай сказать для будущих биографов Горького, что я категорически отрицаю всякую возможность гипотезы о «незаконном» рождении Дарьи Пешковой и никогда не поверю этому, даже если мне покажут подлинное завещание Горького, сделанное в пользу младшей внучки: для такого завещания, если оно и было, должны были быть другие причины.

Локкарт следил за происходящим в России с большим вниманием. Незадолго до поездки Муры в Москву он был в Париже, и так случилось, что очень часто, когда он ездил в Париж, она тоже приезжала туда. Она любила русские рестораны с русской едой, не те, в которых бывшие генералы и губернаторы получали на чай за поданные клиентам калоши, а те, попроще и победней, где-нибудь в пятнадцатом или четырнадцатом округе Парижа, где пелись цыганские романсы под гитару и под конец вечера публика подпевала хором, где можно было как-то особенно сладко и грустно вспомнить московские ночи 1918 года, цыганку Марию Николаевну и последних извозчиков, возивших Брюса и ее на московскую окраину.

— Господин Лохарь! — кричали извозчики Локкарту. — Садись, прокачу! — И они мчались по темным улицам, а потом исчезли и извозчики, когда лошадей убили на мясо.

В русских кабаках Парижа все отвечало непонятным ему самому образом его тайным эмоциональным требованиям: и музыка, и свет действовали на него с того момента, когда он входил в чадный, накуренный зал. Он и Мура, как он потом вспоминал, редко говорили о прошлом: «Наши цыганские годы давно были позади». Он приезжал в Париж в конце 1930-х годов на пути из Праги или Будапешта в Лондон; она звонила ему, и они встречались на улице Фондари, дом 72, в «русском кабаре», иногда в обществе ее сестры Анны и ее мужа Кочубея или какого-нибудь ее старинного друга царских времен, может быть, сослуживца ее брата или покойного Мосолова, какого-нибудь блестящего, холеного дипломата, сейчас служащего в Париже дворником, ночным сторожем или вышибалой.

Горели фонарики. В кабаре, убогом и полутемном, люди пили водку, оплакивали прошлое:

«Высокий пианист, эмигрант, аристократ по виду, чудно играл на разбитом пианино. Отличный гитарист, кавказец, и пожилая дама в черном платье, изображавшая цыганку, с увядшими белыми кружевами у ворота и длинным рядом фальшивого жемчуга на шее. Но голос был настоящий, не хуже тех, которые я раньше слышал в таких местах, и пока она пела все мои старые любимые романсы своим глубоким, слегка дрожащим контральто, которое есть непременная принадлежность каждой цыганки, туман, лежащий между моим настоящим и далеким прошлым, начинал подниматься. Под конец, после долгого пения, она пела старую мелодию — песню изгнанников: "Молись, кунак!" Исполнение этой песни было запрещено на французском радио по просьбе советского правительства; она звучала так печально в этом темном маленьком кабаре, что я всегда бывал тронут.

Я вспоминал Есенина, молодого русского крестьянского поэта, чей краткий пламень горел в Москве в первые годы революции. Женщина в темном платье с белыми кружевами пела:

> Молись, кунак, в стране чужой,
> Молись, кунак, за край родной...
> Молись за тех, кто сердцу мил,
> Чтобы Господь их сохранил,
> Пускай теперь мы лишены
> Родной земли, родной страны,
> Но верим мы, настанет час,
> И солнца луч блеснет для нас.

Я взглянул на Муру. Ее глаза неподвижно смотрели в потолок, в них были слезы. Цыганские песни не приносят забвения. Они, наоборот, растравляют память, заставляют вспоминать прошлое... Но ни Муре, ни мне, сквозь годы нашей жизни, не было дороги обратно».

Локкарт был в Лондоне в эпоху Мюнхена. Теперь в руки Гитлера переходила Чехословакия, и Бенеш и Ян Масарик оказались в Лондоне. Если Россия была для Локкарта его судьбой, то Чехия была его любовью — с тех молодых дней, когда он остался там, чтобы удить рыбу. Впоследствии, после войны, когда Бенеш и Ян вернулись в Прагу, английское правительство не назначило Локкарта главой английской дипломатической миссии в Праге: по старой английской традиции он не мог быть дипломатом в стране, к которой он питал слишком сильные чувства. После самоубийства Яна Масарика он в 1951 году написал о нем книгу — это было все, чем он мог отблагодарить страну, где его так любили. До того, в течение почти пяти лет, и Бенеш и Масарик, жившие во время войны в Англии, стали оба частью его жизни.

«Ивнинг Стандард» он оставил в 1938 году. Ему самому и всем вокруг него было ясно, что с первого же дня войны он, как эксперт по Восточной Европе, будет призван в Форин Оффис на ответственную должность. Уже в 1938 году, сразу после Мюнхена, к нему обратился глава британской разведки Рекс Липер, знавший его еще до 1914 года, и просил письменно подтвердить данное ему Локкартом устное согласие с первого дня военных действий вступить в должность в специальный отдел министерства иностранных дел на все время войны и взять на себя дела, связанные с Россией в департаменте политической информации. По мнению Липера, он должен был «оживить этот политический отдел». Гарольд Никольсон был тогда же приглашен на такое же место по Восточной Европе, и Липер делил с ним ответственность за эту часть континента. Локкарт тотчас же на бумаге подтвердил свое обещание, и меньше чем через год, как он говорил, «снова оказался чиновником». Тогда же, перед самым началом войны, в январе 1939 года, он съездил в Америку и привез в Лондон свой первый отчет, «конфиденциальный меморандум для Форин Оффис о моих впечатлениях от США». На этой должности он к 1944 году дошел до положения главного начальника оперативного отдела британского министерства иностранных дел (находившегося под непосредственным руководством Черчилля). Здесь он сблизился с тем, кто в американской разведывательной службе занимал аналогичное ему место, Робертом Шервудом, позже — директором Европейских разведывательных операций при военно-информационном бюро США и автором многочисленных романов и пьес, известным американским писателем. «Мы с ним делились всеми нашими секретами, как когда-то в России с Робинсом», — писал Локкарт впоследствии. Секретов было много, не меньше было и серьезных проблем, которые разрешались ими сообща: «Как наша секретная служба, так и американская, вели войну не только на фронте, но и в стране, войну психологическую, стратегическую, разведочную и контрразведочную». В этой войне ближайшее участие принимал подружившийся на деловой почве с Локкартом Уильям Донован, позже соперник Эдгара Гувера на поприще внутриамериканской разведывательной службы. Шервуд оставил о Локкарте, в нескольких словах, живую характеристику: «В 1939 году, — писал он, — мой товарищ по службе был все понимающий, объективно судящий, острого ума шотландец, Роберт Брюс Локкарт, автор "Мемуаров британского агента" и многих других превосходных книг... Мы несли друг другу все наши заботы и огорчения». С Шервудом Локкарт продолжал работать до начала 1950-х годов, когда тот занял место советника при Эйзенхауэре, на котором и оставался вплоть до самой своей отставки.

До самого начала войны и воздушных обстрелов Локкарт продолжал все в том же Карлтон-грилле, в обшитой деревом и увешанной канделябрами зале, завтракать со своими знакомыми и друзьями, от герцога Виндзорского до советского посла Майского и от Черчилля до германского кронпринца. Позже здесь с ним бывали чехи, поляки, сербы, болгары, румыны, венгры и русские (а в 1920-х годах Савинков, убийца вел. кн. Сергея Александровича, и Рутенберг, убийца Гапона, и десятки других пользовались его гостеприимством). В этом же ресторане, между завтраками с Мурой, Локкарт до самой войны продолжает встречаться с Керенским.

«Мы обсуждали [с Мурой] новую советскую конституцию в свете моего вчерашнего разговора с Керенским, — записывает Локкарт. — Мура твердо стоит на том, что Россия идет к либерализму и что Россия и западные демократии стоят и будут стоять вместе, защищая свободу... Это только наполовину правда... Мура считает, что правые победят в испанской гражданской войне. Так же думает и Бивербрук. Но я не думаю. Уэллс в Лондоне. Он любит свой новый дом в Риджентс-Парке... Ему вырвали недавно пять передних зубов, они еще были крепкие, но он боится, что ему их не хватит до конца его жизни, которая, он считает, будет очень долгой».

Муж Томми, лорд Росслин, бывший на много лет старше своей (третьей) жены, уже в 1938 году был разорен и физически подорван алкоголем, и его жена была в плену у него и детей: она не могла решиться на развод с ним. Ни у нее, ни у Локкарта не было выхода из положения, делающегося все серьезнее и безнадежнее.

Локкарт развелся со своей женой лишь в 1938 году. К этому времени его отношения с леди Росслин стали в высшей степени мучительны и безысходны. Он любил ее, изменял ей, но никак не мог отказаться от нее, разорвать эту связь, и в то же время знал, что она не бросит своего мужа и, как верующая католичка, не разведется с ним и не выйдет за Локкарта. У нее теперь были взрослые дети, и муж, на много лет старше ее, был в состоянии, близком к умопомешательству. Сама она от всех огорчений за эти годы много болела, как признавался Локкарт, «столько же физически, сколько морально». Одна из его записей в дневнике показывает, как тяжело и он, и она переживали этот роман, длившийся около пятнадцати лет:

«Я замучен и в упадке по поводу Томми, которая очень больна — не то физически, не то морально, а вернее всего — и то, и другое. Все это ужасная трагедия. Ее медленно убивает Гарри, не знаю страшнее человека, чем он (несмотря на все его врожденное росслинское обаяние). В то же время Гарри становится постепенно ее навязчивой идеей: она боится оставить его одного и, вернувшись, найти его мертвым. Два дня тому назад он упал во весь рост на пол, споткнувшись в пьяном виде. Она также беспокоится, что Гарри страдает от мысли, что он растратил все ее личные средства и что он оставит Томми и детей нищими. Но Гарри стал слишком старчески слабоумным, чтобы о чем-либо беспокоиться. А Томми боится, что потеряет любовь детей, которые не простят ей, когда узнают, что она позволила Гарри растранжирить все, что у них было».

Война и его служба в Форин Оффис, на которую он вернулся, как обещал (в отделе пропаганды), свела его заново с миром кино, с которым он когда-то в молодости был связан, когда Кэртис ставил «Британского агента». Теперь, в качестве начальника отдела координации пропаганды, Локкарт постарался приложить все усилия, чтобы заинтересовать Александра Корду производством пропагандистских антинацистских фильмов, в которых так нуждалась Англия в это время. В дневнике Локкарта есть запись о разговоре генерала Монтгомери с будущим маршалом Жуковым, переданном Локкарту, где Жуков старался объяснить Монтгомери силу массовой агитации. И Монтгомери после этого загорелся идеей ставить пропагандистские фильмы. Одним из замыслов британского главнокомандующего, наиболее успешно осуществленным, был фильм «Торч» о высадке союзников в Африке. Этот десант мощным массированным ударом освободил север африканского континента. План десанта был разработан коллективно Черчиллем, Рузвельтом, Монтгомери и Эйзенхауэром с помощью «спецгруппы психологической войны» в марте 1942 года. Фильм об этой операции способствовал поднятию духа в армии.

Кино и людей вокруг кино он давно любил, и теперь с Ранком и с Кордой он работал в полном согласии все то время, которое мог урвать от своей регулярной работы. В нее теперь входило и составление еженедельных отчетов о странах, входивших в его ведение, включая Турцию и Грецию, для секретного политического обзора, предназначенного для верхов правительства. На этих отчетах стояла печать министерства иностранных дел. Он также читал теперь курс по ведению «политической войны» и регулярные лекции для служащих министерства, что придавало его деятельности не только государственное, но и академическое значение.

И он, и Уэллс когда-то помогли Муре войти в мир кино как эксперту по русским картинам; она уже несколько лет работала у Корды и Самюэла Шпигеля, позже сделавшего с ее помощью «Лоуренса Аравийского» и «Николая и Александру». Она с 1936 года была на жалованье в компании Корды и считалась его ассистенткой, когда дело шло о фильмах на русские сюжеты. После 1941 года, когда Советский Союз был вовлечен в войну, им особенно был необходим знаток и советник по вопросам как старой, так и новой России. Она была, по мнению Локкарта (и Уэллса), идеальным для них экспертом.

Александр Корда, не владевший английским венгр, еще в начале 1930-х годов задумавший ставить фильм по роману Уэллса «Облик грядущего», с первого дня знакомства с Уэллсом считал, что с Мурой гораздо легче и приятнее иметь дело, чем с требовательным, упрямым, взбалмошным гением, отчасти пережившим свою славу. Роман был о будущем человечества, и Уэллс, по требованию Корды, стал писать сценарий, соединяя в нем две свои любимые темы: одну, жившую в нем с начала столетия, которую можно назвать тревогой о погибающем человечестве, и вторую, ту, что давала такой импульс его романам молодых лет, — дар предвидения механизированного, технически обоснованного индустриального будущего. Фильм, сделанный Кордой, был полон «третьей мировой войной», самолетами-бомбовозами, лабораториями разрушения, где мужчины и женщины, одетые с ног до головы в черную кожу и увешанные револьверами и гранатами, распоряжаются вселенной. Да, 1970 год, когда происходит дело, должен был принести миру окончательное разрушение, чтобы затем, в 2054 году, мир восстал из пепла.

С земли вылетят в космическое пространство, одна за другой, многоступенчатые ракеты, и закружатся вокруг луны, на пути к иным планетам, аппараты-птицы, без людей, — ими будут управлять пилоты с земли. Все это — от металлической мебели до вылетающих одна из другой тройных ракет — облик грядущего или «образ вещей, которые несет нам будущее», или «то, что ждет нас впереди»,* то, что сначала в романе, а потом в сцена-

---

* The Shape of Things to Come.

рии Уэллс предлагал человечеству: его страшную судьбу, свое пророчество по поводу этой судьбы и отчаяние, начинающее теперь проявляться в нем, хотя в начале 1930-х годов он еще шутил, и острил, и был счастлив с Мурой, и только изредка «хныкал», по выражению Беатрисы Уэбб, «о том, что он женат, но что жена его не хочет выходить за него замуж».

Когда фильм вышел на экраны обоих полушарий, был 1936 год. За три года до этого Корда сделал свой лучший фильм, «Частная жизнь Генриха VIII», прогремевший на весь мир, принесший ему славу и деньги; в 1934 году им была сделана «Екатерина Великая»; в 1935-м — «Московские ночи». В этих «русских» фильмах Мура помогала ему с русскими реалиями, и само собой вышло так, что Корда предложил ей перевести на французский язык английский сценарий Уэллса: знаменитый режиссер и директор кинематографического общества говорил и с Мурой, и с Уэллсом по-французски.

Корда в своей области был человек исключительный: одного его слова было достаточно, чтобы актер получил роль и чтобы эта роль принесла актеру славу. Он был богом Англии и грозой Голливуда, и все, что было в Лондоне заметного в мире политики, финансов, модных салонов, людей избранных и исключительных, знаменитых и значительных, все было к его услугам: Бивербрук с его прессой и Эдуард VIII (это был год его отречения и женитьбы на дважды разведенной миссис Симпсон), сонм молодых красавиц-актрис, и Лоуренс Оливье, первый актер Англии, и Сомерсет Моэм, и Уэллс, и Ноэл Коуард, и ученицы балерин Императорской школы в Петербурге, и — среди них всех — Мура Будберг, которую, когда Корда умер в 1956 году, представляли в свете, как «старого друга, помощницу и бессменную сотрудницу» великого режиссера.

Он умер после того, как успел сделать «Леди Гамильтон» с Вивьен Ли, «Цезаря и Клеопатру» с ней же, «Антигону», «Третьего человека» (в 1949 году, совместно с «Метро-Голдвин-Майер») и другие фильмы, до сих пор идущие на экранах западного мира, собирая полный зал.* Но с фильмами на русские сюжеты ему везло меньше: «Екатерина Великая» был фильм неудачный, и Мура не спасла его — она считалась экспертом в вопросах екатерининского века, — в это же время она переводила с французского на английский «Записки» императрицы. «Московские ночи» провалились, «Анна Каренина» (с Вивьен Ли) была значительно слабее «Анны Карениной» 1930-х годов с Гретой Гарбо, и полной неудачей был «Рыцарь без доспехов» из эпохи русской революции. Тем не менее, Мура не теряла своего престижа в киноконцерне и продолжала быть бесспорным арбитром в русских делах не только при жизни Корды, но и после его смерти, расширяя свое сотрудничество не только в кино, но постепенно и в театре, помогая при постановках на лондонской сцене и «Товарища»** (в 1963 году), и «Иванова» (в 1966 году) с участием Оливье. Ее поддерживал в этом сначала Уэллс, реко-

---

* Любопытно отметить, что Корда, у которого был и вкус, и нюх, в свое время купил права на экранизацию книги «Лоуренса Аравийского», но фильма не сделал. Уже после его смерти Самюэл Шпигель, его и Муры приятель, стал продюсером «Лоуренса Аравийского», а еще через несколько лет — фильма «Николай и Александра». В обоих фильмах Мура принимала участие как консультант.

** Веселая комедия Жака Дюваля «Товарищ», из жизни русских аристократов-эмигрантов, шла в Париже с 1934 года до начала Второй мировой войны. В ней участвуют французский социалист-миллионер, английская владелица Стандарт-Ойл, товарищ комиссар Городченко, великая княжна, племянница царя, Татьяна Петровна (!) и ее муж, генерал граф Михаил Уратьев (!). В IV действии Татьяна Петровна, служащая горничной у социалиста-миллионера, говорит товарищу Городченко, пришедшему в гости: «Вы думаете, что я всю жизнь буду мыть посуду?» — намекая, что скоро посуду будет мыть он, а она вернется в дом своего дяди. А генерал Уратьев, служащий в доме лакеем, дает комиссару четыре миллиарда франков, которые сам царь, умирая, доверил графу и которые комиссар требует у него, чтобы «помочь бедным земледельцам Урала».

мендовавший ее повсюду как знатока русской истории
и современной жизни, потом и Локкарт, бывший в добрых отношениях с Кордой (хотя иногда он и называл
его жуликом) и друживший с людьми кино еще со времен общей работы с Кэртисом. Он близко знал также
Артура Ранка, одно время компаньона Корды, и свел
Муру с ним. Неудивительно поэтому, что в сравнительно ограниченном светском кругу военного Лондона
мы встречаем имя Муры в списке гостей на приемах
французского и чехословацкого «правительств в изгнании». Впрочем, в первом она вскоре перестала бывать, так как отношения Андре Лабарта, с которым она
работала в «Свободной Франции», с генералом де Голлем и его «официальной главной квартирой» сильно
испортились.

Она получила это назначение (быть «оком Форин
Оффис» в «Свободной Франции») в конце 1940 года,
когда в Лондоне образовалась группа французов в изгнании. Она очень скоро узнала там многих, бежавших
из оккупированного Парижа, начиная с Андре Лабарта,
редактора-издателя «Свободной Франции», журнала,
выпускавшегося французским центром в изгнании. Она
в эти военные годы осуществляла связь между кабинетом Локкарта и редакцией Лабарта, как и канцелярией
Массильи и Вьено: первый был до войны политическим
директором французского министерства иностранных
дел (1937–1938), позже получившим назначение в Турцию (1939–1940), а в 1943 году – специальным уполно-
моченным министерства иностранных дел в Северной
Африке (после операции «Торч»). После войны он был
назначен французским послом в Лондон (1944–1955).
В то же время Вьено всю войну провел в Лондоне как
дипломатический представитель де Голля при британском правительстве. Мура, кроме этой службы, работала также во французской секции Би-би-си, в которой
директором состоял Гарольд Никольсон, считавший
Муру «самым умным человеком, которого [ему] приходилось встречать».

Не все шло гладко между Лабартом и генералом де Голлем. Среди англичан де Голль не пользовался ни симпатиями, ни популярностью. Лабарт, судя по тому, что о нем писали позже его современники, а также по его блестящему, интересному, высококультурному журналу, был человек во многих отношениях замечательный, и тот же Никольсон отмечает в своем дневнике его качества политического деятеля, редактора и человека:

«Обедал с Мурой Будберг и Андре Лабартом. Он рассказывал, как люди, приезжающие из Франции, приходят к нему и хотят видеть его, потому что знают его голос по радио и любят его. Он страстный, блестящий человек, и я не могу не чувствовать, что он представляет Францию гораздо лучше, чем де Голль. Он так счастлив успехами своего журнала. Таким людям, как я, которые страстно любят Францию, трудно решить, что делать. Разрыв между де Голлем и интеллигенцией очень глубок. Люди из Карлтон-Гардена [главная квартира генерала в Лондоне] антипатичны мне. И все-таки имя де Голля — великое имя».

Иногда обоим, и Муре и Локкарту, казалось, что в сущности Лондон уже не Лондон: Карлтон-грилл был разбомблен, большинство друзей — его, и ее, и их общих — разъехались, кто воевать, кто укрываться от бомб в провинции, и в темном, дрожащем от бомб и героическом Лондоне те, кто продолжал жить, все меньше и меньше появлялись «в свете». Да и «света» было немного, жизнь внезапно упростилась и потеряла свои нарядные краски. «Где были друзья? — спрашивал Локкарт в одной из своих книг. — Но с Мурой Будберг я встречался регулярно. Ее круг знакомых был исключительно широк и содержал в себе всех — от министров и литературных гигантов до никому неизвестных, но всегда умных иностранцев. От нее я получал не только сплетни касательно внешнего мира, но и суждения внешнего мира о мире внутреннем, т. е. о мире Уайтхолла [министерств и официальных кругов]... Я всегда находил ее информацию полезным коррективом для нашего официального самодовольства и благодушия».

И его, и Никольсона германское радио еще в марте 1940 года, т. е. за три месяца до падения Франции, объявило шпионами, печатно заявив, что британское правительство «оплачивает работу известного разведчика Локкарта и отставного дипломата, известного ненавистника Германии Никольсона». Но это не повлияло на настроение Локкарта, как не повлияли на него впоследствии сочинения советских авторов, пьесы и повести о «заговоре Локкарта», где его смешивали с грязью. В мае лорд Бивербрук был назначен министром авиационной продукции, и Локкарт почувствовал, что его прежний патрон и он сам теперь впряглись вместе в одну телегу, в одном и том же нужном и важном усилии, под одним и тем же флагом. До 1943 года советский посол Майский, старый его знакомый, часто встречался с ним; вскоре после его отъезда, в августе, Локкарт был назначен представителем британского правительства при чехословацком правительстве в изгнании.

Локкарта с Яном Масариком теперь связывала почти двадцатилетняя дружба. В своей книге о нем, после его самоубийства, он рассказал об этом «сыне отца республики», человеке исключительных способностей, который чувствовал себя дома и в Европе, и в США, всюду имел друзей, знал девять языков и был превосходным пианистом. Еще в 1919 году, когда Локкарт поехал как коммерческий атташе британской делегации в Прагу, он был принят там как человек, помогший чехословакам год тому назад вернуться через Дальний Восток из большевистской Сибири на родину. Ян в начале своей карьеры был причислен к чехословацкому посольству в Вашингтоне, затем он перевелся в лондонскую легацию. В 1922 году он вернулся в Прагу, жил вместе с отцом в Градчанах, и Локкарт часто бывал у него запросто. Ян работал с Бенешем в министерстве иностранных дел до 1925 года, когда его назначили чехословацким послом в Лондон; он пробыл на этой должности до трагического дня, когда немцы заняли Прагу.

С 1928 года, когда Локкарт поселился в Лондоне, работая в «Ивнинг Стандард», они встречались в «свете» — в салонах, в клубах и друг у друга. Когда Гитлер захватил Австрию, Локкарт, бывший в Вене, на следующий же день выехал в Прагу, где Ян Масарик сказал ему, обняв его при встрече: теперь настанет наша очередь. И Локкарт тогда уже знал, что он прав и что Чехии осталось жить не больше года.

В 1939 году, в январе, оба вместе успели побывать в США в последний раз перед войной. Теперь и Ян, и Бенеш жили в Лондоне, откуда Ян вел ежедневные радиопередачи на Чехословакию. В 1940 году было сформировано — под нажимом друзей, среди которых одну из первых ролей играл Локкарт, — чехословацкое правительство в изгнании, и Ян был назначен министром иностранных дел, а Бенеш — президентом. Локкарт стал при этом правительстве британским представителем. Бенеш начал к этому времени быстро угасать: его годы, незнание английского языка, его слабое здоровье и удары, нанесенные событиями, постепенно лишили его возможности заниматься делами. Он вместе с Яном вернулся в Прагу после войны. Назначенный английским правительством английский посланник в Прагу должен был их сопровождать, но советское правительство заявило протест, и Ян начал понимать, что оно очень скоро станет настоящим хозяином его страны.

После войны в качестве министра иностранных дел Ян половину времени был в разъездах: на конференциях в Сан-Франциско, Нью-Йорке, Париже. Локкарт к нему приехал в Прагу в 1947 году. В этот год советское правительство уже не позволило чешской делегации во главе с Яном выехать на очередную парижскую конференцию, и Ян принужден был поехать в Москву, чтобы получить директивы. Вернувшись, он сказал Локкарту, который его ждал: «Я поехал как министр, а вернулся как лакей».

В январе 1948 года Ян был на сессии ООН в США. Они виделись в последний раз на пути Яна домой, в Лондоне. У него все еще были иллюзии, что русские в Чехословакии допустят свободные выборы. Он уехал в конце января. 25 февраля пришла телеграмма, что Бенеша заставили подать в отставку. Ночью с 9 на 10 марта Ян выбросился из окна во дворце в Градчанах. До Локкарта дошла записка к нему: накануне смерти он писал, что надеется бежать. Локкарт до конца не был уверен, покончил ли он с собой, или его убили, и самоубийство было симулировано.

В последние годы войны в Лондоне у всех кругом было по две, а то и по три службы: в военной пропаганде, в отделе британского радио, ведавшего оккупированной Европой, в экономических отделах министерств. Локкарт сблизился не только с Черчиллем, с которым давно был знаком, но и с Иденом, которому он помогал разрешать проблемы, возникающие между чехами и поляками. В июне 1941 года он стал особым заместителем товарища министра иностранных дел и координатором англо-французских отношений, работая с представителем правительства де Голля в Лондоне Массильи. Наконец, случилось то, чего он с нетерпением ждал все эти годы: осенью 1943 года приехала в Англию советская делегация во главе с членом политбюро Шверником. Шверник, увидев Локкарта, который был назначен к нему переводчиком, сказал ему: «Я хорошо вас помню. Я думаю, нынче мы оба согласимся с тем, что вы в свое время были центром таких событий, нити которых до сегодняшнего дня было бы трудно распутать». С этим Локкарт не нашел нужным спорить.

После войны, когда ему исполнилось шестьдесят лет, он говорил, что из него ничего не вышло, что он разменялся на мелочи, что он не стал ни Лоуренсом Аравийским, хоть и мечтал им быть, ни министром иностранных дел Великобритании, ни великим писателем, несмотря на все книги, им написанные, ни мореплавателем и открывателем новых земель. Но это было уже тогда, когда он должен был по возрасту отказаться от предложенного ему места посланника, и когда король Георг VI наградил его личным дворянством: он получил чин второго класса и стал «Рыцарь-командор св. Михаила и св. Георгия» после того, как король приколол ему на грудь белый эмалевый крест с ликами двух святых по обеим сторонам. На этом этапе его жизни никто не мог и не хотел принимать всерьез его жалоб на неудавшуюся жизнь.

Мура отдала шесть лет работы группе Лабарта, куда попала «экспертом по русским делам» на полусекретную службу по рекомендации Локкарта. На приемах во французском посольстве она присутствовала среди приглашенных, которых бывало до пятидесяти человек, но в особняке чехословацкого представительства в эти годы она была на положении почти хозяйки: Ян Масарик был холост, а жена Бенеша, женщина далеко не светская и робевшая с людьми, не владела английским языком, да и часто болела. Так что когда поздно ночью в гостиной Яна оставалось из двадцати гостей всего пять или шесть человек ему близких, в комнате с притушенными огнями Ян садился за рояль и создавалось то настроение, которое Мура все так же любила, как когда-то давно, когда после вина, ужина и разговоров начиналась музыка. И тот, кто тогда, в те далекие времена, бывал рядом с ней, теперь присутствовал в этой гостиной, но уже совсем на других ролях.

Мура работала на Локкарта в «Свободной Франции» всю войну. Уэллс не любил де Голля и отзывался о нем более чем резко — устно и письменно, но не у Лабарта в журнале, где он поместил три статьи по-французски. Французы в изгнании были разделены на две части: одна — правая, считала генерала де Голля символом Франции и мирилась с его тяжелым характером, другая — левая — считала его полуфашистом и, возможно, будущим диктатором. Все знали, что отношения генерала с Черчиллем держатся на шаг от разрыва, да к концу войны их почти уже и не было. Локкарт старался не высказывать своих чувств к генералу, ему важно было знать, что происходит в обеих группах — де Голля и Лабарта, и он был хорошо осведомлен, его обязанностью было иметь дело с либералами; с консерваторами из Карлтон-Гарде-на дело имел Никольсон.

Уэллс терпеть не мог де Голля и этого не скрывал, впрочем, мало кто в Лондоне его любил, а Уэллс все меньше любил людей вообще, и резкость его теперь ста-новилась привычкой. Война разрушила его ум, и жи-вость, и даже талант, и оставалась от прежнего в нем только эта животная потребность иметь подле себя жен-щину — для отдыха, наслаждения и игры, как он мечтал всю жизнь, а не для сцен, слежки, обсуждения днем ноч-ных наслаждений и признаний. Он всегда считался дру-гом Чехословакии, и даже (после Мюнхена) выставил кандидатуру Бенеша на Нобелевскую премию мира. Но уже в 1939 году, когда началась война, он был разбит и телесно, и душевно (ему было семьдесят три года) тем фактом, что мир, не послушавшийся его «пророческих романов», как он говорил, или гласа вопиющего в евро-пейской пустыне о европейской погибели, идет к свое-му концу.

В журнале «Свободная Франция» мы три раза встре-чаем его подпись: он писал по-французски плохо, а Му-ра, хоть и говорила по-французски хорошо, не могла ни сама писать, ни править ему его неуклюжий, иногда ма-ло понятный стиль. Первая статья неудобочитаема, из почтения к нему ее, видимо, не посмели выправить. Вто-рая исправлена. Третья же, как это ни удивительно, по-мещена вслед за статьей его бывшей подруги, до сих пор энергичной и то тут, то там появляющейся в печати Одетт Кеун, которая в «Свободной Франции» высказа-лась о судьбе «маленьких стран» после войны — по ее мнению, они должны будут все принадлежать большим.

Мурина деятельность у французов и у Корды воспри-нималась Уэллсом как необходимое убийство времени, хотя он сам во время первой войны (под начальством Би-вербрука) работал в министерстве информации, отложив на время свой пацифизм и даже забыв о нем. Теперь он жил в собственном особняке на Ганновер-Террас, который он купил в 1935 году, расставшись с холостяцкой квартирой на Бейкер-стрит. Были люди, которые говорили, что после 1935 года он ничего путного не написал, другие говорили, что все, что было им написано после 1925 года, никому не было и не будет нужно. Многие из проницательных, но осторожных друзей, как и врагов, думали, что своей теорией о «самураях», которые, выбрав сами себя, должны будут контролировать человечество, пропагандировать новое мировое устройство и — если понадобится — силой насаждать образование, он, в общем, был не так далек от тоталитарных теорий своего времени. Оруэлл писал в 1945 году, что Англия устояла в войне наперекор пропаганде либералов и радикалов, среди которых Уэллс занимал одно из первых мест, людей, которые презрительно отметали такие анахронизмы, как национальная гордость, воля к борьбе, вера в свое национальное будущее — вещи, давно сданные в архив друзьями Уэллса и им самим. Нацистские идеи, писал Оруэлл, должны были быть Уэллсу гораздо ближе: насильственный прогресс, вождь, государственное планирование науки, сталь, бетон и аэропланы. Что до самураев, то сначала его идея была, что они явятся сами по себе, «сами собой сделаются», но позже он пришел к заключению, что их надо сделать, и сделает их он, сам Уэллс, воспитав их тайно и преподнеся миру готовую головку правителей.

Для Оруэлла Уэллс был «эдвардианец», т. е. человек, выросший и развившийся в конце прошлого века, человек, период расцвета которого совпал с царствованием Эдуарда VII (1901—1910), и в этом он был прав: эти годы для Уэллса обусловили всю его дальнейшую литературную судьбу, и поколению Оруэлла он казался более устарелым, чем люди первой половины XIX века. «Он верил в *добро науки,* — писал Оруэлл, — а когда увидел, что от точных наук может иногда быть и зло, то потерял голову».

Но Уэллс не мог отказаться сейчас, когда ему было за семьдесят, от всего того, что он защищал в течение пятидесяти лет. Он не мог и не хотел этого делать и не видел, что для него начинается — если еще не смерть, — то пустота и отрыв от мира, или мира от него, мира, в котором ему становится нечем жить. Средневековье с его жестокостью и ханжеством, которое, по словам Оруэлла, воскресало в наше время, и новые кровожадные существа, идущие бодрым шагом из средних веков прямо в нашу эпоху, были совершенно недоступны пониманию Уэллса. Жалости в Оруэлле к Уэллсу не было. Но у некоторых других, как, например, у Локкарта, она, хоть и сдержанно, но проявлялась время от времени:

«Уэллс, которого я хорошо знал [еще со времени первой войны] и который одно время был частым гостем лорда Бивербрука в Лондоне, как и в его загородном доме, всю жизнь верил, что он может переделать мир так, как ему хочется. Он переходил от оптимизма к пессимизму. Когда Сталин и Гитлер разрушили его утопию, Эйч-Джи начал пророчествовать конец света, он решил, что человек потерял способность сам устраивать свою жизнь. Его лучшие книги были в прошлом; он сделался автором памфлетов и в разговоре — школьным учителем: выстроив рядами свои факты, он выражался плоскими штампами, выдавая их за оригинальные идеи.

Даже до второй войны он был несчастлив, постепенно делаясь все тщеславнее, не выносил критики тем больше, чем ниже падала его литературная репутация. Арнольд Беннетт, единственный его друг среди мужчин, умер; Бернард Шоу всегда был ему антипатичен; к молодым он был равнодушен. В противоположность Горькому он никогда не стремился иметь учеников.

Оставались друзья-женщины, и он необыкновенно страстно ревновал их. Я не любил его и не думаю, чтобы он любил меня... При всем своем социализме он был мещанин с головы до ног. Я помню его в пиджачном костюме на приеме в советском посольстве. В это время советский посол Майский, в апогее своей популярности, ввел дипломатический этикет, с мундирами и вечерними платьями. Эйч-Джи в пиджаке почувствовал себя несчастным и через полчаса уехал... Я помню, как он публично уверял меня, что нисколько не сноб, но что у него достаточно гордости, чтобы не принять от короля ордена Заслуги».

Что думал он о самом себе, о человечестве и о мире, судьба которого его занимала всю жизнь, достаточно известно: в 1931—1932 годах началось его беспокойство в связи с восхождением гитлеровской звезды в Германии и окаменением власти Сталина в России. И все, на что он возлагал надежды: длительный (или даже вечный) мир как следствие последней войны, которую он назвал в свое время «войной, которая закончит все войны», Лига Наций, торжество демократии, обязательное всеобщее образование, которое приведет людей к пониманию их собственной сущности и судьбы, все это как-то не выходило, как-то не получалось вокруг него, и упрямство его росло, и росла уверенность, что общемировая беда (эту общеевропейскую беду он чувствовал) идет от того, что люди перестали его слушать. Он то собирался начать писать книгу по экономике, то по биологии, «чтобы приготовить разум человека для мирового правительства», то писал «Науку о жизни», где затрагивал такие животрепещущие вопросы, как расизм, контроль над рождаемостью и экологию. Но «семена не всходили», «движение не начиналось», от чего он ссорился с бывшими друзьями, кричал на них, что они не слушают его и не хотят ему помочь спасти мир.

И действительно: так называемый свободный мир, где как будто всё еще раскупались и читались его книги (все меньше и меньше — этого он не мог не замечать), его не слушал, а мир «несвободный», с которым он сражался или думал, что сражается, постепенно переставал издавать его сочинения. Там стали забывать его голос. Параллельно с этим люди его поколения все чаще переставали принимать его всерьез, а молодые (которым постепенно сделалось сорок и пятьдесят лет) и вовсе не хотели его знать. Оно, это молодое поколение, вышедшее на литературную сцену в двадцатых и тридцатых годах, теперь писало о нем, как о вульгаризаторе, пишущем для полуинтеллигентов.

Он завидовал молодым, ему казалось, что они пришли в мир и с ранних лет привыкли принимать абсурдность мира, закалились, стали твердыми и жесткими и научились смотреть на прогресс, как на иллюзию. Это его сердило. Еще в 1913 году герой его романа «Страстные друзья» хотел пробудить мировой разум, издав «Энциклопедию современной науки». Через эту энциклопедию мир будет построен заново, и от нее будет больше добра, чем от всех революционных движений. В 1937 году Уэллс писал: «В 1934 году я поехал в Россию, чтобы говорить с Горьким и Сталиным об абсолютной необходимости свободных дискуссий, если хотеть, чтобы мировой порядок был восстановлен. Но Горького я нашел постаревшим, заеденным славой и под полным влиянием Сталина, а Сталин, который мне понравился, никогда в жизни не дышал вольным воздухом и даже не знал, что это значит» («Осень в Америке»).

Первые ноты отчаяния прозвучали в «Анатомии крушения надежд» (1936) и в том же году – в «Плане мировой энциклопедии», над которой должны были работать, по его расчету, тысячи людей. Затем вышла «Судьба Homo sapiens'а», где мир шел «не туда, куда надо». После этого, в 1939 году, – «Порядок нового мироустройства» и в следующем году – «Права человека, или За что мы воюем». В 1942 году были изданы «Перспективы Homo sapiens'а» и еще три книги об устройстве вселенной. Затем – несколько сердитых памфлетов и последний судорожный крик о бессмысленности существования: «Дух в тупике»; незадолго до этого дня он стал говорить Муре и Марджери (жене Джипа), когда его звали к телефону: «Скажите, что Уэллс не может подойти: он занят, он умирает».

Во время войны он не уехал из Лондона и в своем доме на Ганновер-Террас прожил все годы, когда бывали недели сплошных ночных бомбежек и все вокруг горело, но он не двигался и в погреб не спускался. Окна его выходили на Риджентс-Парк, и он стоял и смотрел в окна, и твердил о том, что человечеству предстоит «вымереть, как вымерли ихтиозавры и птеродактили».

Прислуга постепенно оставила его одного. Мура жила поблизости, но время от времени уезжала из Лондона (часто к жене Никольсона, Вите Саквилл-Уэст), главным образом чтобы выспаться. В 1941 году Уэллс в последний раз выехал на три месяца в США и вернулся оттуда опять под те же бомбы. Одиночество теперь было полным, гостей не бывало. Он уменьшился в росте и напоминал пузатого карлика, злого, требовавшего для себя диктаторства над миром, чтобы этот мир спасти. Но не было слушателей, чтобы спорить с ним или, наоборот, сочувствовать ему и его миру: кальвинистскому, детерминированному, закаменелому.

В таком состоянии он получил почетную докторскую степень от Лондонского университета. Это была его давняя, тайная мечта. Но Королевское общество, высшее научное учреждение Англии, основанное в 1660 году, его в свои члены так и не пригласило, и это была последняя обида, нанесенная ему. Но он не смел даже самым близким людям пожаловаться на Королевское общество: он всю жизнь твердил направо и налево, что не допускает мысли, чтобы кто-нибудь на свете мог стать ему, Уэллсу, необходимым.

У него в прошлом была богатая личная жизнь, полная путешествий по всем континентам, женщин всех национальностей, встреч и отношений с великими, жизнь, не задержанная ни суеверными устоями XIX века, ни ре-

лигиозными, ни бытовыми табу. В своем быту он был
более прогрессивен, чем прогрессисты других стран,
включая сюда и Россию, и даже Францию: английские
прогрессисты последовательнее других, они вместе с ра-
дикализацией своих политических убеждений меняют
и самый образ своего мышления и поведения.

Уэллс очень рано отказался от привитых ему принципов пуританизма, от привычек и навыков прошлого,
от семейных и иных предрассудков, которые твердыней
стояли за его отцами и дедами. В России радикалы до
наших дней оставались в быту старомодными старца-
ми: Горький до смерти писал, макая перо в чернильни-
цу, боялся быстрой езды на автомобиле и «при дамах»
краснел от слова «штаны». Блок возмущался в 1912 году
в Бретани новыми женскими купальными костюмами
и «слишком откровенными» модами (купальные юбочки
до колен, носки, рукава до локтя); а историк Мельгунов
(народный социалист) до конца жизни не умел пользоваться телефоном. И такое же неумение жить в своем времени часто бывало в делах личных, семейных и «внесе-
мейных».

Развал викторианской Европы веселил Уэллса. Он
иногда, все еще с юмором, строил конструктивный
план, как «возродить» свою страну, а с ней и все остальные страны. Обдумывая будущее научно организован-
ное общество с одной коллективной волей, он называл
себя социалистом, он упрекал университеты в том, что
они обучают греческому языку и поэзии, но не обучают, «хотя бы и насильно», ни алгебре, ни половому вопросу, и требовал, чтобы у будущих поколений не было
между собой споров, но была бы свобода слова. Он
осуждал коммунизм за догматизм и одновременно приветствовал, в 1939 году, пакт Молотова — Риббентропа,
считая — даже в годы апогея Гитлера и Сталина — главным врагом человечества католицизм, наполняя этими
парадоксами десятки статей, памфлетов и речей, произ-
несенных публично.

Он говорил о женских правах и был домашним тираном. Его план любви — потому что у него был в начале всякого сближения с женщиной план любви — был: любить, быть любимым, подчинить, научить слушаться, медленно и нежно начать нагружать ее своими делами — контракты, печатание рукописей, счета, переводы, издатели, налоги. В это время все его преклонение перед просвещением и образованием, которое должно спасти мир, тускнело и уступало место его безграничному витализму, радости бытия и открытому, неудержимому гедонизму, бесконечные возможности которого он так хорошо изучил.

Назвать его отношение к женщине эксплуатацией или мужским шовинизмом было бы слишком упрощенно, это отношение было совсем в ином плане: он не эксплуатировал женщину, он играл с ней в эксплуатацию, и она отвечала ему игрой в рабыню, в подавленную его гением покорную тень. Оба знали, что лишь играют в эту игру, не принимая ее всерьез, и у мудрого Уэллса, и у мудрой его подруги, как у людей, видящих в своих действиях реализованную ими выдумку, была радость от этой игры. Когда он перегибал палку (а он это делал часто) и начинал в самом деле пользоваться ее кротостью, атавистически пытаясь уже всерьез подчинить ее своим капризам, она уходила от него. И он страдал от этих разрывов сильнее, чем страдала она.

Он хотел один учить всех, но в его построениях не было системы, были провалы и неловкости, которые грубо резали и комкали смысл. Он видел историю, бессильную влиять на будущее и, значит, бессмысленную; события, говорил он, держатся, как планеты в небе, по какому-то «неведомому закону», а когда пришла вторая война, «закон этот кончился», планеты оборвались, и наступил ужас и мрак.

Кое-что в его бумагах после его смерти пытались расшифровать, привести в порядок, кое-что оказалось совершенным бредом проклятий и злобы и так и не увидело света; его настроение Джип и Антони Уэст (его сын

440

от Ребекки) пытались оправдать и комментировать. «Зло мира и бессмысленность мира сломили мой дух», — признавался он накануне смерти.

Еще в 1939 году он говорил, помня Дарвина, что если жизнь на земле «продолжается в биологическом виде», то полное биологическое поражение человека невозможно, но уже через пять лет он не верил в это. Вплоть до 1944 года он рассылал свои памфлеты знакомым и незнакомым о том, что нужно делать, чтобы спасти человечество, если даже оно не хочет быть спасенным. Он рассылал их будущим возможным членам Объединенных Наций. В 1948 году, на заседании, где разрабатывалась декларация ООН, никто Уэллса не вспомнил, но его тогда уже не было в живых.

У него был первый легкий удар в 1942 году. Он придумал себе эпитафию: «Будьте прокляты! Я предупреждал вас!» При застарелом с юности туберкулезе началось то, что называли тогда катар горла, катар желудка, сердце было больное, его мучила простата. Он давно уверял, что у него остались только одно легкое и одна почка. Зрение его к концу жизни так ослабело, что Сомерсет Моэм стал приходить и читать ему газеты. «Есть что-нибудь про меня?» — спрашивал Уэллс. Но о нем опять ничего не было, и он часто засыпал среди разговора. За год до смерти, в 1945 году, никаких надежд на улучшение его состояния не было, и последний год он жил в преддверии конца. С этого времени Мура была с ним неотлучно, рядом с ним и вокруг него.

Ей было теперь пятьдесят три года. Война состарила ее, она начала толстеть, ела и пила очень много и небрежно относилась к своей внешности. У Уэллса круглые сутки была сиделка, и два его сына и Марджери (невестка), бывшая официально его секретаршей и хозяйкой его дома, были неотступно при нем. Мура читала ему, и он диктовал ей нужные ему французские, а иногда русские письма, она старалась облегчить Марджери ее обязанности. Но она стала за эти годы тяжелой и медлительной, и у нее теперь была иногда переводческая работа, небольшая и далеко не постоянная, но тем не менее она давала ей некоторый ореол профессионализма, который, как она считала, был ей необходим.

Она приходила в ставший теперь мрачным, и темным, и беззвучным дом, где Уэллс не всегда узнавал ее, а когда узнавал, уже не мог выказывать радости. От одного прихода доктора до следующего было ожидание и молчание, и так как надежд давно уже никаких не было, то где-то глубоко в каждом жило затаенное желание, чтобы это кончилось, чтобы это не слишком долго длилось. Доктор, лечивший Уэллса, считал положение безнадежным. То, что он говорил и Джипу и ей, напоминает слова доктора Мартино из романа Уэллса «Тайные углы сердца» (1922), где доктор, обращаясь к герою, рассуждает о кризисе английской интеллигенции:

«Это сознание идущей на нас катастрофы становится эпидемией. Оно лежит в основе всевозможных нервных заболеваний. Это — новый феномен. Перед войной он считался ненормальным, одной из фаз неврастении. Теперь это почти нормальное состояние для целого класса интеллигентов. Для остальных людей оно случайно, необычно и всегда будет таким. Потеря доверия к коренным основам существования, как будто мы плаваем поверх бездн... Это новое и ужасное осознание ответственности за весь мир. И за ним — мысль, что эта задача нам не по силам».

Но кроме этого доктор говорил также, что больному не следует перечить, что ему надо доставлять маленькие радости и исполнять его желания, и развлекать его. И его развлекали. И когда Уэллс в мае 1945 года выразил желание непременно голосовать на выборах в парламент, первых после войны, ему обещали, что его повезут на выборный пункт.

Капитуляция Германии произошла в мае, и меньше чем через месяц, когда настал день, его одели в один из бесчисленных костюмов, висевших в гардеробе, повязали ему галстук и посадили в автомобиль. Запутанные отношения его с британской коммунистической партией были далеко не прерваны в это время: еще в 1942 году он, по просьбе редактора коммунистического ежемесячника «Лейбор Монтли» Р.П. Датта, написал статью для журнала по случаю двадцатипятилетия Октябрьской революции. В этом журнале когда-то Д.П. Мирский, перед своим отъездом в Советский Союз, ругал его за буржуазность и мещанство, но он продолжал считать себя сотрудником журнала, и последняя его статья была полна острых выпадов не столько против идей, сколько против тактики английской компартии, выпадов, схожих с его давними суждениями о Марксе в полемике с Б. Шоу, где он непочтительно прошелся по бороде Маркса. Уэллс не раз и говорил, и писал, что, Октябрьская революция была могучим шагом вперед в шествии человечества к мировому социализму, но что, к сожалению, «центр революционного движения оказался в руках полуидиотов и фанатиков». Датт тогда вернул ему статью с резким письмом, советуя ему напечатать ее в каком-нибудь реакционном органе. Но Уэллс не уступил, он настоял на ее напечатании, и она была помещена, так как коммунистическая партия Англии, в общем, не хотела ссориться с великим человеком и не теряла надежды когда-нибудь заполучить его в свои ряды. Он годами регулярно посылал им деньги для поддержания их целей, которым всегда сочувствовал, и среди его знакомых можно было насчитать по крайней мере десяток людей, имевших партийный билет.

На выборном пункте, полуживой, но все еще чувствующий себя в силах исполнить свой гражданский долг, он стал метать громы и молнии, узнав, что коммунисты в его округе не выставили кандидата. В тот же день он отправил в коммунистическую газету «Дейли Уоркер» письмо, где писал: «Я активно поддерживаю обновленную коммунистическую партию, я хотел голосовать за нее, но, не имея кандидата, принужден был голосовать за английскую рабочую партию». Это его успокоило.

В то лето, ровно за год до смерти, доктора предупредили близких, что он умирает: они теперь начали подозревать рак. Джип, после долгих колебаний, сказал отцу о том, что его ждет, и Уэллс был благодарен ему за это. Но страх оказался необоснованным, в корне болезни лежала тайна: слишком много органов было затронуто и находилось в состоянии почти полного бездействия, сердце внушало опасения, как и диабет, и начиналась та совершенно разрушавшая его усталость, от которой не было спасения и от которой в середине разговора он вдруг умолкал и засыпал.

В этот последний год он пытался написать то последнее, что еще казалось ему важным: о том, что бороться лучше, чем не бороться. Но его мучил вопрос: ну а если борьба безнадежна?.. Здесь было все: и идея природы, как главного врага человека, которого человек «не успел победить», и неминуемое исчезновение и человека с его разумом, и, может быть, вообще — всякой жизни на земле, и три миллиарда лет существования жизни на земле, которое оказалось ошибкой, и цитата из «Макбета» о том, что жизнь есть сказка, рассказанная идиотом, полная шума и бешенства, которая не значит ничего.

Оба сына — и Джип, и Антони — старались утишить и утешить его в его последние месяцы, и потом уже, после его смерти, оба пытались по-разному оправдать его настроение, объяснив его каждый по-своему. Старший, профессор зоологии, сделал это в своем предисловии к последней исповеди Уэллса, где пытался объяснить читателям, что Уэллс, когда писал эти страницы («Дух в тупике»), был уже не тем человеком — писателем — мыслителем — пророком, которого знали его современники. Он ослабел физически, и постепенно ослабевало его сознание, и это было причиной стольких противоречий и неувязок в тексте. Одно из противоречий состоит в утверждении (в начале последнего текста Уэллса), что всякая жизнь во Вселенной неминуемо кончится, и в другом (в конце текста) — что жизнь меняется, но никогда не кончается. Это дает автору комментария возможность предположить, что все не так уж страшно, и мрачно, и безнадежно в пророчествах его отца. Уэллс, по словам профессора зоологии, даже предполагал, что то «новое животное, которое появится когда-нибудь в будущем» (через миллионы лет), не будет похоже на человека, а будет совершеннее, и что человек в конце концов сыграл свою роль и должен быть заменен чем-то новым.

Антони, сын Уэллса и Ребекки Уэст, в своих комментариях менее оптимистичен. В своем анализе последних высказываний Уэллса, напечатанных в 1957 году («Темный мир Уэллса»)*, он держится того мнения, что его отец под конец своей жизни понял, что всю жизнь ошибался, не осуществив себя как писателя, как художника и кичась тем, что пишет полезную для человечества социологическую прозу. «Предсмертное отчаяние пришло не потому, что он понял, что мир не теплое уютное место, где все дружно стремятся к прогрессу», но потому, что «он увидел, что был не прав, отвернувшись от артистизма, искусства, творческой прозы» (т. е. именно того, в чем упрекал его когда-то Генри Джеймс); что он не осуществил себя как писателя, как художника, упрямо объявляя себя «журналистом», решив просвещать людей и менять мир, чтобы он мог стать счастливее. Ему был дан талант, но он не понял, что талант налагает на художника обязанность развивать его. А чтобы заставить людей одуматься, осознать свою близкую гибель, остановить саморазрушение, т. е. стать мировым пророком, — он был недостаточно убедителен.

Уэллс умер 13 августа 1946 года (в сентябре ему должно было исполниться восемьдесят лет). 16-го он был кремирован. Пристли, выступавший когда-то на его юбилее, сказал у его гроба речь о «великом провидце нашего времени». После кремации оба сына (между ними была разница в тринадцать лет) взяли урну с его пеплом

---

* The Dark World of H.G. Wells / Harper's Monthly Magazine. No. 214. 1957.

и позже рассыпали его с острова Уайт по волнам Ла-Манша. По завещанию, составленному незадолго перед смертью, деньги, литературные права, дом были поделены между ближайшими родственниками — детьми и внуками; прислуга и близкие не были забыты; Муре было оставлено сто тысяч долларов.

Как переживала Мура тот внутренний ад, который Уэллс носил в себе в последние годы жизни и который к концу жизни так измучил его? Что она чувствовала с ним рядом в непрерывной близости, видя, как постепенно разрушается духом и телом этот крепкий, самоуверенный, своевольный и трудный человек? Она не оставила ни устного, ни письменного свидетельства о своем душевном состоянии в это время. Но есть одно косвенное свидетельство, говорящее об основном тоне их любовных отношений, окрасившем последние десять лет их совместной жизни и ее дальнейшую жизнь уже без него, которое дает хотя бы частичный ответ на этот вопрос. И так как у нас нет прямых свидетельств, то это косвенное до некоторой степени восполняет пробел.

Муру недаром называют в примечаниях к некоторым документам, относящимся к Горькому, его переводчицей. В течение пятидесяти лет она перевела на английский, среди других книг, несколько его пьес и несколько десятков рассказов. Но профессионализма, к которому она так жадно стремилась, у нее не было — ни в выборе книг для перевода, ни в осуществлении самой работы, и, может быть, поэтому она так безуспешно его искала. Это может показаться странным, но невозможно в точности сказать, сколько всего томов было ею переведено с того времени, когда она трудилась с помощью Б. Кларка над «Судьей» Горького в 1924 году, и в том же году над его «Заметками из дневника», и над сборником его избранных рассказов*. Роман Сергеева-Ценского по-

---

* Fragments of my Diary. Transl. by Moura Budberg. 1924; The Story of a Novel and Other Stories. Transl. by M. Zakrevsky. N. Y., 1925.

английски вышел в 1926 году. Неудачи с «Детством Люверс», с «Очарованным странником» и письмами Чехова к Книппер ненадолго обескуражили ее, но, может
быть, потому, что некоторые книги в течение пятидесяти лет переводились ею с участием другого переводчика, а иные — под редакцией или с предисловием настоящего профессионала, в ее переводах чувствуется какая-
то неуверенность, дилетантизм, что-то как бы случайное,
и далеко не все книги отмечены даже в самых полных
библиографиях. Больше того: с некоторых переводов ее,
вышедших позже вторым изданием, было снято ее имя,
видимо, они так много чистились и исправлялись, что от
ее работы почти ничего не оставалось. Были переводы,
которые она подписывала Мария Закревская, другие —
Мария или Мура Будберг, третьи — баронесса Будберг.
В некоторых библиографиях (всегда неполных) она помещена под фамилией Бенкендорф. Но особенно чувствуется случайность этой продукции, слишком часто — дурной
вкус в выборе переведенных книг. Казалось бы, по ходу
вещей, она должна была переводить с русского языка на
английский сочинения Горького, но это было совсем не
так: Горького переводил в 1920-х годах С. Котелянский, то
в сотрудничестве с Леонардом Вульф, то с Вирджинией
Вульф, то с Кэтрин Мансфильд, то с Миддлтоном Мэр-
ри; его переводили и Бакши, и Герни, и многие другие.
Всего у Горького до конца 1920-х годов было сорок три переводчика с русского на английский язык.

В конце 1920-х годов все переводы произведений
Горького перешли в Москву, в Госиздат, в отдел переводов на иностранные языки. Таковы были условия
контракта с Госиздатом, подписанного Горьким. Но
в 1927 году Мура сделала один опыт перевода с английского на русский — это были три негритянские од-
ноактные пьесы. Горький, исправив их, послал Тихонову. Он писал: «Подписать их можно: перевод М. Закревской. Найдется храбрый театр и поставит их за то,
что они негритянские». Ни напечатаны, ни поставлены пьесы не были.

Мура после первых опытов уже в 1930 году вернулась к переводам на английский. Это были воспоминания Наталии Петровой (под этим псевдонимом скрывалась русская аристократка, пережившая годы революции в России) «Дважды рожденная в России». Женские мемуары о русской революции, голоде и Гражданской войне в эти годы в эмиграции выходили во множестве, и воспоминания Петровой ничем не отличаются от сотни других, только разве что восторженным предисловием Дороти Томпсон, журналистки с именем в эти годы и лично знакомой Муре через Уэллса. Между предисловием и текстом есть неувязки: Томпсон пишет, что *Петрова воспоминаний* выехала из России в 1928 году, а Петрова — что она выехала в 1924 году, «промучившись семь лет» на родине и выйдя замуж за иностранца, который ее вывез. Октябрьскую революцию Мура называет «беспорядки», а военные марши — гимнами, которые игрались на похоронах.

В 1939 году у Муры произошла неудача с «Розой и крестом» Блока — это легко было предвидеть: молодой тогда актер и драматург Петр Устинов попросил свою мать перевести эту драму в стихах на английский язык, и та пригласила Муру ей помочь. Из этого сотрудничества, однако, ничего не получилось: «Роза и крест» оказалась за пределами возможностей обеих дам. В том же году Мура выпустила под редакцией и с помощью А. Ярмолинского и с предисловием Олдоса Хаксли том избранных рассказов Горького, который оказался ее главным вкладом в коллекцию переводов Горького на английский язык. Этот том был переиздан два раза — в 1942 и 1947 годах.

После войны, в 1947 году, вышли ее переводы двух книг Веры Пановой и еще один том рассказов Горького с предисловием ее ближайшего друга А. Прайс-Джонса. Через девять лет после этого вышла книга Герцена «С того берега» с предисловием Исайи Берлина, где во втором издании (1963) ее имя было снято с титульного листа. В 1959 году она выпустила новый перевод «На дне», в связи с постановкой пьесы в Англии,* и перевод на английский автобиографии балерины Алисы Никитиной (124 страницы). Эта талантливая танцовщица, которая имела большой успех в 1930-х годах, попала к Дягилеву в 1923 году (она родилась в 1909-м) и прославилась уже после его смерти, когда дягилевские балерины рассеялись по другим антрепризам, танцуя дягилевский репертуар. Никитина родилась в Петербурге, прошла Императорское балетное училище и после революции с родителями оказалась в Вене, где Борис Романов (тогда директор «Романтического балета») увидел ее и увез в Берлин. Она танцевала в «Зефире и Флоре» Мясина, в «Аполлоне Мусагете» Баланчина, в «Ромео и Джульетте» Нижинской. В 1930-х годах она была звездой балета Монте-Карло. Позже, в 1938 году, она стала оперной певицей (колоратура), а в 1949 году открыла балетную школу в Париже.

В 1960—1964 годах вышла в переводе Муры автобиография А.Н. Бенуа. После этого еще было несколько книг: «Воспоминания» С.Л. Толстого (1962), «Русские народные сказки» в сотрудничестве с Амабель (1965), и небольшая книжка советского спеца по Уэллсу, некоего Кагарлицкого (1966), не имеющая никакой историко-литературной ценности. Мура на этот раз написала сама к ней предисловие, оно занимает полстраницы и говорит о том, что Уэллс, если бы был жив, был бы очень рад такой книге о нем. Последней работой Муры был перевод «Жизни ненужного человека» Горького (1971), одно время называвшейся «Жизнь

---

* Этот перевод «На дне» содержит в себе также краткое предисловие Муры, затем пятнадцать страниц анонимного сценария пьесы для телевизионной передачи и — в конце книги — биографическую заметку Горького, видимо, составленную самой Мурой, но ею не подписанную. В конце заметки указано, что *в 1958 году* пьеса «На дне» была показана на программе Би-би-си *в переводе Давида Магаршака.*

лишнего человека», написанной в 1908 году (без окончания) и полностью вышедшей в 1920 году у Ладыжникова в Берлине.

С этим переводом количество переведенных Мурой книг с русского на английский дошло до шестнадцати, цифра внушительная, особенно, если к ней прибавить еще шесть книг, переведенных с французского и одну — с немецкого. В 1953 году она перевела «Шах и мат судьбе» Д'Отевиля, видимо, участника африканского похода. Дело происходит в Марокко, и сюжет книги — любовь местной марокканской красавицы к молодому герою. Вся история построена на удивительных способностях этой дочери погонщика верблюдов, не то колдуньи, не то ведьмы, приносить людям несчастья и на ее «необъяснимом очаровании», основанном на сверхъестественных демонических силах. В том же году вышла автобиография Миси Серт, подруги многих французских композиторов, художников и поэтов, польки по рождению. Но по неизвестным причинам имя переводчицы не было указано на титульном листе. В 1954 году вышла в переводе Муры биография А. Эйнштейна («Драма Эйнштейна»), написанная французской писательницей Антониной Валлентэн, автором биографий Леонардо да Винчи, Мирабо, Гейне, Гойи и других, а также и Уэллса. Валлентэн была француженка, женщина когда-то близкая Уэллсу, и в ее биографии писателя чувствуется, что она знала и понимала Муру. О ней в ее книге имеются два довольно длинных абзаца. С французского же были переведены мемуары Екатерины II, русской императрицы, под редакцией Д. Марогера, с предисловием Г.Р. Гуч, а также книга Андре Моруа о Прусте, вернее — книга фотографий с переведенными к ним подписями (92 страницы), и короткий роман модного в те годы (1955) французского писателя Мориса Дрюона «Сладострастие бытия», который по-английски был назван «Фильм памяти». В своем предисловии к нему Дрюон пишет, что в книге будет идти речь «о женщинах, социальная функция которых — любовь, в обществе, которое не признает за ними этой функции». Изменять названия переводимых книг стало для Муры постепенно привычкой: ее последний перевод с французского (в 1960 году) была биография Франца Листа Жана Руссело, в оригинале называвшаяся «Страстная жизнь Листа» и которую Мура назвала «Венгерская рапсодия»*.

Двадцать два тома, рассеянных на протяжении почти пятидесяти лет, — цифра не малая. Несмотря на невысокое качество переводов и низкое качество по крайней мере половины оригиналов, нельзя не удивляться упорству, с которым Мура продолжала переводить. Но самое поразительное в этой картине — выбор вещей: невероятным кажется, что один и тот же переводчик мог перейти от Рутерфорд к Бенуа и от Эйнштейна к Пановой, от марокканской колдуньи к Екатерине II и от «Сладострастия бытия» к русским сказкам — не только переведенным, но и переложенным своими словами переводчицами (их было две).

Возможны несколько объяснений этому выбору: возможно, что Мура брала то, что ей предлагалось, и ни от чего не отказывалась; ей просто нужны были деньги, и она брала то, что можно было продать; или у нее никогда не было потребности выбора, ей чужд был последовательный план; или у нее был плохой вкус; или она никогда не стремилась построить свою переводческую репутацию, дать отчетливый образ себя как переводчицы. Она шла вслепую и довольствовалась скромными деньгами, если принять во внима-

---

* Книга, переведенная Мурой с немецкого в 1955 году, видимо написана для детей младшего возраста, но об этом нигде не сказано. Она написана детским лепетом: глаголы все в настоящем времени, действующие лица — няня, тетя, мама и т. д. Героиня — «прелестная девочка», которая видит во сне ангелов и собирает цветные камушки. Колокольчики звенят динь-динь, а колокола — бум-бум, ножницы делают чикчик, а кукушка — ку-ку...

ние книги, ею переведенные, кроме, конечно, произведений Горького.

Но эти два десятка с лишним переведенных книг бесспорно давали ей возможность из обыкновенной светской дамы, невенчанной жены Горького и подруги Уэллса, создать вокруг себя ауру человека, причастного к литературе, члена ПЕН-клуба, правой руки Корды в вопросах истории костюма и манер. При ее умении сближаться с людьми и очаровывать их бойкостью разговора и независимостью далеко не штампованных суждений, она с кроткой улыбкой ступала на ступеньку лестницы, ведущей в гостиную Ноэля Коуарда, в особняк Пристли, в родовой замок Виты Саквилл-Уэст, сидела в ложах Зальцбурга, Байрейта и Эдинбурга, имела право входа за кулисы, когда «Ларри» и «Вивьен» играли «ее» Чехова. Переведенные ею книги как-то сами собой становились в сознании этих людей не двадцатью, а двумястами томами, как в свое время один «Судья» Горького для Локкарта превратился в 36 книг, приносящих ей девятьсот фунтов стерлингов в год. Она не настаивала ни на своей исключительной трудоспособности, ни на своем исключительном вкусе, ни вообще на своей исключительности. Ей было за шестьдесят, она мало и медленно двигалась, говорила низким голосом, никогда ни о чем не спорила и под рукой всегда имела свою огромную кожаную сумку с тяжелым металлическим замком, не модную, но прочную сумку, куда прятала и очередную книжку (она всегда любила читать), и письма, и нужные ей лекарства, и еще более нужный флакон с крепким напитком (водкой или виски), без которого она уже не обходилась.

Но вернемся к косвенному свидетельству, о котором было сказано выше: среди переведенных Мурой разнообразных и далеко не всегда замечательных книг была уже упомянутая «Драма Эйнштейна», название, очевидно, рассчитанное (переводчицей) на привлечение внимания более широкого читателя. Эта биография была написана французским автором, женщиной, создавшей целую серию «жизней великих людей», Антониной Валлентэн. Она была когда-то подругой Уэллса и после его смерти взялась описать его жизнь. С Мурой она была в самых лучших отношениях, и ее «Жизнь Уэллса» (однако переведенная на английский с французского *не* Мурой) несомненно писалась не столько с благословения Муры, сколько вблизи нее: ни в одной из многочисленных биографий Уэллса не сказано о Муре столько — и количественно, в смысле строк, и качественно, в смысле освещения той роли, которую она играла в жизни Эйч-Джи, как в этой работе Валлентэн. Характерно, что Мура в книге не названа по имени — это, конечно, соответствовало ее желанию, тем же поискам анонимности, которые заставили ее больше двадцати лет тому назад требовать у Локкарта изменений в его книге.

Читая работу Валлентэн, работу, в сущности, компилятивную и не блещущую особой оригинальностью, но написанную женщиной несомненно умной и опытной, видишь, как постепенно Мура снабжала Валлентэн, очевидно, по причине личной приязни и доверия к автору, материалом для последних лет Уэллса, и как Мура же давала этому материалу окраску: и тому, что касается личности Уэллса, и своей собственной роли в его судьбе. Так же, как в 1932 году, когда Локкарт писал «Британского агента» и говорил о своих русских приключениях, замаскирована сама Мура, но не ее отношение к герою. О Уэллсе Валлентэн сказала больше, чем все остальные биографы автора «Войны миров».

Мы воспринимаем картину такой, какой Мура хотела, чтобы она была, или, может быть, такой, какой Мура хотела, чтобы она осталась в зафиксированной форме в истории его жизни, на фоне других его романов с другими женщинами. Возможно, что эта картина не вполне соответствовала реальности, но она дает нам точное изображение того, какой Мура хотела, чтобы она дошла до нас.

Мура всю жизнь была далеко не безразлична к своей Gestalt, к образу, который она постепенно создавала вокруг себя. Она его никогда не оставляла на произвол судьбы, она помогала ему постепенно принять определенные очертания и, вероятно, была в душе счастлива, что сумела — от ранних лет до глубокой старости — построить свой миф, который помогал ей жить. На страницах книги Валлентэн, написанной если не с помощью Муры, то во всяком случае с большим вниманием к тому, что она говорила автору, Мура является существом бесконечно преданным, ласковым, послушным и скромным, женщиной, отражающей мужчину, тенью мужчины, преклоняющейся перед мужчиной, ангелом-хранителем его и одновременно музой, развлекающей и утешающей его.

Однако тут ни минуты не было его главенства и ее рабства. Это было бы для двух мудрых партнеров слишком просто, пресно и обыкновенно, в традиции мужского превосходства и женской неполноценности. Любовь между Уэллсом и Мурой была игрой на сцене совершенно пустого театра; эта игра была друг для друга, и весь огонь, вся энергия, все вдохновение, с нею связанные, забавляли и утешали их.

Он всегда хотел, чтобы между двумя любящими была не конкуренция и не «выполнение условий», но понимание, помощь и утешение, и она давала ему то, что он всю жизнь искал: не бурные страсти, но сочувствие, не своеволие и особую стать, но полное ему подчинение, дающее радость столько же ему, сколько и ей. Ему — как победителю и борцу, для которого пробил час отдыха, и ей — как богине, дающей ему этот отдых, от которого она расцветает телесно и душевно, богине, для которой все становится божественно возможно и власти которой нет предела.

Ни критики, ни конкуренции — только поддержка и согласие, без вопросов «почему» и «зачем», которые не дают счастья. Сегодня он хочет играть в мирового гения и полубога, и она без слов понимает его и разыгрывает с ним только малым намеком выбранную им роль; он хочет завтра играть в ребенка, и она играет с ним, как если бы она всегда была для него только матерью; если он хочет вообразить себя старым, больным, брюзжащим, потерявшим разум, хнычущим, всеми забытым дедом, она без колебания следует за ним в этой игре. А если у него возникает желание вести себя как легкомысленный бонвиван, приударяющий за молодой женщиной, она тут как тут, облегчая ему роль, заменяя одновременно и режиссера, и суфлера. Может быть, его тайные, или даже подсознательные, фантазии приводили его к тому, что доминантой его отношений с Мурой становилось проведение в жизнь ритуала, в котором он играл то ту, то другую роль, и эта роль (как и самый ритуал) становилась проводником в реальность этих тайных фантазий? Ей ничего не надо было объяснять, она всегда была рядом, всегда нежная, теплая, всегда готовая к любому его капризу или приказу, она здесь, ему стоит только взглянуть на нее, и она уже знает, чего он от нее ждет. Но главное, она заглаживает все обиды, а если их невозможно загладить — потому что их все больше с каждым годом и они все больнее режут его по живому (его забывают, о нем не пишут, ему не звонят, его не зовут), — если невозможно обточить их колючие углы, она делает так, что их нет. Она колдует, она не дает им дойти до него и ранить его. Может быть, в своих фантазиях она видела себя Дездемоной, Офелией, Корделией? Она никогда не повышала голоса, она никогда не говорила «нет», она только тихо смеялась и заставляла его, хмурого и нетерпеливого, смеяться вместе с ней. За это колдовство, за ее силу сделать бывшее небывшим он любил ее и был благодарен ей, и это делало ее счастливой, потому что и она чувствовала в нем колдуна и волшебника и оставалась независимой, свободной, сильной и все еще «железной», обращая к нему — смотря по тому, какой сегодня был день, — то лицо «кошечки», то серьезное, умное и твердое лицо, которое у нее всегда было. Валлентэн дает нам намек на характер отношений, которые связывали их. Она получила от Муры то, чего другие биографы Уэллса получить не могли*.

Она также получила от Муры рукопись, которую до того почти никто не видел — она была напечатана в 1944 году в крайне ограниченном количестве экземпляров «для избранных» (цена ее была очень высокой) — и с которой Уэллс при жизни не позволял знакомиться непосвященным. И не только эти автобиографические заметки, названные им «1942—1944», были даны Мурой Валлентэн для последней главы, но Мура дала и комментарии к ним.

Эти комментарии никто кроме Муры дать биографу не мог. Они говорят нам о том, что Мура прекрасно понимала, что она бессильна была помочь Уэллсу и вернуть его, если не к вере в возможность прогресса, вечного мира и братства человечества, то хотя бы к вере, что человечество не вымрет, как вымер динозавр, что на земле останется что-то от бывшего когда-то. Нет, он был уже за пределами этой возможности и не только не верил, что останется это «что-то», из которого опять поднимется жизнь, но теперь он не верил и в то, что в мире сохранится жизнь даже в самых примитивных формах, что останется ящерица, рыба или просто водоросль, из которой, как миллиарды лет тому назад, опять вырастут млекопитающие, плесень, которая через миллиарды лет, может быть, вернет и самого человека на землю. Для него было бесспорно: ничего не будет, кро-

---

* Валлентэн явно внимательно вчиталась в его романы: «По поводу Долорес», «Тайные углы сердца» и «Брак», где в различных вариантах один и тот же герой ищет женщину-товарища, женщину-друга, женщину-союзницу, одновременно разделяющую его интеллектуальные интересы и помогающую ему осуществить поставленную задачу жизни. В этой помощи он видел женское раскрепощение — не викторианскую куклу или викторианскую хозяйку дома великого человека, мать его детей, но непрерывно восхищенную им любящую тень, движимую им самим в том направлении, в котором (как он раз и навсегда решил) лежит его путь к бессмертию.

ме отравленных колодцев, убийственных машин, ядовитого воздуха, насыщенного смертоносными химикалиями, и последних людей, пожирающих друг друга. Он писал:

«Человеческий род стоит перед окончательной гибелью. Это убеждение есть результат того, что наше нормальное существование и поведение проистекали из нашего прошлого существования и поведения, оно было основано на опыте прошлого, не на связи его с тем, что идет на нас и неизбежно. Даже не слишком наблюдательные люди начали замечать, что нечто очень странное вошло в нашу жизнь, которая благодаря этому никогда уже не будет тем, чем она была. Это «нечто» — элемент «устрашающей странности» — пришло от внезапного откровения, что в мире есть предел движения вверх для количественной материальной способности приспособления».

Он всегда верил в естественные смены стадий жизни, входящих одна в другую, образующих спираль. Он верил, что события соединяются между собой известной системой в согласованности их связей благодаря закону, который держит Вселенную, как закон притяжения. Но теперь он видел, что закона такого нет. Невероятный хаос царствует в мире. И невозможен чертеж для разгадки будущего.

В начале своей сознательной жизни Уэллс почувствовал возможность заглянуть в будущее. В конце жизни он понял, что в будущем нет никакой «логической эволюции» и, поняв это, решил, что жизнь не имеет никакого смысла.

«Ежедневно приходят в жизнь тысячи злых, злостных, порочных и жестоких людей, решивших изничтожить тех, у кого еще остались идиотические добрые намерения. Замкнулся круг бытия. Человек стал врагом человека. Жестокость стала законом. И теперь сила управляет миром, сила враждебная всему тому, что старается уцелеть. Это — космический процесс, который ведет к полному разрушению».

Есть несомненная параллель между концом Уэллса и смертью другого, веровавшего в прогресс, писателя мировой известности. Он, как и Уэллс, потерял свою популярность и может считаться полузабытым, они оба потеряли свою славу — остались имена, но книги стоят на полках, покрытые пылью забвения. Последний год Горького, проведенный в крымском уединении Тессели, говорит нам о *его* отчаянии, вызванном не совсем теми же причинами, какие вызвали отчаяние Уэллса, но оно было не меньшей силы. После опубликования воспоминаний И. Шкапы становится бесспорным то состояние последнего разочарования, в котором Горький был привезен в Москву в июне 1936 года за две недели до смерти. Как и у Уэллса, все иллюзии, видимо, рассеялись в нем, и осталась голая действительность, от которой уйти можно было только в смерть. Вопрос, был ли он отравлен и кем именно, умер ли от туберкулеза и сердца или отравил себя сам, теряет свою остроту — смерть для Горького, как и для Уэллса, явилась выходом и освобождением. И тут, и там мы видим невозможность постичь и принять перемены в мире, которые произошли за то время, что они оба жили, один — шестьдесят восемь лет, другой — восемьдесят, боролись за свои убеждения по мере сил и таланта, способами, которые сейчас нам кажутся и не слишком эффективными и не слишком высокого качества. Все, на чем держалась система их оптимистических идей, было уничтожено, потому что с самого начала они были уверены в системе, а оказалось, что ее нет, а есть только «случай» и «необходимость». Но оба — и Уэллс, и Горький — считали, что лучшие умы в мире — они сами и их учителя, а потому они ошибаться не могут. И потрясения, и развал этой постройки оказались для обоих роковыми.

Оба созрели еще в прошлом веке, и оба мечтали переделать человечество, и панацеей для обоих было знание. Раннее чтение Уэллса мало отличалось от раннего чтения Горького, «Мои университеты» были и у Уэллса: шесть лет начальной школы и один год средней, бесконечные беседы со второстепенными проповедниками прогресса и несколько дюжин брошюр научно-популярной литературы. Оба считали природу врагом человека, с которым надо бороться и которого надо побеждать; для обоих смерть была не частью жизни, а врагом жизни, гадость такая же унизительная, как и все человеческие отправления.

Уэллс очень скоро победил в себе часть этих суеверий, освободился от них и, в атмосфере Англии XX века, расцвел. Он говорил, что его воля — сильнее реальности и разум — единственное божество. И к реальности, и к разуму Горький относился точно так же. Он признавался, что всю жизнь «менял факты» так, как ему это было нужно. Оба стремились к массовой аудитории и имели ее. Оба не оказали никакого влияния на послевоенную (1920-х годов) творческую интеллигенцию, на движение в литературе и искусстве. Позже так называемое «влияние Горького» было навязано советским писателям, сначала Лениным, потом Сталиным. Ни Маяковский, ни Пильняк, ни Олеша, ни «формалисты», ни Мандельштам, ни Набоков, ни Бродский никогда этого влияния не испытали и ничему у Горького научиться не могли. Оба были ярче всего охарактеризованы в самом начале и самом конце их жизни: блестящим началом литературной карьеры и мрачным, даже зловещим ее концом. Обоим глубоко противны были противоречия и сложности, у обоих было преклонение перед точными науками, которые они оба считали гораздо более важным орудием переделки мира, чем искусство. Оба знали исключительную популярность, были связаны с радикальными партиями своих стран, были атеистами и заботились о своих читателях: Уэллс об «образованных на одну четверть», Горький — о полуинтеллигентах, которым покровительствовал и которых поощрял. Оба всю жизнь оптимистически считали, что люди в конце концов сговорятся: для Уэллса почвой был здравый смысл, для Горького — доктрина Ленина. Только за год или два до смерти у обоих начались колебания и сомнения — у Уэллса открытые, у Горького — тайные. Для обоих идея будущего была навязчивой идеей: между 1899 и 1924 годами восемь книг Уэллса своими названиями говорят о грядущей судьбе мира (не считая его четырнадцати романов, где действие происходит в будущем): «Рассказ о наступающих годах» («Когда спящий проснется», 1899), «В предвидении результатов влияния механического и научного прогресса на жизнь и мысль человека» (1901), «Открытие будущего» (1902), «Воссоздание человечества» (1903), «Будущее Америки» (1906), «То, что идет на нас» (1916), «Война и будущее» (1917), «Год пророчеств» (1924). И для Горького будущее было в его жизни главным, но писал он только о прошлом (он жаловался много раз, что о настоящем он писать не умеет), писать о будущем — об этом даже не было и речи: в заботах о будущем только прошлое было ему необходимо, чтобы показать его ужас, его мерзость, его нищету, его преступность и глупость и дать каждому человеку мечту о том прекрасном, что его ждет. Чем чернее было прошлое в сознании людей, тем сильнее должен был стать их оптимизм в отношении будущего.

О загнивании европейской цивилизации у Уэллса и Горького не сразу установилось твердое мнение; у Уэллса оно появилось от шока первой войны в 1914 году, и он пережил его болезненно. Горький, спустя почти три года после приезда из революционной России в Германию, 28 июля 1924 года, писал Федину, все еще неуверенный, в какой стадии находится Европа: «Не верьте, когда говорят, что будто бы Европа отчего-то и как-то погибает. Здесь идет процесс быстрого отмирания всего, что больше не нужно. А Европа остается — в целом — большим, зорким, умным человеком, который и хочет, и будет жить». И еще через пять лет: «Нет, знаете, Европа — или, точнее, литература ее — замечательное, единственное в мире явление. Все она видит, все понимает, обо всем умеет говорить смело и честно. В некотором роде — "всевидящее око"»...

Но в это же время он менял свое мнение: оказалось, что литература Франции (так его учил Роллан), литература Англии (так ему писал Голсуорси), литература Германии (это он узнал от Ст. Цвейга) ничего нового не дают. Все — одно только «хулиганство» (или «богема», что то же), и ясно, что культура идет к своему концу. Прогресс, однако, весьма велик — в науке, так Горький слышал, — но этот расцвет в науке как-то очень просто уживался в его сознании с положением в искусстве, которое было в роковом упадке. Уэллса это противоречие, видимо, тоже не слишком беспокоило, но он все же не мог не принимать его во внимание. Горький же просто о нем никогда не задумывался.

Была одна область, в которой Уэллс и Горький были согласны друг с другом с начала и до конца; но в конце жизни у Горького эта мысль приняла форму безумия, а Уэллса она привела на порог самоубийства. Это была мысль о силе человеческого разума, который всесилен, и если развить его, как мышцу, то можно перевернуть мир. Еще до знакомства друг с другом, т. е. еще до 1906 года и встречи в Америке, им обоим явилась одна и та же мысль — о гигантской энциклопедии, над которой сотни тысяч людей будут призваны работать для того, чтобы просветить остальное население планеты. Все, что не ведет к этой цели, должно (по Горькому — навсегда, по Уэллсу — на время) быть отложено. Только просвещенный человек может понять, что для него благо и что зло. Война — зло, невежество — зло, эксплуатация — зло, отсутствие гигиены — зло. Все должно быть объяснено, от механизма самолета до оспопрививания. Знание — добро. Человечество не может хотеть себе зла. Чтобы оно это поняло, его надо образовать. Для образования — мобилизовать способных выполнить задачу.

461

Уэллс сделал одну конкретную попытку: нанял трех молодых людей и платил им скромное жалование, чтобы составить какой-то, им придуманный, краткий курс необходимых знаний. Но он не дал им написать ни строчки, только учил их, ругал, и наконец они сбежали, т. е., конечно, остались жить, где жили, но скрылись с глаз Уэллса. У Горького были в 1933—1935 годах одно за другим разочарования: никто ничего (по его мнению) не делал путного на пути к облагораживанию умов, ему приходилось все делать самому: прежде чем начать говорить о сути того, что надо было делать, необходимо было научить людей ставить грамотно запятые. Бежать этим будущим энциклопедистам в Москве было некуда, они покорно слушались учителя, и весь день у них уходил на предварительное планирование работы. И так продолжалось до смерти Горького, когда их всех — человек тридцать, сотрудников «Колхозника», «Наших достижений» и других журналов, где Горький был членом редакционной коллегии, — послали на двадцать лет в ГУЛАГ.

Есть параллель в безумии Горького переписать всю мировую литературу заново и попроще, чтобы полуграмотным было легче прочитать ее и приобщиться к культуре, иногда объединив двух-трех авторов, вынув метафоры и перефразировав тексты, и в предсмертном безумии Уэллса, когда он говорил, что он умирает и мир умирает вместе с ним, что и человек, который его создал, и этот мир были ошибкой, что человеческий мозг оказался, как в свое время размеры динозавра, *не тем,* что было необходимо, чтобы выжить. Но — и тут мы подходим к глубокому различию между обоими, о котором пора сказать, различию, основанному на их противоположном культурно-историческом прошлом: один пришел в мир потомком Великой хартии вольностей, Билля о правах, неписаной конституции Англии, потомком внука сапожника, Джона Стюарта Милля; другой — потомком Чингисхана, старца Елеазарова монастыря Филофея и философов-семинаристов 1860-х годов.

Уэллс был свободен. И в мире, в котором он жил, свобода всегда была неразрывно связана с пониманием и уважением свободы другого человека, отношением к его свободе, как к своей, при сознании, что и он уважает мою свободу, как свою. Уважение к инакомыслящему, к врагу, в основе отношений с которым, в конечном счете, лежит у обоих много общего, связывающее обоих, существенное для обоих: может быть, это футбол и Библия короля Якова Первого? Или, может быть, это «Макбет» и парламентская речь Питта-старшего? И есть умение напомнить друг другу об этом без слов и знать, что другой понял и ответит на этом же уровне — открытой дискуссией, а не пулей в затылок.

Особенно эта разница заметна в обоих, в Уэллсе и Горьком, когда мы обращаемся к тому, как в течение всей их жизни они относились к своим собратьям по перу враждебного им толка. Когда Генри Джеймс в 1915 году упрекнул Уэллса в том, что у него нет артистизма, нет эстетических критериев и идей, Уэллс не без злорадства ответил ему, что он «журналист» и гордится этим и в тонкостях не нуждается, — тут заговорил его старый бунт против Рескина и Карлейля. Или когда Форд Маддокс отошел от него, как от «журналиста», Уэллс примирился с этим, как он в душе примирился и с Уэббами, которые всегда удивлялись, как он может дышать в своем механизированном мире. Арнольду Беннетту, в сущности единственному близкому другу, Уэллс спокойно простил те же упреки, которые были сделаны ему и Джеймсом, и Маддоксом Фордом, правда, Беннетт их сделал тонко и с большой любовью к Уэллсу, стараясь не обидеть его; в письме от 30 сентября 1905 года он писал: «Вы не художник, вы только презрительно пользуетесь законами искусства для Ваших "реформаторских" целей». Любопытно отметить, что с таким же отношением к «эстетике» начинал свою деятельность и Б. Шоу: его ранние романы есть абсолютный социалистический реализм, они позже, когда Шоу стал драматургом, не входили в собрание его сочинений (пьес) и только недавно, как некий литературный курьез, были переизданы. Они опережают «Мать» Горького больше, чем на двадцать лет.

В этих литературных спорах мы видим людей, которые расходятся, но не ищут мести, не берутся за оружие, не наносят друг другу смертельных ран, они знают, что на земле хватит места для обеих сторон. Горький никогда не знал этого умеренного спора, в нем кипела злоба к «декадентам» и «выродкам» и не давала ему всю жизнь покоя. Он, вернув Блоку «На поле Куликовом», присланное поэтом в 1909 году в «Знание», писал о нем, высмеивая его, в письме к Елпатьевскому: «"О родина [у Блока: "О, Русь"], жена моя!" — нет, каково сказано!»

Еще в 1906 году, когда начал выходить альманах «Шиповник» под редакцией Леонида Андреева, отчасти в противовес сборникам «Знание» (выходившим с 1904 года), Горький называл их «вредным винегретом» и возмущался, что Андреев печатает Блока и «фигляра» Белого. «У всех у них, — писал он, — околела зелененькая душонка», а Сологуб был для него «садист старикашка Тетерников». Горький, по традиции русских радикалов, не только не считал возможным участвовать в одном журнале с «декадентами», но даже отказывался печататься с теми, кто, не будучи сам декадент, печатался рядом с декадентами. Он эту традицию «третьей степени родства» постепенно укрепил, основывая ее на известной политической теории Ленина: А не может иметь дело с Б, если Б имеет дело с В. Только после «Двенадцати» Горький примирился с поэзией Блока и говорил, что «теперь все должны писать, как "Двенадцать"».

Пьесу Муратова в 1924 году он назвал никому не нужной, упадочной и даже возмутительной, потому что в ней было слишком много юмора, хоть юмор в данном случае был обращен не к прогрессивным идеям, над которыми смех не мог быть допущен ни под каким видом, а к новой послевоенной Европе. Он был возмущен книгой «Гипертрофия искусства» К. Миклашевского, авангардного театрального деятеля, своеобразного, талантливого режиссера. Эта нетерпимость, переходившая все мыслимые границы, касалась не только русских символистов и футуристов, но и европейских авторов его времени; можно найти десятки примеров этому, но достаточно дать один: после того, как А. Воронский написал ему восторженный отзыв о романе Пруста, Горький прервал с ним переписку на несколько месяцев. Но он не ограничивался людьми литературы и искусства, чтобы разоблачать, давить, исключать, унижать и оскорблять их, он всякую «богему» приравнивал к «хулиганству», а «богемой» были все те, кто вел себя не так, как прилично было вести себя в обществе, т. е. пил больше других, говорил громче всех, спал меньше, чем другие, сочинял непонятные (ему) стихи, писал картины, которые (ему) надо было объяснять, как вешать, чтобы не повесить вверх ногами, и сажал на колени женщину, которая в данную минуту пришлась ему по вкусу. Если «богема» была «хулиганством», то она тем самым была и «уголовщиной», которую надо было карать, подавлять, отсекать, а если это не удается, то в конце концов — уничтожать.

Что особенно озлобляло Горького, это что с 1906 года, а может быть, и раньше, он понимал, что бессилен победить «эстетствующих дегенератов» в открытом споре, потому что они не хотят понять, что литература обязывает приносить людям пользу, показывать дорогу, вести в будущее, разоблачать негодяев, учить дураков. Они что-то знали такое, чего он не знал; на его стороне почему-то всегда бывали малограмотные стихоплеты и многословные, штампованные писания сермяжных прозаиков, результатом печатания которых было падение тиража «Знания», и даже пьесы Луначарского не могли поправить дела — их не ставили. Тот спор, который был у Уэллса с Джеймсом, когда Уэллс признался, что он «плевать хотел на эстетику» (ему бы только мир изменить), Горькому был недоступен; он никогда не мог бы провести дискуссию ни с Брюсовым, ни с Вяч. Ивановым, ни с Блоком, ни с Мережковским, если даже предположить, что эти люди нашли бы слова, чтобы говорить с ним, — но на каком языке? За каждым из четырех упомянутых было две с половиной тысячи лет, а может быть, и три тысячи лет европейской культуры, а у Горького были проглоченные в молодости брошюры, в которых ему были объяснены Бокль, Белинский и Бебель. Он в музыке ценил хоровое пение, народные инструменты; в живописи — Крамского и «какого-то француза», фамилию которого он забыл и картину которого, изображавшую весеннее таяние снега на берегу речки с грачом на ветке, он просил Ракицкого ему купить, чтобы «повесить у себя в кабинете над письменным столом»; но Ракицкий, может быть, по лени, а может быть, и по другой причине, от этого увернулся. Он ненавидел Замятина и Булгакова и глумился над романом Белого «Маски».

Он делил людей на две категории: одних он мог учить, другим нечему было у него учиться. Этих последних он ненавидел. Сначала — Дягилева и «Мир искусств», потом Мейерхольда и Миклашевского. Постепенно люди стали от него бегать, избегать его общества. От Уэллса люди тоже бегали, скучая от его проповедей, боясь быть вовлеченными в дело, к которому они не имели никакого интереса, но между ними была огромная разница: отступавшие от Уэллса ничем не рисковали, бежавшие от Горького рисковали не только своей литературной репутацией, но — после 1930 года — слишком часто и жизнью.

Уэллс в ореоле своей славы, с самого ее возникновения игнорировал молодую группу Блумсбери. Но Горький игнорировать символистов не мог. В 1920-х годах советская власть свернула им шею, решив, что им пора умирать, а с ними и сотне других помоложе. Горький продолжал ненавидеть живущих в двух шагах от него в Москве и наезжавших в Москву Ахматову, и Мандельштама, и Кузмина, одновременно зорко следя, как бы в следующем поколении кто-нибудь вроде них не вышел в люди. Благодаря бдительности его и других никто в люди не вышел. Тысячи, и среди них Пильняк, Оле-ша, Бабель, Шкловский, Зощенко, — либо были наказа-ны, либо призваны к порядку, либо перевоспитаны. Ка-залось бы, на этом можно было бы и успокоиться? Но это было не так.

Эмигранты не давали ему покоя — от Бунина до Ку-сковой и от Шаляпина до Ходасевича, — они оказались живучи. Он, пока не вернулся в Россию, выписывал обе парижские русские газеты и читал их от доски до доски и зачитывался «Современными записками». Многих ав-торов он в прошлом знал лично. До последнего месяца жизни русские эмигранты мучили его: в Париже, Праге, Нью-Йорке, Шанхае и на островах Тихого океана. Он наконец уговорил советского критика Д. Горбова напи-сать о них книгу, разоблачить их, пригвоздить к позор-ному столбу (глаголы очень русские, которые лет двес-ти тому назад вышли из обычного житейского употреб-ления в западном мире, где их эквиваленты не имеют той безапелляционной ауры, которую они имеют на рус-ском языке), написать книгу, к которой он, Горький, на-пишет предисловие. Но и это не успокоило его. То, что эти люди, по большей части нищие, часто не могущие дать образование своим детям, живут, работают, ничего ни у кого не просят и даже пишут и издают книги, ро-маны и стихи и не признают идей Ленина, не давало ему покоя. И непонятно было, что было сильнее в нем: его ярость на то, что этих людей в свое время не добили, или зависть к их несчастной свободе, *дарованной им впер-вые со времен первопечатника Ивана Федорова,* или его восхищение перед качеством напечатанного, так волно-вавшим его. Все три чувства как-то уживались в нем: он был противоречивым человеком и привык за долгую жизнь кое-как ладить с самим собой, хотя, как он од-нажды признался, он не умел и не очень любил смот-реть в самого себя.

Но глубокую разницу между Уэллсом и Горьким яр-че всего отражает один документ, который был написан одним и никогда не мог быть написан другим. В этом

документе, как ни в одном другом — письме, поэме,
дневниковой записи — отразились величие и великоле-
пие, богатство и жизнеспособность и вся божественная
гибкость европейского мышления. Это — письмо, написанное Уэллсом в 1928 году (т. е. когда ему было шестьдесят четыре года) своему младшему современнику, ан-
гло-ирландскому писателю Джеймсу Джойсу, автору
«Улисса».

Джойс представлял для Уэллса все то, что представляли для Горького его современники-символисты, и Уэллс
знал, что Джойс его не считает за писателя и даже, может быть, из шестидесяти его книг прочел одну или две.
К нему, Уэллсу, как и ко многим другим, обратились
друзья, старавшиеся помочь Джойсу; он в это время жил
в большой нужде, и ему грозила слепота. Вот что ему написал Уэллс:

«Дорогой мой Джойс!

Я изучал Вас и размышлял о Вас долго. Вывод мой:
я не думаю, чтобы я мог что-нибудь сделать для распространения Ваших произведений. У меня к Вашему та-
ланту огромное уважение, которое началось по прочтении еще ранних Ваших вещей, и сейчас я чувствую
прочную личную связь с Вами, но Вы и я выбрали себе
совершенно разные дороги. Ваше воспитание было ка-
толическим, ирландским, мятежно-протестующим;
мое — каково бы оно ни было — конструктивным, пози-
тивным и — полагаю — английским. Мой разум живет
в мире, в котором для него возможен сложный гармо-
нический и концентрический процесс (когда увеличива-
ется энергия и расширяется поле действий благодаря
усилению концентрации и экономии средств); при этом
прогресс не неизбежен, но он — и это интересно — возможен. Эта игра привлекает меня и держит крепко. Для
выражения ее я ищу язык простой и ясный, какой только возможен. Вы начали с католичества, т. е. с системы
ценностей, которая противоречит реальности. Ваше ду-
ховное существование подавлено уродливой системой,

полной противоречий. Вы искренне верите в целомудрие, чистоту и личного Бога и по этой причине все время находитесь в состоянии протеста против ....*, дерьма и черта. Так как я не верю в эти вещи, мой дух никогда не был смущен существованием ни нужников, ни менструальных бинтов, ни незаслуженных несчастий. И в то время, как Вы выросли в иллюзиях политического угнетения, я вырос в иллюзиях политической ответственности. Для Вас восстать и отколоться звучит хорошо. Для меня — совсем не звучит.

Теперь скажу Вам о Вашем литературном эксперименте. Это вещь значительная, потому что Вы человек значительный, и у Вас, в Вашей запутанной композиции, я вижу могучий гений, способный выразить многое, гений, который раз и навсегда решил избегать всяческой дисциплины. И я думаю, что все это никуда не ведет. Вы повернулись спиной к "обыкновенному человеку"», к его элементарным нуждам, к его нехватке свободного времени и ограниченному уму, и Вы все это тщательно разработали. Какой получился результат? Огромные загадки. Писать Ваши две последние книги было, наверное, гораздо более интересно и забавно, чем когда-нибудь кому-нибудь их читать. Возьмите меня, типичного, обыкновенного читателя. Много я получаю удовольствия от чтения Ваших вещей? Нет. Чувствую я, что получаю что-то новое и открывающее мне новые перспективы, как когда, например, я читаю скверно написанную Павловым книгу об условных рефлексах в дрянном переводе Х? Нет. И вот я спрашиваю себя: кто такой, черт его подери, этот самый Джойс, который требует такое количество моих дневных часов из тех нескольких тысяч, которые мне остались в жизни, для понимания всех его вывертов, и причуд, и словесных вспышек?

Это все с моей точки зрения. Может быть, Вы правы, а я совершенно не прав. Ваша работа — необычай-

* Так в тексте. — *Н.Б.*

ный эксперимент, и я буду делать все, что в моих силах, чтобы спасти ее от прерывающих ее запретов и уничтожения. Ваши книги имеют своих учеников и поклонников. Для меня это тупик.

Шлю Вам всякие теплые и добрые пожелания, Джойс. Я не могу шагать за Вашим знаменем, как и Вы не можете за моим. Но мир широк, и в нем есть место для нас обоих, где мы можем продолжать быть неправыми.

Ваш Г. Дж. Уэллс».

Само собой разумеется, что к письму был приложен внушительный чек: Уэллс знал, как знали все, что Джойсу, его жене и двум детям жить было очень трудно.

Муре было пятьдесят четыре года, когда умер Уэллс. С того дня, как она, бросив Эстонию, приехала в революционный, голодный, холодный и вооруженный до зубов Петроград 1918 года, прошло двадцать восемь лет, и со дня смерти Эйч-Джи до конца ее жизни ей оставалось прожить ровно двадцать восемь лет. Но об этой второй половине ее жизни рассказать осталось немногое. В первые годы, когда происходило послевоенное восстановление Англии, она, совершенно свободная (сын жил на ферме на о. Уайт, дочь была замужем) и без каких-либо денежных или иных забот, жила в Лондоне, куда постепенно вернулись старые друзья и знакомые и где она знала каждый перекресток, каждый переулок. Этот город был ее городом с 1911 года, ее место было здесь и нигде больше; эта квартира, заставленная тяжелой мебелью, с полками до потолка — столько же было книг, сколько и бумаг, своих и чужих, английских и русских, писем и рукописей, сотни писем, по большей части неотвеченных, потому что теперь она становилась ленивой и небрежной. Миф, который она всю жизнь создавала, ее собственный, личный миф, теперь уже не требовал освежения, углубления и культивирования:

* Это письмо Уэллса было перепечатано в журнале «Атлантик Монсли», апрель 1957 г., № 199. Первоисточник нам найти не удалось.

одинокая, стареющая аристократка, говорящая басом, малоподвижная, никогда сама не смеющаяся своим остротам, увешанная тяжелыми бусами, в длинных, широких, темных юбках; она курит сигары и пересыпает речь непечатными словами (английскими, конечно); она любит соленые анекдоты и у нее запас пикантных сплетен о людях «высшего света»; она подчас не брезгует и сводничеством. Женщина былой, навеки ушедшей в небытие имперской России. В созданном ею мифе жили прадеды, служившие Александру I, прабабка, соблазнявшая Пушкина; сама она, дважды графиня и теперь баронесса, говорившая и писавшая свободно на пяти языках, знавшая последнего царя и кайзера Вильгельма, получившая блестящее образование в Кембридже, и одна из тысячи или десяти тысяч (а может быть, и ста), выжившая после всех катастроф, национальных и личных, в согласии с теорией Дарвина. Она жила, и выжила, и продолжает жить в ореоле знаменитостей своего века, знакомая со всеми, кто хоть сколько-нибудь принадлежит верхнему слою современной Англии, и чувствует себя дома в любом углу дважды послевоенной Европы.

До сознания Локкарта, видимо, еще в начале 1930-х годов дошло, что Мура не перевела тридцати шести томов ни между 1918 и 1924 годами, ни между 1924-м и 1934-м, и он ее взял к себе на службу, где она могла информировать его о том, что делалось в интернациональном мире артистической и литературной элиты, в среде русской эмиграции Лондона, Парижа и Праги и — в связи с Горьким, пока он был жив, — в советской России. В эмиграции, впрочем, делалось весьма немногое, но и то малое, что происходило, Локкарту несомненно было ценно и нужно при его работе по информированию своего правительства (Боллвина, Чемберлена, а позже — Черчилля) о делах и настроениях в Восточной Европе и России в десятилетие перед войной. Когда же он попал во время второй войны на высокое место в Форин Оффис начальником секретного отдела, она работала на него во французской среде. Локкарт записывал у себя в дневнике далеко не все встречи с ней в 1930-х годах, кроме того, первый том дневника 1918—1939 годов, единственный пока выпущенный (в 1973 году), не включает в себя полного текста (выборка хорошо сделана редактором текста Кеннетом Юнгом, но это все-таки только выборка). В 1940-х годах работой в «Свободной Франции» Локкарт заменил ей ее службу в отделе, которым он заведовал ранее: Париж, в который она до войны ездила раза три-четыре в год, теперь был отрезан, Восточная Европа в своем прежнем виде не существовала, таллинские контакты были оборваны, политическая активность русской эмиграции была равна нулю. На старом месте Мура, по-видимому, была ему нужна все меньше. Об этом говорит одна из его записей перед началом войны. После очередной встречи с Мурой — они вдвоем завтракали во французском ресторане в Лондоне, «Жарден», — Локкарт записывает:

«Она только что вернулась из Эстонии [она продолжала туда ездить регулярно], и у нее зловещие предчувствия насчет России. Она говорит, что у Литвинова начались неприятности и, может быть, он теперь на очереди и будет убран. Сам я в этом сомневаюсь, но в наше время я ничему не удивлюсь. С тех пор, как Горький умер, и *особенно с тех пор, как арестовали Ягоду**, она совершенно отрезана от большевиков».

Из этой записи явствует, что какие-то довольно прочные нити, после отъезда Горького в Россию в 1933 году (до 1937—1938 годов, когда был ликвидирован Ягода), все еще связывали Муру с кем-то высоко стоящим в советской дипломатической иерархии или в НКВД, и — второе — эта связь несомненно шла через Эстонию: она ездила туда почти так же часто, как и раньше (пока бы-

---

* Запись от 22 ноября 1937 года, т. е. между вторым и третьим московскими процессами. Литвинов был заменен Молотовым в 1939 году.

ла возможность), хотя ездить ей туда как будто бы не было никакой необходимости — дети ее уже давно жили в Англии.

Кто мог быть в те годы (1930—1939) ее контактом в Таллине и кто был тогда советским представителем в Эстонии? Был ли это кто-нибудь из тех, кто был близок Горькому — Крючкову — Ягоде? Или это был кто-то, кто был ей знаком по давним временам, через Красина — Кримера — Соломона? Или здесь кто-нибудь был замешан из рядом лежавшей Латвии? Петерс в 1936 году был уже в немилости, но еще на свободе. Могла ли быть установлена — по виду невинная — связь с кем-нибудь из его окружения? Могли эти регулярные контакты привести к тому, что была найдена передаточная инстанция между Лондоном и Москвой? Тогда, после московских процессов, эти контакты должны были быть потеряны. Можно ли предположить — только предположить, и с большей осторожностью, — что она имела какую-то связь с самим полпредом, Ф.Ф. Раскольниковым, который с 1930 года был советским полномочным представителем в Эстонии до своего назначения в Софию? Уже в 1936 году Раскольников начал считаться в Кремле «подозрительным», и его перевели в Болгарию, а в 1937 году ему начали предлагать перевод — сначала в Мексику, потом в Чехословакию, в Грецию и Турцию. Но он упорно отказывался от этих предложений... Болгарский полпред был своим человеком и для Муры, и для Локкарта.

Мура встречалась с ним (и с его первой женой) на Кронверкском — Раскольников и Лариса были знакомы с Горьким с 1915 года, — после того как он в 1919 году побывал в Лондоне как военнопленный: он попался англичанам у входа в Финский залив, где они наблюдали за Гражданской войной между большевиками и Юденичем. В Ханго у них была военно-морская база, и, захватив Раскольникова, они доставили его в Лондон, где допросили его через переводчика. *Этим переводчиком был не кто иной, как Брюс Локкарт,* которого Раскольников сначала принял за русского, настолько тот хорошо владел русским языком (комиссар Балтфлота в своих воспоминаниях называет Локкарта «Блондином»). Локкарт дал о Раскольникове свое заключение и подал мысль начальству об обмене его на двух-трех матросов, английских пленных, взятых не так давно красными моряками. Это и было сделано, и благодаря Локкарту Раскольников был освобожден. Но еще до отсылки его в советскую Россию, как-то так вышло, что его выпустили из заключения: Локкарт поселил его в гостинице, помог ему купить себе костюмы и побывать в лондонских театрах.

Таким образом, по странному стечению обстоятельств, не только Мура знала Раскольникова, но и Локкарт знал его и даже сыграл роль в его судьбе. Возобновил ли Локкарт свое знакомство с вероятно благодарным ему советским дипломатом при своих наездах в Софию, – где Локкарт был несколько раз во время пребывания там Раскольникова, – в феврале 1937-го и опять в феврале 1938 года?

Таллин был пунктом пересылки писем Муры Горькому и его ответов ей, пока он был жив, но можно предположить, что и после смерти его письменная связь ее с Москвой и с семьей Горького не прерывалась: этому не было причин. Когда Раскольников был переведен в Софию, Мура могла постараться сохранить этот канал, и, возможно, что сам полпред, уезжавший против своей воли в Софию, помог ей в этом. Пользовался ли Локкарт этим каналом для своей агентуры? Это предположение кажется более вероятным, чем предположение о возможных сношениях его агентов с Москвой через мелкую сошку – советских чиновников Белграда и Бухареста.

В дневнике Локкарта записаны новости, которые Мура привозила ему из Таллина, Берлина, Вены, Парижа, Италии или приносила из самого Лондона. Одна из них была об Ал. Ник. Толстом, который только что вчера приехал в Лондон на «Конгресс Общества дружбы с СССР». Он сказал Муре, что шпик НКВД «ходит за ним по пятам, куда бы он ни пошел». И она же передала Локкарту, среди других сплетен, первый слух о том, что его, Локкарта, жена начинает дело о разводе.

Стать британской подданной было для Муры, в связи с этой ее работой, уже в начале тридцатых годов не трудно. Как британская подданная она позже, после войны, ездила в Россию, и не раз, а по крайней мере четыре, если не пять раз. Во всяком случае можно проследить следующие ее поездки: в 1956 году, по приглашению Екатерины Павловны Пешковой, которой исполнилось семьдесят восемь лет, с тем, чтобы наконец свидеться после долгой разлуки и с ней, и с Н.А. Пешковой*, и с двумя внучками, Марфой и Дарьей. В 1958 году, когда Ек.П., у которой Мура останавливалась в Москве, и Н.А. Пешкова повезли ее на Волгу и на пароходе совершили увеселительную поездку. В этот приезд Мура привезла кое-какие еще сохранившиеся у нее бумаги, имеющие отношение к Горькому (кое-что было ею также послано в 1938 году), и среди них несколько (но далеко не все) писем Горького к Уэллсу. Они были переданы ею в советские литературные архивы.

Третья поездка была в 1960 году, когда Мура приезжала в Москву с группой своих лондонских друзей навестить Пастернака в квартире Ивинской и взять у него интервью, о чем позже Ольга Ивинская красочно писала в своих воспоминаниях:

«Как-то в том же году жизни Б.Л. нам сообщили о том, что его хотят посетить две русские, но давно живущие за рубежом дамы, пребывающие в Москве на амплуа не то туристок, не то корреспонденток крупных газетных концернов. Одна из этих дам была дочь военного министра Временного правительства Гучкова-Трейль, вто-

---

* И.К. Луппол, второй муж Тимоши, был в конце 1930-х годов репрессирован, умер в 1943 году и после смерти Сталина был посмертно реабилитирован.

рая — не менее знаменитая Мария Игнатьевна Закревская (она же — графиня Бенкендорф, она же — баронесса Будберг).

Предполагавшийся визит Марии Игнатьевны Закревской особенно взволновал Б.Л. Это была женщина удивительной, авантюрной судьбы, очень близкая Максиму Горькому, официальная вдова Герберта Уэллса.

Боря назначил дамам день торжественного завтрака в квартире на Потаповском. И начал бурную подготовку к этому приему.

Приехав в семь утра из Переделкина на Лаврушинский, Б.Л. вызвал к себе парикмахера и начал звонить на Потаповский.

Ира спала у телефона. В восемь утра Б.Л. разбудил ее и позвал меня. Спросил озабоченно:

— Скажи, Олюша, у нас есть Уэллс?

— Есть. Двухтомник.

— Разверни и положи его на видном месте.

В половине десятого второй звонок:

— А Горький есть? Ты раскрой его небрежно. Там посвящение есть Закревской!

Когда в одиннадцатом часу прозвучал третий звонок, невыспавшаяся Ира слезливо мне закричала:

— Мамча! У нее биография длинная, не отходи ты от телефона. Классюша еще десять раз будет звонить.

Для приема была большая банка паюсной икры. Я хотела, чтобы банка целиком стояла на столе, в то время как Б.Л. что-то говорил о маленьких розеточках. Очень скоро он убедился в моей безусловной правоте.

Приехал Б.Л., подстриженный и приодетый, а за ним и гости.

Хотя наш лифт благополучно работал, дамы почему-то предпочли на наш шестой (дохрущевский) этаж подниматься пешком. Молодая дошла легко, а вот баронессе было хуже.

Большая, грузная, полная, она никак не могла отдышаться и, не давая Боре снять с себя шубу, что-то упорно нашаривала в своих бездонных карманах. Подарок Боре: большой, старомодный галстук — по-видимому, из наследства Уэллса. Но поиски продолжались. Они увенчались извлечением еще одного галстука для Б.Л. и подарка для меня — пары больших золотистых клипсов.

Наконец, гости отдышались, разоблачились, и Б.Л., рассыпавшись в благодарностях за подарки, пригласил их в столовую, где уже был сервирован для завтрака стол.

Дамы сказали, что главная цель их визита — интервью у Пастернака. Решено было вести во время завтрака.

Боря был чрезвычайно любезен, галантен, говорил об Уэллсе, Горьком, вообще о литературе.

Баронесса, не обратив ни малейшего внимания на "гвоздь" усилий Б.Л. — книги Горького и Уэллса, с лихвой воздавала должное паюсной икре. Где-то между этим делом и потоками Бориного красноречия дамы задавали какие-то, как нам казалось, совершенно нелепые вопросы. Например, "Какое варенье вы любите?" или "Галстуки каких расцветок вы предпочитаете носить?"

Б.Л. воспринимал эти вопросы как явно шуточные, отвечал смехом, пытался перевести разговор на более серьезные, главным образом литературные темы.

Когда наши гости ушли, я робко предположила, что вопросы задавались всерьез. Боря замахал руками и высмеял меня, не уловившую по невежеству европейский юмор разговора.

Как он был сконфужен, когда спустя примерно месяц прибыли английские и американские газеты! В них сообщалось, что лауреат Нобелевской премии Борис Пастернак предпочитает клубничное варенье, носит пестрые галстуки и не прикасается к черной икре».

После этого, между 1960 и 1973 годами, она приезжала два или три раза, и опять останавливалась у Пешковой, а после ее смерти — у Тимоши. Ее принимали (кроме первого раза, когда ее визит прошел незамеченным) довольно торжественно, по словам одного очевидца, «ей расстелили красный ковер». В 1973 году ее сын, живущий на о. Уайт, в Ла-Манше, вышел на пенсию (ему исполнилось шестьдесят лет) и уехал в Италию, ликвидировав все дела. Мура теперь была мало подвижной, восьмидесятидвухлетней женщиной, которая по-прежнему имела свой многочисленный круг знакомых. Выходила она мало, и главное общение с людьми происходило по телефону, который она всегда держала под рукой. Она не скрывала, что ей для того, чтобы быть способной «функционировать», как она говорила, нужен был алкоголь. В ее большой сумке, которую она держала при себе, всегда было полбутылки водки, без которой Мура никуда не выходила. Но и с ней Мура иногда впадала в состояние слабости и рассеянности, словно выпадая из реальности, возвращаясь в нее после одного-двух глотков вина. Однажды ее задержала лондонская полиция в одном из универсальных магазинов: она собиралась выйти из него, не заплатив за выбранный ею товар. Это было приписано ее странной забывчивости, которая находила на нее временами. После этого случая и так как деньги, оставленные ей Уэллсом, подошли к концу, ее лондонские знакомые собрали ей несколько тысяч фунтов и дали ей возможность выйти из трудного положения. Те немногие люди, которые продолжали общаться с ней в 1960-х годах, вспоминают, говоря о ней, главным образом то совершенно невероятное количество пищи, которое она могла съесть за один раз, и то огромное количество спиртного, которое она могла выпить. Еще в 1970 году она дала длинное и подробное интервью журналу дамских мод «Вог-магазин». Репортерша была Катлин Тайнен, впоследствии автор книги о жене президента Форда. Эта журналистка была женой известного театрального критика и драматурга Кеннета Тайнена, его пьеса «О, Калькутта» шла во многих театрах западного мира. Оба они были друзьями Муры. В интервью Мура сказала о себе довольно много, кое-что неумышленно путая, а кое-что умышленно искажая. В своем рассказе она вернулась к продолжению своего мифа, раскрашивая его и усиливая его контуры: женщина сильного, решительного, бесстрашного характера, вдохновительница, советница и помощница великих людей своего века. Она тогда только недавно «сделала» «Чайку» Чехова для Симоны Синьоре, Ванессы Редгрейв и Джеймса Мейсона. Она говорила о своей чудовищной выносливости и работоспособности, несмотря на артрит и две операции; о своей — с молодости — готовности принять в жизни все, выйти из всех трудностей и никогда ничему не удивляться. Ее широкое лицо, в старости несколько скуластое, серьезный взгляд, мужской голос не оставляли сомнений в том, что она говорит то, что думает. В квартире все было, как если бы это был не 1970 год, а 1870-й: старая мебель, обитая бархатом, теснота, картины, банки со сластями, старые фотографии, бутылки, пыльные безделушки на этажерках и вышитые скатерти. Какой-то вышитый коврик с портретом Николая II и его семьи, подаренный ей Уэллсом, и небольшой портрет Горького маслом (вероятно, кисти Ракицкого). В своем рассказе она упомянула дом отца в Петербурге, в стиле рококо, где она когда-то жила и танцевала котильоны (в «Списках домовладельцев г. Санкт-Петербурга», во всех трех изданиях между 1899 и 1912 годами, мне не удалось найти имени И.П. Закревского). Она затронула историю дружбы с Локкартом, которого арестовала ВЧК, заподозрив его в желании убить Ленина, и ее собственное заключение, из которого ее «освободил Горький», когда она бежала из Петрограда; упомянута была многолетняя дружба с Кордой, которому она помогла стать тем, чем он стал, и у которого она работала на постоянном жалованье и направляла его во всех его постановках; а после его смерти она сотрудничала со Шпигелем, когда он делал «Лоуренса Аравийского». Она перевела «Трех сестер» в 1967 году, и «Ларри» (Оливье) поставил пьесу с огромным успехом в своем театре в Лондоне. Она сама тоже появлялась изредка (в немых ролях) в кинофильмах, как, например, в «Николае и Александре»... В этом интервью она не касалась политики, но сказала, что считает, что новые эмигранты, приезжающие теперь из Советского Союза в Европу, должны бы были оставаться на своей родине, что непатриотично бросать место, где родился, и делаться гражданином другой страны.

Многое в этом интервью прозвучало так же нереально, как и ее прогулка в универсальный магазин или ее поездка из Москвы в Эстонию в 1918 году; крепость ее и стойкость, которыми она гордилась, были окрашены в какой-то призрачный, слегка искусственный цвет, и контуры рисунка были затушеваны. Но, может быть, память ее была уже не так хороша, как в старые годы, не так несокрушима и гибка, а воображение не так упрямо, как раньше, играло своими завитками, и сказка, созданная больше полувека тому назад, вдруг стала терять в строках английской репортерши свою плоть и кровь.

Три самостоятельные путаницы запутывали интервьюера и, может быть, даже ее самое: первая касалась ее свидания с мужем, Бенкендорфом, когда она призналась ему, что любит другого (Локкарта), а он, муж, в это время был на войне. С опасностью для жизни она поехала к нему, чтобы только сказать ему об этом. Он ушел от нее и был убит.

Вторая касалась ее двух арестов в Петрограде (о первом, в Москве, она, видимо, забыла). Горький два раза ее спас, причем первый арест был за побег за границу (это был третий арест, второй был за фальшивые продкарточки, когда она Горького еще не знала).

Третья путаница была с Кембриджем. «Я кончила Кембридж», — сказала она, и это могло значить и Кембриджский университет, где Мура не училась, и, может быть, курсы английского языка для молодых иностранных барышень, где Мура пробыла одну зиму.

Эти путаницы напоминают ее разговор с Луи Фишером о прощании с Горьким перед смертью: «В 1936 году?» — спросил Фишер. «Нет, — ответила она, — в 1935-м». Фишер спросил: «В Москве?» — «Нет, в Берлине». Но конгресс, на который Горького сперва не пустили, а потом он заболел, был в 1932 году, когда он еще окончательно не переселился с семьей в Россию. Ей в 1932 году не нужно было прощаться с ним, она после этого была два раза в Сорренто и простилась с ним в мае следующего года в Стамбуле, вероятно, в те дни никак не думая, что последнее прощание их состоится в Москве, ровно через три года. Но путаницы эти поддерживали миф, и миф все еще служил ей, его основа оказалась столь же жизнеспособной, как и Мура сама.

Она родилась между 1890 и 1900 годом, то есть она принадлежала к тому русскому поколению, которое на три четверти было уничтожено — сперва первой войной, потом войной гражданской. Часть уцелевших погибла в «красном терроре», не приняв Октября, а остальные, принявшие, — в чистках. Многие из тех, что ушли в эмиграцию, не зная иностранных языков, оказались деклассированными париями, а некоторые вообще недоучились, потому что не успели. Рожденные в начале последнего десятилетия прошлого века, они появились на свет слишком рано, чтобы принять меняющуюся Россию, а те, которые родились в самом конце его, старались уйти в западную жизнь, и некоторым это удалось. Были, однако, и другие, — и их было немало, — которые закончили свои, еще не старые, жизни в германских лагерях смерти. «Погибнуть» в те времена и в России, и в Европе не всегда значило умереть, это очень часто значило «продолжать жить, но быть раздавленным войной, тюрьмой, ссылкой, отверженностью, нищетой, одиночеством, изгнанием». Рожденные рано оказались травмированы потерями, рожденные поздно — не окрепли достаточно, чтобы начать новую жизнь на Западе, измениться и вырасти вместе с веком. И Мура, как и тысячи других, должна была потеряться, если бы каждый день, каждый час не был борьбой, не вызывал бы на поединок. Она, наследница, как и миллионы других, уродливых принципов прошлого, калечащих табу и викторианских суеверий XIX века, была приготовлена к жизни ее класса, легкой, сытой, праздной и бессмысленной, и затем — выброшена в мир, где все трещало и рушилось, и строилось и где в течение пятидесяти последующих лет новые люди, и новые идеи, и новые способы борьбы, и выживания, и уничтожения, и обновления изменили и омолодили мир. В этом мире старая ветошь шести или семи европейских монархий развалилась, понятие «великодержавности», в которой она была воспитана, исчезло, а «великие люди» стали либо в грош не ставить свое величие, либо использовали свое величие для уничтожения себе подобных.

Ей предстояло, как всему ее классу, узнать бездомность, страх, милостыню, безумие, самоубийство; вокруг нее шла трагедия исторического масштаба, отраженная, как в метафоре, в ее бегстве по льду Финского залива из карельской тундры в Европу. Но она не цеплялась за свое сладкое и лживое прошлое, не притворялась беспомощным паразитом, не пряталась от предложенных ей судьбой задач, не оправдывалась женской слабостью в сделанных ошибках.

Лгала ли она о себе легко и просто или, наоборот, — трудно и мучительно? Она придумала свой аристократизм, но она в то же время всем своим поведением открывала о себе людям больше, чем многие вокруг нее, и, хотя и сожгла все свои бумаги, оставила по себе след. Она не скрывала ни своего возраста, ни своего чудовищного веса, ни потребности в выпивке, все больше с годами хвастая знаменитыми любовниками, и знаменитыми друзьями, и славными предками, получавшими титулы из рук царей, и бабками-красавицами, которых обессмертили поэты; кряхтя от артрита, она поднимала широкие юбки и показывала свои громадные, опухшие колени, говоря, что иногда не может вспомнить улицу, на которой живет, признаваясь, что больше всего на свете она теперь любит вкусно и тяжело поесть, много и сладко выпить.

Она росла среди людей, которые жили (или делали вид, что живут) для спасения в будущей жизни, веря в ее награды; затем она жила среди людей, которые жили для будущих поколений, веря (или стараясь верить), что мир идет к сияющему для всех и каждого прогрессу; но она сама жила для данной минуты и иначе жить не умела, она жила для самой жизни, и в этом видела один-единственный ей понятный смысл.

Осенью 1974 года она переехала в Италию, и два месяца спустя, 2 ноября, в лондонской «Таймс» было напечатано известие о ее смерти и длинный некролог в два полных газетных столбца. Он был назван «Интеллектуальный вождь». Она была, по мнению «Таймс», одним из «интеллектуальных вождей» современной Англии. Она была в течение сорока лет в центре лондонской интеллектуальной и аристократической жизни, она — в разное время — «делила кров» с Уэллсом, Горьким и сэром Робертом Брюсом Локкартом, не скрывая своей связи с ними, которая всем была известна. Она была «писательницей, переводчицей, консультантом кинорежиссеров в их постановках фильмов и телевизионных программ», она даже, в редких случаях, была «актрисой, игравшей небольшие, немые, но всегда значительные роли». Она иногда «рисовала костюмы и писала декорации, делала исторические изыскания, была помощницей продюсеров, чтецом рукописей для издательств на пяти языках и во время второй войны руководящим сотрудником "Свободной Франции", на службе в оперативном отделе Форин Оффис». Она была третьей дочерью сенатора графа И.П. Закревского, — писала «Таймс», — который был известен своими многочисленными заслугами в администрации, в царской армии и при дворе; он имел родовые земли около Киева и дома в Харькове и Петербурге. Он принадлежал к самому высшему обществу столицы, будучи одновременно и членом Государственного совета. Либерал и страстный защитник Дрейфуса, не раз требовавший от Сената встать на защиту этого последнего, он был исключен из этого высшего в царской России учреждения за свой либерализм.

Картина последней встречи Муры с И.А. Бенкендорфом, которую она дала в свое время своему старому другу, автору некролога, дается им на туманном фоне революционого лета 1918 года, когда она пошла пешком из Петрограда в Таллин прощаться с ним и признаться в своей измене ему с английским агентом, после чего он, видимо, с отчаяния, пошел туда, куда ему ходить не следовало, и был застрелен — не то белыми, не то красными.

Некролог давал историю ее ареста (не то эстонцами, не то русскими), ее знакомства с Горьким и переселения Муры в его дом, вместе с преданным поваром графов Закревских, который теперь становился поваром Горького и его семьи, хозяйством же — и поваром — в доме заведовала бывшая жена писателя.

Затем Мура живет у Горького в Италии, наезжая время от времени в Англию и Эстонию. В 1933 году Горький решает вернуться в Советский Союз, но она отказывается последовать туда за ним и поселяется в Лондоне.

Ей не представляло трудности найти работу переводчицы, и Уэллс и многие другие известные люди помогли ей в этом. Театральные деятели и издатели нуждались в ее советах. Она несколько лет была постоянной ассистенткой сэра Александра Корды. Здесь мы опускаем историю несостоявшейся свадьбы с Уэллсом, когда Мура грозила Уэллсу, едучи с ним в такси, что выбросится на ходу из машины, если он будет настаивать на венчании. Затем автор некролога рассказывает, как Мура жила в последние годы, куря бесчисленное множество сигар, поглощая бесчисленные рюмки крепких напитков:

«Она могла перепить любого матроса... Среди ее гостей были и кинозвезды, и литературные знаменитости, но среди них также бывали и скучнейшие ничтожества. Она была одинаково добра ко всем.

Она оставила после себя более тридцати книг, сотни заметок, рисунков и конспектов. Она умела необычайно быстро восстанавливать свои силы. Тучная, с широким, красивым лицом, она всюду привлекала к себе внимание... Ее близким друзьям никто никогда не сможет заменить ее...»

Как в некрологе «Таймс», так и в некоторых мемуарах современников иногда попадаются подробности о Муре в последние годы ее жизни. Они говорят о ее даре рассказчицы, забавной, остроумной, яркой и оригинальной. Гарольд Никольсон в своем дневнике писал, что она была «одним из самых очаровательных существ, которых [он] в жизни знал». Но как ни восхищаются люди ее способностью быть блестящей и увлекательной, нигде нельзя найти *сути,* о чем были ее рассказы, в чем был их смысл и интерес, о чем писала она по утрам, лежа в постели, с пером в руке и бумагами, рассыпанными по одеялу? Как она судила и о чем? Кто были герои ее рассказов? В чем именно состояла ее занимательная, живая беседа? Это осталось никем не отмеченным.

Возможно, что, как и некоторые другие устные рассказы в передаче мемуаристов давно прошедших дней, кажущиеся им полными искр ума, наблюдательности и юмора, Мурины рассказы нам сегодня показались бы бледными, никчемными и тривиальными (как и ее письма). Возможно, что нужна была ее колоритная фигура, чтобы они дошли до слушателя: широкие юбки, бас, телефон, который она любила держать между коленями, бутылка, толстая мужская палка, на которую она опиралась при ходьбе. И мемуаристы обходят их, чувствуя всю их эфемерность, и дают им рассеяться, как рассеялся дым ее сигары.

Тело ее было привезено из-под Флоренции (где жил после переезда из Англии ее сын) в Лондон. Ее хоронили 11 ноября. В православной церкви на отпевании в первом ряду стояли французский посол в Лондоне, г. Бомарше и его жена, а за ними — вся английская знать, и кое-кто из знати русской, а также ее дети и внуки. Всего присутствовали около пятидесяти человек.

Она не ушла без того, чтобы дать своей легенде подобающую коду, которая, как и музыкальная кода, повторяла основную тему ее жизни: в конце некролога «Таймс» мы находим ее рассказ, до того неизвестный, о том, что она происходила по прямой линии от императрицы Елизаветы Петровны от ее морганатического брака с Алексеем Разумовским. В 1742 году у дочери Петра Первого родился сын, который положил начало роду графов Закревских.

Эту ее последнюю шутку оценил бы Уленшпигель, который, с веревкой на шее, так и не успел закончить своей. Она пятьдесят лет ждала, чтобы высказать ее, и уверила своего собеседника, что, если приглядеться, в ее лице есть несомненное сходство с Петром Великим.

Принстон,
1978—1980

Библиография

(частичная)

РУССКИЕ ТЕКСТЫ

Адрес-календарь. Общая роспись начальствующих и пр. должностных лиц по всем управлениям в 1916 г.: в 2 ч. СПб.

Альманах современных русских государственных деятелей: в 2 т. СПб., 1897.

Андреева М.Ф. Переписка, воспоминания, документы. М., 1961.

Берберова Н.Н. П.П. Крючков, некролог. (Подписан М.Н.). Париж: Последние новости, февраль 1938.

Берберова Н.Н. Курсив мой. Автобиография. Мюнхен: Fink-Verlag, 1972. Беседа, № 1—7. Берлин, 1923—1925.

Будберг А.П. Дневник белогвардейца. Колчаковская эпопея. Рига, 1929.

Будберг М.И. 11 писем к Ходасевичу и Берберовой. (Архив Н.Н. Берберовой. Неопублик.).

Быковцева Л.П. Горький в Италии. М., 1975.

Быковцева Л.П. Горький в Москве. М., 1968.

Бюллетень оппозиции. Под ред. Л.Д. Троцкого и Л.Л. Седова. № 1—87. 1929—1941.

Всемирная литература. Каталог издательства. Вступ. статья М. Горького. Петроград, 1919.

Гнедин (Гельфанд) Е. Катастрофа и второе рождение. Амстердам, 1977.

Горбов Д., Лежнев А. 10 лет белоэмигрантской литературы. М., 1927.

Горький М. Собрание сочинений в 30 т. (т. 28—30). М., 1949—1956.

Горький М. Собрание сочинений в 25 т. М.: Наука, 1968—1976.

Горький М. Владимир Ленин. Русский современник. № 1. 1924.

Горький М. В.И. Ленин. Отдельное издание. Л.: ГИЗ, (текст, переработанный для «Наших достижений»).

Горький М. В.И. Ленин (Воспоминания, рассказы, заметки.). Берлин: Книга, 1927.

Горький М. В.И. Ленин. Собрание сочинений. Т. 19. Берлин: Книга, 1928.

Горький М. В.И. Ленин. Собрание сочинений. Т. 20. Берлин: ГИЗ, 1928.

Горький М. Несвоевременные мысли. Под ред. и с предисловием Германа Ермолаева. Париж, 1971.

Горький М. Переписка с советскими писателями. Лит. наследство, № 70. 1963.

Горький М. Шесть писем к Н.Н. Берберовой. Курсив мой. Автобиография. Мюнхен: Fink-Verlag, 1972.

Горький М. Письма к А.Н. Тихонову. Горьковскне чтения. М., 1959.

Горький М. Письма к В.Ф. Ходасевичу. Новый журнал, № 29, 30, 31.

Горький М. Публицистические статьи. Изд. 2-е. М., 1933. (В книгу вошли статьи, опубликованные в «Известиях» и «Правде», декабрь и сентябрь 1931 г.).

Горький М. Письмо А.И. Рыкову (1922). Hoover Institution. (Неопублик.).

Горький М. Письмо Б.А. Гордону (1917) и объяснительная записка к нему (1949). Hoover Institution. (Неопубликов.).

Архив М. Горького. М., 1954—1976. Т. : 4, 5, 7, 8, 9, 10, 11, 12, 13, 14.

Летопись жизни и творчества А.М. Горького. Т. 1—4. М., АН СССР, 1958—1960.

М. Горький в воспоминаниях современников. М., 1955. (Н.Е. Буренин и пр.).

Дворянские книги русских родов. М., 1787.

Документы внешней политики СССР. Т. 1. 1917—1918. М., 1959.

Долгоруков П.В. Российская родословная книга. В 4 ч. СПб., 1854—57. Ч. первая: гр. А.А. Закревский.

Иванов Всеволод. Встречи с Горьким. М., 1947.

Ивинская Ольга. В плену у времени. Париж, 1978.

«Известия». Москва, 1918, 1928, 1935, 1936 гг.

Из истории Всероссийской чрезвычайной комиссии. Сборник документов. М., 1958.

Коллонтай А.И. Из моей жизни. М., 1974.

Кондратьев Н. Товарищ Петерсон. М., 1960.

Константинов А.Р. Ф.Ф. Раскольников. М., 1969.

Кравченко В.Ф. Тайна Шмидхена раскрыта. Пограничник, 1965. № 13.

Кравченко В.Ф. Первые шаги ВЧК. Сов. государство и право. Март, 1967.

Кравченко В.Ф. Под именем Шмидхена. М., 1973.

«Красный архив». Комплект просмотрен.

Крыленко Н.В. За пять лет. Обвинительные речи. М., Петроград, 1923.

Лацис М.И. Два года борьбы на внутреннем фронте. М., 1920.

Ленин и Зиновьев. Против течения. 1914—1916 гг. Петроград, 1918.

Ленинградская правда. 1930, 1935, 1936.

Литвинов М.М. Транспортирование оружия в Россию. В сб. «Боевая группа», под ред. С.М. Познер. 1927.

Майский И.М. Воспоминания. Т. 1, 2. М., 1960.

Мальков П. Воспоминания коменданта Кремля. М., 1967.

Мельгунов С.П. Золотой ключ большевиков. Париж, 1940.

Мельгунов С.П. Красный террор. Берлин, 1924.

Миклашевский К. Гипертрофия искусств. Берлин, 1924.

Милорадович Г.А. Алфавитный список дворян Черниговской губернии. СПб., 1890.

Министерство иностранных дел. Ежегодник за 1912. СПб., 1912.

Мосолов А.А. При дворе последнего императора. Рига, 192(?)

Набоков К.Д. Испытания дипломата. Стокгольм, 1923.

Николаевский Б.И. Письма Луи Фишеру. Архив Луи Фишера. (Неопубликов.).

Николаевский Б.И. Письмо старого большевика и другие статьи. Н.-Й., 1965.

Никулин Л. Незабываемое, недосказанное. Москва, 1966. № 2.

Никулин Л. У Горького. Собрание сочинений. Т. 1. М., 1956.

Никулин Л. Люди и странствия. М., 1962.

«Новая жизнь» (газета Ленина). Октябрь—декабрь, 1905.

Парвус (Гельфанд) А.Л. Россия и революция. СПб., 1907.

Петерс Я. Воспоминания о работе в ВЧК. Былое, № 2 (нов. серия 1918—1926 гг.).

Петерс Я. На боевом посту... «Известия» от 19 декабря 1930 г. № 348.

«Петроградская Правда». 1918, 1920.

Пешкова Н.А. Письмо к Н.Н. Берберовой. (Архив Берберовой. Неопублик.)

Пименов Р.И. Как я искал шпиона Рейли. Архив «Самиздата». Т. 22.

Покровский А. К истории заговора Локкарта. Исторический архив. М., 1962. №4.

Последние новости. 1932 и 1935 гг.

Последние новости. 20 июля — 24 сентября 1939 г. (Смерть Раскольникова).

Правительствующий Сенат. История Сената за 200 лет. СПб., 1911.

Правительствующий Сенат. Личный состав кассационных департаментов. 1866—1891. СПб.

Правительствующий Сенат. Список сенаторов по старшинству чинов. 1916. СПб.

Раскольников Ф.Ф. На боевых путях. Л., 1964.

Родословные книги Балтийского дворянства и депутатских дворянских собраний. 6 томов (просмотрены).

Романов Г.К. В Мраморном дворце. Н.-Й., 1955.

Сергеев М.А. Об одном замысле Горького. Труды Гос. университета Тарту. Вып. 167. VIII. 1965.

Советская историческая энциклопедия. М., 1961−1976.

Советские писатели. Автобиографии. М., 1966. Т. 3: Лариса Рейснер.

Соломон Г.А. Среди красных вождей. Париж, 1930.

Софинов П.Г. Очерки по истории ВЧК. М., 1960.

Социалистический вестник. 1921−1965. Просмотрены 1924, 1936, 1937, 1941, 1945, 1953, 1958.

Список гражданским чинам первых четырех классов. СПб., без даты.

Судебный отчет по делу антисоветского правотроцкистского блока. М., 1938.

Тихонов А.Н. Время и люди. М., 1960.

Толстой Л.Н. Дневник. 2 янв. 1910 г. Собрание сочинений. Т. 58. М., 1928−1958.

Троцкий Л.Д. До 9 января, с предисловием А. Парвуса. Женева, 1905.

Троцкий Л.Д. Моя жизнь. Берлин, 1930.

Ходасевич Вал. Таким я знала Горького. Новый мир, 1968. № 3.

Ходасевич Вал. Письма к Н.Н. Берберовой / Под ред. Р. Сильвестера. Беркли, 1979.

Ходасевич В.Ф. О Горьком. Некрополь. Брюссель, 1939.

Ходасевич В.Ф. О Горьком. Современные записки. № 63, 70.

Ходасевич В.Ф. О Горьком. Возрождение. № 4054, 4109, 4122, 4126, 4130.

Чужак Н.Ф. О Деле Артамоновых. Жизнь искусства, 1926. № 34.

Шкапа И. Семь лет с Горьким. М., 1964.

Нина Берберова. *Железная женщина*

Шкловский В.Б. Удачи и поражения Максима Горького. Тифлис, 1926.

Шляпников А. Канун 17-го года. Ч. 1, 2. М., 1923.

Шмидхен (Буйкис) Я.Я. Чекисты о своем труде. Неделя, 1966. № 11, 13.

ИНОЯЗЫЧНЫЕ ТЕКСТЫ

Anonymous. Russian Diary of an Englishman (Petrograd, 1915–17). Quoted by M. Karpovich. Journal of Modern History. 1930. N 2.

Louis Aragon. La mise à mort. Paris, 1965.

Louis Aragon. Leltres Françaises. 11 octobre 1972.

Enid Bagnold. Autobiography. London, 1969.

Arthur Bank. A Military Atlas of the First World War.

Maurice Baring. The Mainsprings of Russia (Dedicated to H.G. Wells). London, 1914.

Maurice Baring. The Puppet Show of Memory. London, 1922.

Count Constantin A. Benckendorff. Half a Life. London, 1954.

Count Paul C. Benckendorff. Last Days of Tsarskoe Selo. Memoirs. March to August 1917. Transl. by M. Baring. London, 1927.

Eduard Beneš. Memoirs. London, 1954.

Vincent Brome. H.G. Wells. London, 1951. Westport, Connecticut, 1970.

R.P. Browder and A.F. Kerensky. The Russian Provisional Government. 1917. Documents selected & edited. 3 volumes. Stanford, 1961.

John Mason Brown. The World of Robert Sherwood. N. Y., 1962.

Sir George Buchanan. My Mission in Russia. 2 volumes. London, 1923.

Meriel Buchanan. Petrograd, the City of Trouble. London, 1932.

Michael Budberg. Russian Seesaw. London, 1934.

James Bunyan. Intervention, Civil War and Communism in Russia. Baltimore, 1936.

Robert Lorin Calder. Somerset Maugham and the Quest for Freedom. (Based on papers of William Wiseman). London, 1972.

Sir Winston Churchill. The World Crisis. Vol. 1, 2, 3. N. Y., 1927.

Barrett Clark. Intimate Portraits. N. Y., 1951.

Robert Conquest. The Great Terror. Stalin's Purges of the 30-s. N. Y., 1973.

Richard Costa. H.G. Wells. N. Y., 1967.

C.K. Cumming and Walter W. Pettit. Russian-American Relations. March 1917 — March 1920. Documents and papers. N. Y., 1920.

The Daily Worker. London, April — June, 1945.

David Dallin. Soviet Espionage. Yale U. Press, 1955.

Joseph E. Davies. Mission to Moscow. N. Y., 1941.

Richard Deacon. A History of British Secret Service. London, 1969.

Richard K. Debo. Lockhart plot or Dzerzhinsky plot? Journal of Modern History. Vol. 43. 1971.

Jane Degras, ed. Soviet Documents on Foreign Policy. 3 vol. London, 1951—1953.

Isaac Deutscher. The Life of Leon Trotsky. 3 vol. London, 1954—1963.

Lovat Dickson. H.G. Wells. His Turbulent Life and Times. N. Y., 1969.

F.J. Ditimar and J.J. Colledge. British Battleships. 1914—19. London, 1972.

Louis Fischer. Letters to N. Berberova (unpublished).

Louis Fischer. Letters to B.I. Nikolaevsky (unpublished).

Foreign Office. London. Public records. Archival Funds.

Foreign Office. London. Foreign Relations. Russia. 1918. Vol. 2.

E.M. Forster. "What I believe". In Three Cheers for Democracy.

W.B. Fowler. British-American Relations. Princeton, 1969.

La France libre. London, 1940—1947. Vol. 1—13.

David Francis. Russia from the American Embassy. April 1916 — Nov. 1918. N. Y., 1922.

Michael Futrell. Northern Underground. N. Y., 1963.

Leonard Gerson. The Secret Police in Lenin's Russia. Philadelphia, 1976.

Maxim Gorky. An Appeal to USA Citizens to Help Russian Scholars. Famine in Russia. Literary Digest. March 1922.

Maxim Gorky. The Judge, a play in 4 acts. Translated into English by B. Clark and Marie Zakrevsky. N. Y., 1924.

Maxim ʹGorky. Fragments from my Diary. Translated by M. Budberg. N. Y., 1924. Second edition: N. Y., 1972.

Maxim Gorky. The Story of a Novel and other stories. Translated by M. Zakrevsky. N. Y., 1925.

Maxim Gorky. A Book of Short Stories. Edited by A. Yarmolinsky and M. Budberg. Foreword by Aldous Huxley. N. Y., 1939.

Maxim Gorky. Unrequited Love and other stories. Translated by M. Budberg. Introduction by A. Pryce-Jones. London, 1949.

Maxim Gorky. A Life of a Useless Man. Translated by M. Budberg. N. Y., 1971.

Maxim Gorky. V.I. Lenin. Moscow: Gosizdat, 1931.

Maxim Gorky. Letters to Khodasevich. Harvard Slavic Studies. Vol. 1, 1953, pp. 284–354.

Fernand Grenard. La revolution russe. Paris, 1933.

William Hard. Raymond Robins' Own Story. N. Y. & London, 1920.

Averel Harriman. America and Russia in a Changing World. N. Y., 1971.

Rupert Hart-Davis, edit. The Autobiography of Arthur Ransome. London, 1976.

Rupert Hart-Davis. Hugh Walpole. N. Y., 1952.

Jean Heijenroot. With Trotsky in Exile. Harvard, 1978.

Alexander Hertzen. From the Other Shore. Translated by M. Budberg. Introduction by Isaiah Berlin. London, 1956. Second edition: no translator's name. Edited and introduced by Isaiah Berlin. London, 1963.

George A. Hill. Go Spy the Land. London, 1932.

George Katkov. German Foreign Office Documents. In: International Affairs. 1956, 32, 2.

George Katkov. The Trial of Bukharin. N. Y., 1969.

George Katkov. «The Assassination of Count Mirbach». Soviet Affairs: 1962. № 3.

George Kennan. Russia Leaves the War. Princeton, 1956.

George Kennan. The Decision to intervene. Princeton, 1958.

Odette Keun. H.G. Wells, the Player. Time and Tide, 1934, vol. 15.

Admiral Alfred Knox. With the Russian Army. Vol. 3. 1914—1917. London, 1921.

Michael Korda. Charmed Lives. A Family Romance, London. 1979.

Isaac Don Levine. I Rediscover Russia. N. Y., 1964.

Robert Bruce Lockhart. Memoirs of a British Agent. London, 1932 (1974).

Robert Bruce Lockhart. Retreat from Glory. London, 1934.

Robert Bruce Lockhart. Guns and Butter. Boston, 1938.

Robert Bruce Lockhart. Comes the Reckoning. London, 1947.

Robert Bruce Lockhart. My Europe. London, 1952.

Robert Bruce Lockhart. Your England. N. Y., 1955.

Robert Bruce Lockhart. Friends, Foes, and Foreigners. London, 1957.

Robert Bruce Lockhart. Giants Cast Long Shadows. London, 1960.

Robert Bruce Lockhart. Two Revolutions. London, 1967.

Robert Bruce Lockhart. The Diaries of Sir Robert Bruce Lockhart. Vol. 1. 1915—1938. Ed. by Kenneth Young. London, 1973.

Robin Bruce Lockhart. Ace of Spies. (The Life of Sidney Reilly). N. Y., 1968.

Roza Luksemburg. Listy do Leona Jogichesa-Tyszki. Warsaw, 1968. Vol. 1, 2.

Monro MacClosky. "Torch" and the 12th Air Force. N. Y., 1971.

Norman and Jeanne Mackenzie. H.G. Wells. The Time Traveller. The Life of H.G. Wells. London, 1973.

Robin Maugham. Somerset and All the Maughams. N. Y., 1966.

Somerset Maugham. Summing Up. N. Y., 1938.

D.P. Mirsky. Mr. Wells Shows His Class. Labour Monthly, 1932, v. 4, № 6.

Ted Morgan. Maugham. A Biography. N. Y., 1980.

A.A. Mosolov. At the Court of the Last Tsar. London, 1935.

New Leader. Articles of B.I. Nikolaevsky. N. Y., 1941—1958.

Harold Nicolson. Diaries. Vol. 1, 2, 3. N. Y., 1966—1968.

Boris Nikolaevsky. Power and the Soviet Elite. N. Y., 1965.

Boris Nikolaevsky (Essays in memory of), edited by A. and J. Rabinovich. Bloomington, 1973.

Boris Nikolaevsky. Obituary. New York Times. 1966. Febr. 23, 39:2.

Joseph Noulens. Mon ambassade en Russie Soviétique. 1917—1919. Paris. 1933.

George Orwell. Wells, Hitler and the Slate. The Collected Essays. N. Y., 1968.

Herman Ould, ed. The Book of P.E.N. London, 1950.

Alexander Parvus (Helphand). Im Kempf um die Wahrheit. Berlin, 1918.

Alexander Parvus. Der wirtschaftltche Rettungsweg. Berlin, 1922.

Alexander Parvus. Le socialisme ouvrier er la revolution mondiale. Ofton, 1919.

Pierre Pascal. Mon journal de Russie. Lausanne, 1975.

Arthur Ransome. Six Weeks in Russia. London & New York, 1919.

Gordon N. Ray. H.G. Wells and Rebecca West. New Haven, 1974.

Sidney Reilly. The Adventures of Sidney Redly, Britain's Master Spy, written by himself, completed by his wife. N. Y., 1933.

Report on the Court Proceedings in the case of the Ami-Soviet "loc of Rights and Trotskyites" heard before the Military Collegium of the Supreme Court of the USSR, Moscow, March 2—13. 1938 (Bukharin, Rykov, Yagoda, Kriuchkov, et al.). Moscow, The People's Commissariat of Justice of the USSR. 1938.

Louis de Robien. Journal d'un diplomate en Russie. 1917—18. Paris, 1957.

Donald Rumbeiow. The Hundsditch Murderers. London. 1973.

Jacques Sadoul. Notes sur la Révolution Bolchévique. Paris, 1971.

Arthur Slater. H.G. Wells. Personality and Politiques. London, 1947.

Michael Sayers and Albert Kahn, editors. The Great Conspiracy. The Secret War Against Soviet Russia. Boston, 1946.

Winfried Scharlau. Parvus. Einepolitische Biographic. Köln, 1964.

Winfried Scharlau. Parvus und Trotsky. Jahrbücher für Geschichie Osteuropas. Band 10, 1962.

H. Schurer. A. Parvus. Russian Review. 1959, p. 313.

Victor Serge. Year One of the Russian Revolution. Chicago, 1972.

Victor Serge and Natalia Sedova. The Life and Death of Leon Trotsky. N. Y., 1975.

Leonard Shapiro. The Communist Parly of the Soviet Union. London, 1960.

Alexandre Skirda. Les anarchistes dans la revolution russe. Paris, 1973.

P. Tabon. Alexander Korda. A Biography. London, 1959.

The Times (of London). Editorial of March 14, 1966. (An answer to an article in "Izvestia" on "Lockhart's Plot".)

Leon Trotsky. My Life. N. Y., 1931.

Leon Trotsky. On Wells. Labour Monthly. London. 1924, vol. 6.

Kathleen Tynan. The Astonishing History of Moura Budberg. A Flame for Famous Men. An Interview. Vogue Magazine, October 1, 1970.

A. Tyrkova-Williams. The Cheerful Giver (Harold Williams). London, 1935.

Richard Ullman. Anglo-Soviet Relations (British Foreign Service). Vol. 1, 2. Princeton, 1961 & 1966.

Antonina Vallentin. H.G. Wells. Prophet of Our Day. Translated from the French by Daphne Woodward. N. Y., 1950.

Hugh Waipole. The Dark Forest. N. Y., 1916.

Hugh Waipole. The Secret City. N. Y., 1919.

Beatrice Webb. Diaries. London, 1956.

G.P. Wells. Introduction to H.G. Wells' "The Mind at the End of its Tether". Edgware (Middi.), 1968.

H.G. Wells. Russia in the Shadows. London, 1921.

H.G. Wells. The Secret Places of the Heart. London, 1922.

H.G. Wells. The Shape of Things to Come. N. Y., 1933.

H.G. Wells. The Open Conspiracy. Garden City, 1928.

H.G. Wells. Experiment in Autobiography. London, 1934.

H.G. Wells. Talks with Stalin by Bernard Shaw, H.G. Wells. Ernst Toller and others. New Statesman and Nation. October 27, 1934.

H.G. Wells. A Propos of Dolores. N. Y., 1938.

H.G. Wells. World Brain. London, 1938.

H.G. Wells. Letter to the Daily Worker. May 24, 1945.

H.G. Wells. Letter to James Joyce. Atlantic Monthly, 199. 1957, April.

H.G. Wells. Five letters to M. Gorky. Adam. 1965, 300.

H.G. Wells. Journalism and Prophecies, edited by W. Wagar. Boston, 1964.

H.G. Wells. The Last Books of H.G. Weils, and other writings 1939—45. London, 1968.

Anthony West. The Dark World of H.G. Wells. Harpers Monthly Magazine № 214, May, 1957.

Z. Zemann and W. Scharlau. The Merchant of Revolution. (Parvus). London. 1965.

Именной указатель

Литературно-художественное издание

Берберова Нина Николаевна

ЖЕЛЕЗНАЯ ЖЕНЩИНА

Рассказ о жизни
М.И. Закревской-Бенкендорф-Будберг,
о ней самой и ее друзьях

Заведующая редакцией *Е.Д. Шубина*
Редактор *Д.З. Хасанова*
Технический редактор *Т.П. Тимошина*
Корректоры *О.Л. Вьюнник, М.В. Карпышева*
Компьютерная верстка *Ю.Б. Анищенко*

ООО «Издательство Астрель»
129085, г. Москва, проезд Ольминского, д. 3а

ООО «Издательство АСТ»
141100, Московская обл., г. Щелково, ул. Заречная, д. 96

Электронный адрес:
www.ast.ru
E-mail: astpub@aha.ru

Отпечатано с готовых файлов заказчика в ОАО «ИПК
«Ульяновский Дом печати». 432980, г. Ульяновск, ул. Гончарова, 14